ZWEI FÄLLE FÜR INSPEKTOR JURY

1. FALL:

Die Frau in Schwarz-
weiss erschrak und trat
einen Schritt zurück
nach unten. Sie schlu-
gen so lange auf die
Frau ein, bis sie wie eine
Puppe zu Boden fiel. Es
war die Nacht vor dem
Dreikönigsfest.

2. Fall:

Zum Teufel, Mama! Gleich werde ich vergewaltigt.

Und als sie dieses komische Kitzeln um die Brust herum spürte, kicherte sie beinahe und dachte: *Der komische Kerl hat eine Feder ...*

Der komische Kerl hatte eine Rasierklinge.

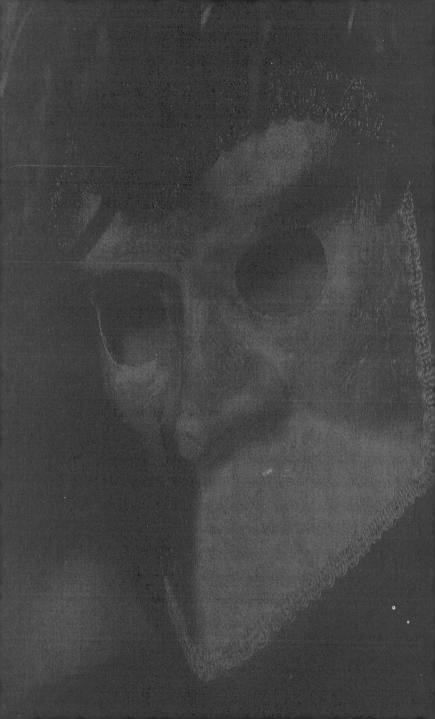

MARTHA GRIMES

zwei Romane

INSPEKTOR JURY SPIELT DOMINO

INSPEKTOR JURY KÜSST DIE MUSE

DEUTSCH VON UTA GORIDIS

WUNDERLICH
TASCHENBUCH

INSPEKTOR JURY SPIELT DOMINO
Die Originalausgabe erschien 1982 unter dem Titel «The Old Fox Deceiv'd»
bei Little, Brown & Company, Boston/Toronto

INSPEKTOR JURY KÜSST DIE MUSE
Die Originalausgabe erschien 1984 unter dem Titel «The Dirty Duck»
bei Little, Brown & Company, Boston/Toronto

Veröffentlicht im Rowohlt Taschenbuch Verlag GmbH,
Reinbek bei Hamburg, April 2000
INSPEKTOR JURY SPIELT DOMINO
Copyright © 1987 by Rowohlt Taschenbuch Verlag GmbH,
Reinbek bei Hamburg
«The Old Fox Deceiv'd» Copyright © 1982
by Martha Grimes
INSPEKTOR JURY KÜSST DIE MUSE
Copyright © 1988 by Rowohlt Taschenbuch Verlag GmbH,
Reinbek bei Hamburg
«The Dirty Duck» Copyright © 1984 by Martha Grimes
Alle deutschen Rechte vorbehalten
Umschlaggestaltung Barbara Hanke
(Umschlag- und Innenfoto LES Studio/First Light/Premium)
Gesamtherstellung Clausen & Bosse, Leck
Printed in Germany
ISBN 3 499 26237 1

INSPEKTOR JURY
SPIELT DOMINO

FÜR MEINEN BRUDER BILL

Inhalt

ERSTER TEIL

NACHT AN DER ENGELSSTIEGE

I

Die eine Gesichtshälfte schwarz, die andere weiß geschminkt, tauchte sie aus dem Nebel auf und ging die Grape Lane hinunter. Es war Anfang Januar, der Seenebel drang von Osten her ein und verwandelte die mit Kopfsteinen gepflasterte Straße in einen wabernden Tunnel, der sich bis zum Wasser hinunterschlängelte. Die Bucht war den Sturmböen voll ausgesetzt, und mit ihrer sichelförmigen Krümmung wurde die Grape Lane zu einem Windfang für die hereinwehenden Böen. In der Ferne stieß das Nebelhorn, Whitby Bull genannt, vier langgezogene Klagelaute aus.

Der Wind blähte ihren schwarzen Umhang auf, um ihn dann um ihre Knöchel zu wirbeln. Sie trug ein weißes Satinhemd und weiße Satinhosen, die in schwarzen, hochhackigen Stiefeln steckten. Außer dem Klicken ihrer Absätze war nur das heisere Gah-Gah der Möwen zu hören. Eine tippelte über ihr auf dem Sims einer Hauswand und pickte gegen die Fensterscheiben. Schutzsuchend drängte sie sich an die Mauern der niedrigen Häuser. Sie blickte die Gäßchen hoch, die alle oben zu enden schienen, in Wirklichkeit aber über verwinkelte Treppchen zu andern Durchgängen führten. Die Hauseingänge mit den schwarzen eisernen Fußabstreifern lagen direkt an der engen Straße. Als jemand auf der andern Straßenseite an ihr vorüberging, blieb sie einen Augenblick lang in dem trüben Licht der Laterne stehen. In diesem Nebel war es jedoch unmöglich, jemanden zu erkennen. Am Ende des Sträßchens sah sie den Gasthof an der Mole, dessen Fenster wie Opale in der diesigen Dunkelheit schimmerten.

Bei dem schmiedeeisernen Gittertor der Engelsstiege blieb sie stehen. Die breiten Stufen zu ihrer Linken verbanden die Grape Lane und die darüberliegende Scroop Street mit der Marienkapelle, die am höchsten Punkt des Dorfes lag. Sie schob den Eisenriegel zurück und stieg die Treppe hoch; es war ein gutes Stück bis zur Plattform, auf der eine Bank zum Ausruhen einlud. Jemand saß darauf.

Die Frau in Schwarzweiß erschrak und tat einen Schritt zurück nach unten. Sie wollte gerade etwas sagen, als die Gestalt sich erhob und zwei Arme, wie von unsichtbaren Schnüren gezogen, hervorschnellten – vor, auf und ab. Sie schlugen so lange auf die Frau ein, bis sie wie eine Puppe zu Boden fiel, und wenn diese andere Gestalt sie nicht an ihrem Umhang festgehalten hätte, wäre sie die Treppe hinuntergerollt. Arme und Beine von sich gestreckt, blieb sie auf der Treppe liegen; ihr Kopf hing nach unten. Die Gestalt drehte sich um, stieg beinahe achtlos über sie hinweg und ging, um nicht in die Blutlache zu treten, dicht an der Mauer die Engelsstiege hinunter, zurück zur Grape Lane.

Es war die Nacht vor dem Dreikönigsfest.

2

«Es gab schon *immer* welche, die ungestraft morden konnten!» Adrian Rees knallte sein Glas auf den Tresen. Er hatte gerade ein Loblied auf die russische Literatur und Raskolnikow gesungen.

Im «Alten Fuchs» schien das jedoch niemanden besonders zu interessieren.

Adrian tippte gegen das leere Glas. «Noch eines, Kitty, mein Schatz.»

«Nichts ‹Kitty mein Schatz›, bevor ich kein Geld sehe, kriegst du nichts.» Kitty Meechem fuhr mit dem Lappen über den Tresen, um das Bier aufzuwischen, das wie Gischt aus dem Glas seines Nachbarn gespritzt war, als er seines so schwungvoll aufsetzte. «Mal wieder sternhagelvoll.»

«Sternhagelvoll, was...? Ah, Kitty, mein Herzblatt...», sagte er einschmeichelnd, während seine Hand nach ihren hellbraunen Locken griff; sie versetzte ihr sofort einen Klaps. «Nicht einmal einem Landsmann willst du einen spendieren?»

«Bah! Du und Landsmann, du bist so irisch wie der Rote.»

Der Rote war ein Kater, der zusammengerollt auf einem alten Teppich vor dem glühenden Ofen lag. Er lag immer dort, unbeweglich wie eine Porzellanfigur. Adrian fragte sich, wann er sich wohl all die Wunden und Schrammen zuzog, die er aufwies.

«Faul genug ist er für einen Iren», sagte Adrian.

«Hört euch das an – du bist mir der Richtige, den ganzen Tag schmierst du nur herum und malst splitternackte Weiber.»

Diese Bemerkung rief am Tresen ein paar Lacher hervor. «An dieser Katze könnt sich manch einer ein Beispiel nehmen.»

Adrian lehnte sich über den Tresen und flüsterte für alle hörbar: «Kitty, ich werd in ganz Rackmoor rumerzählen, daß du für mich nackt Modell gestanden hast!»

Kichern von links und Gekrächze von rechts, wo Billy Sims und Corky Fishpool saßen. Ohne mit der Wimper zu zucken, wischte Kitty ihren Tresen. «Laß mich mit deinen dreckigen Bildern und deiner dreckigen Schnauze zufrieden. Mich interessiert nur –» sie strich den Schaum von ein paar frisch gezapften dunklen Bieren – «dein dreckiges Geld. Oder ist da heute abend nichts zu erwarten?»

Adrian blickte erwartungsvoll von Billy zu Corky, die sogleich mit ihren Nachbarn ein Gespräch anfingen. Keiner, der ihm einen ausgab. Auch für seine Bilder gaben sie nichts aus – kein Wunder, daß er pleite war.

«Ihr solltet euch mehr um euer Seelenheil als um eure Geldbeutel kümmern!»

Corky Fishpool sah ihn an und stocherte in seinen Zähnen herum. Adrian kam wieder auf Raskolnikow zu sprechen: «Immer wieder ging er zu der verschlagenen Alten zurück, um die paar Habseligkeiten, die er noch besaß, zu verpfänden... geizig war sie wie sonstwas.» Bei diesen Worten sandte er Kitty Meechem einen Blick zu, doch die ignorierte ihn. «Eines Tages schlich er sich die Treppe hoch…» Adrians Finger krochen auf Billy Sims' Glas zu, das schnell zurückgezogen wurde. «Und als er im Zimmer stand und ihren Rücken vor sich sah – Wumm! Da gab er's ihr!» Er bemerkte, daß sich hinter ihm noch ein paar Zuhörer versammelt hatten. Aber keiner wollte was spendieren. Nicht einmal Homer hätte diesem Haufen einen Drink entlockt.

«So 'n Blödsinn, für 'n paar Kröten jemand abzumurksen.» Dies kam von Ben Fishpool, Corkys Vetter, einem humorlosen, schwerfälligen Kerl, einem bulligen Fischer mit einem Gesicht wie aus dem Fels der Klippen gehauen und einem tätowierten Drachen auf dem Unterarm. Er hatte seinen eigenen Bierkrug, der an einem Haken über der Bar hing. Wenn er daraus trank, schob er den Finger durch den Henkel und legte den Daumen auf den Rand, als wolle er sichergehen, daß er ihm auch nicht entrissen würde.

«Weil er das Wesen der Schuld erfahren wollte, aber das ist wohl zu hoch für euch Bierköppe.» Adrian fischte in einer Schüssel nach einem Solei, aber Kitty schlug ihm die Hand weg.

«Ist doch der Gipfel an Blödheit», murmelte Ben, den diese Erklärung nicht befriedigte.

«Schuld, Erlösung, Sünde! Das sind die wichtigsten Themen.» Adrian hatte sich umgedreht und sprach in den Raum. Der beißende Rauch der verschiedenen Tabaksorten mischte sich in der Luft; Rauchschwaden hingen über den Tischen, als wäre der Seenebel durch Wände, Türen und Fenster eingedrungen. Nach Adrians Meinung gab es überhaupt keinen besseren Ort, um über Schuld und Sünde zu sprechen; die Gesichter derjenigen, die bis zum Schluß herumlungerten, zeigten eine wilde Entschlossenheit, das Leben als Schicksalsprüfung zu betrachten. Jedes Auflachen wurde sofort unterdrückt, als hätte der Schuldige sich auf einem Friedhof beim Kichern ertappt.

«Raskolnikow wollte beweisen, daß es Menschen gibt, die andere umlegen können, ohne dafür zu büßen.» Niemand schien ihm zuzuhören.

«Und laß dir ja nicht einfallen, Bertie um Geld anzuhauen», sagte Kitty, als hätte sie nichts von Sünde, Schuld oder Raskolnikow gehört. «Das hast du erst letzte Woche gemacht, ich hab's gesehen. Eine Schande!» Sie schlug mit der Serviette in seine Richtung. «Ein erwachsener Mann, der sich von einem kleinen Knirps sein Bier bezahlen läßt, einem armen, mutterlosen Jungen.»

Adrian höhnte. «Bertie? Arm und mutterlos? Heiliger Strohsack, er nimmt mehr Zinsen als die Bank. Ich glaube, Arnold macht für ihn die Buchführung.» Hinter seinen dicken Brillengläsern hatte der Kleine die reinsten Röntgenaugen. Er hätte Raskolnikow innerhalb von zwei Minuten ein Geständnis abgerungen.

«Und nichts gegen Arnold. Ich hab gesehen, wie er auf einem Pfad die Klippen runterging, der war gerade breit genug für eine Schlange. Und du schaffst es nicht einmal ohne zu torkeln die High Street hoch.»

«Ha, ha, ha», sagte Adrian nur, wie gewöhnlich nicht in der Lage, Kitty Kontra zu geben oder sich eine witzige Antwort auszudenken. Sein Blick fiel auf Percy Blythes Drink. Percy Blythe kniff die scharfen, kleinen Augen zusammen und breitete schnell beide Hände über das Glas. Adrian setzte seinen Vortrag fort.

«Spießbürger! Ihr wißt ja überhaupt nicht, was das ist, Sünde und Schuld!»

«Wunderbar – gib mir noch fünfzig Pence, und du kriegst ein Bier», sagte Kitty. «BITTE, MEINE HERRSCHAFTEN: FEIERABEND!»

Die Tür fiel hinter ihm ins Schloß; Adrian knöpfte das Ölzeug über seinem blauen Wollpullover zu und zog sich die Mütze über die Ohren. Rackmoor im Januar war die Hölle.

Der «Alte Fuchs» war so nahe ans Wasser gebaut, daß die Wellen schon seine Mauern umspült hatten. Und einmal hatte die Sturmflut sogar den Bug eines Schiffes gegen sie prallen lassen. Schließlich wurde dann eine Flutmauer gebaut. Die Vorderfront des Pubs ging auf eine kleine Bucht, in der kleine Boote auf dem Wasser schaukelten. Von Norden her, aus der Richtung von Whitby, drang das Geheul des Whitby Bull an sein Ohr.

Vier enge Straßen kamen hier zusammen: Lead Street, High Street, Grape Lane und Winkle Alley. Nur die High Street war breit genug für ein Auto, falls ein unerschrockener Fahrer sich von dem halsbrecherischen Gefälle nicht abschrecken ließ. Adrian wohnte beinahe am andern Ende der High Street, dort, wo die Straße einen Knick machte, bevor sie sich, allen Gesetzen der Schwerkraft zum Trotz, weiter in die Höhe schraubte. Er beschloß jedoch, die Grape Lane hinaufzugehen; sie war nicht ganz so steil, und das Kopfsteinpflaster war nicht ganz so kaputt. Aus dem «Fuchs» drangen immer noch die Stimmen der Stammgäste, die die letzte Viertelstunde auskosteten. Spießer!

Er hörte sie, bevor er sie sah.

Er ging gerade an der Engelsstiege vorbei, als er das Stakkato ihrer Absätze vernahm. Sie tauchte auf der andern Seite der Grape Lane aus dem Nebel auf und ging in die Richtung der Engelsstiege und der Flutmauer. Der Wind wickelte ihren schwarzen Umhang um ihre weißen Hosen. Adrian hätte nicht gedacht, daß ihn in Rackmoor noch etwas aus der Fassung bringen könnte; bei ihrem Anblick drängte er sich jedoch etwas dichter an den kalten Stein einer Hauswand. Eine Sekunde lang blieb sie unter dem Bogen einer der wenigen Straßenlaternen stehen, und er prägte sich dieses Bild in allen Einzelheiten ein.

Um sich an etwas erinnern zu können – an das bunte Muster des Herbstlaubs, das Schimmern des Mondlichts oder den Faltenwurf eine Stückes Samt, der über einen Arm drapiert war –, brauchte Adrian nie ein zweites Mal hinzuschauen. Er brauchte sozusagen nur auf den Auslöser zu drücken, und das Bild war für immer abrufbereit in seinem Gedächtnis gespeichert. Er würde einen fabelhaften Zeugen abgeben, Adrian hatte das schon immer gedacht.

Die Sekunde im Schein der Straßenlaterne hatte ihm genügt, um alles in seiner Erinnerung festzuhalten: den schwarzen Umhang, das weiße Satinhemd, die weißen Satinhosen, die schwarzen Stiefel und die schwarze Kappe, die sie auf dem Kopf trug. Am auffallendsten war jedoch das Gesicht gewesen. Als hätte man mit dem Lineal eine Linie an ihrem Nasenrücken entlanggezogen, die linke Seite war weiß, die rechte schwarz geschminkt. Eine schmale schwarze Maske vervollständigte das seltsame, schachbrettartige Aussehen.

Rasch ging sie weiter auf die Engelsstiege und das Meer zu,

und das Klappern ihrer Absätze verhallte im Nebel. Er stand da und starrte einen Augenblick lang ins Leere.

Dann fiel ihm wieder ein, daß es die Nacht vor dem Dreikönigsfest war.

3

«Soll ich Mutter spielen?»

Bertie Makepiece hielt eine Teekanne aus Steinzeug hoch. Eigentlich war es schon zu spät, um noch aufzusein und Tee zu kochen; morgen war aber schulfrei, und Bertie dachte, er könne sich das einmal erlauben. Seit dem Abendessen hatte er Lust auf etwas Eßbares. Er trug eine Schürze, die viel zu groß für ihn war und die er sich deshalb in Achselhöhe umgebunden hatte. Und so stand er da, geduldig die Teekanne über die Tasse haltend und auf Arnolds Antwort wartend.

Aber sein Gegenüber auf dem anderen Stuhl antwortete nicht. Blickte man in Arnolds ernste Augen, hatte man jedoch den Eindruck, er würde ihm die Antwort nicht schuldig bleiben, weil er ein Hund war, sondern weil er – nein, er wollte wirklich nicht Mutter spielen.

Arnold war ein Staffordshire-Terrier von der Farbe eines Yorkshire-Puddings oder eines sehr feinen trockenen Sherrys. Seine dunklen Augen, die einen auf irritierende Weise fixieren konnten, ließen eher einen Hundeimitator als einen wirklichen Hund vermuten. Arnold war ein sehr ruhiger Hund; man hörte ihn nur ganz selten bellen – als hätte er erkannt, daß Bellen allein nicht genügte, um durchs Leben zu kommen. Die andern Hunde folgten ihm in respektvollem Abstand: Arnold war ein Überhund. Wenn er auf den Bürgersteigen und in den Gassen herumschnupperte, hatte man immer das Gefühl, er sei etwas Bedeutsamem auf der Spur.

«Hast du was gehört, Arnold?»

Arnold hatte die Schüssel Milch mit dem Schuß Tee beinahe ausgetrunken und setzte sich auf, die Ohren gespitzt.

Bertie rutschte von seinem Stuhl und trottete zum Fenster. Ihr

Häuschen in der Scroop Street war zwischen zwei andern Häusern eingekeilt: Das eine gehörte irgendwelchen Leuten, die nur im Sommer kamen, und in dem andern wohnte die alte Mrs. Fishpool, die Arnold ihre Abfälle hinstellte; er schleppte sie zu den Mülleimern am Ende der Straße und begrub sie dort.

Das Häuschen der Makepieces war ganz in der Nähe der Engelsstiege. Die Dorfbewohner, die noch im Vollbesitz ihrer Kräfte waren, kletterten sie jeden Sonntag zur Marienkapelle hoch. Bertie schaute hinaus und auf das Dorf hinunter; außer den gespenstischen Umrissen der spitzen Dächer und Schornsteinkappen konnte er in dem Nebel jedoch nichts erkennen.

An dem Fenster über ihm, seinem Schlafzimmerfenster, hörte er plötzlich ein Klopfen. Bertie fuhr zusammen. Eine Silbermöwe oder ein Eissturmvogel: *Ag – ag – aror*; sie schien zu kichern, als hätte sie einen Witz über das Dorf gehört. Immer klopften sie an sein Fenster, manchmal weckten sie ihn sogar morgens auf, wie Besucher, die Einlaß begehrten. Möwen und Seeschwalben, verdammtes Gesindel – sie taten so, als gehörte ihnen das Haus.

Arnold stand hinter ihm und wartete darauf, daß er ihm die Tür öffnete. «Zisch schon los, Arnold.» Bertie öffnete die Tür, und Arnold schlüpfte wie ein Schatten an ihm vorbei. Bertie rief ihm nach: «Aber nicht so lange!»

Der Hund blieb stehen und schaute sich nach Bertie um, wahrscheinlich verstand er, was er sagte. Bertie starrte noch ein Weilchen in den vorbeidriftenden Nebel. Er hatte wie ein Schrei geklungen, dieser Laut, den er gehört hatte. Aber die Vögel schrien immer.

Und in Rackmoor klang ein Schrei wie der andere.

4

Sie wurde von dem Nachtwächter gefunden.

Billy Sims hatte mit Corky Fishpool noch lange nachdem der «Fuchs» dichtgemacht hatte, weitergefeiert; zuerst hatten sie einen ihrer Kumpel in der Lead Street aufgesucht und dann einen, der in der Winkle Alley wohnte. Schließlich war diese Nacht ja zum Feiern da.

Nun war er jedoch fest entschlossen, den Heimweg anzutreten, seinen Dreispitz auf dem Kopf und die lohfarbene Uniformjacke falsch herum übergezogen. Obwohl er wußte, daß sie nicht beleuchtet und in der winterlichen Dunkelheit auch nicht ganz ungefährlich war, wollte er doch die Engelsstiege hochgehen zu seinem kleinen Haus in der Psalter Lane gleich neben der Marienkapelle. Das Horn unter den Arm geklemmt, stolperte er im Zickzack die Stufen hoch.

Sein Fuß stieß gegen etwas. Etwas Weiches, das aber nicht nachgab, kein Stein. Er hatte keine Taschenlampe bei sich, kramte aber ein paar Streichhölzer hervor und zündete sich eines an.

Das Streichholz flackerte auf; er sah das blutüberströmte, nach unten hängende Gesicht und die seltsam abgespreizten Extremitäten, die der schwarzweißen Gestalt das Aussehen einer großen Puppe verliehen.

Billy Sims wäre beinahe selbst kopfüber die Treppe hinuntergepurzelt. Als ihm einfiel, daß es der Abend vor dem Dreikönigsfest war und daß diese Frau wahrscheinlich von einem Kostümfest gekommen war, wurde der Alptraum Realität.

5

Inspektor Ian Harkins von der Kriminalpolizei Pitlocharys war außer sich. Es war der erste wirklich interessante Fall, der ihm hier beschert worden war, und der Polizeidirektor wollte ihn an jemanden aus London verschleudern. *Nur über meine Leiche*, dachte Harkins und grinste über seinen Galgenhumor. Harkins hatte auch das entsprechende Aussehen – klapperdürr mit tiefliegenden Augen.

Er hielt den Hörer so fest umklammert, daß seine Knöchel weiß hervortraten. «Ich sehe keine Veranlassung, London hinzuzurufen. Ich war noch nicht einmal am Tatort, und Sie sprechen schon von Scotland Yard. Seien Sie so nett und geben Sie mir eine Chance.» Es lag eine gewisse Schärfe in diesem *Seien Sie so nett.*

Zögernd bewilligte ihm Polizeidirektor Bates vierundzwanzig Stunden. Es sah ganz so aus, als würde ihnen dieser Fall noch Probleme bescheren; Leeds würde sich bestimmt nicht freuen.

Harkins beendete seine Toilette. Ian Harkins verstand darunter nicht ungebügelte Anzüge und bunt zusammengewürfelte Socken. Einen Drehspiegel hielt er für unerläßlich. Und er hatte nicht nur einen Schneider in der Jermyn Street, sondern auch eine reiche Tante in Belgravia, die ihn maßlos verwöhnte, obwohl sie seine Vorliebe für den kalten Norden nicht begriff und über seine Arbeit sprach, als wäre sie eine Art Hobby, auf das er sich plötzlich versteift hatte.

Es war jedoch kein Hobby; Harkins war ein hervorragender Polizist. Und er besaß einen glasklaren, durchdringenden Verstand, dem Gefühle nichts anhaben konnten.

Harkins knotete den Gürtel seines für die harten Winter von Yorkshire eigens gefütterten Kamelhaarmantels zu und zog sich ein Paar Handschuhe über, deren Leder so weich war, daß es auf den Händen zu zergehen schien. Auch wenn er ein ausgezeichneter Kriminalbeamter war, so brauchte man ihm das, verdammt noch mal, nicht schon von weitem anzusehen.

Aber ein Mann von der Kripo sollte seine Zeit nicht über seiner Garderobe vertrödeln. Um die verlorene Zeit wieder wettzumachen, sprang er in seinen Lotus Elan, jagte den Motor auf hundertfünfzig hoch und hoffte beinahe, irgendeine idiotische Streife würde versuchen, ihn auf der fünfundzwanzig Kilometer langen und total vereisten Strecke zwischen Rackmoor und der Küste anzuhalten.

«Die hat ihr Fett abgekriegt, was?»

Sergeant Derek Smithies verzog das Gesicht. So redete man vielleicht beim Fußball, aber nicht bei einem blutigen Mord.

Ian Harkins erhob sich von der Stelle, an der er gekniet hatte, und rückte die Schultern seines Mantels zurecht. Sein ausgemergeltes Gesicht ließ ihn zehn Jahre älter erscheinen, als er tatsächlich war. Um den skelettartigen Eindruck etwas zu mildern – die Backenknochen ragten hervor wie Balkone –, trug er einen langen, vollen Schnurrbart. Er hatte seine schönen butterweichen Handschuhe ausgezogen, um die Leiche zu inspizieren; wie ein Chirurg streifte er sie nun wieder über.

Von dem Polizeirevier in Pitlochary, einer Stadt, die fünfmal so groß war wie Rackmoor, aber trotzdem nur eine kleine Polizeieinheit besaß, hatte Inspektor Harkins ein halbes Dutzend Männer angefordert, unter ihnen den Arzt des Orts und den Wachtmeister, der hinter ihm stand und sich Notizen machte. Der Tatort-Sachverständige war bereits wieder gegangen. Der Spezialist für Fingerabdrücke, ein Mann, der angeblich selbst von den Flügeln einer Fliege Abdrücke nehmen konnte, wurde noch erwartet. Der Pathologe stand auf, grunzte und wischte sich die Hände ab.

«Und?» fragte Harkins und schob sich eine dünne, handgerollte kubanische Zigarre in den Mund.

Der Arzt zuckte mit den Schultern. «Ich weiß nicht. Es sieht aus, als hätte jemand mit einer Mistgabel auf sie eingestochen.»

Harkins blickte ihn an. «Eine ziemlich unhandliche Waffe. Raten Sie noch mal.»

Genauso bissig erwiderte der Arzt: «Vampire.»

«Sehr komisch.»

«Ein Eispickel, eine Ahle, weiß der Himmel; sie sieht aus wie ein Sieb. Der Eispickel scheidet aus – was immer es war, es muß mehr als einen Zinken gehabt haben. Wenn ich die Leiche genau untersucht habe, kann ich Ihnen mehr sagen.»

Harkins ließ sich wieder auf dem Boden nieder. «Das Gesicht... Können Sie mal Ihre Taschenlampe draufhalten!» rief er einem der Männer zu, die die Treppe absuchten. Wie riesige Glühwürmchen bewegten sich drei oder vier Taschenlampen die Stufen rauf und runter. Eine davon wurde zu ihnen herübergeschwenkt und beleuchtete das Gesicht der Frau. «Unter dem Blut scheint Make-up zu sein, sieht aus wie Theaterschminke. Die eine Hälfte ist schwarz, die andere weiß. Merkwürdig.» Harkins stand auf und klopfte mit seinen Handschuhen den Staub von seinen Hosen. «Zeit?» zischte er.

Umständlich zog der Arzt seine dicke Taschenuhr hervor und sagte: «Genau ein Uhr neunundfünfzig.»

Harkins warf seine Zigarre auf den Boden und zertrat sie mit dem Absatz. «Verdammt, Sie wissen genau, was ich meine.»

Der Arzt ließ seine Tasche zuschnappen. «Ich bin Ihnen nicht unterstellt, vergessen Sie das bitte nicht. Ich würde sagen, sie ist seit zwei, vielleicht auch schon seit drei Stunden tot. Ich bin nichts weiter als ein Landarzt, und Sie haben *mich* hierhergebeten. Also seien Sie höflich.»

Als wäre Höflichkeit nur eine Vokabel im Wörterbuch von Landärzten, wandte sich Harkins an Wachtmeister Smithies: «Lassen Sie die Treppe oben und unten absperren und ein paar Verbotsschilder dranhängen. Und jagen Sie die Leute da weg.» Seit Harkins und dann die andern Polizeiautos aufgetaucht waren, erschienen unten auf der Grape Lane ständig neue, gespenstisch wirkende Gesichter. Mehr und mehr Dorfbewohner taumelten aus ihren Betten, um nachzuschauen, was der Krach zu bedeuten hatte. Harkins schaffte es, seiner nächsten Frage, einer ganz simplen und naheliegenden Frage, einen absolut ätzenden Ton zu verleihen. «Temple war der Name, nicht wahr?»

Smithies versuchte, sich so klein wie möglich zu machen, was für einen Mann von seiner Größe nicht gerade einfach war. «Jawohl, Sir. Sie soll im ‹Fuchs› abgestiegen sein, dem Gasthof an der Mole.»

«Fremd hier?»

«Ich nehme an.»

«Sie nehmen an. Und wie erklären Sie sich diese seltsame Aufmachung? Tauchen in Rackmoor häufig solche Gestalten auf?» Als trüge Smithies persönlich die Verantwortung für das Auftauchen dieser Frau in Schwarz und Weiß.

«Es ist ein Kostüm, Sir…»

«Was Sie nicht sagen.» Harkins zündete sich eine neue Zigarre an.

«…der Abend vor dem Dreikönigsfest. Im Old House fand ein Kostümball statt. Sie muß auf dem Weg dahin gewesen oder von dort gekommen sein.»

«Wo zum Teufel ist das Old House?»

Smithies deutete die Engelsstiege hoch; sein Finger schnellte so heftig hervor, als wolle er die Kirche durchbohren. «Wenn Sie aus der Gegend sind, müssen Sie das Herrenhaus kennen, Sir. Es heißt ‹Zum Alten Fuchs in der Falle›.»

«Ich denke, so heißt der Gasthof?»

«Stimmt. Nur gehört der Gasthof dem Colonel zur Hälfte, und er hat ihn nach dem Haus benannt. Damit es keine Verwechslung gibt, nennen wir das eine Old House und das andere den ‹Fuchs›. Ursprünglich hieß Kittys Kneipe ‹Zum Kabeljau›. Aber der Colonel, Colonel Crael, ist ein passionierter Jäger –»

«Von mir aus kann es auch Tante Fannys Bierstübchen heißen, ist doch – Moment mal, meinen Sie Sir Titus Crael? *Diesen* Colonel Crael?»

«Ja, ihn, Sir.»

«Sie meinen, sie –» er zeigte auf die Stufe, von der die Leiche gerade in einem Plastiksack heruntergetragen wurde – «hat zu seinen Gästen gehört?»

«Ich nehm's an, Sir.» Harkins murmelte etwas und blickte auf den mit Kreide markierten Umriß, als hätte er sie am liebsten wieder dort hingeschafft.

Inspektor Harkins hatte wenig Respekt vor seinen Vorgesetzten; sie mochten sich in Pitlochary, Leeds oder London befinden. Und vor seinen Untergebenen hatte er überhaupt keinen; er war vielmehr der Meinung, daß sie ihre untergeordneten Positionen innehatten, weil sie es nicht anders verdienten.

Vor einer Sache hatte er jedoch Respekt: vor einem guten Namen. Und die Craels gehörten zu den besten Familien von Yorkshire.

Er befand sich in einer Zwickmühle: Einerseits hätte er die Leiche am liebsten wieder auf ihren Platz zurückgelegt – sollte sich doch London den Kopf darüber zerbrechen.

Andererseits war er Ian Harkins.

Zweiter Teil

Vormittag in York

Melrose Plant legte die Zeitung auf sein Knie und drehte die Sanduhr um.

«Woher hast du dieses Ding?» Zwischen Lady Agatha Ardry und ihrem Neffen befand sich ein farbenfroher Axminster-Teppich und eine Tortenetagere. Seit einer Stunde lungerte sie wie ein junger Wal auf dem Queen-Anne-Sofa und stopfte sich mit Obsttörtchen und Brandy-Snaps voll, ihr zweites Frühstück, wie sie erklärte.

Kuchen um elf Uhr? Melrose erschauerte, beantwortete aber ihre Frage.

«Aus einem Antiquitätenladen bei den Shambles.» Er schob seine Goldrandbrille auf seiner eleganten Nase zurecht und vertiefte sich wieder in seine Zeitung.

«Und?» Sie hielt ihre Teetasse mit abgespreiztem kleinem Finger. Es mußte ihre dritte oder vierte Tasse sein, dachte er.

«Was, und?» In der Hoffnung, auf ein Kreuzworträtsel zu stoßen, mit dem er sich die Zeit vertreiben konnte, blätterte er die Seite um.

«Und warum drehst du es jede Minute um?»

Melrose Plant blickte sie über den Brillenrand hinweg an. «Es ist ein Stundenglas, liebste Agatha. Wenn ich sie jede Minute umdrehen müßte, hätte sie ihren Zweck verfehlt.»

«Red nicht in Rätseln. Möchtest du denn nichts von den hübschen Dingen, die uns Teddy hingestellt hat?»

«Teddy wird nicht merken, daß ich nichts gegessen habe.»

Teddy. Eine Frau, die zuließ, daß man sie *Teddy* nannte, hatte es auch verdient, Agatha vierzehn Tage lang auf dem Hals zu haben. Er fragte sich, für was *Teddy* eigentlich stand: Theodora wahrscheinlich, so wie sie aussah. Eine stattliche Frau mit feuerroten Haaren, die wie ein brennender Busch ihren Kopf umstanden. Heute morgen war sie einkaufen gegangen.

«Du hast mir immer noch nicht meine Frage beantwortet. Warum hast du die Sanduhr umgedreht? Auf dem Kaminsims steht doch eine wunderbare Uhr, eine Uhr, die geht.» Sie blinzelte zum Kamin hinüber. «Was Teddy wohl dafür bezahlt hat? Sieht italienisch aus.»

Sie hätte die ganze Einrichtung innerhalb von zehn Minuten taxiert und mit Preisschildern versehen, dachte Melrose. «Früher waren die Kirchenstühle mit einem Vorhang versehen, und die Pfarrer hatten eine Sanduhr auf der Kanzel stehen. Dauerte die Predigt länger als eine Stunde, dann drehte der Pfarrer die Sanduhr einfach um. Und wer genug hatte von dem Gepredige, konnte den Vorhang vorziehen. Wenn ich mich nicht irre, hat Lord Byron, als er in Yorkshire Freunde besuchte und mit ihnen in die Kirche ging, sofort den Vorhang zugezogen.»

Agatha kaute daran, im wörtlichen wie im übertragenen Sinn, während sie ein Törtchen mit einer fürchterlichen hellblauen Glasur verdrückte. Nach einer längeren, für sie ziemlich ungewöhnlichen Schweigepause fragte sie: «Melrose, erinnerst du dich noch an diesen merkwürdigen Onkel Davidson? Den aus der Familie deiner lieben Mutter, Lady Marjorie.»

«Ich erinnere mich an den Namen meiner Mutter. Was ist mit diesem Onkel?»

«Er war ziemlich verrückt, jeder in der Familie wußte das. Er redete nur wirres Zeug, und ich frage mich manchmal…» Sie entfernte das Papier von dem nächsten Törtchen. «Ich meine, du sagst und tust auch die seltsamsten Dinge. Gerade jetzt denkst du daran, dich aufzumachen in dieses öde, kleine Fischerdorf an der Küste –»

«Fischerdörfer pflegen nun einmal an der Küste zu liegen.» Er erinnerte sich, daß sie es ein «pittoreskes, kleines Fischerdorf» genannt hatte, als sie sich noch in dem Glauben befand, die Einladung dorthin gelte auch ihr.

Schaudernd fuhr sie fort: «Die Nordsee mitten im Winter! Wenn es Scarborough wäre – Scarborough im Sommer –, das würde ich mir noch gefallen lassen!»

Ein Greuel, dachte Melrose. Scarborough im Sommer bedeutete Strandpromenaden und Badegäste und Agatha, die wie eine Klette an ihm hing. Melrose gähnte und blätterte eine Seite der *York Mail* um. «Nun gut. Mag sein.»

«Ich verstehe nicht, wie du überhaupt auf den Gedanken kommst.»

«Weil ich eingeladen wurde, liebe Tante, deswegen geht man doch im allgemeinen irgendwohin.» Das war jedoch danebengegangen: Agatha hatte sich *selbst* bei Teddy eingeladen, als sie herausfand, daß Melrose nach Yorkshire fahren würde. Und er glaubte, ihr auch nicht abschlagen zu können, sie nach York mitzunehmen, da es ja praktisch auf seinem Weg lag. Und im Grunde hatte er nichts dagegen, in York haltzumachen, denn es war ein reizvoller Ort: Einmal gab es die Kathedrale mit der goldenen Kanzel, dann das verwinkelte Shambles mit seinen eng zusammengebauten, krummen und schiefen Läden und Häusern. Und gestern hatte er sogar einen hübschen, ganz versteckten Club entdeckt, in dem er sich in einem rissigen Ledersessel ausstrecken und ausruhen konnte, bis die Leichenstarre einsetzte. Heute morgen war er ein Stück an der Stadtmauer entlanggegangen. Schönes, altes York.

«…doch nur ein Baron.»

In seinen Betrachtungen über Stadtmauern und Stadttore gestört, fragte Melrose: «Was?»

«Dieser Sir Titus Crael. Er ist doch nur Baron, während *du* …»

«Während ich überhaupt keinen Titel habe. Es gibt aber viele von uns, wir schießen in ganz England wie Pilze aus dem Boden, und ich habe gehört – das kann allerdings auch ein Gerücht sein –, daß wir London umzingelt haben und daß Cornwall schon in unserer Gewalt ist. Vielleicht müssen wir es aber erneut aufgeben.» Er schnappte sich wieder die Zeitung.

«Oh, hör auf mit dem Quatsch, Melrose. Du weißt ganz genau, was ich meine. Du kannst dich nicht einfach Melrose Plant nennen, niemand nimmt dir das ab. Statt Earl of Caverness. *Und* zwölfter Viscount Ardry, und Enkel von –»

Sie war in Fahrt geraten und würde wie eine Gebetsmühle sämtliche Titel herunterrasseln, wenn er sie nicht daran hinderte: «Ich fürchte, sie *müssen* sich damit abfinden, da ich mich selbst damit abgefunden habe. Ist es nicht komisch, daß die Welt sich trotzdem weiterdreht?»

«Ich weiß wirklich nicht, warum du dich darauf versteifst. Du bist einfach apolitisch. Dein Vater hätte vielleicht das Zeug zu einem Politiker gehabt. Aber du hast überhaupt keine Ambitionen.»

Nur die eine, mich davonzumachen, dachte Melrose. Sie würde immer weiter bohren, aber er hatte nicht die Absicht, sich dazu zu äußern. Er lehnte sich zurück und starrte zur Decke hoch. Er dachte an seinen Vater, den er sehr geliebt und verehrt hatte. Nur seine blödsinnige Jagdleidenschaft konnte er nicht nachempfinden. Wahrscheinlich war sie auch die Basis seiner Freundschaft mit Titus Crael gewesen. Melrose Plant war Sir Titus Crael vielleicht vor dreißig Jahren das letzte Mal begegnet. Er erinnerte sich nur noch an den Tag, an dem er mit ihm zusammen junge Füchse gejagt hatte, eine große, imposante Gestalt, die neben ihm stand und einen toten Fuchs in den Händen hielt. Sie vollführten dieses gräßliche Ritual der Bluttaufe, und zu Melroses Entsetzen waren die von dem Blut des Fuchses triefenden Hände über sein Gesicht gefahren; er war damals gerade zehn Jahre alt gewesen.

Wo war das gewesen? Er konnte sich nicht mehr erinnern. Irgendwo in den Shires? Rutland vielleicht? Oder hier in den Mooren von Yorkshire? Er sah noch die Bluttropfen im Schnee vor sich. Nach dieser Erfahrung hatte er jedenfalls nichts mehr vom Jagen wissen wollen.

«Gar nicht übel, dieses alte Haus.» Wieder riß ihn Agatha aus seinen Träumereien. «Dürfte heute einiges wert sein. Die Decke ist von Adam.»

Melrose hatte eingehend die zarten Pastellfarben und den

Stuck studiert. «Eine Imitation.» Decken waren sein Steckenpferd. In Ardry End, seinem eigenen Haus, kannte er jeden Zentimeter Decke. Das kam davon, weil er immer hochstarrte, wenn seine Tante zu Besuch war.

«Die Teller sind Crown Derby. Und der Tisch ein besonders hübscher Sheraton», sagte Agatha.

Melrose beobachtete, wie ihre flinken Äuglein den ganzen Raum absuchten und dabei jede Staffordshire-Porzellanfigur, jede Lackarbeit und jedes Kameenglas erfaßten – wahrscheinlich funktionierte ihr Gehirn wie eine Registrierkasse, die alles zusammenzählte. In ihrem früheren Leben war sie bestimmt Auktionator gewesen.

«Hast du gesehen, wie groß der Ring war, den Teddy heute morgen getragen hat? Was ist das eigentlich für ein Stein, was denkst du?»

Melrose schlug wieder die erste Seite seiner Zeitung auf. «Ein Gallenstein.»

«Du kannst es einfach nicht ertragen, wenn jemand mehr hat als du, stimmt's?» Sie schaute auf die Kuchenplatte. «Dieser Butler soll kommen; die Brandy-Snaps sind alle.» Sie zog an einem Klingelzug. Dann schüttelte sie die Kissen auf und ließ sich wieder zurücksinken. «Ich hatte keine Ahnung, daß Teddy eine so gute Partie gemacht hat, als sie seine Frau wurde. Was hier rumsteht, kann sich mit deinen Sachen auf Ardry End durchaus messen.»

«Du meinst, indem sie Witwe von Harries-Stubbs wurde?»

«Wie kaltblütig, Melrose. Aber es ist wohl zu erwarten, daß du so über die Ehe denkst.»

Er ließ sich nicht auf eine Diskussion über dieses Thema ein. Er hatte wenig Hoffnung, jemals diesem undefinierbaren, weiblichen Wesen zu begegnen, dem er sowohl Ardry End wie auch seine eigene Person anvertrauen könnte. Agathas Sorge galt natürlich nur Ardry End. Es machte ihr Spaß, das Terrain zu sondieren und dabei alte Erinnerungen und die Namen von Frauen auszugraben, die er einmal gekannt hatte, Leichen, mit denen sie seinen Weg pflasterte und über die er, wie sie hoffte, auch einmal stolpern würde – er würde sich verplappern und ihr den Namen einer heimlichen Geliebten verraten, die ihr, seiner einzigen Verwandten, Ardry End streitig machen konnte –, Ardry End mit seinen Robert-Adam-Decken, seinen frühgeorgianischen Möbelstücken, seinem Meißener Porzellan und den Baccarat-Gläsern. Wieso sie überhaupt auf den Gedanken kam, ihn einmal zu beerben, war Melrose nicht klar. Sie war bereits über sechzig und Melrose gerade einundvierzig, trotzdem schien sie es für ausgeschlossen zu halten, daß er sie überleben könnte. Der Wunsch war offensichtlich der Vater des Gedankens.

«Ob Vivian Rivington wohl jemals wieder aus Italien zurückkommt?»

Auch einer ihrer Seitenhiebe.

Melrose antwortete jedoch nicht, weil eine Schlagzeile auf der ersten Seite der *York Mail* seine Aufmerksamkeit gefesselt hatte.

Ein Mord in Rackmoor.

Dem Bericht zufolge war in einer verlassenen Gasse die Leiche einer verkleideten Frau gefunden worden. Die Polizei von Yorkshire rechnete damit, den Täter bald gefaßt zu haben (was bedeutete, daß sie noch völlig im dunkeln tappte). Das Opfer war angeblich mit Sir Titus Crael – dem Parlamentsmitglied und prominenten Jäger, einem der reichsten und einflußreichsten Männer von Yorkshire – verwandt.

Eine Verwandte von Sir Titus – Melrose sah sich vor eine schwierige Entscheidung gestellt. In einem so kritischen Augenblick wie diesem bei den Craels hereinzuplatzen, eingeladen oder nicht... vielleicht sollte er einfach wieder seine Sachen packen und nach Northants zurückfahren, den Craels ein Entschuldigungsschreiben schicken... Northants, Agatha und allgemeines Unwohlsein. Von bloßem Unwohlsein war in Rackmoor zur Zeit wohl nicht die Rede.

Der Schnee war dort blutrot gefärbt...

«Was ist los mit dir, Melrose? Du bist ja ganz blaß.»

Glücklicherweise erschien in diesem Augenblick Miles, der Butler der Harries-Stubbs, und Agatha wandte sich ihm zu: «Ich hätte gern noch etwas Tee und ein oder zwei Brandy-Snaps. Die Köchin soll darauf achten, daß die Schlagsahne auch frisch ist. Sagen Sie ihr, sie soll einfach welche schlagen.»

Miles blickte sie aus stahlharten Augen an. Agatha gelang es immer, sich in kürzester Zeit beim Personal unbeliebt zu machen.

«Sehr wohl, Madam», erwiderte er mit frostiger Stimme. Wesentlich liebenswürdiger fragte er Melrose: «Und Sie, Sir, haben Sie auch einen Wunsch?»

«Das Telefon, bitte», sagte Melrose. «Das heißt, vielleicht könnten Sie diese Nummer für mich anrufen, um zu sehen, ob jemand zu Hause ist?» Er riß ein Blatt aus seinem Notizbuch und gab es dem Butler.

«Gewiß, Sir.»

«Wen willst du denn anrufen, Melrose?»

«Die Geister in der Tiefe», sagte er und versuchte, die Zeitung zwischen die Stuhllehne und das Kissen zu schieben. Wenn sie erfahren würde, daß in dem Ort, den er aufsuchen wollte, ein Verbrechen passiert war, würde sie nicht mehr von seiner Seite weichen; sie würde sich auf alles stürzen, was ihr unter die Finger käme, es konnte noch so unbedeutend sein. Agatha betrachtete sich nämlich als Kriminalautorin. Und in ihrem Kopf geisterte immer noch die geniale Lösung herum, die sie damals, als in ihrem eigenen Dorf ein paar Leute ermordet worden waren, beigesteuert hatte.

Der Butler schwebte wieder herein. «Ich habe –» er blickte in Agathas Richtung – «die Person, die Sie sprechen wollten, erreicht.»

«Ich danke Ihnen. Ich gehe nach nebenan.» Butler waren schon erstaunliche Wesen; Melrose dachte an Ruthven, seinen eigenen Butler. Sie konnten Gedanken lesen, die noch nicht einmal gedacht worden waren. Er warf Agatha einen kurzen Blick zu und ging aus dem Zimmer.

Aber gewiß doch, Sir Titus rechnete mit ihm, sogar mehr denn je. Im Haus, vielmehr im ganzen Dorf, wimmelte es von Polizei. Und es wurde sogar gemunkelt, daß Scotland Yard eingeschaltet werden sollte. Titus Crael lachte, es klang aber nicht überzeugend. So wie sie Julian in die Mangel nähmen, könnte man meinen, er gehöre zu dem, hmm, dem Kreis der verdächtigen Personen.

«Hören Sie, mein Junge», sagte Titus Crael. «Sie könnten uns eine große Hilfe sein. Ich mache mir Sorgen, Sie verstehen.»

«Weswegen, Sir Titus?»

«Ehrlich gesagt, weiß ich das selbst nicht genau. Es ist alles so verworren. Sie war – wir reden besser darüber, wenn Sie hier sind.»

Melrose versuchte, sich an Julian Crael zu erinnern; es gelang ihm jedoch nicht. Er bezweifelte, daß sie sich jemals begegnet waren; nicht einmal damals, als Kinder. Aber er wollte wie vereinbart nach Rackmoor kommen und ihm, soweit das möglich war, zur Seite stehen.

«Mit wem hast du gesprochen?» fragte Agatha, als er zurückkam.

«Mit Sir Titus Crael: Wann ich bei ihnen eintreffen werde. Ich glaube, in zwei Stunden läßt es sich schaffen.» Als der Butler mit dem Tee und dem Gebäck auftauchte und Agatha giftige Blicke zuwarf, meinte Melrose: «Könnten Sie bitte meine Tasche pakken, Miles? Ich fahre bald ab!» Miles nickte und verschwand.

«Was, du willst jetzt schon losfahren?» Der Brandy-Snap verharrte einen Augenblick lang in der Schwebe wie ein kleines Flugzeug. Melrose nickte. «Im Winter über die *Moore* von North York!»

«Dieses Land, aus dem kein Reisender zurückkehrt.» Vielleicht gar keine so schlechte Idee.

Sie starrte ihn an. «Weißt du, dein Onkel Davidson, ich erinnere mich...» Melrose Plant drehte die Sanduhr um.

DRITTER TEIL

NACHMITTAG IN ISLINGTON

I

Kriminaloberinspektor Richard Jury wurde durch das rück-
sichtslose Schrillen des Telefons aus einem Traum gerissen, in
dem winzige Männlein versuchten, ihn wie Gulliver am Boden
festzubinden. Verschlafen tastete er auf seinen Armen nach Sei-
len, und als er keine entdecken konnte, nahm er den Hörer ab.

Er vernahm Kriminaldirektor Racers Stimme, die vor Sarkasmus triefte: «Es ist ein Uhr vorbei, und Sie schlafen immer
noch Ihren Schönheitsschlaf. Die WPCs werden uns das Haus
einrennen. Haben Sie Mitleid, Mann.»

Jury gähnte. Es war zwecklos, den Kriminaldirektor daran
erinnern zu wollen, daß Jury in den letzten achtundvierzig Stunden kein Auge zugetan hatte. Und man brauchte auch nicht
Freud zu bemühen, um sich die Lilliputaner, die ihn am Boden
festgebunden hatten, zu erklären. «Sie rufen wegen einer bestimmten Sache an, Sir?»

«Nein, Jury, nichts Bestimmtes», sagte Racer mit großer
Selbstbeherrschung. «Eigentlich wollte ich nur etwas mit Ihnen
plaudern. Jury, Sie sind dran, verflucht noch mal.»

Jury wußte, daß er auf der Liste stand. Aber erst an dritter
Stelle, vor ihm waren mindestens noch zwei andere. Er hievte
sich in seinem Bett hoch, massierte seine Kopfhaut und hoffte,
nicht nur sie, sondern auch sein Gehirn zu beleben.

«War Roper nicht vor mir?»

«Er ist nicht erreichbar», zischte Racer.

Unmöglich, dachte Jury; Roper mußte von einem Tag auf den andern erreichbar sein. Hatte Racer überhaupt versucht, ihn zu erreichen?

«Yorkshire hat angerufen. Sie wollen einen Mann haben. Und zwar pronto.»

Jury schwante nichts Gutes. Yorkshire. «Sind Sie sicher –»

«...Der Ort heißt Rackmoor.» Jury hörte das Rascheln von Papier, als Racer ihn unterbrach. «Ein Fischerdorf an der Nordsee.» Racer sagte das offensichtlich mit großem Vergnügen.

Jury schloß die Augen. Letztes Jahr um diese Zeit war er in Northamptonshire gewesen. Winterlich genug für seinen Geschmack. Gegen Yorkshire im Frühjahr, im Sommer oder im Herbst war nicht das geringste einzuwenden. Aber im Januar! Wollte Racer ihn und seinen Begleiter wie ein Rudel Schlittenhunde immer weiter nach Norden treiben? Er blickte aus seinem Schlafzimmerfenster und sah Schneeflocken vorbeiwirbeln. Es waren jedoch nur wenige, die wie Überbleibsel vom letzten Winter wirkten. Er schloß wieder die Augen und sah die Moore Yorkshires vor sich – die unendlich weiten, von einer glatten Schneekruste überzogenen Flächen. Und er sah (oder hörte vielmehr), wie er – den köstlich knirschenden Schnee unter den Füßen – über die Moore spazierte. Und dann ging sein geistiges Auge wie ein Zoom in die Höhe, und er sah sich als einen winzigen, dunklen Punkt in diesem Weiß, und seine Fußspuren waren wie die eines Vogels. Er lächelte. Jury war einfach verrückt nach diesen makellosen, schneeverkrusteten Flächen. Es bereitete ihm ein unendliches Vergnügen, darin herumzustapfen.

Aus dem Hörer drang ein quakendes Geräusch; seine Augen klappten auf. Er mußte eingenickt sein.

«Ja, Sir?»

«Ich sagte, Sie sollen ins Büro kommen. Und zwar fix. Es dreht sich um einen Mord, und sie brauchen unsere Hilfe. Alles Weitere kann Ihnen Wiggins erzählen.»

«Wann ist es passiert?»

«Vor zwei Tagen. Oder vielmehr vor zwei Nächten.»

Jury stöhnte. «Das heißt, die Leiche wurde schon abtransportiert. Und das bedeutet –»

«Hören Sie auf zu lamentieren, Jury. Ein Kriminalbeamter ist Kummer gewohnt.»

Eine halbe Stunde später trat Jury in einen Tag hinaus, an dem vielleicht noch eine blasse, kraftlose Sonne durchkommen würde. Er ließ den Blick über die Metallbriefkästen neben der Haustür wandern und ging dann seine Post durch, die aber nur aus Reklame bestand; er stopfte sie in den Briefkasten zurück und ging die Steinstufen hinunter. Der kleine Park auf der andern Straßenseite schimmerte in dem schwachen Licht der Sonne; die hellen Grüntöne und das stumpfe Gold sahen wie die Farben einer ausgebleichten Leinwand aus.

Am Eingangstor erinnerte er sich an das kleine Geschenk, das er für Mrs. Wasserman gekauft hatte. Er machte wieder kehrt, ging den kurzen Weg zum Haus zurück und dann die vier Stufen zu ihrer Wohnung im Erdgeschoß hinunter. Er klopfte sehr vorsichtig, um sie nicht zu erschrecken. Nichts rührte sich, wahrscheinlich wußte sie nicht, ob sie antworten sollte oder nicht. Links von ihm wurde ein Vorhang zurückgeschoben, und durch das doppelte Eisengitter vor dem Fenster konnte er ein Auge und die Nase erkennen. Mrs. Wassermans Verfolgungswahn befand sich in einem fortgeschrittenen Stadium. Islington war für sie identisch mit dem Warschauer Getto. Er winkte. Der Vorhang fiel herunter. Die Kette schlug klirrend gegen die Tür, die für ihn geöffnet wurde. Ein üppiger Busen und ein breites Lächeln schoben sich in sein Blickfeld.

«Mr. Jury!»

«Hallo, Mrs. Wasserman. Ich hab was für Sie.» Jury zog ein kleines Paket aus der Tasche seines Burberrys.

Ihr Gesicht strahlte, als sie es öffnete und die Trillerpfeife hochhielt.

«Eine Trillerpfeife für Polizisten», sagte Jury. «Ich dachte, vielleicht würden Sie sich mit diesem Ding um den Hals etwas sicherer fühlen, wenn Sie zum Markt oder zur Camden Passage gehen. Ein Pfiff, und jeder Polizist im Umkreis von einer Meile wird die Islington High Street zu Ihnen heruntergerast kommen.» Das war natürlich maßlos übertrieben, aber er wußte, daß sich die Gelegenheit dazu nie bieten würde. Es war ein altes

Ding, das er in einem der Trödelläden bei der Passage entdeckt hatte.

Jury hatte häufig von seinem Fenster aus beobachtet, wie Mrs. Wasserman mit ihrem schwarzen Mantel, ihrem flachen schwarzen Hut und der geblümten Einkaufstasche den Weg hochging, vor dem Tor stehenblieb und sich umschaute. Und wenn sie draußen stand, blickte sie sich wieder um; sie blickte nach links und nach rechts und den gepflasterten Weg zurück...

Im Lauf der Jahre hatte sie ihn auch ein paarmal mit zaghafter Stimme gebeten, sie doch bis zur High Street oder zur Underground-Station Angel zu begleiten. Um sie zu beruhigen, sagte er gewöhnlich, er gehe auch in diese Richtung; an seinen freien Tagen, wenn er nicht ins Büro mußte, war sein Tagesablauf sowieso völlig unstrukturiert, und er konnte ebenso in ihre wie in jede andere Richtung gehen. Er schaute zu, wie sie mit kindlichem Vergnügen die Trillerpfeife ausprobierte. Jury überragte die kleine, dickliche Frau; ihr schwarzes Haar war zu einem Knoten zusammengebunden und so straff nach hinten gekämmt, daß es wie eine eng anliegende Satinkappe aussah. Am Ausschnitt ihres dunklen Kleides steckte eine Filigranbrosche. Er fragte sich, was sie wohl für eine Jugend gehabt hatte – vor dem Krieg. Sie mußte ein sehr, sehr hübsches Mädchen gewesen sein.

Der Krieg verband sie auch miteinander. Weder sein Vater noch seine Mutter hatten ihn überlebt. Sein Vater war in Dünkirchen gefallen, und seine Mutter war bei dem letzten Bombenangriff auf London ums Leben gekommen. Als er sieben Jahre alt war, fiel das Haus, in dem sie beide lebten, wie ein Kartenhaus über ihnen zusammen. Er hatte die ganze Nacht über im Dunkeln nach ihr gesucht und sie dann schließlich unter den Trümmern der Balken und Backsteine entdeckt – ihren Arm, ihre Hand, die aus dem Schutt herausragten, als hätte sie sie im Schlaf unter einer dunklen Decke herausgestreckt. Sieben Jahre lang wurde er innerhalb der Familie weitergereicht, von einer Tante oder Cousine zur nächsten, bis er sich dann mit vierzehn auf eigene Faust durchs Leben schlug. Danach verspürte er jedesmal, wenn er die Hand oder den Arm einer Frau auf dem dunklen Bezug eines Sessels oder auf dem Holz eines Tischs liegen sah –

nur die Hand und den Arm, nicht das Gesicht, nicht den Körper –, einen dumpfen Schmerz, als würde sein Gehirn ausgebrannt. Dieses Bild, das eigentlich zum Alptraum hätte werden müssen, besaß jedoch etwas von dem, was Yeats mit «schrecklicher Schönheit» gemeint haben mußte. Die porzellanweiße Hand, die sich gegen die schwarzen, verkohlten Reste eines Londoner Mietshauses abhob, erschien ihm in seinen Träumen wie eine Fackel im Dunkeln, eine Lichtung im Wald.

«Inspektor Jury», sagte Mrs. Wasserman und holte ihn aus dem brennenden Gebäude wieder in die Gegenwart zurück. «Ich weiß gar nicht, wie ich Ihnen danken soll. Es ist wirklich furchtbar nett von Ihnen.» Sie umklammerte seinen Arm wie die Planke eines sinkenden Schiffs. «Mein Bruder Rudy – Sie wissen schon, der, dem ich immer schreibe – der in Prag lebt –, glauben Sie, daß die Briefe, die sie kriegen, zensiert werden?» Jury schüttelte den Kopf; er wußte es nicht. «Ah, wer weiß das schon? Ich schreib ihm immer, er soll sich wegen mir keine Sorgen machen. Er macht sich nämlich dauernd Sorgen. Und ich hab ihm auch geschrieben, daß ein Polizeibeamter im Haus wohnt. Nein, nicht nur ein Polizist, ein richtiger englischer Gentleman. Gott segne Sie!»

Er versuchte zu lächeln, konnte aber nur noch schlucken; er blickte auf den von der Sonne beschienenen Park. «Danke, Mrs. Wasserman.» Das Lächeln erstarb, und er hob die Hand zu einem kurzen Gruß.

Als er durch die Camden Passage zur Angel Station ging, fühlte er sich richtig benommen. Sie hatte einen Teil seines Tages gerettet. Obwohl er nun schon seit zwanzig Jahren bei Scotland Yard arbeitete und es häufig mit dem Abschaum der Menschheit zu tun hatte, war Jury keineswegs so abgebrüht, daß ihn nichts mehr berührte.

Ein richtiger englischer Gentleman!

Jury betrachtete das immer noch als das größte Kompliment, das man jemandem machen konnte.

«Es ist an der Küste. Ein Fischerdorf – zumindest war es das mal. In der Nähe von Whitby. Im Sommer gibt es dort jede Menge Touristen.» Sergeant Alfred Wiggins zog ein Taschentuch von der Größe eines kleineren Tischtuchs hervor und schneuzte sich. Dann legte er den Kopf in den Nacken und träufelte sich mit einer kleinen Pipette etwas Flüssigkeit in die Nase; schnaubend zog er jeden Tropfen hoch. Wiggins hatte aus seiner Hypochondrie eine Kunst, wenn nicht einen Sport gemacht.

«Haben Sie immer noch diesen Schnupfen, Sergeant?» Die Frage war so offensichtlich rhetorisch, daß Wiggins erst gar nicht darauf antwortete. «Ist dieser Mord denn zuviel für die Leute in Yorkshire? So blöd sind sie doch auch nicht.»

«Sissnich nurn Mor.»

Jury hatte im Laufe der Jahre gelernt, Sergeant Wiggins' schnupfengeschädigte Ausdrucksweise zu deuten. Er hatte so oft ein Taschentuch vor der Nase oder ein Hustenbonbon im Mund, daß seine Äußerungen meist ziemlich unverständlich klangen. «Wieso ‹nicht nur 'n Mord›?»

Wiggins pfropfte die kleine Flasche zu und neigte den Kopf, damit die Flüssigkeit schneller ablief. «Komplizierte Geschichte. Das Opfer, eine gewisse Gemma Temple, ist in Wirklichkeit jemand anders, zumindest wird das in Rackmoor behauptet.»

Jury fragte sich, ob sich aus diesem Satz ein Tip herausschälen ließ. «Können Sie das erklären?»

«Ja, Sir. Es scheint da gewisse Zweifel zu geben, was die Identität dieser Frau betrifft. Sie war nur vier Tage in Rackmoor und hat in einem Gasthof übernachtet. Nannte sich Gemma Temple. Aber diese Craels behaupten, sie sei eine Verwandte von ihnen gewesen. Inkognito – oder so.» Wiggins überflog seine Notizen. «Dillys March. So nannten sie die Craels. Ist vor – oh – fünfzehn Jahren von zu Hause ausgerissen und erst jetzt wieder aufgetaucht. Um sich gleich um die Ecke bringen zu lassen.»

«Sie wissen also nicht genau, wer sie ist?» fragte Jury. Wiggins schüttelte den Kopf. «Es dürfte doch nicht so schwer sein, über diese Gemma Temple was in Erfahrung zu bringen –»

«Die Polizei in Yorkshire weiß, daß sie aus London kam, Sir. Ihr letzter Wohnsitz war in Kentish Town. Viel mehr kann ich Ihnen auch nicht sagen.»

«Die Leiche?»

«Im Leichenschauhaus von Pitlochary. Ist ungefähr dreißig Kilometer von Rackmoor entfernt.»

«Und alles wurde aufgeräumt und saubergemacht? Wahrscheinlich sind sie auch noch mit dem Staubsauger drübergegangen.»

Wiggins' Lachen klang eher wie ein Wiehern.

«Warum, zum Teufel, kommen mir die Fälle immer kalt auf den Tisch! Verdächtige?»

Wiggins schüttelte den Kopf. «Ich hab nichts gehört, abgesehen vielleicht von einem verrückten Maler, der an diesem Abend große Reden über irgendwelche Verbrecher schwang. Ich glaube über Rasputin.»

Jury blickte von seiner Tasse Tee hoch. «Rasputin? Was hat der damit zu tun?»

«Irgendein Russe. Er quasselte was von Übermenschen, die sich alles erlauben können.»

Jury dachte einen Augenblick lang nach. «Raskolnikow?»

«Klingen alle gleich, diese Russen.»

Jury blickte auf seine Uhr. «Haben Sie nach einem Zug geschaut?»

«Ja, Sir. Um fünf Uhr, Victoria Station; vorher gibt's leider nichts. In York werden wir dann abgeholt.»

VIERTER TEIL

RACKMOOR-NEBEL

I

Die Heizung des kleinen Ford Escort tuckerte verzweifelt und blies warme Luft auf den Boden, aber nirgendwo anders hin, so daß es Jury an den Füßen heiß und an der Nase eiskalt war.

Zu seiner Rechten wie zu seiner Linken erstreckten sich die Moore von North York, endlos weite, vereiste Flächen. Ganz in der Ferne waren die durchsichtigen Grautöne des Horizonts zu erkennen. Sie kamen an einigen bröckelnden Mauern vorbei. Ansonsten war das Land weder bebaut noch besiedelt. Es gab keine Straßen, keine Eisenbahnen, keine Bauernhöfe, keine Hecken, keine Mauern. Die Moore waren wie ein anderer Kontinent.

Von York aus waren sie ungefähr neunzig Kilometer lang immer nur geradeaus gefahren; in Pitlochary hatten sie haltgemacht, damit Jury sich die Leiche anschauen und mit dem Arzt sprechen konnte, der die Autopsie durchgeführt hatte. Nach ein paar Stunden Schlaf waren sie dann so früh aufgestanden, daß Jury das Gefühl hatte, den längsten Tag seines Lebens vor sich zu haben.

Sie überquerten Fylingdales Moor, aus dem in der Ferne die Kuppeln des Frühwarnsystems der amerikanischen Marine völlig deplaziert aufragten. Vom Straßenrand her drängte sich ein Dutzend Moorjocks – die schwarzgesichtigen Schafe der Moore – an das Auto heran: dicke Wülste aus lockiger, vereister Wolle auf schwarzen, dünnen Beinen. Sie hatten lange, schwarze und (wie Jury dachte) sehr melancholische Gesichter. Als das Auto vorbeifuhr, kurbelte Jury das Fenster herunter; das letzte Schaf war stehengeblieben, um sich an einem alten Steinkreuz zu reiben. Neugierig schaute es dem Auto nach.

Jury dachte an die Leiche der jungen Frau auf der Metallplatte im Leichenschauhaus von Pitlochary, und er wäre am liebsten in die grenzenlose Gleichgültigkeit der Natur geflüchtet.

«Großer Gott, dieses Fenster, Sir, können Sie es bitte wieder schließen», fing Wiggins hinter dem Steuer an zu lamentieren.

Jury drehte das Fenster hoch, machte es sich auf seinem Sitz bequem, starrte auf die trostlose, gottverlassene Landschaft mit den unberührten Schneeflächen und gab einen tiefen Seufzer von sich.

In den Spalten der Klippen hing Rackmoor, die Nordsee zu Füßen, die Moore im Rücken. Ein sehr verschwiegener Ort, dem etwas beinahe Schuldbewußtes anhaftete.

Das Auto mußten sie auf einem Parkplatz abstellen, der listig am höchsten Punkt des Ortes angelegt worden war. Ein paar Meter unter ihnen, auf Rackmoors abschüssiger High Street, war ein Laster stehengeblieben; die Fahrerkabine hing in einer Haarnadelkurve, während der Anhänger die enge Straße blockierte.

Jury blickte auf das Meer und die roten Ziegeldächer hinunter, die in mehreren Reihen an den Klippen klebten. Am grauen Horizont tauchte ein Schiff auf und schien in dem nebligen Morgen steckenzubleiben. Über dem Dorf vermischte sich der Nebel mit den Rauchfahnen. Abgesehen von dem stumpfen Rotbraun der Dächer war alles grau in grau. Wie im Moor hatte Jury das Gefühl, sich aus der Zeit herauskatapultiert zu haben und nun ziellos herumzuirren.

«Sieht so aus, als müßten wir zu Fuß gehen», sagte Wiggins und sog unglücklich die Seeluft durch die Nase. Es muß doch ein besseres Klima geben, schien sie ihm zu sagen.

Als sie an der «Glocke», dem Gasthof zu ihrer Linken, vorbeikamen, hörten sie das Gebrüll des Fahrers; er lehnte aus der Fahrerkabine und schrie die Dorfbewohner an, die sich um ihn versammelt hatten. Jury fragte sich, welches blinde Vertrauen in die Gesetze der Schwerkraft den Laster überhaupt in diese Situation gebracht hatte. Sie drängten sich an der Fahrerkabine und an einem Fischhändler vorbei – er war in seiner weißen Schürze auf die Straße getreten und beinahe gegen den Anhänger geprallt –, bogen um die Haarnadelkurve und gingen dann nach rechts. Einen Häuserblock lang verlief die Straße gerade; sie entdeckten verschiedene Geschäfte: einen Kiosk mit einem drehbaren Postkartenständer, der um diese Jahreszeit kaum Käufer finden würde; einen Gemüseladen, aus dem eine Frau mit Haaren wie Stahlwolle Steckrüben heraustrug und Jury und Wiggins gleich geschäftstüchtig ins Auge faßte; auf der rechten Seite die Galerie Rackmoors, in deren Fenster eine graugestreifte Katze schlief, und daneben ein kleines Textilgeschäft mit Kleidern so grau und schlicht wie das Kopfsteinpflaster unter ihren Füßen.

Ein zweiter, nach Jurys Meinung unentbehrlicher Parkplatz war auf einem Plateau rechts von ihnen eingerichtet worden. Nach dem nächsten Knick ging es wieder steil nach unten. Am Ende der Straße erspähte Jury das Meer, das wie ein Trompel'œil-Bild am Ende eines Tunnels auftauchte. Links und rechts davon gingen winzige Plätze und schmale Gäßchen ab. Bridge Walk war eines davon; es bestand nur aus ein paar Stufen, neben denen das Wasser vorbeischoß. Die Stiegen waren gleichzeitig die Treppen zu den Häusern, und die Dächer waren so gestaffelt, daß man von der einen Reihe auf die nächste blickte.

Am Ende der High Street lag eine kleine Bucht; an diesem Morgen brachen sich die Wellen schon sehr weit draußen, und obwohl die Sonne noch nicht durchgekommen war, warf das Wasser sein eigenes, gleißendes Licht auf die Felsen und Tümpel. Kleine Boote – Ruderboote und Fischerboote – waren auf dem schmalen Streifen Kiesstrand aufgebockt, in leuchtenden Farben gestrichen: Saphirblau, Aquamarin. Wellenbrecher bildeten einen Teil der Kaimauer.

Das Schild des «Alten Fuchs» hing an einer eisernen Stange, die vom Wind hin und her bewegt wurde. Es zeigte einen Fuchs, dem offensichtlich schon heftig zugesetzt worden war; auf dem Bild ruhte er sich jedoch gerade im Schatten irgendwelcher Büsche aus und fraß Trauben. Hinter jedem Baum und jedem Busch schien ein Hund zu sitzen und dem armen Tier aufzulauern; wahrscheinlich war es eine ganze Meute von Jagdhunden.

Jury und Wiggins gingen um die Bucht herum zu dem Gasthof. Vor ihm stand ein atemberaubender Sportwagen, ein Lotus Elan.

Wiggins pfiff durch die Zähne. «Ham Sie gesehen, ist doch nicht zu fassen. Mein ganzes Jahresgehalt würde dafür draufgehen.»

«Wie er wohl die Arktis überquert hat?» sagte Jury. «Wahrscheinlich sind ihm Flügel gewachsen.»

Mrs. Meechem, die sich als «Kitty» vorstellte, blickte erstaunt zu Jury hoch – entweder hatten es ihr seine Größe, sein Lächeln oder sein Dienstausweis oder alle drei Dinge zusammen angetan – und führte sie in einen kleinen Speiseraum im rückwärtigen Teil. Er war durch eine niedrige Tür mit der Bar verbunden; Jury mußte sich bücken, als er unter ihr hindurchging.

Ein sehr schlanker, noch jüngerer Mann stand von seinem Tisch auf. Er mußte der Besitzer des Lotus sein. Und da er offensichtlich auf sie gewartet hatte, mußte er Kriminalinspektor Harkins von der Kriminalpolizei in Pitlochary sein. Neben ihm saß ein kleiner, rundlicher Bursche, der aussah, als würde er sich am liebsten in Luft auflösen.

«Ich bin Harkins.» Er schüttelte Jurys Hand, nachdem er sorgfältig einen perlgrauen Handschuh abgestreift hatte. «Schön, daß Sie so schnell gekommen sind. Wir können Ihre Hilfe gebrauchen.»

Eine glatte Lüge, dachte Jury. Harkins machte nämlich keinen sehr erfreuten Eindruck. Es war ja auch verständlich, wenn sie sich in der Provinz darüber ärgerten, daß ihre Macht beschnitten wurde. Aber es würde die Dinge nicht einfacher machen.

Harkins stellte den andern Mann als Billy Sims vor. «Er fungiert hier als Wachmann.»

«Wachmann? Was ist denn das, Mr. Sims?»

Billy Sims zerdrückte seine Mütze zwischen den Händen und blickte sich nervös um; er fixierte alles, nur nicht Scotland Yard.

«Seit zehn Jahren mach ich das schon. Colonel Crael bezahlt mich dafür.»

Harkins, dem vor allem daran lag, die Sache möglichst schnell über die Bühne zu bringen, sagte: «Es ist ein alter Brauch. Früher war der Wachmann für die Sicherheit des Dorfes verantwortlich. Nicht hier in Rackmoor. Soviel ich weiß, hat es hier noch nie einen gegeben. Es war Sir Titus' Idee. Aber in Ripin hatten sie einen. Billy hat die Leiche gefunden.»

«Aha, und wann war das?»

Billy Sims starrte auf den Fußboden, als erwarte er jeden Augenblick, wieder von dieser gräßlichen Erscheinung heimgesucht zu werden. «Es war gegen Mitternacht auf der Engelsstiege…»

«War irgendwas zu sehen oder zu hören?»

Er schüttelte den Kopf. «Nein, Sir, nichts, Sir.»

«Es würde uns sehr helfen, wenn Sie noch mal mit uns dort hingingen.»

Jury dachte, der unglückselige Billy würde gleich auf die Knie fallen und seinen Mantel umklammern. «Ah, lieber nicht, Sir, wenn's geht. Wie die aussah!» Billy machte wirklich einen mitgenommenen Eindruck.

«Geht in Ordnung. Sie haben uns sehr weitergeholfen, Mr. Sims.»

Sie starrten auf Billy Sims' Rücken, der sich zur Tür hinbewegte, und Harkins schien ganz und gar nicht dieser Meinung zu sein.

Jury warf seinen Mantel über einen Stuhl und nahm Platz. Er bemerkte, daß Harkins seinen sündhaft teuren Kamelhaarmantel erst gar nicht ablegte. Er schien nicht gewillt zu sein, auch nur einen Augenblick länger zu bleiben, als es seine Pflicht erforderte.

«Waren Sie in Pitlochary? Und haben Sie die Leiche gesehen?» fragte Harkins. Jury nickte. Harkins zeigte ihm einen ordentlich beschrifteten braunen Umschlag. «Da ist alles drin, Inspektor.» Der Umschlag landete haarscharf auf der Tischkante.

«Richard», sagte Jury. Er hielt ihm seine Zigaretten hin. «Möchten Sie eine?»

Harkins schüttelte den Kopf, schenkte Jury ein schmallippiges Lächeln und zog ein Lederetui aus der Tasche. «Ich rauche nur die hier. Aus Kuba. Die Besten. Möchten Sie eine?»

«Gern. Vielen Dank!» Jury zündete beide Zigarren an und öffnete den Umschlag. Er sah sich die Aufnahmen an, die der Fotograf gemacht hatte. «Von wem stammen die Fotos? Sie sind ausgezeichnet.»

«Ein Fotograf aus dem Dorf.»

«Können Sie den Tatort beschreiben?»

Daraufhin erfolgte ein kurze Pause. «Steht alles da drin, Inspektor.»

«Ja, der Bericht läßt bestimmt nichts zu wünschen übrig. Aber ich kriege einen besseren Eindruck, wenn ich's höre. Sie sind mir gegenüber im Vorteil: Sie konnten sich an Ort und Stelle umsehen, ich nicht.»

«Vorteil? Das bedeutet hoffentlich nicht, daß ich den Kopf hinhalten muß.» Er täuschte ein Lächeln vor. Offensichtlich fühlte sich Harkins wie die kleine rote Henne im Märchen, die das Brot backt, das der Truthahn dann frißt – und Jury ist der Truthahn.

Kitty Meechem kam mit dem Kaffee, und Jury blieb die Antwort erspart. Als die Tassen weitergereicht wurden, blickte Wiggins Kitty trübe an und fragte, ob er Tee haben könne. Er könne schon die nächste Erkältung spüren, Seeluft bekomme seinen Nebenhöhlen nie.

Kitty, die ihr Tablett wie ein Bündel Liebesbriefe gegen den Busen preßte, meinte: «Ah, dann sollten Sie aber keinen Tee trinken. Sie brauchen ein Bier mit Schuß.» Sie stolzierte hinaus. Eine attraktive Frau, dachte Jury, in den besten Jahren, etwas üppig, seidig schimmernde braune Locken.

«Was ist das, ein Bier mit Schuß?» flüsterte Wiggins.

«Weiß ich auch nicht», meinte Jury. «Eine richtige Roßkur wahrscheinlich.»

«Aber im Dienst kann ich doch nicht trinken, Sir.»

«Wenn's Medizin ist, Sergeant.» Jury nahm den Umschlag vom Tisch – Harkins war offensichtlich nicht gewillt, sich auf normale Art und Weise mit ihnen zu verständigen – und breitete die auf Hochglanzpapier abgezogenen Fotos aus. Er studierte eines von ihnen.

Die Aufnahme zeigte ein paar steinerne Treppenstufen. Die breiteste bildete eine Plattform, auf der eine Bank stand; sie befand sich in einer Nische in der Mauer links von der Treppe. Jury prägte sich die Lage der Toten ein.

Die Leiche lag mit dem Kopf nach unten, halb über der Plattform. Die Beine waren abgespreizt, und der Oberkörper hing über zwei Stufen. Der rechte Arm war nach hinten über den Kopf geworfen und hing bis über die dritte Stufe. Der linke Arm war zwischen Körper und Mauer eingeklemmt. Das Gesicht war der hohen Mauer auf der linken Seite zugewandt. Alles, was er auf dem Foto erkennen konnte, war voller Blut und Schminke – schwarz, weiß und dunkelrot. Nuancen waren in dem Licht nicht auszumachen. Die schwarze Maske, die ihre Augen bedeckt hatte, baumelte an dem Gummiband. Das Blitzlicht des Fotografen hatte der weißen Satinbluse einen fluoreszierenden Schimmer verliehen, und auch die Stiefel reflektierten das Licht. Ihr schwarzer Umhang floß über die Stufen. Auf dem Foto, das er in der Hand hielt, kam der Kopf zuerst und dann der Rest. Es sah sehr dramatisch aus. Er wünschte nur, er hätte die Leiche am Tatort gesehen. Jury steckte die Fotos wieder in den Umschlag zurück.

Das Kinn auf die Hand gestützt, fragte er Harkins: «Und der Pathologe, wie heißt der?»

«Dudley. Er macht das nur aushilfsweise.»

«Er sagte, er wüßte nicht, wie die Wunden zustande kamen. Haben Sie eine Ahnung?»

Harkins blickte weg und schien nachzudenken; er wollte gerade antworten, als Kitty mit Wiggins' Medizin hereinkam. «So, das wird Ihnen wieder auf die Beine helfen», meinte sie und knallte den Bierkrug auf den Tresen.

Wiggins schaute mißtrauisch hinein. «Was ist das?»

In der unterkühlten Atmosphäre war es ein Vergnügen, Kitty lachen zu hören. «Ein bißchen Zucker und Butter und ein Ei. Ein Ei wirkt manchmal Wunder, glauben Sie mir.»

Sie wollte wieder gehen, aber Jury hielt sie zurück. «Kitty, wenn Sie mir später noch ein paar Fragen beantworten könnten – ich habe gehört, daß Gemma Temple hier übernachtet hat.»

«Ja, hat sie. Ich stehe Ihnen zur Verfügung.» Ihre Hand wanderte zu ihren Haaren hoch.

Als sie gegangen war, wandte sich Jury wieder Harkins zu. «Wir sprachen über die Mordwaffe.»

«Ja.» Harkins klopfte seine Zigarre an dem Aschenbecher ab. «Etwas mit zwei Zinken, meint Dudley. Der Abstand zwischen den Stichen läßt das vermuten. Es gibt mindestens vier von diesen doppelten Stichen. Ich frage mich, wieso sich der Mörder eine so ausgefallene Waffe ausgesucht hat.»

Jury lächelte. «Damit wir uns den Kopf zerbrechen können – darum. Ich würde mir gern mal die Engelsstiege anschauen.»

«Wie Sie wollen, Inspektor.» Harkins erhob sich und zupfte an sich herum, als sei er eine wertvolle Figurine, die vom Kaminsims auf den Tisch gestellt wird.

Wiggins leerte seinen Bierkrug. «Dieses Zeug hat es in sich.»

Jury wünschte, er hätte ein Ei. Ein Ei, hatte Kitty gesagt, wirkt manchmal Wunder.

Sie standen alle drei auf einer breiten Stufe, hinter der die Engelsstiege in die Scroop Street zu ihrer Linken mündete. Jury schaute hinunter und dann wieder hoch. «Da kann einem schon die Puste ausgehen.»

Wenn man zu der Kapelle hochblickte, befand sich links von der Engelsstiege eine ziemlich hohe Steinmauer, während rechts von ihr nur ein kleines Mäuerchen errichtet worden war, wohl damit man über die Dächer und Kamine aufs Meer sehen konnte. Malvenfarbene Rauchfahnen verschlangen sich ineinander; Silbermöwen hockten auf den Simsen und besprenkelten die Kieselsteine unter ihnen mit kleinen weißen Tupfern.

Jury blickte auf die Grape Lane hinunter. «War das Tor geschlossen?»

«Ja.»

«Die Engelsstiege ist nachts also ziemlich unbelebt?»

«Ja, richtig.»

«Die Läden und Gasthöfe sind wohl auch noch anders erreichbar?»

Harkins nickte. «Von der Scroop Street kann man die Dagger Alley nehmen, die an der ‹Glocke› vorbeiführt. Sie mündet in die High Street.»

«Bei dem Bau der Stiege haben wohl vor allem religiöse oder ästhetische Kriterien den Ausschlag gegeben, nicht irgendwelche praktischen Erwägungen.» Jury betrachtete die Aufnahmen, die er mitgebracht hatte. Sein Blick wanderte von ihnen zu den leeren Stufen. Alles wieder hübsch sauber, dachte er voller Bedauern.

Wiggins, dessen Lebensgeister durch Kittys Bier wieder etwas geweckt worden waren, ließ sich auf die Knie nieder und inspizierte die Stufen. «Getrocknetes Blut. Und was sind denn das für weiße Streifen?» Er fuhr mit dem Finger an der Mauer links von ihnen entlang. Die winzigen weißen Linien waren mit dem bloßen Auge kaum wahrzunehmen.

«Ihr Kopf hat die Mauer berührt», sagte Harkins. «Es ist Schminke. Sie wollte auf ein Kostümfest.»

«Erzählen Sie, Ian», sagte Jury.

«Sir Titus Crael gibt jedes Jahr am Abend vor dem Dreikönigsfest einen Kostümball. Die Craels wohnen dort oben im Old House.»

Wiggins richtete sich wieder auf und klappte das Taschenmesser zu, mit dem er auf dem Boden herumgekratzt hatte. «Sie kam aus London, nicht?» Harkins nickte. «Es ist doch wohl kaum anzunehmen, daß ihr jemand hierher gefolgt ist. Der Mörder muß sich in Rackmoor ausgekannt haben.»

Jury war überrascht. Wiggins war zwar immer eifrig bei der Sache und machte auch fleißig seine Notizen, aber er zog ganz selten irgendwelche Schlüsse. «Ich meine wegen dieser Stiege. Es muß einer von hier gewesen sein, einer, der wußte, daß da kaum jemand hochkommen würde.»

«Sie haben recht, Wiggins.» Jury blickte auf die Fotos und mischte sie wie Karten. «Gemma Temple…» Er schüttelte den Kopf.

«*Falls* sie so hieß.» Harkins lächelte grimmig; es schien ihm ein Vergnügen zu bereiten, ihnen einen Knüppel zwischen die Beine zu werfen.

«Es ist eine Frage der Identität», sagte Harkins. Sie saßen wieder im «Fuchs». «Colonel Crael – Sir Titus, er hört aber ‹Colonel› lieber – hat zu Protokoll gegeben, diese Frau, die sich Gemma Temple nannte, sei wohl Dillys March gewesen. Dillys March ist vor fünfzehn Jahren, als sie achtzehn oder neunzehn war, von zu Hause weggelaufen. Und ist nie wieder aufgetaucht. Bis jetzt. Dillys March war Craels Mündel.»

«Wieso ‹sei wohl gewesen›? War Crael sich denn nicht sicher?»

«Colonel Crael denkt, daß sie diese March war. Aber sein Sohn, Julian, ist anderer Meinung. Man sollte annehmen, das Rätsel sei einfach zu lösen, aber dem ist nicht so. Wir haben ihre Mitbewohnerin aus London kommen lassen. Eine gewisse Josie Thwaite. Sie identifizierte die Leiche als Gemma Temple, wußte aber verdammt wenig über sie. Die Temple ist ungefähr vor einem Jahr bei ihr eingezogen.»

«Und wo lebt diese Thwaite?»

Übertrieben geduldig deutete Harkins auf den Umschlag. «In Kentish Town. Ist alles vermerkt.»

«Fahren Sie fort.»

«Sie erinnerte sich, daß Gemma Temple eine Familie erwähnt hatte, die Raineys in Lewisham. Wir haben uns bei ihnen nach handschriftlichen Dokumenten umgesehen, und wir fanden auch einiges von Gemma Temple, aber nichts von Dillys March. Keinen einzigen Fetzen Papier und keine einzige Unterschrift. Die Unterlagen beim Zahnarzt: dasselbe. Der Colonel sagt, Lady Margaret – seine verstorbene Frau – hätte sich um diese Dinge gekümmert. Konnte sich nicht erinnern, zu welchem Zahnarzt sie mit ihr gegangen ist. Zu irgendeinem in London.»

«Dann klappern wir am besten mal alle ab. In London wimmelt es zwar von Zahnärzten, aber irgendwo muß doch was vorhanden sein. Ich kann einfach nicht glauben, daß sie in den ganzen Jahren keine einzige Spur hinterlassen hat, die von Gemma Temple zu Dillys March führt.»

Hartnäckig sagte Harkins: «Die Frau da hat verdammt gute Arbeit geleistet.»

«Warum ist die kleine March denn überhaupt abgehauen? Was ist passiert?»

«Sie setzte sich in ihr Auto und fuhr davon.»

Nicht sehr aufschlußreich, aber Jury hatte auch gar nichts anderes erwartet. «Und wie kam die Temple hierher? Mit dem Auto?»

Harkins nickte und zündete sich eine weitere kubanische Zigarre an. «Mit dem Auto ihrer Mitbewohnerin Josie Thwaite. Wir haben es genau untersucht. Brachte uns aber auch nicht weiter.»

«Gemma Temple muß Dillys March wohl ziemlich ähnlich gesehen haben?»

«Offenbar.» Harkins blies ein paar Ringe in die Luft. «Sie war ihre Doppelgängerin, man braucht sich nur die fünfzehn Jahre wegzudenken.»

Harkins öffnete den Umschlag, zog ein Foto aus einem Manuskripthalter und legte es wortlos auf den Tisch.

Jury betrachtete es. Der Schnappschuß zeigte ein sehr hübsches junges Mädchen, das sich gegen eine Steinmauer lehnte oder vielmehr davor posierte. Dunkles, glattes Haar, das bis zum Kinn reichte und leicht eingedreht war, Ponyfransen, dunkle Augen. Sie trug einen Reitanzug, hatte ziemlich ausgeprägte Gesichtszüge, schräge Augen und ein spitzes Kinn. Ihr Gesicht mit den nach oben gezogenen Mundwinkeln, die jedoch kein Lächeln bedeuteten, wirkte irgendwie verschlagen. Sie glich der Ermordeten oder, genauer gesagt, dem jungen Mädchen, das sie vor fünfzehn Jahren gewesen sein mußte, aufs Haar. «Ich nehme an, das ist Dillys, das Mündel?»

Harkins machte ein enttäuschtes Gesicht, als hätte Jury bei einem Test gemogelt. «Was veranlaßt Sie zu dieser Annahme?»

«Eigentlich nur der Reitanzug. Colonel Crael ist doch ein begeisterter Jäger. Es ist also anzunehmen, daß die Kleine sich angepaßt hat –» Jury verstummte. Harkins' Feindseligkeit war nicht mehr zu übersehen. Er wechselte das Thema. «Vater und Sohn sind sich also nicht einig?»

Harkins nickte und zog einen kleinen silbernen Nagelknipser aus seiner Westentasche, als gäbe es im Augenblick nichts Wichtigeres für ihn als seine Maniküre.

«Erzählen Sie mir mehr von diesem Colonel Crael.» Ein zum Scheitern verurteilter Versuch.

«Reich. Steinreich. Seinem Vater wurde der Baronstitel verliehen. Die Craels hatten unter anderem auch eine Reederei. Er ist *Master of Foxhounds*. Soviel ich gesehen habe, gehört ihm halb Rackmoor. Der Ort steht unter Denkmalschutz.»

«Wie, das ganze Dorf?»

«Richtig. Anscheinend lohnt es sich, es zu erhalten.»

«Hat er Erben?»

«Einen. Es gibt nur einen, und das ist Julian Crael, sein Sohn.»

Wiggins hatte sich eine zweite Tasse Tee eingeschenkt; er dachte nach und rührte dabei um. «Die verlorene Tochter», murmelte er. Beide, Jury und Harkins, blickten ihn an. «Das war bestimmt die letzte Person, die sein Sohn sich nach so vielen Jahren herbeisehnte. Und über deren Rückkehr sich jeder im Dorf das Maul zerriß.» Er klopfte mit dem Löffel gegen seine Tasse und nahm einen Schluck.

Die Fahrt übers Moor mußte Wiggins' Zunge gelöst und sein Gehirn mit Sauerstoff versorgt haben. Das war schon der zweite Kommentar innerhalb einer Stunde. «Da haben Sie wohl recht, er war sicher nicht begeistert», sagte Jury.

«Es würde auch erklären, warum der Sohn so energisch bestritt, daß sie diese March war», sagte Wiggins.

«Ja. Er kann natürlich auch recht haben. Ihre Geschichte klingt ziemlich unwahrscheinlich.» Harkins blickte auf, anscheinend das Schlimmste befürchtend – als erwarte er, noch weitere Dinge zu hören, auf die er selbst nicht gekommen war –, und Jury wechselte wieder das Thema. Er warf einen Blick auf die Fotos und sagte: «Das reinste Blutbad. Es ist kaum anzunehmen, daß der Mörder nicht auch ein paar Spritzer abgekriegt hat.»

«Wir fanden ein Stück Leinwand, das voller Blut war.»

Nett, daß Sie das sagen, dachte Jury grimmig. «Was für eine Leinwand war das denn?»

«Eine Malerleinwand. Wie man sie auf Keilrahmen spannt. Sie könnte aus Adrian Rees' Beständen stammen. Aus seinem Studio oder wie er es nennt. Er hat im ‹Fuchs› große Reden über irgendwelche Mordgeschichten geschwungen.» Harkins zog ein weiteres Blatt Papier aus dem Umschlag und schob es Jury hinüber. «Das ist eine Liste mit Namen für Sie. Wir haben mehr oder weniger das ganze gottverdammte Dorf verhört –» *wieder die kleine rote Henne*, dachte Jury – «und dann die Spreu vom Weizen getrennt. Übriggeblieben sind diese Namen hier, mit denen sollten Sie anfangen. Die Craels sind natürlich auch dabei. Adrian Rees scheint der letzte gewesen zu sein, der Gemma Temple gesehen hat. Er traf sie auf der Grape Lane, kurz bevor sie ermordet wurde.»

Jury faltete die Liste zusammen und steckte sie in die Tasche. «Dann unterhalte ich mich am besten zuerst mit ihm. Bevor ich zu den Craels gehe.»

Harkins nickte und streifte seine Handschuhe über. «Sie nehmen es mir hoffentlich nicht übel, wenn ich jetzt nach Pitlochary zurückfahre. Ich erwarte einen Bericht aus London.»

Es war ungewöhnlich – wenn nicht ungehörig –, daß ein Bezirksinspektor sich unaufgefordert verabschiedete; Jury hielt sich jedoch zurück.

Harkins rückte die Schultern seines Mantels zurecht und ließ dann endlich die Katze aus dem Sack: «Oh, was ich noch sagen wollte, die Geschichte hat noch einen Haken: Lily Siddons – das ist die junge Frau, der das Café «Zur Brücke» gehört – behauptet, dem Mörder sei ein schrecklicher Irrtum unterlaufen.»

«Ein Irrtum!»

«Lily Siddons behauptet, er hätte es eigentlich auf sie abgesehen gehabt.» Harkins lächelte in die Runde, als wolle er ihnen sagen, daß der Code, den sie gerade entschlüsselt hatten, auf Fehlinformationen beruhte. «Meiner Meinung nach ist das dummes Gerede. Wahrscheinlich will sie sich nur wichtig machen. Aber das Kostüm hat ihr gehört, wie sie sagt. Deswegen sei dem Mörder auch dieser Irrtum unterlaufen. Ich möchte mich verabschieden. Es ist ein ganzes Ende bis nach Pitlochary. Ich hoffe, Ihnen etwas weitergeholfen zu haben.»

Jury starrte auf seine Füße. «Ich bin Ihnen unendlich dankbar.»

2

Während der Auspuff des Lotus Elan noch in Jurys Ohren röhrte, machte Kitty Meechem sich daran, die Bar für die Elfuhrkunden herzurichten; sie wischte die Porzellangriffe der Bierpumpe ab und rieb den dunklen Tresen blank. Jury entschied, daß er sich lieber mit Kittys seidigen Locken hätte abgeben sollen als jemals mit Harkins. «Welche Zimmer haben Sie uns denn gegeben, Kitty?»

Sie warf die Serviette über die Schulter und zog ihr Kleid zurecht, so daß Jury etwas mehr Busenansatz sehen konnte. «Ach ja, ich zeig sie Ihnen –»

«Ist nicht nötig. Sergeant, Wiggins wird sie schon finden. Sagen Sie ihm nur, wo. Ich würde gerne noch etwas mit Ihnen plaudern.»

Sie zeigte durch die Tür auf eine dunkle, enge Treppe rechts neben der Bar. «Ich hab nämlich nur drei Zimmer. Und die Polizei will nicht, daß ich ihres vermiete.» Jury lächelte in sich hinein; anscheinend galten sie hier nicht als Polizei. «Sie können sie nicht verfehlen, Sergeant. Es sind die ersten beiden auf dem ersten Stock. Mit Blick aufs Meer. Viel frische Luft für Sie. Sie sehen ziemlich angegriffen aus.»

Wiggins lächelte trübe.

«Ruhen Sie sich aus», sagte Jury. «Ich hol Sie, wenn ich Sie brauche.»

Wiggins sandte ihm einen dankbaren Blick zu, schnappte sich die beiden kleinen Koffer neben der Tür und ging hinauf.

«Sie kommen nicht aus Dublin, Kitty, oder?» Jury lächelte. Mit diesem Lächeln hatte Jury schon härtere Herzen erweicht als das von Kitty Meechem.

«Sie sind ein ganz Schlauer. Was meinen Sie denn, woher?»

«Aus dem Westen. Sligo vielleicht.»

Sie war verblüfft. «Sie haben's erraten. Wirklich sehr schlau, Inspektor. Daß Sie solche Unterschiede heraushören können!»

«So schlau auch wieder nicht.» Er hob den Umschlag hoch und warf zwei Fünfzig-Pence-Stücke auf den Tresen. «Harkins hat alles aufgeschrieben. Wie wär's mit einem Bier, Kitty?»

Sie lachte. «*Ich* hab nichts dagegen.»

«Ein Guinness, bitte. Das ist Medizin.»

«Da haben Sie recht. Meine Mutter mußte einen Liter pro Tag trinken; der Doktor hatte ihr das verordnet, als Stärkungsmittel.»

«Warum sind Sie hier in Yorkshire, Kitty? Irland ist doch ein schönes Land?»

«Mein Mann ist aus Yorkshire. Ich hab ihn in Galway kennengelernt, als er Urlaub machte. Eine Zeitlang haben wir in Salthill gewohnt. Aber er mochte Irland nicht. Wie alle Engländer. Wegen der Unruhen.»

«Die gibt es schon seit zweihundert Jahren, Kitty.»

Sie hatte die Arme in die Hüften gestemmt und wartete darauf, daß sich der Schaum setzte. «Haben Sie schon Bertie Makepiece kennengelernt, Sir? Er wohnt in dem Cross Keys Cottage in der Scroop Street.» Jury schüttelte den Kopf. «Das ist direkt neben der Engelsstiege. Seine Mutter ist jedenfalls vor ein paar Monaten nach Irland zurückgegangen. Ich schau ab und zu mal nach dem Rechten, aber ich versteh das nicht – einfach abzuhauen und das Kind seinem Schicksal zu überlassen! Hin und wieder hab ich einen kleinen Job für ihn. Ihre Großmutter sei krank, hat sie gesagt.» Kitty schüttelte den Kopf, füllte die Gläser bis zum Rand und schob Jury das eine über den Tresen.

«Cheers», sagte Jury und hob sein Glas. «Was ist an dem Abend passiert, als sie ermordet wurde, Kitty? Haben Sie Gemma Temple gesehen?»

«Ja, hab ich. Ich ging gegen zehn auf mein Zimmer, und sie war auf ihrem. Sie rief mich herein – ich sollte mir ihr Kostüm anschauen. Es war auch wirklich toll, der weiße Satin und der schwarze Samt. Und dazu die schwarzen Stiefel. Sie sagte, sie wolle sich noch das Gesicht schminken. Die eine Hälfte weiß, die andere schwarz. Und eine Maske aufsetzen...» Kitty stockte und wandte den Blick ab. «Sie soll schrecklich ausgesehen haben, als sie gefunden wurde.»

Jury äußerte sich nicht dazu. «Sie sagten, das war um zehn?» Kitty nickte.

«Zehn oder kurz danach.»

«Und sie wollte sich nur noch schminken und dann gehen?»

«Das hat sie gesagt. Sie wollte gleich weg. Und das war auch das letzte, was ich von ihr gesehen habe. Die Ärmste, ich hab sie ja kaum gekannt, aber leid tut sie mir doch.»

«Ja, natürlich. Sie hat sich also auf den Weg zur Party gemacht, soweit Sie wissen?»

Wieder nickte Kitty.

«Anscheinend hat sie keiner von den Gästen weggehen sehen. Wie kommt das?»

«Na ja, das überrascht mich nicht. Sie waren ja alle stockbesoffen. Außerdem brauchte sie hier gar nicht durch. Sie konnte die Treppe runter und gleich aus der Tür gehen. Ich hab mich ja auch gefragt, was sie auf der Engelsstiege zu suchen hatte. Wissen Sie, am einfachsten kommt man nämlich zum Herrenhaus, wenn man Richtung Meer geht, die Fuchsstiege nimmt und dann an der Kaimauer entlanggeht. Wir haben sie die Fuchsstiege genannt, um die beiden Treppen auseinanderhalten zu können.» Jury nickte. «Von der Kaimauer führt ein Pfad die Klippen hoch bis zum Old House.»

«Das ist aber nicht der einzige Weg?»

«O nein, man *kann* auch die Engelsstiege bis zur Kapelle hochgehen, dann die Psalter Lane nehmen und anschließend durch den Wald gehen. Aber wer will das schon? Ist dunkel und unheimlich.»

«Hat sie sich denn in den paar Tagen, die sie hier war, mit jemandem angefreundet?»

Kitty schüttelte den Kopf. «Nein, mit keinem, nur mit Maud Brixenham hat sie ein paarmal gesprochen. Maud kommt jeden Mittag hier vorbei. Sie wohnt in der Lead Street. Auf der anderen Seite der Mole. Und Adrian, mit dem –» Sie zögerte.

«Adrian?»

«Adrian Rees. Ich glaube, mit dem hat sie auch mal geredet.»

«Warum wollten Sie das unter den Tisch fallen lassen?»

«Oh…» Sie beugte sich über den Tresen und ließ Jury noch etwas tiefer in ihren Ausschnitt blicken. «Ich möchte nicht, daß Adrian Ärger kriegt. Aber er *war* hier an dem Abend, an dem sie ermordet wurde, und er sprach über irgendwelche Mordgeschichten. Über eine Romanfigur. Schlimm ist nur, daß Adrian sie als letzter lebend gesehen hat. Dieser Mr. Harkins hat ihn ganz schön in die Mangel genommen.»

«Und was halten Sie von der Sache?»

Kitty winkte ab. «Bah, Adrian könnte keinen Mord begehen. Angeben, rumkrakeelen, das ja, aber –» Sie schüttelte den Kopf und trank ihr Bier.

«Und die Craels? Die Frau war anscheinend befreundet oder verwandt mit ihnen.»

«Davon weiß ich nichts, ich weiß nur, daß sie zum Old House hochgegangen ist. Diese Kneipe hier gehört dem Colonel zur Hälfte. Als er sie kaufte, hieß sie ‹Zum Kabeljau›. Ich arbeitete hinter dem Tresen. Der Colonel ist ein richtiger Gentleman und sehr beliebt hier in Rackmoor.»

«Was hat Gemma Temple über die Craels gesagt?»

«Nichts. Wir haben uns nicht weiter unterhalten. Aber dieser Julian, der Sohn, der ist schon ein ziemlich komischer Vogel.»

«Komisch? Warum?»

«Immer für sich. Kommt kaum ins Dorf runter. Vierzig und nicht verheiratet.»

Sie sagte das, als wäre es der Gipfel aller möglichen menschlichen Verirrungen.

«Ich bin auch vierzig und noch nicht verheiratet, Kitty.»

Sie starrte ihn an. «Kaum zu glauben. Ist wohl nicht nach Ihrem Geschmack?»

«Oh, es ist schon nach meinem Geschmack. Das Mündel der Craels, diese Dillys March, haben Sie wohl nicht gekannt? So lange sind Sie wahrscheinlich noch gar nicht hier.»

«Nein. Aber ich kenne die Geschichte: Sie haute ab und heiratete, stimmt's?»

Das Heiraten schien es ihr angetan zu haben. «Das ist uns

nicht bekannt. Das Kostüm soll einer gewissen Lily Siddons gehört haben?»

Kitty nickte. «Lily, ja, Sir, das stimmt, sie hat es ihr gegeben oder geliehen, das weiß ich nicht genau. Und Lily ging zusammen mit Maud Brixenham als –» Kitty schob die Unterlippe vor, «als irgendwas aus Shakespeare. Ich kann mich nicht mehr erinnern.»

«Ist Lily Siddons mit den Craels befreundet?»

«Ja, ihre Mutter war bis zu ihrem Tod Köchin im Old House – Mary Siddons.»

«Die Tochter von Craels Köchin? Sir Titus scheint ja sehr demokratisch zu sein –» Jury half Kitty aus der Verlegenheit. «Ich meine, wenn er sogar die Kinder seiner Dienstboten um sich schart.»

«Oh, mit Lily ist es was anderes. Sie ist ihm ans Herz gewachsen. Als ihr Vater einfach weglief, hat sie mit ihrer Mutter eine Zeitlang bei ihnen gewohnt.»

«Hier scheinen ja viele Leute zu verschwinden! Haben Sie Lily in der Mordnacht gesehen?»

«Ja, hab ich. Wenn ich den Laden dichtmache, unterhalten wir uns meist noch ein bißchen. Sie wohnt gleich da drüben, in dem komischen kleinen Haus, wo sich High Street und Grape Lane treffen. Nach Feierabend bin ich zu ihr rübergerannt.»

Jury zog sein Notizbuch heraus. «Wann war das?»

«Fünf vor halb zwölf. Ich sah, daß sie noch Licht anhatte.»

«Ich dachte, sie wäre auf das Fest gegangen?»

«Sie ist gleich wieder zurückgekommen. Mit Maud Brixenham und Mauds Neffen, Les Aird. Lily sagte, es wäre ihr schlecht geworden.» Sie beobachtete, wie Jury den Umschlag öffnete, und fügte hinzu: «Ist wohl wichtig, weil um diesen Dreh auch Gemma Temple umgebracht wurde?»

Jury blickte zu ihr hoch. «Sie wissen, um wieviel Uhr das passiert ist?»

«Sicher. Jeder in Rackmoor weiß das. Zwölf Messerstiche hat sie abgekriegt.»

«Wie lange braucht man von hier zur Engelsstiege, Kitty?»

Kitty setzte ein gewinnendes Lächeln auf. «Genau das hat

mich Mr. Harkins auch gefragt. Zehn Minuten bis zu der Stelle, wo sie ermordet wurde. Ich kann's also unmöglich gewesen sein, wo ich doch fünf vor halb zwölf schon bei Lily war!»

Jury lachte. «Sie und Lily haben ein ganz gutes Alibi.» Kitty strahlte, und er fügte hinzu: «Aber hieb- und stichfest ist es nicht. Eine von Ihnen könnte ja gerannt sein wie der Teufel…»

Kitty fühlte sich sicher genug, um zu lachen. «Oh, das ist doch nicht Ihr Ernst, Sir.» Sie senkte die Stimme. «Womit wurde sie denn umgebracht?»

«Ich dachte, das könnte ich von Ihnen erfahren. Sie wissen doch sonst alles. Hören Sie, Kitty, wer könnte Interesse daran haben, Lily Siddons um die Ecke zu bringen?»

Schockiert blickte sie ihn an. «Lily, Sir? Wie meinen Sie denn das?»

«Sie sind doch mit ihr befreundet. Hat sie Ihnen nicht erzählt, daß sie dachte, der Mörder habe sie mit Gemma Temple verwechselt? Die Temple trug ja auch ihr Kostüm.»

«Du lieber Himmel! Nein, davon hat sie nichts gesagt.»

«Sahen sie sich denn sehr ähnlich?»

«Nein, aber das Kostüm… ist schwer zu sagen, ich meine bei dem Nebel und der Dunkelheit…»

«Hmm, ich glaube, ich schau mir am besten mal das Zimmer von der Temple an.»

Sie ging mit Jury durch die Tür und die enge Treppe hinauf; das Zimmer lag am Ende des Flurs, ein großer, heller Raum, von dem aus man auf den Wellenbrecher und auf das schiefergraue Wasser blickte.

Während Jury das Zimmer inspizierte – die Schränke öffnete und hinter die Möbelstücke und Spiegel schaute –, erzählte Kitty, daß sie ihre Zimmer selten vermiete. «Im Winter kommt doch niemand. Gestern nachmittag ist mir zum erstenmal seit zwei Monaten wieder ein Fremder über den Weg gelaufen, ein Herr, der sich in eine Ecke setzte, ein französisches Buch las und dabei Old Peculiar trank – wer trinkt das heutzutage noch? Bitsy, die hier serviert, falls sie überhaupt etwas tut, sagte, er sei auf dem Weg zum Old House gewesen und hätte sich nur noch ein bißchen im Dorf umschauen wollen. Bitsy hat natürlich mit ihm getratscht, solange es nur ging. Wenn sie nur nicht zu arbeiten braucht –»

Old Peculiar und ein französisches Buch. «Wie sah er denn aus?»

«Ziemlich groß. Helles Haar. Wirklich tolle Augen.»

«Grün?»

«Ja, grün. Sie glitzerten richtig. Woher wissen Sie das?»

Melrose Plant. Was zum Teufel tat er in Rackmoor?

3

Melrose Plant saß an dem einen Ende des dunkel schimmernden Speisezimmertischs, der sich wie ein vom Mond beschienener See vor ihnen ausdehnte; er schien mindestens einen halben Kilometer lang zu sein. Melrose frühstückte gerade, und zwar zunächst weiche Eier mit Butter. Er hatte so lange geschlafen, daß es ihm schon peinlich war, und dann den Butler gefragt, ob er noch eine Tasse Kaffee haben könne. Während der Colonel sich offensichtlich über seinen Besuch freute, war Julian alles andere als erfreut. Es war nicht die Person Melrose, die Julian störte, sondern allein die Tatsache, daß irgendein Neuer auftauchte. Julian hatte mit der Polizei bereits genug am Hals.

Wood versicherte Melrose, der Colonel habe darauf bestanden, daß das Frühstück warm gehalten würde. Colonel Crael war zu seinen Hundezwingern nach Pitlochary gefahren, berichtete Wood. Julian Crael machte seinen Morgenspaziergang.

Melrose kam das ganz gelegen. Er hielt den Colonel für einen großartigen alten Mann, während er Julian nicht besonders mochte – unter anderem, weil er so blendend aussehenden Männern einfach mißtraute. Julian war, was das Aussehen betraf, von der Natur mehr als verschwenderisch bedacht worden. Vielleicht war Melrose aber auch nur eifersüchtig auf seine Jugend, weil er selbst schon Anfang Vierzig war. Aber so jung war Julian auch wieder nicht – wahrscheinlich nur fünf oder sechs Jahre jünger. Aber die Jahre konnten Julian nichts anhaben. Und das fand Melrose unverzeihlicher als alles übrige.

Als Melrose seinen zweiten Bückling zerlegte, hörte er ein leises Klirren, und Olive Manning, die Haushälterin, kam in das Speisezimmer gerauscht. Melrose hatte angenommen, mit den Brontës und den Geisterromanen wären auch die Schloßfrauen verschwunden, doch nun stand eine leibhaftig vor ihm, den Schlüsselbund am Gürtel.

«Colonel Crael hat mich gebeten, nachzusehen, ob Sie irgend etwas benötigen. Außerdem soll ich Sie fragen, ob Sie später mit ihm ausreiten wollen.»

Verdammt, dachte Melrose. Geschah ihm ganz recht, warum hatte er dem Colonel auch von seinem Pferd auf Ardry End erzählt. «Nett von ihm. Wenn nur mein Knie nicht so verflucht weh täte. Muß mir letzte Woche beim Springen eine Sehne verzerrt haben.» (Melrose verfiel immer, wenn er log, in diesen kumpelhaften Jargon. Als müsse er dazu in eine andere Rolle schlüpfen.)

Olive Manning nickte, verzog aber keine Miene; kaputte Knie schienen nicht in ihr Ressort zu fallen. Sie murmelte jedoch ein paar teilnahmsvolle Worte, die nicht sehr aufrichtig klangen. «Hoffentlich wird Ihr Knie bald besser, sonst können Sie nicht mit auf die Jagd gehen.»

«Du liebe Güte, wie schrecklich.» Er erhob sich und zog einen Stuhl hervor. «Wollen Sie nicht einen Kaffee mit mir trinken?»

Sie schien mit sich zu kämpfen, aber nicht, weil sie ihren Platz kannte – Olive Manning wurde beinahe wie ein Familienmitglied behandelt –, sondern weil er ihr irgendwie verdächtig erschien. Melrose würde sein Thema – den Kostümball – vorsichtig einkreisen müssen.

Das Mißfallen war gegenseitig. Ihm mißfielen ihre verkniffenen Züge, ihr spitzes Kinn, ihre zusammengezogenen Brauen und ihre gespitzten Lippen. Sie schien gegen Gott und die Welt einen unterdrückten Groll zu hegen. Der Kopf mit dem schwarzen Haarschopf saß auf einem dürren, in dunklen Batist gehüllten Körper (bestimmt das Feinste, was es bei Liberty zu kaufen gab). Sie setzte sich – den Kaffee lehnte sie ab – und legte die Hände auf den Tisch. An ihrem Finger steckte ein rosafarbener Topas, an dem selbst ein Pferd erstickt wäre. Offensichtlich nagte im Old House keiner am Hungertuch.

«Sir Titus sagte, Sie seien Lady Margarets engste… Vertraute gewesen.» «Zofe» oder «Hausangestellte» wollte er nicht sagen.

«Ahh.» Sie sprach diese Silbe sehr weich aus; einen Augenblick lang entspannte sich ihr Mund.

«Ich habe sie leider nicht kennengelernt. Aber mein Vater, Lord Ardry, hat mir viel von ihr erzählt… er sagte, er hätte nie eine schönere Frau gesehen.»

Das war offensichtlich die richtige Strategie. Mrs. Manning lächelte beinahe. «Ja, ich hab auch noch keine gesehen, die ihr das Wasser reichen konnte. Ihr Haar glitzerte wie ein Wasserfall, wenn sie es offen trug. Die beiden Jungen, Julian und Rolfe, haben es von ihr geerbt.» Sie wandte den Blick ab. «Rolfe lebt auch nicht mehr, aber das wissen Sie wohl.»

«Ja, schrecklich, beide auf einmal zu verlieren, Frau und Sohn. Ein Autounfall, sagte mir der Colonel.»

Sie seufzte. «Vor achtzehn Jahren ist das passiert. Rolfe war erst zweiunddreißig.» Sie spielte ständig mit einem Silbermesser herum, als wollte sie es gleich hochheben und sich – oder ihm – in die Brust stoßen. Ihr verkrampftes Gesicht hatte sich etwas entspannt und einen leidenden Zug angenommen. Er wußte, daß ihr Sohn in einer Anstalt war, aber er hatte nicht vor, dieses Thema anzuschneiden. Er sah sie von der Seite an.

«Eine Tragödie. Es ist also nur noch Julian übrig?»

«Ja.» Ihr Blick war wie ein Peitschenhieb. Er war zu nahe an das Thema herangekommen, über das sie nicht sprechen wollte. Melrose schob sich den Rest seiner Zigarre in den Mundwinkel und lehnte sich zurück, die Hände hinter dem Kopf verschränkt. Er blies einen Rauchkringel in die Luft. «Gehen Sie gern auf die Jagd, Mrs. Manning?»

Das war ungefährlicher. Ihre Züge entkrampften sich wieder. «Ja, sehr gern. Ich bin schon als kleines Mädchen mit auf die Jagd gegangen. In diesem Haushalt geht das gar nicht anders.» Das Licht, das auf ihr Haar fiel, war so matt und gedämpft, als käme es durch eine Milchglasscheibe. Sie mußte einmal eine hübsche Frau gewesen sein, bevor diese unterdrückte Wut von ihr Besitz ergriffen hatte.

«Julian ist aber nicht so versessen darauf. Für seinen Vater muß das ja eine herbe Enttäuschung sein.» Melrose lächelte.

«Nein, Julian ist –» Ihr Blick streifte ihn wieder wie ein Schlag mit der flachen Hand, dann wandte sie sich ab und starrte aus den hohen Fenstern.

«Und von Parties hält er wohl auch nicht gerade viel?» Melrose blickte überallhin, nur nicht auf sie.

Ihr Körper versteifte sich, und sie lehnte sich in ihrem Sessel zurück. «Julian ist einfach nicht sehr gesellig. Nicht wie –»

Als sie stockte, hakte er sofort nach. «‹Nicht wie› –»

«Ich dachte an Rolfe. Rolfe war eher der Sohn seines Vaters. Und seiner Mutter, was das betrifft.» Ihr Ton war unbeteiligt, neutral. Ob sie nun Julians Verhalten billigte oder nicht, ließ sich nicht erraten.

Melrose beschloß, die Sache direkter anzugehen. «Es ist wirklich zu dumm, daß er jetzt auch noch unter Verdacht steht. Ich meine Julian.»

«Ich weiß, wen Sie meinen, Lord Ardry. Es ist natürlich lächerlich.» Sie erhob sich und strich sich das Haar, das im Nacken zu einem Knoten geschlungen war, an den Schläfen zurück. «Ich muß noch ein paar Anrufe für die Köchin erledigen. Wie lange werden Sie bei uns bleiben, Lord Ardry?»

«Oh, ich weiß nicht. Ich bin gerade von York hierhergeflitzt. Ich denke, noch ein paar Tage. Zwei oder drei.» Oder vier oder fünf. «Und nennen Sie mich doch einfach Plant, Mrs. Manning. Nicht Lord Ardry.»

Sie schien es überhaupt nicht komisch zu finden, daß der einzige Sohn sich nicht mit dem Titel seines verstorbenen Vaters schmücken wollte. «Ah, gut. Wenn Sie mich jetzt bitte entschuldigen.»

Eine Glanzleistung, beschimpfte sich Melrose, als er vom Speisezimmer in den Raum hinüberging, den der Colonel sein «Nest» nannte. *Einfach umwerfend, mit welcher Leichtigkeit du das aus ihr herausgeholt hast. Eine Wurzelbohrung ist nichts dagegen.* Wütend ließ sich Melrose in einen Sessel fallen und schlug die Beine übereinander. Er drückte den Stummel seiner Zigarre aus und zündete sich eine neue an; dann blickte er sich suchend nach einer Karaffe um und entdeckte gleich zwei, die eine astronomische Summe gekostet haben mußten. Er holte sich ein Glas Portwein, lehnte sich zurück, rauchte und trank und starrte zur Decke hoch. Mit Decken kannte er sich aus. Diese hier war ein wahres Kunstwerk. Angelika Kauffmann? Joseph Rose? Er war sich nicht sicher. Es war auf jeden Fall ein fabelhafter Stukkateur gewesen – eine Decke, die beruhigend wirkte, die ihm half, sich zu konzentrieren. Die Unterhaltung vom Abend zuvor war ihm so gegenwärtig, als hätte er sie gedruckt vor sich liegen.

«Erpressung?» hatte Julian Crael zu ihm gesagt und frostig gelächelt. «Und womit zum Teufel hätte diese Temple mich erpressen können?»

Melrose hatte strahlend geantwortet: «Was weiß ich, alter Junge, was haben Sie denn so auf dem Gewissen?»

Sie waren im Salon gewesen; Julian hatte neben dem Kamin unter dem Porträt seiner verstorbenen Mutter gestanden. Und Melrose hatte sich gefragt, ob die Flammen nicht auch diese gletscherblauen Augen zum Schmelzen bringen könnten. «Ich befürchte, es gibt nichts in meiner Vergangenheit, für das es sich lohnt, ein paar Scheine hinzublättern.»

«Ein über jeden Verdacht erhabener Bürger? Angenommen, jemand sagte Ihnen auf den Kopf zu: ‹Ich weiß, was Sie getan haben›, würden Sie dann nicht rennen, was das Zeug hält?»

Er behielt sein frostiges Lächeln bei, verzichtete aber auf eine Antwort.

«Du lieber Himmel», bohrte Melrose weiter, «selbst ein Unschuldslamm wie ich, das sich einfach nur ziellos treiben läßt, kann sich an ein oder zwei Dinge erinnern, über die ich keinen reden hören möchte.» Melrose lächelte einnehmend.

Julian stellte sein Glas auf den Tisch und sagte: «Dann schlage ich vor, daß Sie selbst auch nicht darüber reden.» Damit entschuldigte er sich und ließ Melrose einfach stehen.

Melrose seufzte und starrte zur Decke hoch. Er befürchtete, Sir Titus würde nicht gerade begeistert sein, wenn er entdeckte, daß

Melrose – ein Außenstehender – Julian zum Reden bringen wollte. Julian war in Melroses Augen ein Hagestolz ohne jeglichen Charme; einer, vor dem Hunde und kleine Kinder davonliefen. Aber nicht die Frauen, die bestimmt nicht. Julian Crael war zwar nicht verheiratet, aber Melrose hätte wetten können, daß es von York bis Edinburgh keine Frau im heiratsfähigen Alter gab, die sich nicht die Hacken nach ihm ablaufen würde. Sein Aussehen, sein Geld, sein Name!

Melrose dachte (in aller Bescheidenheit, ein dünnes Stimmchen schien es ihm zuzuflüstern), *ich kenne das schließlich*. Obwohl er nicht so blendend aussah. Beim Aufundabgehen konnte er es sich nicht verkneifen, gelegentlich einen kurzen Blick in den Spiegel zu werfen, dessen Goldrahmen durcheinanderpurzelnde Putten zierten. Sein Spiegelbild erschien ihm durchaus passabel, auch wenn er sich nicht mit Julian messen konnte. Aber wer konnte das schon! Er dachte an das Porträt über dem Kamin im Salon. Julian sah aus wie seine Mutter. Er trat an einen mit Zeitschriften, Füllfederhaltern und Büchern übersäten Lesetisch und schaute sich die Buchrücken an: Whythe-Melville: *Das Vergnügen der Jagd*, Jorrocks – alles nur Bücher über die Jagd. Dann goß er sich noch etwas Portwein nach, stöpselte die Waterford-Karaffe zu, ging zu seinem Sessel zurück und starrte wieder zur Decke.

Julian Craels Motiv lag sozusagen auf der Hand. Falls diese Temple wirklich das Mündel des Colonel gewesen war, hätte sie nicht nur Anspruch auf sein Geld gehabt. Sie hätte auch die Zuneigung des alten Mannes für sich beanspruchen können. Also ein Dorn im Auge des jüngeren Crael...

Leider hatte Julian Crael auch ein hieb- und stichfestes Alibi.

Das war der Haken an der Sache. Zum Zeitpunkt des Mordes war Julian auf seinem Zimmer gewesen. Er war von einem Spaziergang zurückgekommen und sofort auf sein Zimmer gegangen, ohne sich um die Partygäste zu kümmern. Und dort war er auch geblieben – was er beweisen konnte.

Melrose Plant schloß die Augen und massierte sich die Kopfhaut, wohl damit sein Gehirn durchblutet würde und ihm die Lösung des Rätsels lieferte. Als er damit aufhörte, stand sein helles Haar in allen Richtungen von seinem Kopf ab. Er wollte nicht verzagen vor diesem Carter-Dickson-Rätsel mit verschlossenen Türen.

Wo steckte bloß Jury!

4

Die graugestreifte Katze streckte sich auf dem Fenstersims, fixierte Jury, gähnte ihn durch das Glas hindurch an und rollte sich wieder zu einer Kugel zusammen. Zwischen der Scheibe und dem Fensterrahmen steckte ein kleines Schild: GEÖFFNET. Ein zweites hing an der Tür: TRETEN SIE EIN. Was Jury und Wiggins auch taten.

Ein Glöckchen bimmelte, aus den oberen Regionen ließ sich ein kräftiger Bariton vernehmen, der sie bat, sich einen Augenblick zu gedulden. Kurz darauf kam ein Mann, dem die Baritonstimme gehörte, die Stufen heruntergepoltert. Er trug Jeans, einen blauen Wollpullover, eine Schirmmütze (der glänzende Schild saß im Nacken), eine mit Magentarot verschmierte Lederschürze und eine Zigarre hinter dem Ohr.

«Mr. Rees? Mein Name ist Jury.»

«Chefinspektor. Von der Kriminalpolizei. Scotland Yard. Und Sergeant Wiggins. Ich bin auf dem laufenden.»

Jury ließ seinen Ausweis wieder in die Tasche gleiten. «Hat sich ja schnell rumgesprochen.»

Rees zog den Zigarrenstumpen hinter seinem Ohr hervor und zündete ihn an. «Sonst gibt's ja nichts, was sich rumsprechen könnte, Inspektor. Sie wollen mich wegen diesem Mord vernehmen. Reicht es, wenn ich Ihnen sage, daß ich's nicht war?»

Jury lächelte. «Wird nicht lange dauern, Mr. Rees.»

«Oh, das kenn ich. Zu Thomas More hat man das wahrscheinlich auch gesagt, als er aufs Schafott stieg.»

«Worauf er antwortete: ‹Helft mir rauf. Runter brauch ich keine Hilfe mehr.›»

Adrian war verblüfft, jedoch weniger über den Ausspruch Mores als über Jurys Belesenheit. «Hat er das tatsächlich gesagt?»

«Soviel ich weiß. Ich war natürlich nicht dabei.»

Adrian schüttelte den Kopf. «Weiß der Himmel, damals besaßen die Leute noch Haltung. Warum fangen wir nur gleich zu winseln an, wenn wir den Tod zu Gesicht bekommen? Warum sind wir so erbärmlich?»

«Raskolnikows Philosophie?»

«Heiliger Strohsack!» Adrian griff sich ins Haar und ballte die Hände zu Fäusten. «Das wird mich noch bis ans Ende meiner Tage – aber lassen wir das.»

Jurys Blick wanderte über die Bilder an den Wänden des langen, schlauchartigen Raums, in dem sie sich aufhielten. «Gute Sachen. Aber dort hinten, diese Postkartenmalerei von der Klosterkirche, die stammt bestimmt nicht von Ihnen?»

Adrian sah sich um.

«Allerdings nicht. Ich muß dieses Zeug in Kommission nehmen, damit die Kasse stimmt. Einheimische Künstler, Lokalkolorit, Folklorescheiße, so was verkauft sich im Sommer.»

«Kann ich mir denken. Was halten Sie denn von dem da, Wiggins?»

Sergeant Wiggins schlenderte zu einem Ölbild mit einem zerlegten Akt. Er räusperte sich. «Interessant.»

«Hören Sie, können wir nicht nach oben in mein Atelier gehen und dort weiterreden? Ich will nicht den großen Künstler markieren, aber wenn die Farbe trocken ist, läßt sich nichts mehr machen. Sie haben doch nichts dagegen?»

«Nein, natürlich nicht.» Jury zog Wiggins am Ärmel. Der Sergeant hatte den Kopf verdreht, um den Akt – oder die Akte, es schienen mehrere zu sein – besser sehen zu können. Die einzelnen Körperteile bildeten eine kubistische Collage; sie verflochten sich zugleich auf eine Weise, der Jury im Augenblick nicht weiter nachgehen wollte.

Jury und Wiggins stiegen hinter Adrian Rees die enge, steile Treppe hinauf und kamen in einen sehr großen Raum, erfüllt von grauem Licht, das durch ein Oberlicht hereinfiel. «Deswegen hab ich dieses Haus auch gekauft», sagte Adrian. «Alle andern Häuser, die ich mir anschaute, waren dunkel wie Grüften. Weil das ganze Dorf in die Klippen hineingebaut ist. Die oberen Häuser nehmen den unteren das Licht weg. In manchen muß den ganzen Tag über elektrisches Licht brennen.»

Abgesehen von den Leinwänden, von denen gleich mehrere übereinander gegen die Wände gelehnt waren, befand sich nichts in dem Raum: Landschaften, Stilleben, abstrakte Bilder, die so aussahen, als hätte der Maler die Finger in einen Farbtopf gesteckt und die Farbe auf das Bild gespritzt. Und Porträts. Rees hatte offensichtlich Talent. Der Beweis war das traditionelle Porträt einer Frau in einem langen, grünen Gewand. «Sehr hübsch», sagte Jury.

«Was für übers Sofa. Langweilig.» Adrian beugte sich über eine riesige Leinwand. Sie war auf dem Boden ausgebreitet und auf der einen Seite etwas in die Höhe gezogen; auf der andern war eine lange Rinne angebracht, die die Farbe auffing; sie sah aus wie ein der Länge nach aufgeschnittenes Aluminiumrohr. Er nahm einen kleinen Eimer in die Hand und kippte ihn darüber. Wie ein Schwall Blut ergoß sich die rote Farbe über die Leinwand, verästelte sich nach links und sammelte sich dann in dem Behälter. Wiggins war fasziniert.

«Sie gießen einfach die Farben drüber und lassen sie ineinanderfließen? Und damit hat's sich dann?»

«Ja, damit hat's sich, Sergeant.»

Wiggins zog sein Taschentuch heraus und blickte Jury mit wäßrigen Augen an. «Könnte ich nicht auch allergisch gegen Farben sein, was meinen Sie, Sir?»

Jury wollte nicht Wiggins' Hausarzt spielen. Er setzte sich auf einen von oben bis unten mit Farbe bespritzten Hocker. «Sie haben Gemma Temple noch gesehen, kurz bevor sie ermordet wurde, Mr. Rees?»

Adrian, der damit beschäftigt war, eines der roten Rinnsale nach links zu leiten, nickte und sagte: «Ich ging die Grape Lane hoch. Vom ‹Fuchs› aus.»

«Auf welcher Höhe? In der Nähe der Engelsstiege?»

Er nickte. «Kurz danach. Ich war schon ein paar Meter weiter. Sie kam mir von oben entgegen.» Adrian richtete sich auf und versuchte mit einem Streichholz, das er durch einen Schnipser mit dem Fingernagel zum Brennen gebracht hatte, seine Zigarre anzuzünden, auf der er schon die ganze Zeit über herumgekaut hatte. «Sie hätte jedem die Show gestohlen. Zuerst dachte ich, ich hätte vielleicht einen zuviel getrunken. Aber das tu ich ja immer. An dem Abend hatte ich nur nicht genügend Kleingeld bei mir.» Er schnappte sich einen Eimer mit leuchtendblauer Farbe und goß sie langsam über die Leinwand. Dann rannte er auf die andere Seite und leitete den dünnflüssigen blauen Strom mit einem dicken Pinsel um, so daß er über die rote Farbe lief, Schleifen bildete und wieder zurückfloß. «Ich sah sie nur über die Straße hinweg. Und es war neblig. Wie immer.»

«Wollen Sie damit sagen, daß Sie sie nicht richtig gesehen haben?»

«Nein, das nicht. Ich hab sie mir ganz genau angeschaut. Ich werd das auch nie vergessen.» Er richtete sich wieder auf. «Kommen Sie.» Jury folgte ihm auf die andere Seite des Raums, wo Adrian ein Tuch von einer kleinen Leinwand zog. Die Figur war zwar noch nicht ganz fertiggemalt, aber der Hintergrund wirkte um so atmosphärischer: Dunkel, Nebel, der Schein der Straßenlaterne und die undeutlichen Umrisse einer in einen Umhang gehüllten Figur.

«Soll das Gemma Temple sein?» Adrian nickte. «Können Sie das nicht fertigmalen, vielleicht hilft es uns weiter.»

Adrian bedeckte es wieder. «Ich hatte vergessen, daß es die Nacht vor dem Dreikönigsfest war. Ich geh nie auf solche Bälle, ich finde sie schrecklich. Aber sagen Sie das bitte nicht dem Colonel. Er ist ein Förderer der schönen Künste und beschafft mir immer ein zinsloses Darlehen. Ab und zu gibt er auch was in Auftrag.» Sie standen wieder neben der großen Leinwand, und Adrian brachte einen Eimer mit grüner Farbe in die richtige Position. Zu Wiggins, der fasziniert jede seiner Bewegungen verfolgte, sagte er: «Sergeant, können Sie mir mal zur Hand gehen? Wenn das Grün auf Ihre Seite läuft, kippen Sie es bitte wieder zurück.»

Wiggins schien sich geschmeichelt zu fühlen. «Oh, wenn Inspektor Jury –»

Jury nahm ihm das Notizbuch ab, Wiggins krempelte die Ärmel hoch und ging in die Hocke. Kopfschüttelnd holte

Jury seinen Federhalter aus der Tasche. «Fahren Sie fort, Mr. Rees.»

«Ich glaube nicht, daß sie mich gesehen hat. Sie blieb einen Augenblick lang unter der Straßenlaterne in der Nähe der Treppe stehen.» Er stand auf und warf sich einen imaginären Umhang über die Schultern. «Schwarzes Cape, weißes Hemd.» Er bedeckte eine Gesichtshälfte. «Die linke Hälfte war weiß, die rechte schwarz. Außerdem trug sie noch eine schwarze Maske –»

«Woher wußten Sie denn, daß es Gemma Temple war?»

«Wußte ich natürlich nicht. Das hab ich erst erfahren, als ich ein paar Stunden später mit den andern Schaulustigen herumstand. Ich hatte die Polizeisirenen gehört. Polizeisirenen in *Rackmoor*? Ich konnte es nicht glauben. Zuerst dachte ich, es sei vielleicht ein Krankenwagen. Obwohl ich nun schon gut fünf Jahre hier wohne, hab ich noch nie einen gesehen. Die Leute hier sterben nicht, Percy Blythe ist der Beweis. Ich schaute aus dem Fenster und sah den Auflauf. Daraufhin zog ich mir die Hose an und ging auch auf die Straße.»

«Haben Sie die Leiche gesehen?»

«Nein. Wie denn auch? Auf der Engelsstiege wimmelte es nur so von Polizisten. Ich hab aber gehört, daß es einer von den Ballgästen sei, eine Frau in einem schwarzweißen Kostüm.»

«Und was haben Sie dann getan?»

«Ich bin wieder nach Hause gegangen. War aber zu aufgeregt, um schlafen zu können, und hab dieses Bild in Angriff genommen.»

«Sie haben doch auch mit ihr gesprochen? Ein- oder zweimal in dem Gasthof?»

Adrian blickte ihn aufmerksam an und zog an seiner Zigarre. «Ja, ein- oder zweimal. Sie sprach aber nicht über sich; sie sagte nur, daß sie aus London sei – Kentish Town, soviel ich mich erinnere – und daß sie die Craels schon lange kenne.»

«Sind Sie auch gut bekannt mit ihnen?»

«Ja. Zumindest mit dem Colonel. Mit Julian ist wohl keiner gut bekannt.» Adrian tauchte den Pinsel in Ocker und verschmierte die Farbe zum Rand hin.

«Hat sie gesagt, wieso sie hierhergekommen ist?»

Adrian schüttelte den Kopf. «Verdammt merkwürdig, das Ganze. Wer fährt schon im Januar nach Rackmoor? Ich glaube, sie sagte, sie sei Schauspielerin oder so was Ähnliches.»

Jury dachte einen Augenblick nach. «Kennen Sie Lily Siddons?»

Er blickte erstaunt auf. «Ja, natürlich. Ihr gehört das Café ‹Zur Brücke›.»

«Könnte denn jemand Interesse daran haben, sie aus dem Weg zu räumen?»

Er war schockiert. «*Lily?* Um Himmels willen, *nein*. Warum fragen Sie?»

Jury gab keine Antwort. Er stand auf und nickte Wiggins zu, der sich daraufhin von der Leinwand losriß. «Ach, noch was, Mr. Rees, vermissen Sie nicht ein Stück Leinwand?»

«Leinwand. Ahh...» Sein Blick wanderte in eine Ecke, in der Farbtöpfe, Keilrahmen und Leinwände herumstanden. «Ich hab nicht nachgeschaut. Warum?»

«Schließen Sie gewöhnlich Ihren Laden ab, wenn Sie weggehen?»

«Du lieber Himmel, nein. Die Vorstellung, jemand könnte meine Bilder klauen, ist etwas...» Er zuckte die Achseln.

«Vielen Dank, Mr. Rees. Und auf Wiedersehen.»

«Bestimmt werden Sie mich wiedersehen wollen.» Adrian wischte sich die Hände an dem Lappen ab und führte sie die Treppe hinunter.

Als sie durch die Galerie gingen, blieb Wiggins noch einmal vor dem Akt – oder den Akten – stehen.

«Gefällt Ihnen wohl?» fragte Rees. «Ich nenne es die Zielscheibe.»

«Interessant», sagte Wiggins. «Man könnte meinen, hier in der Mitte seien lauter kleine Löcher. Hat es damit zu tun, daß die Männer die Frauen als Zielscheiben oder Lustobjekte betrachten? Was in der Art?» Er schneuzte sich sorgfältig, zuerst das eine, dann das andere Nasenloch.

Wiggins als Kunstkritiker war für Jury ein neues Phänomen.

«Nicht schlecht, haut aber nicht ganz hin. Eigentlich war's so, daß ich eines Nachts nicht wußte, was ich tun sollte, und die

Leinwand über Kork spannte und eine Zielscheibe darauf malte. Hier –» Sie beugten sich darüber: «Hier können Sie noch die Ringe unter dem flockigen Weiß sehen. Nur die Löcher konnte ich nicht übermalen. Der Effekt ist aber ganz hübsch. Die Akte sehen wie von Kugeln durchsiebt aus.»

«Als hätten sie die Pocken oder so was.»

«Hmm. Der Vergleich gefällt mir. Prima Idee. Ich werd's *Pax Britannica* nennen und den Preis um fünfzig Pfund erhöhen.»

«An Ihrer Stelle würde ich in dieses Gesicht noch ein paar Pfeile reinhauen. Dann sieht es noch mehr nach Pocken aus.» Wiggins lächelte und bot Adrian ein Hustenbonbon an.

5

Sir Titus Crael, Baron, lebte in einem prächtigen elisabethanischen Herrenhaus, von dem aus man auf die gigantischen, zerklüfteten Klippen der Nordseeküste blickte. Es schien aus demselben Kalkstein wie die Stadtmauern Yorks gebaut zu sein; der Regen hatte ihn nur schon so ausgewaschen, daß er ganz weiß wirkte. Das Gebäude tauchte aus dem dicken Bodennebel auf – eine massige Silhouette hinter vorbeidriftenden Nebelfetzen.

Wiggins fuhr mit dem polizeieigenen Ford die geschotterte Einfahrt hinauf und an den Stallungen vorbei, wo sich ein stattliches Pferd überrascht aufbäumte. Der Reiter, ein hochgewachsener, hagerer und sehr distinguiert aussehender älterer Mann, schien es jedoch vollkommen in der Kontrolle zu haben. Er stieg ab und ging zu dem Auto hinüber.

«Sie sind die Herren von Scotland Yard? Ich bin Titus Crael.» Er streckte eine kräftige, knochige Hand aus.

Jury und Wiggins stiegen aus dem Wagen.

«Um das Auto brauchen Sie sich nicht zu kümmern. Lassen Sie es einfach hier stehen. Entschuldigen Sie bitte, daß ich Sie bei den Ställen abfange, ist nicht gerade sehr förmlich, eine Eigenschaft, die mir leider abgeht. Ich wollte Sie eigentlich nur kurz sprechen, bevor Sie hineingehen. Sie haben doch nichts dagegen, wenn wir uns hier unterhalten? Bracewood wird sich taub stellen.»

Jury schaute sich nach Bracewood um und entdeckte, daß der Colonel von seinem Pferd sprach. Colonel Crael hatte die Hände in den Lederhandschuhen durch die Zügel geschoben und lehnte sich an das Pferd, wie andere sich an ihre Freunde anlehnen – physischen oder moralischen Halt suchend. «Nichts dagegen, Inspektor? Sergeant?»

Jury dachte, der Colonel wolle ihre Fragen hier draußen beantworten, und befürchtete, daß Wiggins seine Leichenbittermiene aufsetzen würde, obwohl es eher feucht als kalt war. Er sagte: «Nein, eigentlich nicht. Ich werde Sergeant Wiggins schon mal vorausschicken, damit er sich mit den Hausangestellten unterhalten kann.»

«Ja, tun Sie das. Hier durch diese Tür. Wood – mein Butler – wird Ihnen weiterhelfen.» Er wies auf das eindrucksvolle Portal des herrschaftlichen Hauses, als wäre es der Eingang zu einer Lehmhütte. «Lassen Sie sich etwas Tee geben, Sie sehen ganz durchgefroren aus.»

Worauf Wiggins sehr dankbar dreinblickte. Er ging auf das Haus zu.

«Um ganz ehrlich zu sein, Inspektor Jury – ich wollte erst mal ein paar Worte mit Ihnen wechseln, bevor Sie sich mit Julian über diese verfahrene Geschichte unterhalten. Wir haben uns wegen diesem Mädchen schon so in die Haare gekriegt, daß ich in seiner Gegenwart nicht mehr über dieses Thema sprechen möchte. Wir streiten uns ja doch nur.» Der Colonel spielte mit den Zügeln seines Pferdes. «Ich bin überzeugt, daß diese Gemma Temple mein Mündel war, Dillys March.» Sein Blick wanderte von den grauwattierten Mauern zu den Bäumen, gespenstisch aus dem Nebel aufragenden Birken, und er sprach über Dillys March. Er sagte, sie sei als Achtjährige zu ihnen gekommen, nachdem ihre Eltern bei einem Flugzeugunglück ums Leben gekommen waren. «Sie waren eng befreundet mit Lady Margaret –» Der Colonel stolperte über den Namen. «Margaret war meine Frau. Im Haus hängt ein herrliches Porträt von ihr. Adrian Rees hat es gemalt – nach einem Foto. Er hat wirklich Talent. Es sieht vielleicht so aus, als hätte er sie idealisiert – hat er aber nicht. Sie war wirklich eine Schönheit…»

«Sie sprachen über Dillys March.»

«Ja... sie war eine Art... Adoptivtochter für uns. Ich meine, wir behandelten sie so, als wäre sie unsere eigene Tochter, obwohl wir sie nie wirklich adoptiert haben.»

«Wie Inspektor Harkins notiert hat – Ihre eigene Aussage, Sir –, sollte Dillys March von Ihrer verstorbenen Frau eine bestimmte Summe erben; sie ist dann verschwunden und nie wieder aufgetaucht.»

«Soviel war das nicht.» Der Colonel tat die Summe mit einem Achselzucken ab. «Nur fünfzigtausend Pfund. Sie sollte sie mit einundzwanzig kriegen.»

«Und wird das Geld noch für sie verwaltet?»

«Es wurde wieder investiert. Margarets Erbe ging an Julian und Rolfe. Auch Dillys' fünfzigtausend Pfund. Als Rolfe starb –» Er verstummte.

«Erbte Julian das ganze Geld.»

«Ja.» Der Colonel schluckte heftig. «Sie kamen beide ums Leben, Margaret und Rolfe, bei einem Autounfall.»

Einen Augenblick schwieg Jury. «Das muß schlimm für Sie gewesen sein. Ihre Frau und Ihren Sohn auf einen Schlag zu verlieren.» Sir Titus gab keine Antwort, er starrte einfach durch die Bäume ins Leere. Dann fragte Jury: «War Dillys March denn jemand, der einfach so verschwindet und auf sein Erbe verzichtet? Alles in allem wären es wohl mehr als fünfzigtausend Pfund gewesen – von Ihnen hätte sie doch bestimmt auch was bekommen.»

«Um Ihre beiden Fragen zu beantworten: Nein, eigentlich nicht. Ja, hätte sie. Ich muß zugeben, daß wir fassungslos waren. Aber sie hatte sich auch schon früher solche Eskapaden geleistet. Sie setzte sich in ihr Auto und fuhr los. Zu ihrem sechzehnten Geburtstag hatte ich ihr einen roten Mini geschenkt, und sie unternahm häufig längere Ausflüge damit. Einmal war sie über eine Woche weg. Wir holten sie aus London zurück.»

«Hatte sie viele Männerbekanntschaften?»

«So... würde ich das nicht bezeichnen.»

Also doch. «Als sie das letzte Mal wegfuhr, haben Sie da die Polizei benachrichtigt?»

«Nein, die Polizei hat *uns* benachrichtigt. Ihr Auto war irgendwo in London gefunden worden. Anscheinend hat sie es einfach stehenlassen. Von ihr keine Spur.»

«Und was passierte dann?»

«Es war alles ziemlich kompliziert. Die Polizei nahm natürlich an, daß sie in eigener Regie gehandelt hat. Aber sie konnten wohl nicht ganz ausschließen, daß an der Sache vielleicht auch etwas faul war. Ich hatte einen Fahrer, Leo Manning, der Sohn meiner Haushälterin Olive Manning. Wie sich herausstellte, hatte Dillys mit Leo ein Verhältnis. Und Leo war auch der letzte, der sie gesehen hat. Anscheinend war sie bei ihm gewesen. Was natürlich den Verdacht auf ihn lenkte. Seine Mutter glaubt, das hat ihm den Rest gegeben. Leo hatte einen Zusammenbruch und kam in eine Anstalt. Olive hat Dillys March nie gemocht.»

«Wie erklärte sie – ich meine Gemma Temple – ihre jahrelange Abwesenheit?»

«Reue. Scham. Ihr Lebenswandel war wohl nicht gerade vorbildlich gewesen. Sie sagte, sie wäre im ‹Fuchs› abgestiegen, weil sie nicht gewußt hätte, ob sie hier willkommen sei. Aber natürlich war sie das. Hören Sie, Inspektor, wenn diese Frau, diese Gemma Temple, eine Schwindlerin war, dann hätte sie das alles doch gar nicht so durchziehen können. Woher hätte sie dem wissen sollen, was damals, als Dillys noch ein Kind war, passiert ist?»

«Ein abgekartetes Spiel. Sie hat sich mit jemandem in Rackmoor zusammengetan, vielleicht mit jemandem aus Ihrer nächsten Umgebung, der Dillys March gut gekannt hat. Einer, der darauf spekulierte, etwas von der Beute abzukriegen. Oder der aus Eifersucht, aus Rache handelte... es gibt viele Motive.»

«Aber so ein Riesenschwindel, das ist doch irgendwie undenkbar.» Er seufzte. «Ich seh schon, Sie denken auch, Julian hat recht.»

«Nein. Ich denke gar nichts. Ich weiß einfach nicht genug. Aber solche Dinge hat es schon gegeben, Colonel Crael. Wer käme denn in Frage, wer hat sie so gut gekannt?»

«Außer Julian und mir kommen nur noch Olive Manning, Wood, der Butler, und eine alte Hausangestellte, Stevens, in Frage. Die Vorstellung, daß einer von ihnen... aber lassen wir das… Ich hab auch häufig mit Maud Brixenham, einer guten Bekannten von mir, über sie geredet. Sie lebt im Dorf, in der Lead Street. Und mit Adrian Rees, als er Margarets Porträt gemalt hat. Ich saß bei ihm im Atelier rum und schaute ihm bei der Arbeit zu…» Er massierte Bracewoods Hals. «Als Margaret noch lebte, war alles ganz anders. Das Haus war immer voller Gäste. Und Rolfe und Julian tollten herum. Rolfe war vierzehn Jahre älter als Julian. Sie sahen ihr beide sehr ähnlich, beide hatten dieses goldglänzende Haar. ‹Die Goldjungs› wurden sie genannt. Julian ist ihr wie aus dem Gesicht geschnitten, wenn er ihr nur auch in seinem Wesen etwas ähnlicher wäre! Keine Ahnung, wem er nachgeschlagen ist. Rolfe war sehr viel lebenslustiger, vielleicht zu sehr. Immer hinter den Frauen her. Und dann war da auch noch Dillys. Margaret machte aus dem kleinen Pummelchen sozusagen ihr Ebenbild, was Kleidung, Auftreten und so weiter betraf. Sie besaß natürlich nicht ihr Aussehen. Und auch nicht Julians. Margaret war zwar nicht das, was man eine gute –» Er wandte den Blick ab, und ein Schatten flog über sein Gesicht. «Aber Julian hing sehr an ihr. Eine Schönheit wie sie… irgendwie konnte man sie nicht mit normalen Maßstäben messen. Finden Sie nicht auch?»

Jury schaute ihn sich genau an, die scharfen Züge, die kräftigen Hände, die die Zügel hielten, das eisgraue Haar und den vollen Schnurrbart. «Nein, finde ich nicht.»

Der Colonel blickte auf den vom Nebel bedeckten Boden. Sie schienen zu schweben, während sie sich stumm gegenüberstanden; ihre Füße und die Hufe des Pferdes verschwanden in dem See aus Nebel. Schließlich meinte er müde lächelnd: «Warum fragen Sie mich nicht, wo ich mich in der betreffenden Nacht aufgehalten habe? Inspektor Harkins' Lieblingsfrage.»

«Wollte ich gerade», sagte Jury und grinste. «An dem Abend vor dem Dreikönigsfest fand hier ein Ball statt, nicht? Ich nehme an, Sie waren mit Ihren Gästen beschäftigt?»

«Sie drücken sich nur etwas höflicher aus.»

«Ich wollte gar nicht höflich sein. Ich hab nur Ihre Aussage gelesen.»

«Ach so, es reicht also, wenn ich wiederhole, was ich bereits gesagt habe. Ja, ich war mal da, mal dort und kümmerte mich um meine Gäste. Aber ich habe kein richtiges Alibi, ich meine, ich weiß auch nicht genau, wo ich war zu der fraglichen Zeit. Im Gegensatz –» er blickte Jury ins Gesicht – «zu Julian.»

«Aha. Vielleicht sollte ich mal mit Julian reden.» Jury schaute zu dem Haus hinüber. «Ich finde mich schon zurecht. Sie wollten doch gerade ausreiten?»

«Sind Sie sicher? Ja, das wollte ich. In ein paar Tagen fängt die Jagd an; ich hatte vor, mal nach den Hunden zu schauen. Wood wird Julian schon ausfindig machen – falls er zurück ist. Julian macht endlos lange Spaziergänge, egal, wie das Wetter ist.» Er schwang sich wieder in den Sattel und tätschelte sein Pferd. «Gut, ich reite los. Falls Sie mich brauchen, ich stehe Ihnen immer zur Verfügung.»

«Ich denke, das wird der Fall sein. Noch was anderes: Sie haben Besuch, nicht wahr?»

Sir Titus war überrascht. «Ja, warum? Hab ich tatsächlich. Ein alter Freund – oder vielmehr der Sohn eines alten Freundes, Lord Ardry: ein prachtvoller Mensch und natürlich auch ein passionierter Jäger. *Dieser* Lord Ardry – ich meine den Sohn – läßt sich mit seinem Familiennamen anreden. Melrose Plant nennt er sich.»

Jury lächelte. So wie der Colonel seinen Namen aussprach, klang er eher wie ein Pseudonym.

«Er hat jedenfalls auf den Titel verzichtet – warum, weiß ich auch nicht. Ich hab lang genug auf meinen gewartet, und ich bin nur Baron. Nicht der Rede wert, hm? Aber Plant – er läßt einfach –»

«Ich weiß, ich bin ihm schon begegnet. Damals in Northamptonshire.»

«Ach ja, jetzt erinner ich mich wieder; er hat mir davon erzählt. Fürchterliche Geschichte.»

«Mord ist das meistens.»

Der Butler half Jury aus dem Mantel und sagte ihm, Mr. Julian sei noch nicht zurück, er werde aber sofort Lord Ardry holen. Während er die Empfangshalle betrachtete – eine eindrucksvolle

Mischung aus dunklem Holz und dorischen Säulen –, dachte Jury über Plant und seinen Titel nach: *Er* hatte vielleicht darauf verzichtet, nicht aber seine Umgebung. Er blickte auf das schwarzweiße Muster des Marmorfußbodens und wünschte, seine eigenen Gedanken würden ein so hübsches, geometrisches Muster bilden. Zu seiner Rechten befand sich eine Galerie. Er schlenderte unter den Fächergewölben an den Bildern vorbei und fragte sich, ob er auch auf das Porträt von Lady Margaret stoßen würde...

«Warum stehen Sie denn so verträumt hier rum, Chefinspektor?»

Melrose stand an dem Eingang der Galerie und rauchte gelassen eine Zigarette. Die Entfernung war so groß, daß er die Stimme heben mußte und ihr Echo von der Stuckdecke, den Scagliola-Säulen und den Spiegeln mit den Goldrahmen widerhallte. Er trug einen grauen Anzug von einem begnadeten Maßschneider.

Jury freute sich offensichtlich, ihn zu sehen. «Mr. Plant.» Er ging mit ausgestreckter Hand auf ihn zu. «Was für eine Überraschung. Ich hörte, Sie sind ein alter Freund der Familie.»

«Ich war in York, als ich von dieser Geschichte erfuhr. Anscheinend tauche ich immer auf, wenn Sie mich gerade nicht brauchen.»

«Ganz im Gegenteil, Mr. Plant. Sie könnten uns sehr von Nutzen sein. Als einem Freund der Familie stehen Ihnen hier bestimmt Tür und Tor offen.» Jury blickte ihn an. «Sie könnten die Gewässer erkunden.»

«Ha. Das ist gar nicht so einfach. Julian Crael ist sozusagen ein gewaltiger Eisberg. Er unternimmt lange Wanderungen über die Klippen und die Moore und sieht blaß und interessant aus.»

«Soll das heißen, daß Sie Julian Crael nicht gerade ins Herz geschlossen haben?»

Melrose zuckte die Achseln, lächelte und wechselte das Thema. «Ich habe Ihre Karriere in den Zeitungen verfolgt.»

«Keine sehr interessante Lektüre.»

«Im Gegenteil. Ich erfuhr auf diese Art und Weise, daß Sie mit diesem Fall beauftragt wurden. Ich muß gestehen, daß ich die

Geschichte in Long Piddleton wirklich spannend gefunden habe, auch wenn das vielleicht etwas makaber klingt. Ich glaube, ich hab das Ganze genauso genossen wie meine Tante Agatha.»

«Wie kommen Sie überhaupt ohne sie zurecht?» Jury drehte sich um. «Sie ist nicht –»

«Die Luft ist rein, Inspektor. Sie ist nicht hier. Könnte ich Sie dazu bewegen, mit mir im ‹Alten Fuchs› Ihr Abendessen einzunehmen? Das Essen soll dort sehr gut sein.»

«Gute Idee. So gegen sieben?»

«Warum nicht um sechs? Sie machen um diese Zeit auf, und ich würde gern mal einen Rackmoor-Nebel probieren.»

«Was ist das?»

«Das ist eine Kreation der Wirtin, Mrs. Meechem – um die Touristen anzulocken, nehme ich an. Aus Gin, Rum, Brandy, Whisky und Haifischzähnen. Sagen Sie Sergeant Wiggins, er soll sich auch einen genehmigen. Er kuriert jede Krankheit, einschließlich der Beulenpest.»

«Haben Sie Wiggins schon gesehen?»

«Ja. Er ist in der Küche und versucht, der Köchin ein Geständnis abzuringen.»

«Ich werde ihm beistehen. Wir sehen uns also um sechs. Wenn ich nicht auftauche, trinken Sie einen Doppelten.»

«Dann würde mich der Nebel verschlucken.» Melrose rief Jury nach: «Und in der Zwischenzeit, könnten Sie da nicht auch etwas Hilfe gebrauchen? Einen Resonanzboden für die eigenen Gedanken? Eine Art Versuchskaninchen?»

Jury dachte einen Augenblick lang nach. «Vielleicht. Da Sie schon mal hier sind, Mr. Plant, könnten Sie ja auch bei den Makepieces vorbeigehen und versuchen, etwas in Erfahrung zu bringen. Es ist das Haus gleich neben der Engelsstiege, oben in der Scroop Street. Es heißt Cross Keys – kann ja sein, daß sie was gehört haben.»

Jury sah, wie Plant strahlte, als er etwas in sein Notizbuch kritzelte. Das kleine Buch sah dem von Jury erstaunlich ähnlich.

In der Küche, die die Größe eines Fußballplatzes hatte, beugte sich Wiggins über sein Notizheft, vor sich eine Teekanne und eine Platte mit sehr appetitlich aussehenden belegten Broten. Ihm gegenüber saß eine rundliche, rotgesichtige Frau unbestimmbaren Alters; ihr braunes Haar war zu einem ordentlichen Knoten zusammengefaßt.

«Das ist Mrs. Thetch, Inspektor. Sie war so nett und hat mir Tee gemacht.»

Jury verspürte plötzlich ebenfalls Hunger – es mußte die Seeluft sein – und nahm sich ein Brot. Das feingehackte Hühnerfleisch schmeckte köstlich.

«Ich hole Ihnen eine Tasse, Sir.» Mrs. Thetch wollte aufstehen, aber Jury winkte ab. «Nein, vielen Dank. Das genügt schon. Sagen Sie, Mrs. Thetch, wie lange sind Sie schon bei den Craels?»

«Seit sechzehn Jahren, wie ich eben schon dem Sergeant sagte.»

«Sie haben also Lady Margaret noch gekannt?»

«Ja, Sir. Aber nicht sehr gut. Ich kam, kurz bevor... Sie wissen schon.» Sie setzte eine obligatorische Trauermiene auf. «Die ersten paar Monate war ich nur Küchenhilfe, als dann aber Mary Siddons starb, wurde ich zur Küchenchefin befördert. Arme Frau!»

«Diese Mary Siddons hatte doch eine Tochter, Lily?»

«Ja, Sir. Wir sehen Lily noch. Schrecklich war das mit ihrer Mutter. Ertrunken ist sie.» Mrs. Thetch nickte in die Richtung der Klippen hinter dem Haus. «Niemand hat verstanden, warum sie diesen Weg direkt am Wasser genommen hat, wo doch die Flut kam. Es ist ein langer, schmaler Kiesstrand unten an den Klippen, der von Rackmoor bis zur Runners Bay geht. Man kann ihn aber nur bei Ebbe gehen. Viele machen das. Die arme Mary hat es wohl versucht, als die Flut einsetzte.»

Wood erschien, um Jury zu sagen, daß Mr. Julian im Bracewood-Salon auf ihn warte. (Anscheinend hatte der Colonel seine Räume nach seinen Pferden benannt.) Der Butler warf der redseligen Mrs. Thetch einen finsteren Blick zu und führte Jury durch den Speiseraum.

Während er hinter Wood herging, dachte Jury: Eine, die spurlos verschwunden ist; zwei, die bei einem Autounfall ums Leben kamen; einer, der in einer Anstalt landete; eine, die ertrunken ist.

86

Und nun eine, die ermordet wurde. Trotz der guten Seeluft war Rackmoor offenbar nicht der gesündeste Platz auf den Britischen Inseln.

6

Als er den Bracewood-Salon betrat und das Bild über dem Marmorsims des Kamins erblickte, wußte Jury sofort, daß das Lady Margaret sein mußte; es beherrschte den ganzen Raum, einschließlich der Person, die sich in ihm aufhielt, Julian Crael. Die Frau auf dem Bild saß auf einer Chaiselongue oder einem Sofa mit einer geschwungenen Rückenlehne aus dunklem Holz. Der Maler schien sein Modell von hinten überrascht zu haben, da der Betrachter auf die Rückseite des Sofas blickte. Die Frau war von den Schultern an aufwärts im Profil zu sehen. Ihr Kopf war nach links gewandt. Ihr Blick folgte dem in schwarzes Tuch gehüllten Arm, der auf dem Mahagonirahmen des Sofas ruhte. Über das Sofa war ein seidig schimmerndes Stück Stoff geworfen – ein spanischer Schal vielleicht mit schwarzen Fransen. Man mußte schon ganz genau hinschauen, um die Einzelheiten, die Seide, die Fransen und das Holz, erkennen zu können, da der Schal mit dem schwarzen Kleid und das Kleid mit dem dunklen Hintergrund verschmolzen, so daß alles, außer dem Haar und dem durchscheinenden Profil, dunkel war. Das blaßgoldene Haar fiel lose über ihre Schultern; ein Windhauch schien es ihr aus dem Gesicht geweht zu haben. Die leicht hohle Handfläche zeigte nach oben; die Finger waren gestreckt und leicht gespreizt, als wolle sie jemanden, der sich irgendwo im Raum befand, auffordern, näher zu treten. Jury wandte den Blick ab.

«Ich bin Julian Crael», sagte der Mann unter dem Porträt, und mit einem Blick auf das Bild fügte er hinzu: «Das ist meine Mutter.»

Julian Crael hätte sich nicht erst als ihren Sohn zu erkennen geben brauchen, jeder, der Augen im Kopf hatte, würde sehen, daß das ihr Sohn war. Wäre Julian Crael eine Frau, ein junges Mädchen gewesen, hätte er ihre Zwillingsschwester sein können.

Der zarte Teint, die tiefliegenden blauen Augen, das schimmernde blonde Haar – er sah selbst so aus, als wäre er einem Bild entstiegen.

«Es ist wunderschön», sagte Jury. Eine ziemlich überflüssige Bemerkung.

«Sieht ihr auch erstaunlich ähnlich. Wenn man bedenkt, daß Rees sie nach einem Foto gemalt hat. Rees ist ein Künstler, der hier im Dorf lebt. Gelegentlich gibt er sich dazu her, Porträts zu malen. Wahrscheinlich um seine Miete bezahlen zu können. Sie ist vor achtzehn Jahren gestorben.» Crael leerte sein Glas und starrte über Jurys Schulter hinweg ins Leere.

«Eine traurige Geschichte. Ich habe mich noch nicht vorgestellt. Richard Jury. Kriminalpolizei. Ich möchte Ihnen ein paar Fragen stellen, Gemma Temple betreffend, Mr. Crael.»

Julian hatte sich vom Kamin entfernt, um sein Glas wieder aufzufüllen. Er hob die Karaffe und blickte Jury fragend an. Jury lehnte den Whisky ab. «Was ist mit ihr?» fragte Julian, während er sich einschenkte. «Sie wollen wissen, warum mein Vater sie für Dillys March hält und ich nicht? Das ist nicht weiter erstaunlich, wir sind uns auch sonst nie einig.» Er hob sein Glas, schenkte Jury ein frostiges Lächeln und nahm einen Schluck. Dann postierte er sich wieder neben dem Kamin, den Arm auf dem Sims ausgestreckt, eine Geste wie die der Frau auf dem Porträt. Jury war sich jedoch sicher, daß Julian das völlig unbewußt tat.

«Sie sind sich ganz sicher, daß sie nicht Dillys March war?»

«Ja, absolut. Es war ein Schwindel. Das heißt, ein Versuch.»

«Dann haben Sie sich bestimmt auch gefragt, wer mit ihr unter einer Decke steckte, Mr. Crael? Diese Gemma Temple muß von jemandem, der Dillys gekannt hat, unterrichtet worden sein.»

Julian rauchte und spielte mit einem silbernen Feuerzeug; die Hand lag immer noch auf dem Kaminsims. «Das ist anzunehmen.»

«Aber von wem, Mr. Crael?»

Julian ließ das Feuerzeug in seine Tasche gleiten, nahm den Arm von dem Kaminsims und stellte sich mit dem Rücken zum Feuer, die Zigarette in der Hand. «Keine Ahnung.»

«Aber Sie würden auch sagen, daß das die einzige Erklärung ist, wenn man davon ausgeht, daß sie nicht Dillys March war.» Jury wollte wenigstens diese Bestätigung von ihm haben und wunderte sich, warum Julian sich so dagegen sträubte. «Mr. Crael?»

Julian nickte kurz. «Ja.»

«Sagen Sie: Wie erklären Sie sich Dillys' plötzliches Verschwinden?» Julian rauchte und schüttelte den Kopf. «Colonel Crael sagte, sie wäre auch vorher schon ab und zu verschwunden?»

Er nickte. «Dillys war eigensinnig, egoistisch und verwöhnt. Sie haben ihr wohl jeden Wunsch erfüllt, um sie über den Verlust ihrer Eltern hinwegzutrösten. Ich hätte ihr alles zugetraut.»

In dem Kamin brach ein Holzscheit auseinander, Funken sprühten, kleine, züngelnde Flammen schossen empor. Julians Augen loderten wie die bläulichen Enden der Flammen. Jury war aufs neue überrascht von der Schönheit dieses Gesichts, einer Schönheit, die irgendwie nicht hierherpaßte. Sie schien einer andern Zeit, einem andern Ort anzugehören, Arkadien vielleicht. «Sie haben Dillys March nicht besonders gemocht?»

Julian wandte sich einen Augenblick lang ab und schwieg. Jury nützte die Gelegenheit und nahm die Streichhölzer aus der Kristallschale neben seinem Stuhl, mit denen er sich eine Zigarette angezündet hatte. Streichholzmäppchen kamen von den seltsamsten Orten. Er fragte sich auch, was die Streichhölzer hier überhaupt zu suchen hatten neben den beiden Tischfeuerzeugen – das eine war aus grünem Muranoglas, das andere aus Porzellan – und Julians silbernem Feuerzeug.

«Sollten Sie mich nicht wichtigere Dinge fragen, Inspektor? Zum Beispiel, wo ich mich in der Mordnacht aufgehalten habe.»

Jury lächelte. Sein Vater hatte dasselbe gefragt. «Sie haben erklärt, Sie hätten sich in Ihrem Zimmer aufgehalten.»

«So war es. Ich hasse diese Kostümbälle zum Dreikönigsfest. Meine Mutter hat damit angefangen. Sie mochte Parties, und der Colonel auch. Mir sind sie ein Greuel. Ich bin auch sonst ziemlich ungesellig.» Er schien darauf zu warten, daß Jury widersprach. «Ich möchte Ihnen etwas zeigen.» Julian ging zu den Flügeltüren hinüber, öffnete sie und bedeutete Jury, ihm zu folgen. Sie traten auf die eiskalte Terrasse hinaus. Rauhreif lag auf der

Balustrade, an der Julian nun stand, das Meer und die Brandung im Rücken. Julian blickte die glatte Fassade hoch. Er streckte den Finger aus. «Das sind meine Fenster.» Dann ging er auf die andere Seite und zeigte auf das Dorf. «Da drüben ist ein Pfad, der von den Stufen der Terrasse bis zum Dorf führt. Ein hübscher Weg an den Klippen entlang. Am andern Ende ist die Treppe zur Kaimauer. Am einfachsten und schnellsten kommt man hier hinauf, wenn man die Fuchsstiege nimmt, an der Kaimauer entlanggeht und dann dem Pfad bis zur Terrasse folgt. So sind auch die meisten gekommen und gegangen.» Er trat zu Jury. «Die ganze Nacht lang, Inspektor Jury.» In seinen Augen blitzte zum erstenmal so etwas wie Humor auf. «Drinnen sieht es folgendermaßen aus: Meine Räume haben zwei Türen, die beide auf den Treppenabsatz gehen, auf dem die Musiker die ganze Nacht über gespielt haben. Sie haben zwar auch mal eine Pause gemacht, aber irgend jemand stand immer rum. Ich habe mich um zehn zurückgezogen. Die Party war schon im Gang. Ich hätte mein Zimmer wohl kaum unbemerkt verlassen können. Aber nehmen wir mal an, es wäre doch möglich gewesen – zurückgekommen wäre ich bestimmt nicht auch noch, ohne daß mich jemand gesehen hätte.»

«Und die Mauer hätten Sie auch nicht hinunterklettern können», sagte Jury. Sie waren in den Salon zurückgegangen, und Jury hatte sich wieder in seinen Sessel gesetzt; er zog das Streichholzmäppchen aus der Tasche und bog ein Streichholz nach dem andern um.

Julian, der wieder vor dem Kamin stand, breitete scheinbar hilflos die Hände aus; er machte einen belustigten Eindruck.

«Übernachten Sie häufig im ‹Sawry Hotel›, Mr. Crael?»

«Was –?»

«Im ‹Sawry›. Sehr exklusiv, in Mayfair, wenn ich mich nicht irre?»

Einen Augenblick lang schien Julian verwirrt, bis dann seine unterkühlte Sorglosigkeit wieder die Oberhand gewann. «Unsere Familie pflegt dort abzusteigen. Ich fahre gelegentlich nach London, wie alle Welt. Warum fragen Sie?»

Jury hielt das Streichholzmäppchen hoch, so daß er die bedruckte Seite sehen konnte.

Julian starrte darauf und wandte den Blick wieder ab.

«Gemma Temple kam aus London.»

«Ja, gut, Inspektor. Adrian Rees kommt auch aus London. Und Maud Brixenham. Olive Manning war kürzlich ebenfalls dort. Jeder zweite kommt aus London.» Er trank seinen Whisky.

Er hatte sich elegant aus der Affäre gezogen. Jury wechselte wieder das Thema. «Können Sie mir etwas über Lily Siddons erzählen?»

Julian, der gerade sein Glas in die Hand genommen hatte, setzte es abrupt wieder ab. «Was um Himmels willen hat sie damit zu tun?»

«Weiß ich auch nicht. Deshalb frage ich ja. Sie hatten doch an dem Abend vor dem Ball ein paar Gäste zum Abendessen?»

«Ah, ja. Miss Temples Debüt. Vater hatte auch Lily eingeladen. Zusammen mit Rees und Maud Brixenham. Aber ich verstehe nicht –»

«Das Kostüm. Das Kostüm, das Gemma Temple trug, gehörte Lily Siddons. Irgendwie wurde getauscht.»

Julian starrte ihn an. «Wollen Sie damit sagen, daß der Mörder es auf *Lily* abgesehen hatte?» Jury antwortete nicht, sondern blickte ihn einfach nur an. Julian schnaubte und schüttelte den Kopf wie ein Spürhund, der durch eine falsche Fährte verwirrt worden ist. «Ich muß gestehen, daß ich der Unterhaltung nicht richtig folgte, und ich erinnere mich auch nicht, daß von Kostümen die Rede war. Ach ja, diese Temple fing zu lamentieren an, weil sie keines hatte. Ich habe mich kurz darauf zurückgezogen. Sie müssen meinen Vater fragen. Oder Maud. Oder Lily selbst, warum fragen Sie nicht einfach Lily?»

«Das werde ich auch tun. Hat Lily Siddons nicht auch einmal hier gewohnt? Damals, als ihre Mutter noch Köchin war?»

«Ja, ein paar Jahre als Kind.»

Jury dachte kurz nach. «Wissen Sie, manchmal habe ich das Gefühl, daß Morde eine lange Vorgeschichte haben. Daß der Mörder gewöhnlich schon lange gewartet hat – daß er diesen Gedanken bereits wie eine Leiche mit sich herumgeschleppt hat. Schließlich setzt er ihn dann in die Tat um. Und läßt die Leiche in der Gegenwart liegen. Auf der Engelsstiege. Oder sonstwo.» Er verstummte, als er den Ausdruck auf Julians Gesicht sah: Es war aschfahl und völlig verzerrt. Er fing sich jedoch sehr schnell wieder, aber die paar Sekunden hatten genügt, um Jury zu der Überzeugung gelangen zu lassen, daß Julian drauf und dran gewesen war, ein Geständnis abzulegen: ein Schritt über dem Abgrund, aber dann hatte er schnell wieder den Fuß zurückgezogen.

Julian bemerkte nur: «Will Papa mich mit Lily verkuppeln? Wahrscheinlich, er hatte schon immer eine Schwäche für sie. Daß sie die Tochter der Köchin ist, scheint ihn nicht zu stören.»

«Ich könnte mir vorstellen, daß es ihm gefallen würde, wenn Sie heirateten. Sie müssen ja sehr begehrt sein: Adlig, reich, gutaussehend, intelligent – wie konnten Sie sich überhaupt retten?»

«Und gleich in der richtigen Reihenfolge! Mit dem Adel ist es nicht weit her. Nur ein Baronstitel. Das, was unser Gast, Mr. Plant, aufgegeben hat, werde ich nie erreichen. ‹Sir Julian› ist das höchste der Gefühle.» Es schien ihm nicht viel daran zu liegen. «Was Lily betrifft – ja, mein Vater hat sie sehr gern. Sie erinnert ihn an früher. Sie hilft ihm, die Illusion aufrechtzuerhalten, daß noch nicht alles vorbei ist.»

«Lily Siddons kann also damit rechnen, in seinem Testament bedacht zu werden, Mr. Crael?»

Julian runzelte die Stirn. «Wahrscheinlich. Warum?»

«Ganz einfach, weil jeder, der irgendwelche Ansprüche zu haben glaubt – sie können legaler oder emotionaler Natur sein –, daran interessiert sein könnte, Dillys March aus dem Weg zu räumen.»

Julian starrte ihn nur an. Dann lachte er. «Heiliger Strohsack! Zuerst war Lily das Opfer und jetzt ist sie die Mörderin! Die Vorstellung, daß sie mit diesem Messer zugestochen hat, ist einfach absurd. Ganz abgesehen davon, daß das eine ziemlich mühsame Art und Weise ist, sein Erbe zu kassieren», fügte er trocken hinzu.

«Warum absurd? Es könnte durchaus eine Frau getan haben.»

«Lily ist eine durch und durch *vernünftige* Person. Sie arbeitet Tag und Nacht in ihrem Restaurant. Außerdem fehlt ihr –» er schien nach einem Wort zu suchen, das diesen Mangel ausdrückte – «das Temperament dazu. Lily ist ein richtiger kleiner

Eisberg. Kalt wie ein Fisch.» Jury unterdrückte ein Lächeln. «Hübsch ist sie ja. Helle Haut, blondes Haar. Ja, eine durchaus attraktive Frau.» Er schien darüber nachzudenken, als hätte er diese Entdeckung eben erst gemacht. «Der Colonel ist sehr demokratisch gesonnen, finden Sie nicht?»

«Wer hat es Ihrer Meinung nach getan, Mr. Crael?»

Er stieß ein kurzes Lachen aus. «Keiner. Oh, schauen wir uns doch mal um: Da ist Adrian Rees. Er ist einer von der kämpferischen Sorte. Immer hat er irgendwelche Geschichten am Hals. Wirtshausschlägereien. Er bemüht sich jedenfalls redlich, seinem Image gerecht zu werden.»

«Sie mögen ihn nicht?»

«Er ist mir gleichgültig.»

Diese Gleichgültigkeit, die sich auf die meisten Dinge und die meisten Leute seiner Umgebung erstreckte, erschien Jury zu forciert, um echt zu sein.

«Rees würde ich auch zutrauen, daß er sich mit jemandem zusammentut, um ein Ding zu drehen. Er braucht Geld für seine Galerie, das weiß ich. Vater hat ihm schon eine ganze Menge geliehen.»

«Hat er denn genug über Dillys March gewußt, um Gemma Temple instruieren zu können?»

«Das weiß ich nicht. Der Colonel vertraut sich allen möglichen Leuten an. Maud Brixenham zum Beispiel. Daß sie gerne Lady Crael wäre, springt einem geradezu ins Auge. Papa sieht ja auch noch ganz repräsentabel aus. Er ist zwar fünfzehn, zwanzig Jahre älter als sie, aber man sieht's ihm nicht an. Und schließlich ist sie auch schon fünfundfünfzig, es kommt also sowieso nicht mehr darauf an.» Jury lächelte über diese jugendliche Betrachtungsweise, die dem Alter kurzerhand alle Leidenschaften absprach. «Der Colonel ist sehr aktiv. Diese verdammten Fuchsjagden!»

«Hegt Ihr Vater ihr gegenüber ähnliche Gefühle?»

«Er spricht zwar gern über seine Privatangelegenheiten, aber nicht mit mir.» Julian warf Jury einen spöttischen Blick zu. «Nein, die gute alte Maud wäre bestimmt nicht begeistert, wenn Dillys zurückkäme und Ansprüche emotionaler Art, wie Sie es nannten, anmelden würde. Genausowenig wie Olive Manning. Ich glaube, sie gibt meinem Vater insgeheim die Schuld an dieser schmutzigen Affäre zwischen Leo und Dillys. Ihr Sohn ist in einer Anstalt. Aber man sollte auch dem Teufel – in diesem Fall Dillys – Gerechtigkeit widerfahren lassen: Leo Manning war schon lange bevor sie hier auftauchte, reif dafür. Mein Vater hat ihn nur als Fahrer eingestellt, um Olive einen Gefallen zu tun. Er taugte nichts, weder als Fahrer noch als Mensch. Aber seine Mutter sieht das natürlich anders. Nein, Dillys hatte an allem schuld. Oder wir alle. Papa kommt für die Kosten der Anstalt auf. Er ist sehr großzügig. Wahrscheinlich hat er in seinem Testament allen möglichen Leuten eine Rente ausgesetzt.» Julian blickte Jury an. «Nein, Inspektor, er würde mich wegen Dillys March nicht enterben. Er könnte natürlich auch alles dem Hundeverein oder einer Organisation für notleidende Jäger vermachen.» Er rauchte und schwieg einen Augenblick. «Vielleicht wollte diese Gemma Temple einfach nur Dillys Marchs fünfzigtausend Pfund kassieren und dann wieder verschwinden.»

«Oder sich häuslich einrichten.»

«Das hätte sie nicht geschafft. Niemals.»

«Sie scheint sich aber ganz gut eingeführt zu haben.»

«Aber sie hätte es unmöglich durchziehen können. Achtundvierzig Stunden als jemand anderes zu posieren ist nicht so schwierig. Aber ganz in die Rolle eines andern zu schlüpfen –»

Julian schüttelte ungläubig den Kopf.

«Dillys March war wohl nicht sehr beliebt?»

«Da haben Sie recht.»

«Aber sie war doch erst achtzehn, als sie sich absetzte.»

«Nach dem Paß, ja.»

«Wie war ihr Verhältnis zu Männern?»

«Sie hatte wahrscheinlich eines mit jedem, der ihr über den Weg lief. Es machte ihr Spaß, den Männern den Kopf zu verdrehen, kleine Brände zu legen.»

«Die Frage bleibt bestehen. Wenn diese Frau *nicht* Dillys March war, wo ist dann Dillys? Warum ist sie nie wieder aufgetaucht?»

Julian blickte auf den Boden und studierte den Teppich, als

könne sein Muster darüber Aufschluß geben. «Ich dachte schon, daß sie vielleicht gar nicht mehr lebt.»

Der Winter schien bei diesen Worten in den Raum einzudringen. Jury hatte das komische Gefühl, Schnee würde in die Ecken geweht, während sich Fenstersimse und Spiegel mit einer Eisschicht zu überziehen schienen und graues, ungefiltertes Licht bleischwer im Raum hing. Von seinem Platz aus blickte er auf die hohen Flügeltüren zur Terrasse. Nebelmassen drückten dagegen. Und die Melancholie, die ihn sowieso nie aus ihren Fängen ließ, hüllte ihn in ihren grauen Mantel ein.

7

«Alles blitzsauber – wie im ‹Bristol›.» Bertie knipste den Staubsauger aus und salutierte vor der kleinen Marienstatue, die auf dem Kaminsims über den elektrischen Holzscheiten stand. Berties religiöser Überzeugung entsprach es eher, sich durch die Erfüllung seiner Pflichten als durch die Gnade allein erlösen zu lassen.

«Komm, Arnold.» Flott drehte er sich auf dem Absatz um, griff nach dem Staubsauger und legte einen Arm quer über die Brust, die Hand wie ein Messer am Hals des Staubsaugers. «Hip, hip!» Er marschierte mit ihm zu dem Schrank in dem kleinen dunklen Flur.

Arnold schaute immer interessiert beim Staubsaugen zu und holte manchmal auch irgendwelche Gegenstände, wie zum Beispiel altes Schokoladenpapier, unter den Sesseln hervor. Bertie marschierte in das Wohnzimmer zurück, um sich noch einmal prüfend umzuschauen.

«Froschauge kann zufrieden sein.»

Arnolds Gebell klang so zackig wie Berties Gruß. Der Name «Froschauge» rief bei Arnold immer eine feindliche Reaktion hervor.

«Froschauge» oder Miss Frother-Guy, wie sie im Dorf hieß, war eine von den Frauen, die sich während der Abwesenheit seiner Mutter anscheinend dazu berufen fühlten, auf ihn aufzupassen. Außer ihr gab es noch Miss Cavendish, die Bibliothekarin, und Rose Honeybun, die Frau des Pfarrers. Sie schauten abwechselnd nach dem Rechten. Miss Frother-Guy fand er am unsympathischsten von den dreien, vor allem wegen ihrer Abneigung gegenüber Arnold. Sie betrachtete ihn als denkbar ungeeigneten Umgang für einen mutterlosen Jungen.

Dieses Gefühl beruhte auf Gegenseitigkeit. Miss Frother-Guy war für Arnold ein eher unverdaulicher Brocken. Arnold pflegte sich vor ihr aufzubauen und sie unablässig anzustarren.

Miss Frother-Guy hatte einen schmallippigen Mund und ein verdrießliches, kleines Gesicht, das Bertie an die Mäuse mit den spitzen Schnauzen in der Roly-Poly-Pudding-Geschichte erinnerte. Miss Cavendish war zwar sehr viel angenehmer, aber auch sehr viel schmutziger. Sie hinterließ immer irgendwelche Spuren; Dreck von ihren Stiefeln oder Flusen, die in ihren Kleidern hingen. Wahrscheinlich trug sie den Staub, den sie ständig von den Regalen der Leihbücherei Rackmoors wischte, mit sich herum. Stockfisch (Miss Cavendish) schien die Aufgabe, mit der Miss Frother-Guy sie betraut hatte, keinen großen Spaß zu machen; meistens steckte sie nur den Kopf durch die Tür, und ihre blassen Augen glichen kleinen Silberfischen, die mal hier, mal dahin schossen. Sie blieb nie bis zum Tee.

Rose Honeybun war noch die angenehmste; sie blieb gewöhnlich bis zum Tee und brachte auch meistens etwas mit, da sie ihre christliche Pflicht als erfüllt betrachtete, wenn sie Bertie mit Kuchen und Gebäck versorgte. Obwohl sie die Frau des Pfarrers war, erfüllte sie ein lüsternes Interesse für das Sexualleben der Dorfbewohner und eine gedankenlose Gutmütigkeit, die ihre Gesellschaft sehr viel vergnüglicher machte als die der anderen. Sie setzte sich an den Tisch, trank eine Tasse Tee nach der andern, rauchte Zigaretten und versuchte, Bertie alles mögliche zu entlocken. Klatschgeschichten, die sie wie Rosinen aus dem Kuchen pickte. Sie hatte auch Arnold ins Herz geschlossen und brachte ihm Knochen, die er sofort versteckte.

Bertie bedauerte, daß Miss Frother-Guy und nicht Mrs. Honeybun an der Reihe war. Er hätte nichts dagegen gehabt, mit ihr diesen Mord durchzuhecheln.

Es war eine Art Stafettenlauf, bei dem Bertie den Stab weitergab. Froschauge machte am meisten Ärger; sie sprach ständig von «zuständigen Stellen», die eingeschaltet werden müßten. Seine Mutter war nun schon seit sechs Wochen weg, bald würden es zwei Monate sein. Und Froschauge war der Meinung, daß sie eine «bessere Regelung» finden sollten. Er wollte nichts davon wissen und hielt sie hin – er hielt sie alle hin: Er versicherte ihnen, daß er Post von seiner Mutter bekommen hätte, einen Brief, den er nicht mehr finden könne; sie würde aber noch immer ihre todkranke Großmutter in Nordirland pflegen.

Den Brief, den seine Mutter tatsächlich geschrieben hatte, wollte er ihnen jedoch nicht zeigen. In den letzten Tagen hatte er ihn etwas seltener aus der Schublade genommen, aber doch noch so häufig, daß das Papier an den Stellen, an denen er zusammengefaltet wurde, schon ganz dünn geworden war. Entfaltet sah er wie ein in kleine Quadrate unterteiltes Fenster aus. Bertie verstand nicht, was in ihm stand, und er wußte nicht, welche Absicht sie damit verfolgte.

Ihre Abwesenheit lähmte ihn jedoch keineswegs. An seinen und Arnolds Lebensgewohnheiten hatte sich praktisch nichts geändert. Auch als seine Mutter noch bei ihnen gewesen war, hatte sich vor allem Bertie um den Haushalt gekümmert; er putzte, kochte und machte sich für die Schule fertig, während seine Mutter nur von London träumte, ihre Trauben-Nuß-Schokolade aß und Krimis las.

Er kam also sehr gut ohne sie aus. Aber er fühlte sich doch irgendwie benachteiligt, vor allem, wenn er die anderen Jungen zusammen mit ihren Müttern sah. Er glich dann einem Jungen, der sehnsüchtig auf einen Roller starrt und denkt: Alle haben einen, warum ich nicht?

Aber nach einer Weile vergaß er sogar, daß sie nicht mehr da war, und deckte wieder für drei statt für zwei. Er und Arnold aßen ihre Teller leer und starrten dann aus dem Fenster – jeder aus seinem –, bis Arnold ungeduldig wurde, gähnte und von seinem Stuhl sprang, um hinausgelassen zu werden. Manchmal gingen sie zusammen im Nieselregen spazieren, und Bertie hoffte, der Regen würde seine Gehirnzellen aktivieren und ihn eine Erklärung für die Abwesenheit seiner Mutter finden lassen, mit der sich Froschauge und Stockfisch zufriedengeben würden. Während Arnold seine halsbrecherischen Gratwanderungen unternahm – am liebsten auf Pfaden, die nicht einmal richtige Pfade waren (vielleicht um brütende Vögel aufzustöbern, dachte Bertie) –, starrte er aufs Meer hinaus. Er stand einfach nur da, wartete auf Arnold und schien sich von den Wellen, die sich bei diesem Wetter schon ganz weit draußen brachen, inspirieren zu lassen. Während einer dieser Pausen war ihm auch die Idee mit Belfast gekommen. Weder Froschauge noch Stockfisch würden ihre langen Nasen in die Angelegenheiten Nordirlands stecken wollen. Keiner wollte das!

Bertie wußte, daß es «Heime» gab, und er wußte auch, daß es Polizeiwachen gab. Das waren die einzigen «zuständigen Stellen», von denen er annahm, daß sie sich für ihn interessieren könnten. Er war deshalb völlig aufgelöst, als Inspektor Harkins an seine Tür klopfte; zum erstenmal in seinem Leben dachte er, er würde gleich ohnmächtig werden. Wenn dieser Detektiv nicht gekommen war, um ihn in ein «Heim» zu stecken, dann könnte er ihn nur wegen der Schecks sehen wollen.

Aber es war weder das eine noch das andere. Er wollte mit ihm über einen Mord sprechen.

8

Heute nachmittag stand jedoch weder Froschauge noch die Polizei, sondern Melrose Plant vor seiner Tür. Bertie versuchte sich zu konzentrieren; er kniff vor Anstrengung die Augen zusammen und fing an, Grimassen zu schneiden. Dabei enthüllte er eine Zahnlücke und mehrere reparaturbedürftige Zähne. Von einem Wirbel stieg ein Büschel brauner Haare wie eine kleine Flagge senkrecht in die Höhe. Seine schmutzigbraune Kniebundhose war am Knie gestopft und seine braune Wolljacke falsch geknöpft; sie wellte sich an seiner Schulter und verlieh ihm ein leicht buckliges Aussehen.

Alles in allem, dachte Melrose, war der karamelfarbene Terrier mit seinen glänzenden braunen Augen eindeutig der hübschere von beiden. Melrose trug einen Mantel mit Samtkragen, auf dessen Schulter sein silberbeschlagener Spazierstock lag. «Kannst du deinen Vater holen. Sei so nett.»

Bertie musterte ihn argwöhnisch. «Mein Vater ist tot.»

«Oh. Tut mir leid. Na ja, dann würde ich gern mit deiner Mutter sprechen.»

Einen Augenblick lang herrschte Schweigen. «Meine Mami ist weggefahren. Außer mir und Arnold ist niemand zu Hause.»

«Vielleicht kann mir auch Arnold weiterhelfen. Scotland Yard schickt mich», fügte Melrose mit großem Vergnügen hinzu.

Der Junge schnappte nach Luft. «Sie sind vom Yard?»

«Nein, nicht wirklich. Ich helfe nur aus. Mein Name ist Melrose Plant.» Er suchte immer noch hinter dem Jungen nach einem Erwachsenen. «Und du, wie heißt du?»

«Bertie Makepiece.» Er riß die Tür weit auf. Melrose sah, daß sich in dem Haus nichts rührte, und die Räume, die er sehen konnte – eine Ecke von einem Wohnzimmer, ein Stückchen von einer Küche –, schienen leer zu sein. Zwei unerfreulich aussehende Zimmerpflanzen flankierten die enge Diele. Irgendwo tickte eine Uhr.

«Das ist Arnold.»

Melrose blickte auf den Boden. «Das ist ja ein Hund.»

«Ja, weiß ich.»

Melrose versuchte zu lächeln, während er im geheimen Jury verfluchte. Er fragte sich, wie er den Bengel bei Laune halten sollte.

Um ein paar Dinge hatte Melrose schon immer einen Bogen gemacht – kleine Kinder und Tiere gehörten dazu. Er wußte nie, wie er reagieren sollte, wenn sie ihn mit großen Augen anschauten, als erwarteten sie etwas ganz Tolles, eine Tafel Schokolade, einen Knochen. Gelegentlich hatte er auch irgendwelche Süßigkeiten in der Tasche, um für unerwartete Begegnungen – in Zügen zum Beispiel – gewappnet zu sein. Aber er wollte sich damit die Störenfriede nur vom Hals halten und war fassungslos, wenn es gerade die entgegengesetzte Wirkung hatte – warum nur wurde er in diese endlos langen, verwickelten Geschichten über

Schulen, Kindermädchen oder innig gehaßte Schwesterchen hineingezogen? Wenn man jemandem freundlich lächelnd ein Bonbon in die Hand drückte und zu dem Empfänger sagte: «Ich glaube, deine Tante hat nach dir gerufen, zisch mal los», sollte man dann nicht annehmen, daß dieser Wink verstanden würde? Dem war aber nicht so. Es bewirkte nur, daß sie einen noch aufdringlicher anlächelten oder noch heftiger mit dem Schwanz wedelten und ihre Erwartungen noch höher schraubten. Manchmal fragte er sich, ob er nicht von völlig falschen Voraussetzungen ausging.

«Hm, hm, das ist aber ein hübsches, kleines Haus», sagte Melrose mit einer Herzlichkeit, die keineswegs von Herzen kam. Er würde Jury die Sache übergeben. Auf Ardry End gab es weder Kinder noch Hunde (abgesehen von Mindy, die sich einfach an ihn rangehängt hatte) und auch keine Zimmerpflanzen. Während es in diesem Haus nur so davon wimmelte. Und all diese Dinge gruppierten sich um ihn, als wollten sie sich mit ihm ablichten lassen.

Der Junge hatte ein idiotisches Grinsen aufgesetzt, und als Melrose auf die dunkle Hundeschnauze hinunterblickte, hatte er das Gefühl, der Hund würde auch grinsen – als ob sie von ihm gleich etwas sehr Komisches erwarteten.

«Kommen Sie mit in die Küche. Ich dachte, Sie seien Frosch – Miss Frother-Guy.»

Melrose warf seinen Mantel über das Geländer, stellte seinen Spazierstock in den Blumenkübel und folgte Bertie in die blitzsaubere Küche.

Der Tisch war für zwei Personen gedeckt. Arnold kroch unter den Tisch, legte den Kopf auf eine Vorderpfote und blickte trübe zu Melrose hoch. Melrose fragte sich, welche Technik der Yard bei dieser Altersgruppe anwandte. Sollte er ihn zum Beispiel hochnehmen und schütteln? Er entschied sich für einen Ton, der, wie er hoffte, sowohl freundlich wie auch bestimmt war.

«Euer Haus steht gleich neben der Engelsstiege, wo die Leiche gefunden wurde. Wir dachten, vielleicht hättest du was gesehen.»

«Ich hab gehört, sie hat ein gutes Dutzend Messerstiche abgekriegt. Sie soll voller Blut gewesen sein.»

Melrose hätte einen weniger lüsternen Ton vorgezogen. «Das

ist übertrieben. Hör zu: Hast du irgend etwas gesehen oder gehört?»

«Nein.» Selbst diese eine Silbe drückte seine ganze Enttäuschung aus. Er nahm eine Schale vom Tisch und stellte sie auf den Boden. «Sei nicht beleidigt, Arnold.» Zu Melrose gewandt, erklärte er: «Sie sitzen nämlich auf Arnolds Stuhl.»

«Oh, *ich* kann mich ja unter den Tisch setzen.»

«Nicht nötig. Trinken Sie doch eine Tasse mit. Ich mach mal den Tee naß.»

Da er im allgemeinen mit Leuten dieser Altersgruppe nie zusammentraf, dachte Melrose, er sollte die Gelegenheit nutzen und ihm etwas beibringen. «Denkst du nicht, daß ‹die Blätter ziehen lassen› deiner Mutter wesentlich besser gefallen würde?»

Bertie zuckte die Achseln, und die breite weiße Schürze, die er sich umgebunden hatte, hob und senkte sich. «Kann ich auch sagen. Aber meine Mutter iss ja nicht da. Außerdem isses viel umständlicher. Und die Teeblätter werden doch dabei naß, also kann ich das genausogut sagen. Möchten Sie was von dem Madeira oder ein Obsttörtchen?»

«Nein danke. Aber vielleicht einen Keks.»

Bertie hatte den Arm in einen Karton gesteckt. «Aber die sind für Arnold. Er kriegt immer zwei zu seinem Tee.» Er legte die Kekse unter den Tisch neben Arnolds Schale. Arnold ließ Melrose jedoch nicht für eine Sekunde aus den Augen. Sein Blick war nicht feindselig, sondern nur wachsam.

Melrose fand, daß sie vom Thema abgekommen waren. «Oberinspektor Jury –»

Gebannt starrte ihn Bertie an. «*Das* ist der Inspektor vom Yard?»

«Ja. Hast du irgend etwas gesehen oder gehört?»

Bertie ließ den Teekessel kreisen. «Nein, nichts. Halt, jetzt fällt's mir wieder ein, ich hörte so was wie 'n Schrei, aber das hätte auch eine Möwe sein können.»

Oder pure Einbildung, dachte Melrose. «Wann war das?»

«Weiß ich nicht genau. So gegen elf, halb zwölf.»

«Solltest du um diese Zeit nicht im Bett sein? Du mußt doch ziemlich früh aufstehen, wenn du Schule hast?»

«An dem Tag war aber keine Schule.»

«Du hast gesagt, dein Vater sei tot. Wo ist denn deine Mutter?»

«Weggefahren.» Er hielt die Teekanne noch höher. «Was ist nur mit Miss Frother-Guy heute los? Sie kümmert sich um mich, bis meine Mami wieder zurückkommt.»

«Oh. Und wann kommt deine Mutter wieder zurück?»

«Bald.»

Melrose wußte nicht, was er ihn noch fragen sollte. Arnolds starrer Blick irritierte ihn. Er versetzte seiner Schnauze einen kleinen Stubser, um ihn abzulenken. Aber Arnold legte sie einfach nur auf die andere Pfote. «Denkst du, hier in Rackmoor passieren irgendwelche komischen Dinge?» Jury stellte gern allgemeine Fragen wie diese. Um die Reaktionen zu sehen. Um die Leute zu melken; manchmal fielen ihnen dann wieder Dinge ein, an die sie überhaupt nicht mehr gedacht hatten.

Bertie nahm achselzuckend wieder Platz. «Nicht komischer als sonst.»

«Du lieber Himmel, was heißt ‹als sonst›?»

«Oh, weiß nicht.» Er nahm ein Rosinenbrötchen von dem Teller und knabberte wie eine Maus daran herum. «Percy Blythe meint... Sie kennen Percy?»

«Nein.» Melrose beobachtete, wie Arnold auf seinem Keks herumkaute, ohne seine braunen Augen von ihm abzuwenden.

«Percy sagt, diese Frau, die, Sie wissen schon –» Bertie fuhr sich mit dem Zeigefinger über den Hals – «Percy sagt, sie hätte früher mal hier gelebt. Ein richtiges Luder, sagt Percy. Sie hieß March und wohnte im Old House. Es gab immer nur Ärger wegen ihr. Bis sie dann eines Tages abgehauen ist; das war vor zig Jahren, und jetzt soll sie wieder zurückgekommen sein, hat Percy erzählt. Eine böse Überraschung. Percy hat recht gehabt.»

«Aber diese Frau hieß gar nicht March. Das hat dein Freund Percy wohl übersehen.» Bertie zuckte mit den Schultern und zog das geriffelte Papier von einem Törtchen ab. Melrose dachte an Agatha, die ihn innerhalb der letzten vierundzwanzig Stunden zweimal angerufen hatte.

«Davon weiß ich nichts», sagte Bertie. «Percy sagt, sie hätte es ganz schlimm getrieben, als sie noch bei ihnen wohnte. Ein Luder. Deswegen ist dieser Mr. Crael auch so komisch geworden, sagt Percy.»

Melrose war überrascht. «Meinst du den alten oder den jungen?»

«Ah, diesen Julian. Iss doch 'n komischer Kauz. Kommt nie ins Dorf runter oder macht mal was. Spaziert nur die ganze Nacht auf den Klippen rum. Percy sagt, er sei ihm mal im Nebel begegnet, und es sei ihm kalt den Rücken runtergelaufen.»

«Und was hat dieser Percy bei Nacht und Nebel dort zu suchen?»

«Er arbeitet für den Colonel. Stöbert die Füchse in ihrem Bau auf.» Bertie hielt seine Tasse mit beiden Händen fest und nahm einen Schluck Tee. «Percy sagt, Mr. Crael sei die ganzen Jahre schon so komisch – seit diese Frau weggelaufen ist. Und jetzt ist sie wieder da. Ich meine, sie war wieder da.» Bertie fuhr sich mit dem Finger über die Kehle.

«Wenn Percy so viel weiß, dann hat er bestimmt auch einen Verdacht?»

«Iss schon möglich. Gesagt hat er nichts.»

«Ich würde gern mal mit diesem Orakel sprechen.» Melrose schaute auf seine Uhr. Es war noch nicht fünf, und er könnte vielleicht Jury, der ihn auf diesen seltsamen Vogel angesetzt hatte, endlich einmal zuvorkommen.

Berties Augen weiteten sich hinter seinen dicken Brillengläsern. «Wir könnten gleich mal zu ihm rübergehen. Ich hab Zeit, meine Arbeit fängt erst später an. Percy wohnt in der Dark Street. Ecke Scroop Street, bei der Leihbücherei um die Ecke. Er hat bestimmt schon seinen Tee genommen, und er quasselt überhaupt sehr gern.» Bertie stand vom Tisch auf, seinen Kuchen ließ er angebissen auf dem Teller liegen.

Während Melrose noch seine Zustimmung murmelte, stand Bertie schon auf dem Flur vor der Garderobe und kämpfte mit einem riesigen schwarzen Mantel. Er warf einen unschlüssigen Blick in die Küche, auf den Tisch mit den schmutzigen Tassen und Tellern. «Abwaschen muß ich dann eben später.»

«Laß das Arnold machen», sagte Melrose, der auch gerade in

seinen Mantel schlüpfte und beobachtete, wie Bertie sich falsch zuknöpfte.

«Mein Gott, kannst du das nicht schön der Reihe nach machen, so wie sich's gehört?» Melrose stellte seinen Stock beiseite und knöpfte Berties Mantel zuerst auf und dann wieder zu. Er war viel zu groß für ihn. Bertie hatte eine schwarze Zipfelmütze aufgesetzt, unter der nur noch sein schmales weißes Gesicht mit den dicken Brillengläsern zu sehen war. «Wo hast du bloß deine Klamotten her. Von einem Flohmarkt für Eisbären?»

«Klamotten», sagte Bertie mit einem Blick auf Melroses Samtkragen und silberbeschlagenen Spazierstock, «sind nicht das Wichtigste im Leben. Gehn wir?»

Als sie mit Arnold vorneweg die Grape Lane hochgingen, sagte Bertie: «Bei Percy dürfen Sie nicht so genau hinschauen. Er ist nicht besonders ordentlich, nicht so wie wir. Überall stehen diese ausgestopften Dinger rum. Und so sauber ist es auch nicht. Er hat die komischsten Sachen überall, an den Wänden, in Wannen und so weiter. In Rackmoor gibt es wirklich allerhand zu sehen.»

Melrose blickte auf die Schneewolke, die Arnold hinter sich aufwirbelte, und auf den kleinen schwarzen Gnom an seiner Seite und sagte: «Erzähl doch mal.»

9

Es fehlte nur noch die Eule auf seiner Schulter.

Percy Blythe saß hinter einem monströsen Arbeitstisch aus der Zeit Jakobs I., inmitten eines dunklen, staubigen, sehr romantischen Wirrwarrs aus präparierten Fischen, ausgestopften Vögeln, Talgkerzen, Treibholz, Fischnetzen, Lumpen, alten Zeitungen und Büchern. Obwohl Bücher und Papiere seine Tätigkeit sehr seriös und wissenschaftlich erscheinen ließen, tat Percy Blythe nichts weiter, als ein paar Muschelstückchen hin- und herzuschieben. Es war ein kleines, verhutzeltes Männchen mit spitzen Teufelsohren und einer randlosen Brille. Als Bertie sie einander vorstellte, blickte er Melrose ohne großes Interesse über seine Brille hinweg an. Er trug – oder ertrug – eine Jacke, einen Pullover, einen Schal und eine ähnliche Zipfelmütze wie Bertie. Danach wandte er sich wieder seinen Muscheln zu.

«Wir haben Sie hoffentlich nicht beim Essen gestört», sagte Melrose, der eine dunkle Brotrinde und ein Glas mit einem Milchrand am andern Ende des Tischs entdeckt hatte – beides schien schon mehrere Tage alt zu sein. Percy Blythe beugte sich nur noch tiefer über seine Muscheln.

«Eine interessante Arbeitsstätte, Mr. Blythe, wirklich sehr interessant.»

Als auch darauf keine Antwort kam, blickte Melrose sich unschlüssig um, auf der Suche nach einem Gesprächsthema. Da kein elektrisches Licht den Raum erhellte, war es ziemlich schwierig, in der Masse der ausgestopften, von Glasglocken bedeckten oder sonstwie hinter Glas verwahrten Gegenstände noch etwas zu erkennen und eine Bemerkung darüber zu machen. Auf dem Milchglas der Gehäuse flackerten kleine, schwache Flammen und warfen bedrohliche Schatten an die Wände.

Es war das schmalste Terrassenhaus, das Melrose je gesehen hatte. Es befand sich in der Dark Street, die eigentlich eher ein privater Durchgang war als eine Straße. Sie mündete in die Scroop Street und ließ sich nur über die Dagger Alley erreichen, ein steiniger Weg, der von der «Glocke» zu einem Warenhaus in der High Street führte.

«Sie sind wirklich ein Sammler, Sir», sagte Melrose, der nicht recht wußte, wie er seine Gegenwart erklären sollte. Bertie war auch keine große Hilfe; er schien sich hier ganz zu Hause zu fühlen. Im Augenblick war er damit beschäftigt, ein seeigelähnliches Gebilde auf einem Regal zu inspizieren. Arnold hatte sofort von einem alten Flickenteppich in der Ecke Besitz ergriffen. Außer dem Kratzen, das durch das Hin- und Herschieben der Muscheln verursacht wurde, war nichts zu hören. Einmal flatterten mehrere lose Blätter auf den Boden, aber Percy Blythe schien die Abfallberge, die ihn umgaben, überhaupt nicht wahrzunehmen – Papierstöße, die wie Sandbänke wegzudriften schienen; in sich zusammengefallene Büchertürme, die Tische, Fensterbänke und Boden bedeckten.

Melrose war noch nie in seinem Leben einem Menschen begegnet, der eine solche Verachtung selbst für die elementarsten Umgangsformen zeigte.

Bertie sagte: «Ich hab ihm erzählt, daß Sie alles mögliche hier rumstehen haben. Was ist denn das?» Bertie hielt etwas Knochenähnliches in die Höhe. Percy Blythes hartnäckiges Schweigen schien ihn offensichtlich nicht zu stören, denn er legte den Gegenstand einfach wieder auf seinen Platz zurück und untersuchte einen auf einem Brett befestigten Fisch.

Melrose ließ seinen silberbeschlagenen Spazierstock von einer Hand in die andere wandern und verlagerte sein Gewicht entsprechend. Percys Schweigen wäre sehr viel erträglicher gewesen, wenn er sie aufgefordert hätte, Platz zu nehmen oder zumindest abzulegen, aber Percy Blythe schien fest entschlossen zu sein, diese wie auch alle andern Förmlichkeiten zu ignorieren. Sie standen also immer noch in ihren Mänteln herum. Nur Arnold lag auf seinem Flickenteppich und pennte. Bertie fühlte sich jedoch ganz wohl; er untersuchte alles, was ihm unter die Finger kam, und summte dabei vor sich hin, während Melrose von Percy Blythes monumentalem Schweigen erdrückt wurde. Er räusperte sich und nahm einen neuen Anlauf.

«Mr. Blythe. Ich bin bei den Craels zu Gast. Sir Titus ist ein Freund von mir.» Ein kurzer, finsterer Blick streifte ihn, dann beugte sich Percys Kopf wieder über seine Muscheln.

«Percy, Sie haben mir doch erzählt, wie komisch dieser Julian Crael geworden ist, erinnern Sie sich?» Bertie hielt eine Schale mit Wasser hoch, in der etwas Dunkles schwamm. «Was ist denn das? Sieht aus, als wäre es lebendig.»

Melrose bezweifelte das, aber er griff Berties indirekten Hinweis auf das Verbrechen auf. «Ein schrecklicher Gedanke, daß in einem kleinen Fischerdorf wie diesem ein so bestialisches Verbrechen begangen wurde.» Keine Antwort. Melrose machte auf gut Glück weiter. «Sie waren bestimmt genauso schockiert wie alle andern hier in Rackmoor.» Nichts in Percy Blythes Miene verriet, daß er einen Schock erlitten hatte. «Auch Sie», sagte Melrose, und sein Spazierstock wechselte wieder die Seite, und er verlagerte sein Gewicht, «müssen doch ganz fassungslos gewesen sein, daß in Ihrem Dorf so was passieren konnte.» Ein gekrümmter Finger schob die Muscheln vor sich her und schubste dabei eine auf den Boden; Percy machte sich jedoch nicht die Mühe, sich danach zu bücken. «Vielleicht interessiert es Sie, Mr. Blythe, daß wir in Northamptonshire gleich eine ganze Serie von Morden hatten. Das war letztes Jahr, ungefähr um diese Zeit. Und Oberinspektor Jury ist damals auch in unser Dorf gekommen. Ich nehme an, er wird Sie noch aufsuchen, um Ihnen ein paar Fragen zu stellen.»

«Percy, krieg ich die Muschel, die du mir versprochen hast?» Der Arm unter dem Schal führte eine vage, fahrige Bewegung aus.

«Ist Ihnen in der Nacht, in der sie ermordet wurde, irgend etwas aufgefallen?» bedrängte ihn Melrose. Percy Blythe blickte lediglich über seine Brille hinweg zu ihm auf, schüttelte den Kopf und widmete sich wieder seinen Muscheln. Vielleicht ist der Mann einfach nur krankhaft scheu, dachte Melrose. Vielleicht fühlt er sich nur bei seinen ausgestopften und sonstwie präparierten Objekten wohl.

«Klar ist dir was aufgefallen, Percy», sagte Bertie. «Du hast doch gesagt, daß dich das überhaupt nicht überraschen würde. Als diese Frau wieder aufgetaucht ist, hast du doch gleich gedacht, daß das nicht gutgehen würde.»

Bertie traf ein langer, böser Blick, offensichtlich eine Warnung, Percy Blythe nicht in diese geistlose Unterhaltung hineinzuziehen.

Aber Melrose hakte sofort nach. «Wieso haben Sie das gedacht, Mr. Blythe?» Natürlich kam auch darauf keine Antwort; Melrose hatte das Gefühl, mit den Muscheln und dem Treibholz ins Meer gespült zu werden. Komisch, dabei hatte er sich immer für einen guten, wenn nicht brillanten Unterhalter gehalten. «Soll Jury sich mit ihm rumschlagen», seufzte er und streifte seine Handschuhe über.

Es machte ihm Spaß, sich dieses Zusammentreffen auszumalen, er hoffte nur, Jury würde ihn mitnehmen. «Na gut, dann machen wir uns am besten mal wieder auf den Weg. Ich hab noch eine Verabredung.»

«Und ich muß arbeiten, Percy. Bis später. Los, Arnold, komm schon!»

Erschrocken fuhr Melrose zusammen; eine Katze, die Berties Befehlston aus dem Schlaf gerissen hatte, war plötzlich von einem der Regale heruntergesprungen. Melrose hatte geglaubt, sie sei ausgestopft. Er ging auf die Tür zu.

«Fragen Sie Evelyn», sagte Percy Blythe.

Melrose blickte zurück, aber Percy Blythe war damit beschäftigt, die Muscheln in Beutel zu füllen; die geheimnisvolle Botschaft schien nie über seine Lippen gekommen zu sein.

10

Das Gesicht des Mädchens, das ihm die Tür öffnete, war zu schmal, um nach traditionellen Maßstäben noch als schön zu gelten; sie war jedoch von einer zerbrechlichen Blondheit, die etwas Durchscheinendes, Gläsernes an sich hatte. Es war fünf Uhr und bereits dunkel. Zwischen Jury und dem Mädchen waberte der Nebel. Eine Petroleumlampe hinter ihr verwischte die Umrisse ihres Kleides; es war weiß, weit und formlos und sehr tief ausgeschnitten, eine Wolke, die sie einhüllte und ihr ein seltsam geisterhaftes Aussehen verlieh. Es fehlte nur noch das Talglicht in ihrer Hand, und Jury hätte sich in ein Schauermärchen versetzt gefühlt.

«Miss Siddons?» Jury zeigte seinen Dienstausweis. «Ich bin Richard Jury. Kriminalpolizei. Ich hoffe, ich komme nicht sehr ungelegen. Ich hab ein paar Fragen.»

«Oh.» Sie nahm das Kleid in der Taille zusammen, als wäre ihr vor allem seine Weite peinlich. «Ich war gerade dabei, dieses Kleid hier abzustecken. Ich hab keine Schneiderpuppe und hab's mir deshalb selbst übergezogen. Soviel gibt's da aber gar nicht abzustecken. Kommen Sie doch rein.» Er leistete ihrer Aufforderung Folge, und sie schloß die Tür hinter ihm. «Ich zieh mich schnell um, wenn Sie nichts dagegen haben.»

Er sah die Nadeln, die den Ausschnitt und die Schultern markierten. «Sie haben es selbst genäht?»

«Nicht für mich. Für eine Frau aus dem Dorf. Ich mach das ab und zu. Im Winter, wenn im Café nichts los ist. Mir gehört das Café ‹Zur Brücke›.»

Jury nickte. «Ich weiß. Das Kleid steht Ihnen aber ausgezeichnet.» Er konnte jetzt auch sehen, wie ungewöhnlich ihr Gesicht war. Dreieckig mit bernsteinfarbenen Augen. Ihre Haut schimmerte wie Perlmutt.

Ihre Hand bedeckte den Ausschnitt; offensichtlich hatte sie bemerkt, daß Jurys Blick weitergewandert war. «Es dauert nur eine Minute, wirklich», sagte sie so besorgt, als könnte nach einer Minute eine Katastrophe über sie hereinbrechen. Er nickte, und sie lief aus dem Zimmer und die Treppe hoch.

Jury schaute sich in dem Wohnzimmer um, das mit gemusterten Chintzsesseln und allem möglichen Krimskram vollgestopft war. In jeder Ecke Nippsachen und Bilder – Tische, Regale, Simse, alles war vollgestellt mit Tassen und Untertassen, Krügen aus geriffeltem Glas, kleinen Porzellandosen. Überrascht entdeckte er auf einer Unterlage aus schwarzem Samt eine Kristallkugel. Er nahm sie in die Hand, drehte sie und starrte in ihre Tiefen, konnte aber nichts Schicksalsträchtiges herauslesen. Er legte sie wieder auf ihre samtene Unterlage. Neben ihr befanden sich bemalte Souvenirs aus Bognor Regis, Tunbridge, Southend-on-Sea, alles ehemalige Seebäder, in denen früher die Damen der Gesellschaft mit ihren Sonnenschirmen und Fächern die Strandpromenade entlangspazierten; inzwischen waren sie jedoch durch Rummelplätze und dicke kleine Kinder mit Plastikeimerchen ersetzt worden. Auch Tische und Wände waren mit Fotografien bepflastert, und viele davon schienen in diesen Seebädern aufgenommen worden zu sein. Eines zeigte eine junge Frau in einem altmodischen Kleid aus den Fünfzigern; sie stand auf dem Pier und hielt ihren Hut fest. Es mußte ein windiger Tag gewesen sein; die Brise hatte ihren Rock aufgebläht, und sie versuchte, ihn sittsam mit ihrer freien Hand festzuhalten. Für einen Schnappschuß war das Foto sehr gut gelungen; es war zumindest besser als die andern, die auf dem Tisch herumstanden, da es so frisch und lebendig wirkte und das Mädchen auch außergewöhnlich hübsch war. Als er es sich aber genauer anschaute, stellte er fest, daß die Bildkomposition überhaupt nicht stimmte und daß sie praktisch am linken Bildrand klebte. Er stellte das Bild wieder an seinen Platz zurück und studierte die anderen Fotos in den rechteckigen und ovalen Rahmen. Die meisten zeigten dieselbe Frau, jedoch an verschiedenen Orten und zu verschiedenen Zeiten. Eines war im Old House aufgenommen worden; er erkannte den Hof mit den Ställen. Er nahm an, daß es sich um Lily Siddons Mutter handelte.

«Das ist meine Mutter.» Ihre Stimme, die seine Vermutung bestätigte, kam von hinten. «Sie lebt nicht mehr. Sie ist jung gestorben.» Jury drehte sich um. *«Die Herzogin von Malfi?»*

«Was?»

«Ich dachte, Sie würden aus dem Stück zitieren.»

Sie legte den Kopf zur Seite, und in ihren bernsteinfarbenen Augen fing sich das Licht des Feuers. «Kenn ich nicht.»

«Ihr Bruder sagt das. Der Bruder der Herzogin. ‹Bedeckt ihr Gesicht; sie ist jung gestorben.›» Vorsichtig stellte Jury das Foto zurück, als könne er das Leben der Frau in Gefahr bringen. «Er war verrückt, ihr Bruder.» Er fühlte sich seltsam beklommen; ein Gefühl der Angst schnürte ihm die Kehle zu; er konnte es sich nicht erklären.

«Sie meinen wie Julian Crael?» Sie kreuzte die Arme über der Brust, eine unwillkürliche, typisch weibliche Abwehrgeste.

«Julian Crael?»

«Er war schon immer ziemlich seltsam.» Lily setzte sich auf ein kleines, chintzbezogenes Sofa. «Möchten Sie einen Kaffee?»

Jury schüttelte den Kopf. «Inwiefern?»

Sie zuckte die Achseln, als wolle sie Julian Crael abschütteln. Dann sagte sie: «Hat er sie umgebracht?»

Die Frage überraschte Jury genauso wie ihr unbeteiligter Ton. «Warum fragen Sie das?»

«Weil er dazu fähig wäre.»

Jury lächelte. «Dazu fähig sind wir *alle*. Die Umstände müssen nur entsprechend sein.»

Sie schüttelte den Kopf. «Das glaub ich nicht.» Kühl blickte sie ihn aus ihren Katzenaugen an. «Könnten Sie? Ich meine, jemanden umbringen?»

«Ja. Ich denke schon. Aber Sie sprachen von Julian.»

Sie strich ihr helles Haar, das von zwei Schildpattkämmen gehalten wurde, nach hinten über die Schultern zurück. «Ich hab ihn noch nie gemocht. Sie wissen bestimmt, daß ich ziemlich lange bei ihnen gewohnt habe; eigentlich meine ganze Kindheit. Bis meine Mutter... starb.» Ihre Augen wanderten von seinem Gesicht zu dem kleinen runden Chippendale-Tischchen, auf dem die Fotos standen.

«Colonel Crael hat's mir erzählt. Er hat Sie sehr gern.»

«Er ist auch der einzige, der in Ordnung ist. Ein Gentleman.»

«Und Julian ist das nicht?»

«Julian!» Mit einer kurzen Handbewegung tat sie diese Möglichkeit ab. «Ganz bestimmt nicht.»

Jury fragte sich, ob nicht etwas anderes dahintersteckte, Gefühle, die nicht erwidert worden waren. Aber irgendwie bezweifelte er es. «Waren Sie nicht an dem Tag vor dem Mord bei den Craels zum Abendessen?»

«Ja. Der Colonel hatte mich eingeladen. Zuerst dachte ich –» sie zögerte. «Zuerst dachte ich wirklich, sie –» Lily Siddons schien verwirrt oder auch nur in Gedanken versunken zu sein; sie fuhr sich mit der Hand über die Stirn, als wolle sie den umherirrenden Schatten eines Gedankens verscheuchen.

«Was?»

«Hat Ihnen der Colonel nicht erzählt, daß sie seiner Pflegetochter wie aus dem Gesicht geschnitten war? Der, die vor fünfzehn Jahren verschwunden ist. Hat er nichts von Dillys erzählt?»

«Erzählen Sie.»

Lily blickte auf die gefalteten, in ihrem Schoß ruhenden Hände und wirkte, als läse sie eine Geschichte aus einem Buch ab. «Sie haben sie nach dem Tod ihrer Eltern bei sich aufgenommen. Als sie acht oder neun Jahre alt war. Ich war damals noch ein Baby. Obwohl uns fünf Jahre voneinander trennten, wuchsen wir trotzdem zusammen auf. Es machte ihr Spaß, mich rumzukommandieren. Ich war für sie immer nur die Tochter der Köchin. Bei unsern Spielen war ich die Küchenmagd und sie die Prinzessin. Lady Margaret hat sie maßlos verwöhnt. Natürlich gingen wir auch auf verschiedene Schulen. Dillys und Julian gingen aufs Gymnasium, ich ging auf die Hauptschule. Das war später, als wir etwas älter waren. Ich könne machen, was ich wolle, sagte sie immer, ich würde doch nie… als ob das meine Absicht gewesen wäre…»

«Und was dachten Sie, als Sie Gemma Temple sahen?»

«Ich hatte Angst, sie würde zurückkommen.» Sie blickte ihm in die Augen. «Wenn Sie jemanden mit einem Motiv suchen, ja, ich hätte eines gehabt. Nachdem mein Vater uns verlassen hatte – meine Mutter und mich –, sind wir zu ihnen gezogen. Es war ja auch sehr anständig von den Craels, mich bei sich aufzunehmen. Aber Dillys war wie ein Baumstamm: Ich konnte sie nicht beiseite schieben und kam auch nicht an ihr vorbei.» Lily verstummte und starrte ins Feuer.

«Als der Colonel sagte, sie sei eine entfernte Verwandte, haben Sie ihm das geglaubt?»

Erstaunt blickte sie ihn an. «Warum nicht, warum hätte er lügen sollen?»

«Fanden Sie es denn nicht merkwürdig, daß Dillys einfach abhaute und das ganze Geld sausenließ, das sie einmal geerbt hätte?»

«Wollen Sie damit sagen, daß diese Person Dillys war?»

«Nein. Es war nur eine Frage. Sie haben Inspektor Harkins erzählt, der Mörder von Gemma Temple hätte es eigentlich auf Sie abgesehen. Was ist denn das für eine Geschichte, Miss Siddons, können Sie mir das erklären?»

«Irgend jemand *hat* versucht, mich umzubringen.» Sie lehnte sich mit einem matten Seufzer zurück und blickte ins Feuer. Die Flammen verliehen ihrer blassen Haut einen goldenen Schimmer, ließen ihre bernsteinfarbenen Augen aufleuchten und zauberten goldene Streifen auf ihre Seidenstrümpfe. Ihre Beine waren, wie Jury bemerkte, sehr wohlgeformt. Sie reizte jedoch weniger seine Sinne als seine Neugierde. In dieser Umgebung erschien sie ihm wie ein seltener Schmetterling, der sich in ein fremdes Gebiet verirrt hatte. Eine goldgelbe Wolke in einem kalten Klima.

«Erst passierte diese Sache beim Reiten. Das war letzten Oktober – ich hatte Red Run gesattelt – das ist das Pferd, das mir der

Colonel zur Verfügung gestellt hat – und sprang mit ihm bei Tan Howe über eine Mauer; dabei wäre ich beinahe in einer großen Heugabel gelandet, die jemand auf der anderen Seite liegengelassen hatte. Ein paar Zentimeter, und das Pferd wäre darauf getreten. Das Ding lag mit den Zinken nach oben auf dem Boden.»

«Aber hat denn jemand gewußt, wohin Sie reiten würden – angenommen, die Gabel wurde mit voller Absicht dort liegengelassen?»

«Das ist es ja gerade. Ich hatte an dieser Stelle schon öfters mit Red Run geübt. Während der Jagd ist er nämlich ein paarmal vor der Mauer stehengeblieben, und ich versuchte, ihm die Angst zu nehmen. *Damals* glaubte ich natürlich, es sei purer Zufall gewesen. Ich hab dem Colonel davon erzählt, und er sagte, er wolle dafür sorgen, daß das nicht mehr passiert. Er war außer sich.»

«Und was passierte als nächstes?»

«Das war dann drei oder vier Wochen später, im November. Die Bremsen meines Autos fielen aus. Ich hatte den Wagen auf dem oberen Parkplatz gleich am Ortseingang abgestellt. Kennen Sie ihn?» Jury nickte. «Ich benutze das Auto eigentlich nie im Dorf. Es war wirklich eine Ausnahme, ich wollte etwas einladen – ein paar Torten und Kuchen für ein Kirchenfest in Pitlochary. Als ich dann im Auto saß, erinnerte ich mich, daß ich noch ein paar Einkäufe in Whitby erledigen wollte. Ich fuhr also nicht den Berg runter, sondern in die andere Richtung. Gott sei Dank. Sie haben ja gesehen, wie steil der Hang ist. Ich wäre gegen die ‹Glocke› gerast. Was das alles zu bedeuten hatte, wurde mir aber erst klar, nachdem diese Sache mit Gemma Temple passiert ist. Es waren keine Zufälle, diese ersten beiden Male. Die Leute hier haben gewußt, daß ich an diesem Tag den Wagen nehmen würde.»

«Wer wußte das?»

Ungeduldig sagte sie: «Viele. Kitty Meechem und ich haben im ‹Fuchs› darüber gesprochen. Adrian stand daneben, und die Craels wußten es auch. Ich hatte es bei dem Essen erwähnt.» In der Dämmerung sah ihr Gesicht wächsern aus. Das Feuer war die einzige Lichtquelle.

«Sie denken also, es war das Kostüm?» Sie nickte. «Warum hat Gemma Temple Ihr Kostüm getragen?»

«Bei diesem Essen hatte der Colonel erwähnt, daß Gemma Temple kein Kostüm habe; er fragte mich, ob ich ihr nicht eines leihen könne. Maud sagte, wir – Maud und ich – könnten auch als Sebastian und Viola aus *Was ihr wollt* gehen. Das kam uns ganz passend vor. Also überließ ich es ihr.»

«Warum ist *sie* denn nicht als Viola mit Mrs. Brixenham losgezogen?»

Lily zuckte die Achseln. «Sie war fremd hier und hat Maud ja auch kaum gekannt.»

«Und warum ging sie nicht mit Ihnen zusammen auf das Fest? Kitty Meechem sagte, sie sei erst nach zehn aus dem Haus gegangen?»

Lily lachte. «Das ist doch offensichtlich. Sie wollte ihren Auftritt haben – für sich.» Ihre Stimme klang bitter. «Schauspielerin! Eine aufgedonnerte kleine Verkäuferin, weiter nichts.»

«Dann wußten also alle, die bei dem Essen waren, daß Sie nicht das schwarzweiße Kostüm tragen würden?»

Lily schüttelte den Kopf. «Nein. Nur Maud und der Colonel. Die andern waren gerade nicht im Raum, als wir darüber sprachen. Auf der Party wurde mir jedenfalls schlecht. Ich glaube, es waren die Brote mit der Fischpaste, ich hab sie noch nie vertragen. Oder vielleicht auch der Punsch. Das reinste Teufelszeug, was sie da im Old House zusammenbrauen. Ich hab mit kaum jemandem gesprochen. Der Colonel und Maud sind die einzigen, die mit Sicherheit keinen Anschlag auf mich geplant hatten. Sie wußten, daß Gemma mein Kostüm trug.»

Sie würden also aus dem Kreis der Verdächtigen ausscheiden, falls der Täter Lily und nicht Gemma Temple hatte beseitigen wollen.

«Wenn ich ihr nicht mein Kostüm geliehen hätte, wäre sie vielleicht… ich fühle mich irgendwie schuldig.»

Jury zog sein Notizbuch hervor. «Sie haben Inspektor Harkins gesagt, Sie seien Viertel nach zehn zu Hause gewesen.»

«Ja, richtig. Maud blieb noch eine Weile bei mir. Um sicherzugehen, daß ich keine Lebensmittelvergiftung hatte. Dann ist sie gegangen. Ich saß noch ein bißchen im Bademantel rum und hab gelesen, ungefähr bis elf Uhr.»

«Adrian Rees hat kurz darauf Gemma Temple die Grape Lane herunterkommen sehen, ungefähr um Viertel nach elf, kurz bevor der ‹Fuchs› zumachte. In der Nähe der Engelsstiege.»

Lily starrte in das Feuer und nickte. «Ich weiß.»

«Ist sie hier gewesen?»

Ihr Kopf fuhr herum. «Hier? Warum sollte sie *hier* gewesen sein?»

Jury gab keine Antwort. Er musterte sie mit ausdruckslosem Gesicht. «Irgendwo muß sie gewesen sein. Wir wissen, wann sie aus dem Gasthof weggegangen ist – zehn nach zehn, sagt Kitty Meechem –, und wir wissen, wann Rees sie gesehen hat. Aber wo war sie in der Zwischenzeit? Auf dem Weg zum Old House war sie offensichtlich nicht.»

«Wie kommen Sie darauf?»

«Weil sie die Engelsstiege hochging.»

«Sie wird schließlich auch benutzt.»

«Aber doch nicht im Winter? Und nicht, wenn ein Warnschild dranhängt. Sie muß sich mit jemandem getroffen haben.» Jury wartete, aber Lily äußerte sich nicht dazu. «Kitty Meechem kam also kurz nach Feierabend bei Ihnen vorbei. Das war gegen halb zwölf oder etwas früher. Fünf vor halb zwölf, sagte sie.»

Lily ließ den Kopf auf dem Chintzbezug des Sofas hin- und herrollen und meinte mit matter Stimme: «So genau weiß ich das nicht mehr. Es wird wohl stimmen. Ich hab nicht auf die Uhr geschaut.»

«Es ist aber sehr wichtig. Sie hätten sich schon mit Lichtgeschwindigkeit bewegen müssen, um die Strecke von hier bis zur Engelsstiege und wieder zurück in zehn Minuten zu schaffen.»

Sie schaute ihn an, und ihre Augen verdunkelten sich, bis sie beinahe kornblumenblau waren. «Sie glauben mir nicht, stimmt's? Sie glauben nicht, daß jemand versucht hat, *mich* umzubringen?»

«Darum geht es nicht. Ich nehme Ihnen ab, daß *Sie* es glauben. Aber welches Motiv käme denn in Frage? Geld? Rache? Eifersucht?»

«Geld scheidet aus. Und soviel ich weiß, hab ich auch niemandem was getan. Eifersucht – worauf?»

«Männer. Fangen wir doch mal damit an.»

«Sie meinen, ein eifersüchtiger Liebhaber oder so was Ähnliches?» Sie lachte, es klang aber nicht sehr glücklich. «In Rackmoor ist das höchst unwahrscheinlich.»

«Halten Sie es für möglich, daß der Colonel schon daran gedacht hat, Sie und Julian könnten…» Ihr Gesicht überzog sich mit einer brennenden Röte, und er verstummte.

«Julian? Ich und *Julian*? Das ist doch albern! Ein Crael heiratet nicht die Tochter der Köchin.»

«Was ist mit Ihrem Vater passiert, Lily?»

«Ich war ein kleines Kind, als er fortging. Ich kann mich kaum noch an ihn erinnern.»

Sie lehnte sich zu dem kleinen Tischchen hinüber und nahm die Kristallkugel von dem Samtpolster. «Ein netter Zeitvertreib. Percy Blythe hat sie mir geschenkt. Im Sommer nehm ich sie mit ins Café und tu so, als könnte ich die Zukunft voraussagen, als würde ich darin etwas sehen. Die Touristen finden das ganz toll. Zeigen Sie mal Ihre Hand!» Jury streckte seine rechte Hand aus; sie ergriff sie und hielt sie fest. «Sie haben einen breiten Handteller, das heißt, Sie sind sehr großzügig. Und einen langen Daumen – das bedeutet Durchsetzungsvermögen. Gerade Finger – ein angenehmes Wesen. Eine sehr gute Hand!» Sie ließ sie wieder fallen, als wäre sie alles andere als gut, und ihre Augen wanderten zu dem Chippendale-Tischchen mit den Fotos. Sie griff nach dem Bild mit der Frau auf dem Pier.

«Sie haben Ihre Mutter wohl sehr gemocht?»

«Ja.»

«Es tut mir leid, darüber zu sprechen; es muß für Sie sehr schmerzlich sein…» Er spürte, daß er eine offene Wunde berührte, daß er den Schmerz in kleinen Dosen verteilte. «Ich spreche von dem Tag, an dem sie ertrunken ist.» Lily hielt den Kopf gesenkt. «Warum ist Ihre Mutter bei Beginn der Flut diesen gefährlichen Weg gegangen?» Lily schüttelte den Kopf; offensichtlich war sie den Tränen nahe.

«War es ein Unfall?»

Lily starrte auf das Foto und weinte.

Jury ließ sich auf den Rand seines Sessels gleiten, nahm ihr das

Foto aus der Hand und gab ihr statt dessen sein Taschentuch. «Tut mir leid, Lily. Ich lasse Sie jetzt in Ruhe.»

Jury ging aus dem Haus und um die kleine Bucht herum zum «Alten Fuchs». Die blauen und grünen Fischerboote schaukelten auf dem dunklen Wasser wie große, exotische Blüten.

Das Foto hatte er in der Tasche.

11

«Ein Glas Rackmoor-Nebel», sagte Melrose Plant.

Kitty blickte zu Jury hinüber. «Und Sie, wollen Sie nicht auch einen probieren?»

«Dienst ist Dienst und Schnaps ist Schnaps. Nein, nur einen Whisky, bitte, Kitty.» Wiggins saß schon vor einem Teller mit Kabeljau, Chips und grünen Erbsen.

Sie ging hinaus, und Jury wandte sich wieder Melrose zu. «Nun, Mr. Plant, was haben Ihre Nachforschungen ergeben?»

Melrose funkelte ihn an. «Arnold war noch am hilfreichsten. Sehr viel hilfreicher als dieser Percy Blythe.»

«Percy Blythe. Diesen Namen hab ich noch nie gehört. Wer ist denn das?» Jury schnappte sich einen Chip von Wiggins' Teller.

«Das müssen Sie selbst herausfinden, Inspektor. Sie müssen mitkommen und ihn vernehmen.»

«Könnte ich natürlich, wenn er etwas weiß. Steht er denn auf Harkins' Liste, Wiggins?»

Den Mund voller Fisch und Erbsen, sagte Wiggins: «Ja, Sir.»

«Erstaunlich, daß er bei jemandem auf der Liste steht.»

Kitty brachte die Getränke. Der Rackmoor-Nebel kam in einem Römerglas – eine flockige Flüssigkeit, aus der dünne Rauchsäulen emporstiegen.

Wiggins stach mit seiner Gabel danach. «Was kommt denn da raus?»

«Nebel.» Melrose führte das Gebräu an seine Lippen, nahm einen Schluck und verzog das Gesicht. «Mit Blutegeln und Haifischflossen.»

«Sieht nicht so aus, als ob es besonders gesund wäre», sagte Wiggins und beäugte es mißtrauisch. Sein Tee erschien ihm wohl sicherer. Jury beobachtete, wie der Sergeant ohne Rücksicht auf seine Zähne Zucker in seine Tasse löffelte.

«Sie würden die geheimnisvolle Botschaft nie erraten, die er mir mit auf den Weg gegeben hat, die Worte, die noch ganz zum Schluß über seine warzigen Lippen gekommen sind.»

«Sie meinen Percy Blythe?»

«Ja: ‹Fragen Sie Evelyn!›»

«Wer ist das?» Plant schüttelte den Kopf. «Wiggins, steht auch eine Evelyn Soundso auf der Liste?» Wiggins verneinte. «Wo wohnt denn dieser Blythe?»

«In der Dark Street.»

Wiggins spießte ein Stück Fisch auf, als könnte es ihm davonschwimmen. «Jetzt, wo Sie's erwähnen, fällt mir auch wieder ein, daß in Harkins' Bericht so ein Name auftaucht. Ich glaube aber kaum, daß dieser Blythe was weiß.»

«Ach nein», meinte Melrose sarkastisch.

«Wir können nach dem Essen ja mal bei ihm vorbeischauen.»

«Wunderbar», sagte Melrose.

«Ich meine, Sergeant Wiggins und ich können vorbeischauen.»

«Könnten Sie nicht auch ohne mich auskommen, Sir? Ich sollte die Notizen sichten, die ich mir im Old House gemacht habe. Ich weiß schon nicht mehr, wohin damit.»

«Richtig, lassen Sie Sergeant Wiggins seine Notizen sortieren. Und vergessen Sie bitte nicht, daß ich Percy Blythe schon einen Besuch abgestattet habe. Ich hab ihn sozusagen entdeckt.» Melrose setzte ein gewinnendes Lächeln auf, zweifelte aber an seinem Erfolg und ersetzte es durch einen bekümmerten Blick.

«Na gut, Mr. Plant. Ich möchte Sie nur bitten, mich nicht zu unterbrechen, wenn ich ihn vernehme.»

«Oh, das würde mir nicht im Traum einfallen, Chefinspektor. Wirklich, ich würde diese Begegnung nur ungern verpassen.» Melroses Blick hatte etwas Eulenhaftes.

«Ich dachte, Sie hätten den Dienst quittiert, Mr. Plant. Also gut, ich bin einverstanden. Aber essen wir doch noch was, bevor wir gehen. Ich sterbe vor Hunger. Ich hab gehört, daß Kitty exzellente Steaks und prima Nierenpasteten macht.»

«Ob sie wohl auch ein paar Flaschen im Keller hat? Château de Meechem, Jahrgang 1982. Im Faß gereift.» Melrose blickte sich in dem Lokal um und befand: «Surtees hat wohl die Innendekoration besorgt. Schauen Sie sich doch mal diese Jagdszenen an!» Als Melrose und Jury ihre Blicke schweifen ließen, starrten mehrere Augenpaare zurück. Jury war inzwischen schon stadtbekannt; als er in dem Lokal aufgetaucht war, hatten sich die Köpfe wie geölt in seine Richtung gedreht. Die Blicke fixierten ihn, und die Gespräche verstummten. Die Leute wandten sich aber schnell wieder ab und taten so, als existiere Jurys Tisch nicht. «Es würde mich nicht wundern, wenn eine ganze Jagdgesellschaft hier durchrasen und Halali oder ähnlichen Blödsinn rufen würde. Ich komme mir vor wie in *Tom Jones*.»

Schräg gegenüber von ihnen, bei der Küchentür, stritt Kitty sich offenbar mit Bertie Makepiece; er trug eine weiße Schürze und hatte ein Tablett unterm Arm. «Wer ist denn der Bengel?» fragte Jury.

«Bertie Makepiece.» Melrose blickte auf die Tür zwischen dem Lokal und dem Speiseraum. «Und das ist Arnold, falls Sie ihm noch nicht begegnet sind.» Arnold hatte sich quer über die Schwelle gelegt.

Kitty kam an ihren Tisch. «Entschuldigen Sie, Mr. Jury.» Sie strich sich die braunen Locken aus der hohen Stirn und war ganz rot im Gesicht. «Bertie stellt sich mal wieder an. Ich laß den Jungen hier nur arbeiten, wenn ich Gäste zum Abendessen habe. Ich *weiß*, er ist erst zwölf und sollte nicht in einem öffentlichen Lokal arbeiten, aber ich stell ihn auch nie hinter die Bar oder laß ihn alkoholische Getränke servieren – abgesehen vielleicht von einer Flasche Wein ab und zu. Die Sache ist – seine Mutter hat sich abgesetzt, und er kann das Geld wirklich gebrauchen. Er wollte partout Ihren Tisch haben, aber ich dachte mir, die Polizei –»

Jury unterbrach sie. «Die Jugendarbeitsschutzgesetze sind hiermit wieder aufgehoben.» Er lächelte.

Melrose beobachtete, wie Kitty Meechem sich an der Lehne

eines Stuhls festhielt, wahrscheinlich, um bei seinem Lächeln nicht völlig dahinzuschmelzen.

«Kalbsschnitzel und Nierenpastete, bitte», sagte Jury zu Bertie. Sie waren die einzigen Gäste in dem kleinen Speiseraum mit dem flackernden Kaminfeuer und dem schimmernden Kupfer- und Zinngeschirr an den Wänden.

Melrose entschied sich für den Grillteller. «Und eine Flasche von eurem besten Wein, Copperfield. Eine Weinkarte gibt's wohl nicht? Ich sehe, du trägst heute keinen Kellerschlüssel bei dir.»

«Nein, keine Weinkarte, Sir. Aber im Keller steht 'ne Menge völlig verstaubter Flaschen rum, die so aussehen, als müßten sie bald getrunken werden.» Weltmännisch fügte Bertie hinzu: «Sie sind natürlich noch völlig in Ordnung. Nur würden ihnen ein oder zwei weitere Jahre nicht gerade guttun.»

«Vielleicht entdeckst du eine Flasche vierundsechziger Côte de Nuit. Bring sie her, aber nicht schütteln bitte, nur ganz vorsichtig abstauben.»

«Für Sie saug ich sie mit dem Staubsauger ab, Sir.» Bertie zischte davon, das Tablett hochhaltend.

«Ist das der Bengel, dessen Mutter verschwunden ist? Wo steckt sie denn?»

«Keine Ahnung. In Belfast, sagt er.» Melrose breitete eine schneeweiße Serviette von Tischtuchgröße auf seinem Schoß aus. «Die Wäsche ist zumindest sauber. Noch mehr Jagdszenen – wußten Sie, daß der Gasthof zur Hälfte Sir Titus Crael gehört? Warum wohl, denken Sie, heißt er der ‹Alte Fuchs in der Falle›? Praktisch soll ihm das ganze Dorf gehören. Jemand hat mir erzählt, daß er es ‹Foxmoor› taufen wollte, aber das haben sie nicht zugelassen. Ein passionierter Jäger, der alte Herr.»

«Und wie war der Abschied von Lady Ardry, Mr. Plant?»

«Äußerst schwierig, das können Sie mir glauben. Sie hing mir bis zum Schluß am Rockschoß.»

Jury grinste. «Ich hab sie vermißt.»

«Da sind Sie der einzige. Sie ist in York. Ich erhalte täglich ihre Bulletins, in denen sie mir mitteilt, wie es ihr und dieser Teddy ergeht. Wenn sie wüßte, daß *Sie* hier sind, würde sie wie eine Lawine über die Moore von North York gerollt kommen.»

Bertie brachte den ersten Gang. «Das Horsd'œuvre, Sir.» Er knallte die beiden kleinen Teller auf den Tisch. «Tut mir leid, Sir, kein Räucherlachs», sagte er zu Melrose, und als hätten sie einen gemeinsamen Coup gelandet, fuhr er leise fort: «Aber Kitty hat in Whitby frischen Fisch gefunden und eine feine Sauce dazu gemacht.» Er flitzte wieder davon; an der Tür blieb er stehen und schimpfte mit Arnold, der immer noch unbeweglich auf der Schwelle lag und Melrose anstarrte.

Melrose stocherte mißtrauisch in der Sauce herum. «Wetten, daß es Scholle ist? Fragt sich nur, wie diese Sauce sich mit dem Rackmoor-Nebel verträgt. Kitty Meechem sollte mir das Rezept verraten. Ich könnte Agatha ein paar Drinks servieren und sie dann hinter der Kathedrale absetzen. Haben Sie bemerkt, daß dieser Hund mich pausenlos anstarrt? Sie werden es mir bestimmt nicht verraten, aber wen haben Sie denn als Hauptverdächtigen ins Auge gefaßt?»

«Keinen.»

Melrose seufzte. «Ich wußte, daß Sie sich ausschweigen würden.»

Jury schüttelte den Kopf und nahm den Fisch in Angriff. «Es ist die Wahrheit. Keinen.»

«Bei Julian Crael springt einem das Motiv ins Auge.»

«Inspektor Harkins ist da ganz Ihrer Meinung.»

«Zu dumm! Mit ihm möchte ich nicht einer Meinung sein.»

«Warum nicht? Ein cleverer Bursche.»

«Ein Dandy und ein Leuteschinder – so schätze ich ihn ein. Außerdem scheint er sich Gedanken darüber zu machen, was ich – ein Fremder – bei den Craels zu suchen habe. Er hält mich für den Mörder, der über die Moore kam. Ah, hier ist der Wein.» Melrose rieb sich die Hände.

Bertie war zurück, das Tablett unter dem Arm und die Weinflasche in der Hand. «Hier, schauen Sie, Sir, die werden Sie bestimmt nicht zurückgehen lassen.» Er hielt Melrose das Etikett unter die Nase. «Nicht genau das, was Sie haben wollten; er hat aber eine wunderbare Farbe. Rot.»

«Ja. Rot. Aber er ist von 1966. 1964 gab's wohl nicht?»

Bertie verzog den Mund. «Frischer», meinte er hoheitsvoll. «Ich mach sie mal auf.» Die Flasche zwischen den Beinen, setzte Bertie den Korkenzieher an. Als er den Korken gezogen hatte, ließ er ihn über das Tischtuch kullern. «Der Korken, Sir.»

«Sieht ganz so aus.»

«Sollten Sie nicht daran riechen, Sir?»

«Ach ja, wie dumm von mir.» Melrose bewegte den Korken unter seiner Nase. «Ein herrliches Bouquet.»

Bertie preßte begeistert die Flasche gegen die Brust. «Dacht ich mir doch, daß Sie damit zufrieden sein würden. Probieren Sie.» Er umklammerte den Flaschenhals und goß Melrose vorsichtig etwas Wein ein. «Bewegen Sie ihn im Mund.»

Melrose tat, wie ihm geheißen. «Ausgezeichnet. Etwas jung vielleicht, aber trotzdem ausgezeichnet.» Er zog einen Schein aus seinem Portemonnaie und steckte ihn in Berties Tasche. «Deine Vorfahren waren wohl alle Sommeliers!»

Bertie strahlte. «Lassen Sie ihn etwas atmen, wie sich's gehört.» Er verschwand, das Tablett auf der ausgestreckten Hand.

«Das ging aber schwungvoll über die Bühne, dieses Ritual.»

«Ja, ich bin ganz beeindruckt», sagte Jury. «Aber sagen Sie, warum halten Sie Crael für den Täter? Sie hatten ja mehr Zeit und Gelegenheit, ihn zu beobachten.»

«Ich hab nicht gesagt, daß ich das tue. Ich sagte nur, daß er das einleuchtendste Motiv hat. Mit dem Wiederauftauchen dieser Dillys March wäre sein Erbe um einiges geschrumpft. Sie haben sie ja beinahe wie ihre eigene Tochter behandelt, der Colonel und Lady Margaret.»

«Und würden es auch wieder tun, wenn sie zurückkäme. Wenn diese Frau, die ihren Auftritt hier hatte, nicht Dillys March, sondern Gemma Temple war, dann muß ihr jemand eine Menge erzählt haben. Und Julian wäre der letzte, der das getan hätte.»

Melrose machte ein nachdenkliches Gesicht. «Ja, ich verstehe, was Sie meinen. Aber warum nehmen Sie Julian Crael eigentlich immer in Schutz?»

«Tu ich gar nicht. Das war nur eine Hypothese. Sie mögen ihn wohl nicht besonders?»

«Ich finde ihn kalt, hartherzig und verstockt.»

«Verstockt?»

«Ungesellig.» Melrose schubste sein Schnitzel auf seinem Teller herum und nahm dann einen Bissen. «Das Gegenteil von Sir Titus – der würde am liebsten die ganze Grafschaft zum Tee einladen. Das soll um Gottes willen kein Vorwurf sein... mir fiel nur eben auf, daß man sich gleich schuldig fühlte, wenn man über den Colonel etwas nicht so Nettes sagt. Julian ist jedenfalls ein richtiger Einsiedler. Er geht nicht auf die Jagd und haßt Parties. Nicht einmal auf den Kostümball ist er gegangen. Er und der alte Herr verstehen sich überhaupt nicht. Wegen dieser Gemma Temple oder Dillys March oder wie immer sie hieß, haben sie sich ganz gewaltig in die Haare gekriegt. Na ja, so gewaltig wohl auch nicht. Julian ist nicht der Typ dafür. Er lächelt nur eisig. Colonel Crael wollte sie gleich mit Sack und Pack bei sich einziehen lassen, und Julian ist felsenfest überzeugt, daß sie eine Schwindlerin war. Aber wie konnte sie annehmen, als diese March durchzugehen?»

«Vielleicht wäre das gar nicht so schwierig: Ein Komplice und ein so leichtgläubiges Opfer wie der Colonel – mehr ist gar nicht dazu nötig. Nur Julian wäre zum Problem geworden.»

Schweigend machten sie sich über ihr Essen her. Dann meinte Melrose: «Das Haus erinnert mich an Poes *Usher*. Ahnungslos fahre ich gegen Mitternacht die Auffahrt hoch –» Melrose hob die Hände, als wolle er ein Bild rahmen. «Die mächtige Silhouette des alten Herrenhauses taucht im fahlen Mondlicht vor mir auf. Knorrige Eichen spiegeln sich im dunklen See. In einer Mauer klafft ein Riß. Und Roderich – Julian in unserm Fall – spielt im Kerzenschein düstere Weisen auf dem Piano.»

«War es so?»

«Nicht ganz.»

«Das Haus macht einen ganz realen Eindruck auf mich.»

«Von Julian kann man das aber nicht behaupten. Er ist eher ein Schatten seiner selbst. Wie Nebel. Ich hab das Gefühl, ich könnte durch ihn hindurchgehen.»

«Ich fand ihn zwar ziemlich melancholisch, aber nicht gerade schattenhaft.»

«Vielleicht fehlt es Ihnen an Phantasie.»

«Ja, wahrscheinlich. Ich bin nur ein stumpfsinniger Bulle. Aber Ihr Vergleich ist trotzdem sehr interessant: Roderich Usher.» Jury erinnerte sich an Lily Siddons' Bemerkung. «Halten Sie denn Julian für leicht verrückt?»

«‹Leicht verrückt.› Eine komische Formulierung. Ob man nun seinen Verstand oder seine Jungfräulichkeit verliert – in beiden Fällen bedeutet ein bißchen eigentlich alles.»

«Sie können es formulieren, wie Sie wollen. Unausgeglichen, psychopathisch –»

«Imstande, einen Mord zu begehen, meinen Sie das?»

Jury winkte ab. «Man muß nicht verrückt sein, um einen Mord zu begehen. Mord ist eine ganz banale Sache. Ich versuche nur, diese Leute zu verstehen.»

«Diese Familie ist mir ein Rätsel – sämtliche Craels, die lebenden und die toten.» Melrose stach mit seiner Gabel in eine gegrillte Tomate. «In diesem Haus begegnet man auf Schritt und Tritt der Vergangenheit. Sie leben in der Vergangenheit.»

Jury bewegte den Bodensatz in seinem Weinglas. «Tun wir das nicht alle?» Er wandte sich ab. «Reden sie denn auch die ganze Zeit darüber?»

«Nein. Sie reden über die Gegenwart, aber sie denken an Vergangenes. Als würden sie mit einem Auge ständig auf die Bilder der Verstorbenen blicken. Insbesondere auf das von Lady Margaret. Das wäre jemand, den ich gern kennengelernt hätte.»

Jury lächelte. «Erwarten Sie wie in dem Fall von Lady Madeleine ein Kratzen am Sargdeckel zu hören?»

«Wie makaber! Nein, das erwarte ich nicht. Aber ihre Gegenwart ist deutlich spürbar.»

«Und die Gegenwart von Dillys March, ist die auch spürbar?»

«Nicht so sehr. Vielleicht war sie zu jung, um den Dingen ihre Prägung zu geben. Aber sie gehört dazu, sie ist ein Teil dieser unheilsschwangeren Atmosphäre. Und Julian führt das Leben eines Mönchs; er könnte genausogut in einem Kloster leben. Er geht spazieren und hängt seinen Gedanken nach.»

«Welchen Gedanken?»

«Er hat mir nicht sein Herz geöffnet. Falls er überhaupt eines hat.»

Jury sah ihn vor sich, wie er am Kamin lehnte. «Oh, ich denke schon, daß er eines hat.»

«Aber von der hiesigen Damenwelt kann bestimmt keine Anspruch darauf erheben.»

Bertie war mit dem Dessert, einer Pflaumentorte, zurückgekommen. Während er die Teller wegräumte, fragte ihn Jury: «Sag mal, Bertie, wie lange ist deine Mutter schon weg?»

«Bald drei Monate.»

«Eine lange Zeit, wenn man ganz allein ist.»

Jury schaute ihn an; es war jedoch unmöglich, etwas von seinen Augen ablesen zu wollen, da sie von den dicken Brillengläsern völlig verdeckt wurden. Und der Rest seines kleinen, spitzen Gesichts war ziemlich ausdruckslos. Vielleicht machte es ja auch Spaß, mit zwölf Jahren einmal allein gelassen zu werden und keine ständig nörgelnde Mutter um sich herum zu haben. Vorausgesetzt, man wußte, daß sie zurückkommen würde.

«Komisch, daß deine Mutter nicht für deine Betreuung gesorgt hat.»

«Oh, das hat sie, Sir», versicherte ihm Bertie schnell. «Stock – ich meine Miss Cavendish. Und Miss Frother-Guy. Sie sind auch ganz gewissenhaft – immer auf dem Posten.»

Jury unterdrückte ein Lächeln. Bertie ließ keinen Zweifel daran, was er von dieser Bevormundung hielt. «Sie ist nach Irland gefahren?»

«Nach *Nord*irland», betonte Bertie, «zu ihrer Oma. Ich glaube, ihre Oma war für sie so was wie 'ne Mutter. Als sie krank wurde, konnte sie hier nichts halten.»

«Ja, schön. Aber dich so ganz allein zu lassen –»

«So allein bin ich gar nicht. Arnold ist auch noch da. Und wie ich schon sagte, Miss Cavendish –»

«Wo in Nordirland lebt denn ihre Oma?»

«In Belfast», antwortete er wie aus der Pistole geschossen. Er warf ihm einen kurzen, prüfenden Blick zu und fügte hinzu: «Auf der Bogside.» Und weg war er.

«Bogside», wiederholte Jury und lächelte auf seine Pflaumentorte hinunter.

«Eines muß man ihm lassen – er weiß sich zu helfen. Hier verschwinden die Leute ja am laufenden Band. Das reinste Bermudadreieck.»

«Mary Siddons zum Beispiel. Lily Siddons Mutter, die angeblich ertrunken ist.»

«Ja, davon hab ich gehört. Der Colonel macht sich Sorgen, weil Lily sich so abkapselt. Ihre Mutter ertrank, kurz nachdem Lady Margaret und Rolfe bei diesem Autounfall ums Leben gekommen waren. Muß eine schlimme Zeit für die Craels gewesen sein.»

«Alles in allem ist Rackmoor anscheinend kein sehr glücklicher Ort.»

Melrose bestand darauf, das Essen zu bezahlen, und Jury, der noch ein paar Worte mit Kitty wechseln wollte, entschuldigte sich.

Während Melrose seinen Mantel zuknöpfte, sagte er zu Bertie: «Das Essen wurde nur noch von dem Service übertroffen. Und der Service ist selbst bei Simpson nicht besser.»

Bertie versetzte dem Tischtuch ein paar Schläge mit seiner Serviette, um die Krümel herunterzufegen. Arnold, dem die plötzliche Hektik auffiel, setzte sich auf und spitzte die Ohren.

Melrose stopfte Bertie eine Fünfpfundnote in die Tasche und sagte: «Da, Copperfield, damit du aus dem Salem-Haus rauskommst.»

12

Percy Blythe saß immer noch an seinem Tisch, als Melrose durch das Fenster spähte. Und soweit Melrose das beurteilen konnte, war er auch noch immer damit beschäftigt, seine Muscheln zu sortieren.

«Gehn wir rein, Inspektor. Ich hoffe, er läßt Sie überhaupt zu Wort kommen.»

Jury lächelte nur.

Jury wartete erst gar nicht darauf, Percy vorgestellt zu werden. Er durchquerte einfach den Raum, der seit dem letzten Mal, als Melrose ihn gesehen hatte, noch voller und dunkler geworden war, streckte die Hand aus und sagte: «Hallo, Percy, ich bin Jury. Von Scotland Yard.»

Melrose grinste, als Jurys Hand ungeschüttelt in der Luft hängenblieb. Der Inspektor schien sich jedoch nicht aus der Fassung bringen zu lassen; er zog seine Hand einfach wieder zurück, schob einen Stapel Bücher von einem Hocker, zog ihn zum Tisch und setzte sich darauf, die Füße auf dem Querstab. Melrose wischte den Staub von einer Fensterbank, um darauf Platz zu nehmen. Er konnte nicht umhin, Jurys Unverschämtheit zu bewundern. Aber was zum Teufel hatte er denn da gerade aus der Tasche gezogen und zu Percy hinübergeschubst?

«Bedienen Sie sich, Percy.»

Neugierig pirschte Melrose sich an die Regale heran und tat so, als würde er den schwarzen, leblos aussehenden Klumpen in der Wasserschüssel inspizieren. Er behielt jedoch Percy im Auge, der die Sache, die Jury ihm zugeschoben hatte, in die Hand nahm und gegen seine Zähne oder sein Zahnfleisch preßte – was auch immer er im Mund hatte. Kautabak. Melrose warf Jury einen fragenden Blick zu. Seit wann kaute der Inspektor Tabak? Es gab jedoch keinen Zweifel: Sein Kiefer bewegte sich rhythmisch hin und her. Beide Kiefer! Und jetzt kickte Percy einen Spucknapf in Jurys Richtung. Der Klumpen drehte sich. Melrose starrte darauf und stieß die Schüssel weg.

«Ich hab gehört, Sie sind Dachdecker, Percy? Eine vergessene Kunst! Sie kommen aus Swaledale, stimmt's?»

Melrose beobachtete, wie Percy Blythe seinen Tabak kaute; sein Gesicht glich einer Ziehharmonika, es wurde auseinandergezogen und zusammengedrückt, auseinandergezogen und zusammengedrückt.

«Swardill, stimmt. Vierzig Jahre hab ich Dächer gedeckt und Hecken geschnitten.»

«So was ist rar geworden.»

«Bah! Keiner macht sich mehr die Mühe; sie schneiden nicht richtig und putzen überhaupt nicht mehr aus. Keiner macht's, wie sich's gehört. Ruinieren die Rinde und lassen die Reiser eingehen. Und hauen die Pfropfen zu weit rein.» Betrübt schüttelte er den Kopf. «Ich bin Strohdachdecker, Heckenmacher, Besenbinder; in Swardill konnt's keiner mit mir aufnehmen! Da drüben an der Wand hängt das Schälmesser.» Er bog den Daumen nach hinten über seine Schulter und zeigte auf ein paar Werkzeuge, die sehr ordentlich aufgereiht wie Bilder an der Wand hingen. «Ich hab die Weiden im Handumdrehen zugeschnitten. Und die Bandstöcke auch. An einem Tag schaffte ich beinahe ein ganzes Feld Besenginster.»

Über den Seeigel weg starrte Melrose auf Jury, der anscheinend ganz hingerissen lauschte und seinen Tabak kaute, das Kinn zwischen den Händen und die Ellbogen auf dem Tisch.

«Fünfzig Jahre halten die schwarzen Reetdächer, wie ich sie gemacht hab. Und Besenbinder bin ich auch gewesen. Gib mir mal die Besennadel.» Diese Aufforderung war an Melrose gerichtet, der sich wohl nützlich machen sollte, statt nur herumzustehen.

«Besennadel?»

«An der Wand.» Ungeduldig schnellte Percys Finger hervor und wies auf die Werkzeuge an der Wand. Melrose ging zu der Stelle, an der die merkwürdigsten Werkzeuge hingen. Sie waren sorgfältig beschriftet. *Traufhaken, Dreher*. Und was zum Teufel war ein Hufmesser? Er entdeckte die Besennadel und nahm sie vom Nagel. Es war ein langer, pfriemähnlicher Gegenstand mit einer Schlinge, eine Nähnadel für einen Riesen.

Percy Blythe machte sich nicht die Mühe, ihm zu danken, als er sie ihm hinüberreichte. «Ja, einer von den Besten, das können Sie mir glauben. Und mein Alter vor mir, der war der beste Schnitter, den's hier gegeben hat. Einmal hat er drei Morgen an einem Tag gemäht. Er schnitt das Gras und bündelte das Heu so schnell, wie ein anderer drüberging. Und er mähte sich einen Weg frei mit einem Sixpencestück auf dem Sensenblatt. Von ihm hab ich auch gelernt, wie man das Korn in Haufen setzt. Den ganzen Tag lang hab ich das gemacht – einen Haufen nach dem andern –, damals, als ich noch ein ganz junger Kerl war. Man muß ganz nahe rangehen und, wie der Alte sagte, dem eigenen Schwung folgen. Sieht großartig aus, so 'n Feld voller Haufen. Nur der alte Bob Fishpool mit seinen Schaufelhänden kam an meinen Alten ran. Er legte sich erst schlafen, wenn das Korn geschnitten und aufgeschichtet war. Solche wie ihn gibt's heutzutage gar nicht mehr.»

Melrose spürte, wie ihn sein zorniger Blick streifte, als wolle er damit zu verstehen geben, daß es seinesgleichen seien, die an die Stelle dieser sehr viel tüchtigeren alten Garde getreten waren.

«Was von dem Gagelbier, junger Mann?» fragte Percy Blythe Jury. «Oder vielleicht etwas Lachs?» Ohne Jurys Antwort abzuwarten, hievte er sich hoch und holte einen Krug von dem Regal herunter.

«Ihr von der Polizei dürft euch doch wohl nie einen genehmigen?» Er kicherte, als würde er das sehr komisch finden. Jury lachte und leerte sein Glas.

Melrose fragte sich, was wohl darin war; da er aber nicht aufgefordert worden war, sich zu ihnen zu setzen, bestand wenig Hoffnung, es jemals zu erfahren.

«Ausgezeichnet», sagte Jury und wischte sich den Mund mit dem Handrücken hab. «Hab ich noch nie getrunken.»

«Macht ja auch keiner mehr. Die Hefe und das Geröstete schwimmen oben.»

Melrose bedauerte nicht mehr, übergangen worden zu sein.

Percy Blythe bog den Daumen nach hinten und sagte: «Ihr seid wohl wegen dieser Frau gekommen, die hier abgemurkst wurde?»

«Richtig, Percy. Wenn Sie was wissen, was uns weiterhelfen könnte?»

«Vielleicht, vielleicht auch nicht.» Schweigen.

«Bertie Makepiece meinte, Sie hätten sie von früher her gekannt.»

«Vielleicht doch nicht. Hab sie im ‹Alten Fuchs› gesehen, dachte, wär 'n Geist. Vor fünfzehn Jahren ist sie abgehauen und hat sich seitdem nicht mehr blicken lassen.»

«Sie meinen Dillys March?»

«Ja. Ein Luder war das.»

«Ein Luder? Wieso?»

Percy Blythe schloß jedoch die Augen vor den Sünden der Jugend und wandte sich seinem Bier zu.

«Sie haben Mr. Plant gesagt, er solle jemanden namens Evelyn fragen.»

Percy Blythe drehte sich nach Melrose um, und sein Blick war wie ein Faustschlag auf die Nase. «Na ja, haben Sie doch», sagte Melrose über einen versteinerten Seestern hinweg. «Ist gerade zwei Stunden her. Sie sagten, ich soll mich wegen der kleinen March am besten an sie wenden.»

Percy Blythe spuckte in den Napf. «Nich an *sie*, du Depp! An *ihn*, Tom Evelyn.» Er wandte sich wieder Jury zu, als wäre er der einzig vernünftige Mensch in seiner Umgebung. «Der Aufseher der Jagdhunde. Kümmert sich um die Meute des Colonel. Wohnt auch bei den Zwingern, Richtung Pitlochary.»

«Er hat Dillys March gekannt?»

Aber Percy Blythe wollte sich nicht weiter über dieses Thema auslassen. Er konzentrierte sich auf sein Bier.

«Haben Sie Lily Siddons' Mutter gekannt, Mary?»

«Sie hat doch im Old House gekocht. Klar hab ich die gekannt. Ist ertrunken. Schade.» Er schüttelte den Kopf.

«Und Lily, kennen Sie die auch?»

«Ja. Wenn sie vorbeikommt, schaun wir in die Kugel. Ich hab ihr das beigebracht. Die Touristen mögen sich gern wahrsagen lassen. Aber Lily –» Er schlug sich gegen die Stirn, «die sieht einiges, denk ich.»

«Und was?»

Er schüttelte jedoch nur vielsagend den Kopf.

Streng bewacht von der kämpferisch aussehenden Katze mit dem einen Auge, schaute Melrose sich Percy Blythes Werkzeugsammlung an. Das Gesicht der Katze erinnerte ihn an das Schälmesser.

«Percy», fragte Jury, «halten Sie es für möglich, daß Lily etwas über jemanden in Rackmoor weiß, was gefährlich für sie werden könnte?»

«Ah, weiß ich nicht, Mann. Vielleicht.» Eine längeres Schweigen senkte sich über sie, während Percy Blythe sich wieder seinen Muscheln widmete. Erleichtert bemerkte Melrose, daß Jury sich zum Gehen anschickte.

«Wir haben genug von Ihrer Zeit in Anspruch genommen. Wir machen uns jetzt mal wieder auf den Weg. Vielen Dank, Percy.»

«Komm wieder vorbei, Junge – auf ’n Bier.»

Melrose wurde nicht mit eingeladen, wie er sofort bemerkte.

Draußen blies Jury sich die Hände. «Ein bärbeißiger alter Knabe.»

Melrose betrachtete Jury aus dem Augenwinkel. «Schwarzer Kautabak, Strohdachdecker, Heckenmacher. Sie haben doch noch nie was von dem Mann gehört, bevor ich ihn erwähnte. Woher zum Teufel wußten Sie denn das alles?»

«Ganz einfach. Ich hab Kitty gefragt, bevor wir aus dem ‹Fuchs› gingen.» Jury schaute auf seine Uhr. «Ich werde mal nach Wiggins schauen. Es gibt da noch jemanden, den ich aufsuchen muß: Maud Brixenham.»

«Ich bin ihr schon begegnet. Erinnert mich an eine Antilope.»

«Wollen Sie mitkommen?»

«Nein, ich denke, ich werde auch mal meine Notizen sichten.»

Wiggins war nicht gerade begeistert, als er aus seinem warmen Zimmer im ‹Fuchs› gezerrt wurde, um mit Jury im Nebel herumzulaufen.

Als sie den Gasthof verließen, erzählte er Jury, daß einige Dienstboten sich noch vage an Dillys March erinnerten, daß aber alle hieb- und stichfeste Alibis für den Abend hatten, an dem der Mord geschehen war. «Das heißt, abgesehen von Olive Manning. Sie sagt, sie sei so gegen zehn – ungefähr zur selben Zeit wie Julian Crael – auf ihr Zimmer gegangen. Ihr Zimmer liegt aber in dem andern Flügel; sie kann es auch ganz einfach wieder verlassen haben. Das bringt uns nicht weiter. Auf Dillys March ist sie nicht gerade gut zu sprechen; Leo, ihr Sohn, hat wegen Dillys wohl einiges durchgemacht.»

«Ja, ich weiß. Ich muß mit ihr sprechen.» Sie waren auf der andern Seite der kleinen Bucht angelangt, und Jury fragte: «Wo ist die Lead Street?»

Wiggins zeigte auf eine halbmondförmige Häuserreihe; die Straße war so eng, daß zwei Personen gerade nebeneinander hergehen konnten. «Dort drüben. Umgebaute Fischerhäuser.»

«Verdammt chic», sagte Jury.

13

Wo Maud Brixenham auch entlangging, hinterließ sie Schleier und Haarnadeln.

Zumindest gewann Jury diesen Eindruck; er beobachtete gerade, wie das graue Tülltuch auf den Boden flatterte, während ihre knochige Gestalt sich zwischen Couch und Bücherschrank bewegte. Er fragte sich, ob sie es trug, um irgendwelche Alterserscheinungen zu verbergen – die hervortretenden Adern am Hals, die winzigen Fältchen.

«Sherry?» fragte sie über die Schulter.

Jury und Wiggins, die beide auf der Couch saßen, lehnten ab.

«Ich werd mir ein Gläschen einschenken, wenn Sie gestatten.» Ihre Stimme wehte wie das Tuch zu ihnen hinüber. Die Flasche, aus der sie sich eingoß, war nicht zu sehen. Jury blickte auf das Taschentuch, das aus ihrer Tasche oder ihrem Ärmel gerutscht war, als sie sich bückte, um die Flasche zurückzustellen. Und er betrachtete die Haarnadeln, die wie die Stacheln eines Stachelschweins aus ihrem braunen, lose im Nacken geschlungenen Knoten herausragten. Sie schienen jedoch wenig zu bewirken, da aus dem Knoten lauter kleine Strähnen heraushingen wie Hühnerfedern.

Maud Brixenham kam zurück und setzte sich ihnen gegenüber, das Sherryglas auf dem Handteller. Sie seufzte. «Ich nehme an, Sie sind wegen dieser rätselhaften jungen Frau gekommen?»

Jury lächelte. Sie hatte weder «unglückselige» noch «arme» junge Frau gesagt. Offensichtlich verschwendete Maud Brixenham keine Zeit darauf, Gefühle vorzutäuschen. Sie nahm einen Schluck Sherry und stellte das geriffelte Glas auf den Tisch. Jury bemerkte, daß die Flüssigkeit eigentlich zu hell war für einen Sherry. War es Gin? «Wieso rätselhaft, Miss Brixenham?»

«Eine höfliche Umschreibung. ‹Intrigant› wäre richtiger.»

«Intrigant?»

«Ja, klar. Diese ganze Dillys-March-Nummer.»

«Nummer?»

Sie schaute ihn an. «Spielen Sie immer Echo, Inspektor? Sie sind ja noch schlimmer als mein Psychiater, und der ist schon schlimm genug. Auch gut – ich tue so, als hielte ich Sie für völlig ahnungslos und erzähl Ihnen die ganze Geschichte: Eines Tages taucht also diese Temple im Old House auf, gibt sich als Titus' lang vermißten Schützling zu erkennen und läßt sich inmitten von Kristall und den Goldrahmen häuslich nieder, fest davon überzeugt, in den Schoß der Familie aufgenommen zu werden.» Sie machte eine verächtliche Handbewegung und griff nach ihrem Glas.

«Sie haben ihr das also nicht abgenommen?»

«Keine Sekunde. Sie etwa?» Sie nahm eine Zigarette aus einer Lackdose und steckte sie in einen dreißig Zentimeter langen Halter aus Onyx. Ihre Hand war mit Ringen überladen.

«Aber Sir Titus schien keinerlei Verdacht zu hegen?»

«Er ist einfach zu leichtgläubig; ich muß das leider sagen, auch wenn er mein bester Freund ist. Er hat die Kleine als Kind ungeheuer verwöhnt, wohl aus Enttäuschung darüber, daß er selbst keine Enkelkinder hat. Julian scheint ihm diese Freude ja – nicht machen zu wollen.»

«Sie sind mit Sir Titus befreundet?»

Die Antwort waren zwei leuchtendrote Flecken, die auf ihrem breiten, flächigen Gesicht erschienen. Maud Brixenham war zwar keine Schönheit, aber sie hatte Charakter. Es war anzunehmen, daß der Colonel das zu schätzen wußte; sie kam aus einem guten Stall und würde sich immer auf die richtige Seite schlagen.

«Sie waren auch auf dem Ball?»

«Ja. Ganz Rackmoor war da. Er findet einmal im Jahr statt. Ein rauschendes Fest – aber das wissen Sie ja. Sie trug dieses Kostüm, als sie ermordet wurde. Ein sehr auffallendes Kostüm, schwarz und weiß. Lily hat sich das ausgedacht. Wirklich originell und sehr seltsam, wie eine Picasso-Zeichnung mit diesen gegeneinander verschobenen Hälften... Ich ging als Sebastian. Das fand ich ganz passend. Und Lily als Viola. Zugegeben, sie war der hübschere Zwilling von uns beiden, aber sie ist nun mal auch eine sehr hübsche junge Frau. Les – das ist mein Neffe – ging als Les. Er trägt immer ein Kostüm. Cowboyhut, Stiefel, Fransenjacke oder Jeansanzug. T-Shirts mit irgendwelchen furchtbaren Bildern drauf, eine herausgestreckte Zunge oder unerforschliche Botschaften wie *Frizday*. Ich hab mich immer geweigert, ihn nach der Bedeutung zu fragen. Wissen Sie denn, was das heißt?»

«Frisbee», sagte Wiggins. Beide schauten ihn an. «Das ist dieses Plastikding zum Werfen.»

Wiggins konnte eine wahre Fundgrube sein, was alltägliche Banalitäten anbelangte; Jury hatte das schon des öfteren festgestellt.

«Wie scharfsinnig, Sergeant.» Sie blickte zur Decke. «Er ist oben. Ich frage mich, wieso keine Musik zu hören ist.»

«Sie wollten uns mehr über die Party erzählen, Miss Brixenham.»

«Ach, entschuldigen Sie. Es müssen ungefähr vierzig oder fünfzig Leute dort gewesen sein. Ein riesiges Buffet. So gegen neun ging es los. Die meisten Gäste waren im Bracewood-Salon versammelt – Titus hat die Räume nach seinen Pferden benannt, ist das nicht komisch? Der Rest war im Haus verstreut. Auf dem Treppenabsatz spielte sogar eine Band. Wie auf einer Empore sieht das aus. Und die Musiker hatten sich als fahrende Musikanten kostümiert. Manchmal mischten sie sich auch unter die Leute. Das Essen kam von... ach, ich weiß nicht. Überall standen befrackte Kellner herum. Die Leute aus dem Dorf hatten sich die komischsten Kostüme ausgedacht. Miss Cavendish, die Bibliothekarin, kam als Madame Dubarry – stellen Sie sich das vor! Die Steeds, das junge Paar, das in der Scroop Street wohnt, entschied sich für Heinrich den Achten und eine seiner Frauen. Ich erinner mich nicht mehr, für welche. Eine ziemlich langweilige Zusammenstellung. Und die Honeybuns –»

«Um wieviel Uhr sind Sie angekommen?»

«Ungefähr um halb zehn. Ich bin mir aber nicht ganz sicher. Vielleicht erinnert sich Les. Nein, bestimmt nicht. Er hat ein

Gedächtnis wie ein Sieb. Aber Lily vielleicht. Wir sind bei ihr vorbeigegangen und haben sie abgeholt.»

«Und wann sind Sie wieder gegangen?»

«Ziemlich früh. Kurz nach zehn. Lily fühlte sich nicht wohl. Das Essen ist ihr nicht bekommen. Ich hab sie nach Hause begleitet und bin noch eine Weile bei ihr geblieben.»

«Haben Sie an diesem Abend auch Gemma Temple gesehen?»

«Nein, warum? Ich habe ja schon Inspektor Hawkins –»

«Harkins.»

«Ja. Gemma Temple ist auf dem Fest nie aufgetaucht.» Ihr Blick wanderte von Jury zu Wiggins, als hätte sie eine Eingebung gehabt. «Ich dachte eben, die Umstände waren im Grunde denkbar günstig, jemanden um die Ecke zu bringen. Das ganze Dorf war im Old House, abgesehen von den Stammgästen des ‹Alten Fuchs› und der ‹Glocke›. Und die würden keine zehn Pferde da rauskriegen.»

«Welchen Weg nahmen Sie und Miss Siddons – und Les, richtig? –, als Sie sie nach Hause begleiteten?»

«Wir – Lily und ich. Les ging durch den Wald, soviel ich mich erinnere. Jedenfalls kamen wir an der Kaimauer vorbei. Ist zwar ein bißchen länger, aber der andere Weg, der, den Les gegangen ist, ist so dunkel und unheimlich…» Sie erschauerte und griff nach ihrem Glas.

«Sie waren also nicht in der Nähe der Engelsstiege?»

«Nein.»

«Und sind Sie unterwegs jemandem begegnet?»

«Nein.»

Sie schwiegen und musterten sich kühl; Maud leerte ihr Glas mit dem wasserklaren Sherry.

«Sie haben aber im ‹Alten Fuchs› mit Miss Temple gesprochen?»

«Ja, ich verbringe eigentlich ziemlich viel Zeit im ‹Fuchs›. Viele schwere Stunden, wenn ich nichts zu Papier bringe, wenn ich nicht inspiriert bin. Ich nehme auch ganz gern die Atmosphäre dort auf. Wenn ich doch nur Krimiautorin wäre. Aus dieser Geschichte ließe sich was machen.»

Wiggins blickte von seinem Notizbuch hoch und fragte erstaunt: «Sie sind Schriftstellerin, Miss?» Er blickte sich in dem Raum um, als wäre er in Merlins Zauberhöhle. «Was schreiben Sie denn?»

«Oh, den üblichen Schund: die Fleischtöpfe Europas, Frauenhandel, Seifenopern – schwache Charaktere, aber um so stärkere Ausdrücke. Rosalind van Renseleer, das ist mein Pseudonym.»

«Ich hab schon von Ihnen gehört – Sie nicht, Sir?» fragte Wiggins.

Jury war der Name neu, aber er nickte lächelnd. «Über was haben Sie sich denn mit Miss Temple unterhalten?»

«Es war nichts von Bedeutung. Sie sah nicht aus wie eine von hier, soviel steht fest. Sie trug einen Webpelz, der ihr beinahe bis zu den Knöcheln reichte. Carnaby Street. Modische Stiefel, die bei diesem Wetter überhaupt nichts taugen. Sie sprach über London, das schlechte Wetter, das Meer und so weiter. Wenn Sie mehr wissen wollen, sollten Sie Adrian Rees fragen.» Maud Brixenham entfernte einen Faden von ihrer Bluse.

«Rees?»

«Ich hab sie nämlich einmal abends zusammen gesehen.» Vielsagend blickte sie Jury an. «Sie gingen die High Street hoch. Wahrscheinlich hat er sie mit nach Hause genommen.»

Jury sagte nichts darauf.

«Das war an dem Tag vor Titus' kleinem Abendessen. Komisch, da tat er nämlich so, als würde er sie überhaupt nicht kennen. Es war ganz intim, das Essen. Nur Titus, Lily Siddons, Adrian und diese Temple. Wir saßen im Bracewood-Salon. Ich erinnere mich, daß Miss Temple vor dem Feuer saß. Julian und ich standen mit unserm Sherry in der Hand herum. Ich glaube, in diesem Augenblick kam dann auch Lily herein. Es muß ein Schock für sie gewesen sein, die Anwesenheit dieser Temple. Sie erstarrte und blieb auf der Schwelle stehen. Starrte sie an wie eine Erscheinung.»

«Hat sie die Ähnlichkeit mit Dillys March denn so überrascht?»

«Überrascht? Geschockt war sie. Ihr Gesicht war weißer als ihr Kleid. Na ja, die Ähnlichkeit soll ja auch frappierend gewesen sein. Aber deswegen muß diese Frau noch nicht Dillys March gewesen sein...» Sie zuckte die Achseln. «Julian ist natürlich meiner Meinung. Die ganze Geschichte ist einfach absurd.»

«Hat sie Ihnen gegenüber im Gasthof irgendeine Bemerkung fallenlassen, die darauf hinwies, daß sie sich in Rackmoor auskannte. Daß sie hier schon gelebt hatte?»

«Nein. Aber diesen Leckerbissen hat sie sich bestimmt für später aufgehoben. Sie machte, wie Les sagen würde, auf *cool*. Nicht der Typ, den man aus dem Weg räumen muß. Nicht schlau genug.»

So kann man's auch sehen, dachte Jury. «Ich verstehe nicht ganz.»

«Na ja, sie schien eher zu den Ausführenden als zu den Planern zu gehören. Aber vielleicht hat das gar nichts zu sagen.»

«Was hat sie denn von sich gegeben?»

«Daß sie Ferien mache. Und daß sie ein paar Freunde in Rackmoor habe. Ausgerechnet die Craels, wie sich herausstellte: Mit denen hätte ich sie nie in Verbindung gebracht. Nicht eine von ihrer Sorte.»

«Hat sie denn etwas über ihre Beziehung zu ihnen gesagt?»

«Nein, sie sagte nur, sie kenne sie von früher her. Aus ihrer Kindheit. Das war alles.»

«Welchen Weg durchs Dorf haben Sie genommen? Ich meine, nach der Kaimauer?»

«Wenn Sie nichts dagegen haben, gieß ich mir noch einen Sherry ein. Heute abend scheine ich eine ganz besonders trokkene Kehle zu haben. Ich komme mit meiner Arbeit nicht voran.» Sie sprang auf; ein paar Haarnadeln fielen zu Boden, und der Lederriemengürtel, der locker über ihrem indischen Hemd hing, löste sich ebenfalls. Am Buffet hielt sie wieder sehr geschickt die Flasche außer Sicht und kam mit einem randvollen Glas auf dem Handteller zurück. Wiggins holte sein Inhaliergerät hervor, als wolle er sich der Zecherei höflich anschließen.

«Wir sind die Fuchsstiege runtergegangen, das ist die Treppe, die zur Kaimauer führt, am Gasthof vorbei und zu Lilys Häuschen. Wie ich schon sagte, blieb ich noch ein Weilchen bei ihr; sie hätte ja vielleicht etwas brauchen –»

Ein Knall – nein, eher ein Hupen – ließ ihre Köpfe in die Höhe gehen. Was anfangs nur ein ohrenbetäubender Krach gewesen war, wurde zum Zusammenspiel verschiedener, aber kaum unterscheidbarer Instrumente: elektrische Gitarren, Trommeln, Bässe. Rhythmische Laute wurden ausgestoßen, aber obwohl alles sehr lautstark war, konnte man kein gesungenes Wort verstehen.

«Hab ich's nicht gesagt», meinte Maud. Ohne aufzustehen, beugte sie sich zu dem Bücherregal hinüber, an dem eine lange Stange lehnte, die offensichtlich einem bestimmten Verwendungszweck diente: Ein paar dumpfe Schläge gegen die Decke, und die Musik wurde leiser.

«Wunderbar. *The Grateful Dead*. Wenn er nicht bald in die Staaten zurückgeht, werde ich ihrem Verein beitreten.»

«Ist das Ihr Neffe? Ein Amerikaner?»

«Sie brauchen ihn nur anzuschauen. Er ist der Sohn meiner Schwester. Er kommt aus Michigan oder Cincinnati oder so ähnlich; sie dachte, Weihnachten in England könnte seinen Horizont etwas erweitern. Und hier ist er nun, die Ferien sind längst vorbei, und ich kriege ihn nicht mehr los. Ich glaube, er hat eine kleine Freundin in dem neuen Wohnviertel. Er hat keine große Lust, auf seine Schule zurückzugehen, und meine Schwester scheint ihn auch nicht zu vermissen – was ich natürlich gar nicht verstehe.» Sie stieß noch einmal gegen die Decke, und der Lärm nahm wieder ab. «Seit er hier ist, muß meine Geräuschempfindlichkeit dramatisch abgenommen haben. Angeblich soll das menschliche Ohr nur ungefähr fünfzehn Minuten eine Lautstärke von hundertfünfzehn Dezibel ertragen können. Ein durchschnittliches Rockkonzert – wie ich es täglich höre – erreicht ungefähr hundertvierzig. Die Schmerzschwelle.» Sie schenkte ihnen ein strahlendes Lächeln, während die Stimme des Sängers langsam verröchelte und die Musik aufhörte. Auf der Treppe war das Gepolter von schweren Stiefeln zu hören.

Wiggins, immer auf der Hut vor irgendwelchen ansteckenden Krankheiten – Gehörschäden zählten auch dazu –, nahm gereizt die Hände von den Ohren.

Ein ungefähr sechzehnjähriger Bursche schob sich ins Zimmer; er hatte den Nacken eingezogen, als würde ein heftiger Regenguß auf ihn herunterprasseln. Cowboyhut, Jeans, Stiefel, Fransenjacke, dunkle Gläser waren wie einzelne Sterne hier und da an ihm angebracht wie eine seltsame Konstellation am Nachthimmel; irgendwie wirkte Les dadurch bedeutender als die Summe all dieser Teile.

«Mein Neffe, Les Aird. Das ist Chefinspektor Jury von Scotland Yard.»

Jury wußte, daß er mit sechzehn genauso reagiert hätte wie Les Aird jetzt: Er gab sich redlich Mühe, unbeeindruckt zu erscheinen. Jury fragte sich, ob er wirklich selbst einmal sechzehn gewesen war. Er konnte sich nur an etwas Qualliges, Undefinierbares erinnern, an einen stumpfen, verwirrten Halbwüchsigen.

Les Aird versuchte eine bestimmte Haltung einzunehmen, die gleichzeitig gelangweilt und respektvoll wirken sollte. Die dunklen Gläser wurden zurechtgerückt, der Kaugummi am Gaumen festgeklebt, die Stimme klar gemacht und die Hände in die Taschen der Jeans gesteckt. Ein Manöver, um Zeit zu gewinnen. Schließlich entschloß er sich, einfach nur die Hand auszustrecken, mit einem kurzen, bedeutungsvollen Nicken die Kiefer zusammenzuklappen und ein «Hey, geht in Ordnung, Mann» loszulassen.

Weder der Tonfall noch die Begrüßung selbst ließen den nötigen Respekt vermissen. Es entsprach dem «Wie geht's, alter Junge» eines Brigadegenerals. Les war nur gerade in der lässigen Phase eines Sechzehnjährigen.

«Ich würde dir gern ein paar Fragen stellen, Les.»

Ein Mordfall kann aufregend, aber auch nervend sein; Jury bemerkte jedenfalls, daß Les' Stimme umzuschlagen drohte. «Okay, fragen Sie.» Les nahm auf dem Sofa neben seiner Tante Platz; er setzte sich ganz auf die Kante, beugte sich etwas vor, legte den einen Arm auf den Schenkel in den strammsitzenden Bluejeans, winkelte den andern an und stemmte die Hand in die Hüfte. «Schießen Sie los!»

Das hätte auch wörtlich gemeint sein können. Heftige Kaubewegungen.

«Es dreht sich um die Frau, die hier ermordet wurde. Bist du ihr auch mal über den Weg gelaufen?»

«Oh, jahhh. Eine scharfe Braut war das, Mann.» Er lächelte, und seine Augenbrauen schoben sich über den Brillenrand.

«Hast du versucht, mit ihr ins Gespräch zu kommen?»

«Was?» Sein ausdrucksloser Blick wurde richtig bohrend.

«Hast du mit ihr gesprochen, Les?»

«Hmmm.»

«Aber du hast sie gesehen», sagte Jury.

«Mal hier, mal da.»

«Auch an dem Abend, an dem sie ermordet wurde?»

«Nein.» – «Ja.»

Sie sagten das beide gleichzeitig, Les Aird und Maud Brixenham. Maud machte einen höchst erstaunten Eindruck.

«Ich hab sie aber gesehen, Tante Maud.»

«Davon hast du mir aber nichts erzählt!»

Les zuckte die Achseln. «Ich wußte es nur nicht.»

«Und Inspektor Harkins gegenüber hast du auch nichts verlauten lassen, Les.»

«Weil ich es nicht wußte – ich meine, daß *sie* das war. Er hat nur gesagt, daß diese Frau abgemurkst worden sei. Nichts darüber, wie sie aussah. Woher hätte ich denn wissen sollen, daß *sie* diese Frau war, die ich gesehen habe. Wir kamen von dem Fest. Es muß so gegen halb elf oder Viertel vor elf gewesen sein. Da so viele in Kostümen herumrannten, dachte ich, sie sei auch eine von denen, die zum Herrenhaus hochwollten. Ich fand's ja ziemlich blöd, dieses Fest. Aber sie haben tüchtig was aufgefahren. Das Essen war nicht zu verachten. Als ich aber die ganzen Osterhasen rumhüpfen sah, hat's mir gereicht.»

Jury blinzelte. «Osterhasen?»

«Ein halbes Dutzend Hasen rannte da herum. Total bescheuert.»

Maud erklärte. «Drei Leute aus dem Dorf haben sich als Flopsy, Mopsy und Cottontail verkleidet.»

«Auf welchem Weg bist du ins Dorf zurückgegangen?»

«Auf dem, der an der Kirche und der Psalter Lane vorbeiführt.»

«Und anschließend, wie bist du da gegangen?»

«Ich bin bis zur Scroop Street die Engelsstiege runtergegangen. Arn war auch unterwegs. Wir sind also gemeinsam die Scroop Street runtergezittert. Scroop Street, Dagger Alley, High Street. Das war vielleicht komisch, Mann, als dieses Gesicht urplötzlich aus dem Nebel auftauchte. Der Ball der Vampire. Die eine Gesichtshälfte war weiß, die andere schwarz –» Er zog eine unsichtbare Linie von der Stirn bis zur Nasenspitze und bedeckte die linke Gesichtshälfte. «Sogar Arn fing an zu bellen. Und das will was heißen.»

«Das war auf der High Street?»

«Ja. Ich dachte, sie sei vielleicht aus der ‹Glocke› gekommen.»

«Und wohin ist sie gegangen? Die Dagger Alley hoch?»

«Kann ich nicht sagen, Mann. Entweder das oder die High runter.»

«Das war gegen halb elf?»

«Ja, so um den Dreh.»

«Vom Old House bis zur High Street hast du also eine halbe Stunde gebraucht?»

Les nickte unbehaglich. «Ja. Ich bin eine Straße zu weit gegangen und mußte wieder zurück.»

Jury hakte nicht weiter nach; wahrscheinlich hatte Les unterwegs eine Zigarettenpause eingelegt; er bezweifelte, daß etwas von Bedeutung dahintersteckte. Was aber diese Temple betraf, so fragte er sich doch, was sie in der Zwischenzeit getrieben hatte.

«Du hast sie gegen halb elf gesehen. Und Adrian Rees sah sie Viertel nach elf, kurz bevor der ‹Fuchs› zumachte. Wo war sie in der Zwischenzeit?» Die Frage war weniger an Les als an sich selbst gerichtet, aber Les sagte: «Keine Ahnung, Mann. Ich bin weitergezogen. Zu dem Strawberry-Wohnsilo. Um meiner Freundin einen Besuch abzustatten.»

«Wer wohnt in diesem Viertel, Wiggins? Schauen wir doch mal auf dem Plan nach.» Adrian Rees natürlich. Ein sicherer Tip.

Wiggins zog die Karte des Dorfs hervor, die Harkins ihnen zur Verfügung gestellt hatte, und entfaltete sie. «Da ist mal Percy

Blythe. Er wohnt in der Dark Street. Gegenüber von der Leihbücherei wohnen die Steeds; sie ist am Ende der Scroop Street. Die meisten Häuser stehen um diese Jahreszeit leer.»

Jury beugte sich über den Plan. Noch nie in seinem Leben hatte er ein so dichtes Netz von Straßen und Gäßchen gesehen. Nein, «Netz» war nicht die richtige Bezeichnung. Spinnennetze waren sehr viel symmetrischer als die Straßen von Rackmoor. Dark Street war eine Sackgasse und nur über die Scroop Street zu erreichen. Dagger Alley war nichts weiter als ein schmaler Pfad zwischen der «Glocke» und einem leeren Warenhaus.

«Gut, vielen Dank, Les. Falls dir noch was einfällt, ruf mich an.»

«Ja, alles Gute.» Er drückte sich seine dunkle Brille auf die Nase.

Maud Brixenham begleitete Jury und Wiggins zur Tür; zurück blieben ein Fetzen Papier, der an ihren Schuhen klebte, und ein winziger Knopf, der endlich dem Gesetz der Schwerkraft gefolgt war. Jury fragte sich, wie Maud Brixenham je einen Mord begehen wollte: Sie würde eine Spur hinterlassen, die von Rackmoor bis Scarborough reichte.

Als er wieder draußen im Nebel stand, drehte Jury sich noch einmal nach ihr um und sagte: «Vielen Dank, Miss Brixenham.»

«Verlaufen Sie sich nicht in dem Nebel.»

Jury lächelte: «In Rackmoor kann man sich wohl kaum verlaufen.»

«Glauben Sie das mal nicht. Früher haben sich hier Seeräuber und Schmuggler versteckt. Geht leicht bei den verwinkelten kleinen Straßen.»

Jury hatte den Eindruck, daß Wiggins sich nur ungern auf den Weg machte. «Haben Sie noch irgendwelche Fragen, Sergeant?»

«Sagen Sie», meinte Wiggins zu Maud Brixenham, «ist es denn sehr schwer, Bücher zu schreiben?»

Jury seufzte und zündete sich eine Zigarette an. Versuchte Wiggins in Rackmoor seine eigentliche Berufung zu entdecken?

14

Die Beklemmung und die Angst, die Jury in Lily Siddons' Gegenwart verspürt hatte, schlug am nächsten Morgen, als er die Augen öffnete, wie eine große, dunkle Woge über ihm zusammen; er drehte sich zum Fenster, wußte jedoch, daß er außer dem grauen Nebel, der den Raum hermetisch abdichtete, nichts sehen würde. Ein Gefühl der Schwere lastete auf seiner Brust, als hätte er einen Alptraum gehabt.

Er raffte sich auf, sprang aus dem Bett und trat an das Fenster. Er starrte auf das bleigraue Wasser, soweit der Seenebel und das trübe Licht das überhaupt erlaubten. Die kleinen grünen und blauen Boote waren kaum zu sehen.

Jury zog sich an, setzte sich wieder auf das Bett, einen Schuh in der Hand. Er starrte auf den Teppich mit dem Rankenmuster, das schon beinahe mit dem grauen Hintergrund verschmolzen war. Der Fall war ihm nicht geheuer. Gefühle, die er in den hintersten Winkel seiner Seele verbannt hatte, drohten wieder hervorzubrechen.

Er band seinen Schnürsenkel zu und ging zum Spiegel hinüber; er betrachtete sich darin und fragte sich zum hundertsten-, nein, zum tausendstenmal, warum er eigentlich Polizist geworden war und warum er seinen Beruf nicht schon längst wieder an den Nagel gehängt hatte. Er fragte sich auch, ob er, unterbewußt zumindest, nicht Superintendent Racer in die Hände arbeitete, damit diesem sein Posten als Kriminalrat erhalten blieb, obwohl Jury schon längst hätte nachrücken sollen. Während er in den Spiegel schaute, fiel ihm auf, daß er wie ein Bulle oder zumindest wie das Klischee eines Bullen aussah: groß, massig, dunkler Anzug, gediegen. Wie ein Bulle oder wie die Bank von England.

Wie immer, wenn er deprimiert war, konzentrierte er sich auf seine Garderobe, auf jedes Detail, als könne sich der Frosch in einen Prinzen verwandeln, wenn er zum Beispiel das Taschentuch von der einen in die andere Tasche steckte.

Die Verwandlung trat nicht ein. Warum zum Teufel trug er immer noch diese alte blaue Krawatte? Weg damit. Er riß sie herunter, zog sein Jackett aus und schlüpfte in einen dicken

Wollpullover, über dem er eine Windjacke tragen konnte. Vom Bettpfosten nahm er einen irischen Sporthut und drückte ihn sich in die Stirn. Was war nur in ihn gefahren, warum posierte er vor diesem Spiegel und zog sich ständig um wie ein Mädchen vor seinem ersten Ball? Fehlten nur noch ein paar Hunde und ein Spazierstock, und die Wanderung übers Moor konnte beginnen.

Ein Bild tauchte vor seinem geistigen Auge auf, verschwand aber sofort wieder; etwas, was am Rand eines Schwimmbeckens kurz aufblitzte und versank; ein Name, der einem auf der Zunge lag; ein flüchtig wahrgenommenes Gesicht; ein Traumbild, das sich nicht festhalten ließ. Anscheinend hatte der Blick in den Spiegel es heraufbeschworen. Er wiederholte alle seine Gesten, aber das Bild kehrte nicht wieder zurück. Er wußte, daß dieses Detail ihn ein großes Stück weiterbringen würde, wenn er dessen nur habhaft werden könnte.

Er starrte immer noch sein Spiegelbild an und seufzte. War er denn überhaupt schlau genug für einen Kriminalbeamten? fragte er sich und wandte sich ab, um zum Frühstück hinunterzugehen.

Das Frühstück war wesentlich angenehmer als das Ankleiden, und daran änderte selbst Wiggins' Gegenwart nichts, der seine zweifarbigen Kapseln mit Orangensaft hinunterspülte. Er erging sich an diesem Morgen auch nicht in Beschreibungen der verschiedenen Husten- und Fieberanfälle, die ihn die Nacht über geplagt hatten. Er machte vielmehr einen ganz munteren Eindruck und lobte Kittys Frühstück aus Bücklingen, Eiern, Toast und gegrillten Tomaten.

«Inspektor Harkins hat heute früh angerufen – er hat was Neues über Gemma Temple in Erfahrung gebracht. Von den Raineys, der Familie, bei der sie acht Jahre lang gewohnt hat.»

«Konnten Sie bestätigen, daß es sich um Gemma Temple handelte?»

«Ja und nein.»

«Was soll das heißen?»

«Sie ist mit achtzehn oder neunzehn zu ihnen gekommen. Als

Au-pair-Mädchen und Mädchen für alles. Sie wohnen in Lewisham.» Wiggins las aus seinem Notizbuch die Adresse ab: «Kingsway Close Nummer vier.»

«Haben sie denn keine Referenzen verlangt, schließlich sollte sie sich doch um ihre Kinder kümmern?»

«Oh, sie hatte schon Referenzen, aber als Harkins sie nachprüfte, stellten sie sich als gefälscht heraus.»

«Und das Foto von Dillys March, wie hat das gewirkt? Hat es ihnen etwas gesagt?»

«Sie meinten, sie sei Gemma Temple wie aus dem Gesicht geschnitten. Und sie konnten Gemma Temple natürlich auch von den Fotos identifizieren, die im Leichenschauhaus aufgenommen worden waren. Daß sie Gemma Temple war, scheint mehr oder weniger bewiesen zu sein.»

«Aber war sie auch Dillys? Hat Harkins über die zahnärztlichen Unterlagen was rausgekriegt?»

«Davon hat er nichts gesagt. Ich glaube, Sie sollten mal mit dieser Olive Manning reden; sie konnte Dillys March nicht ausstehen. Bei ihr müßte man nicht lange nach einem Motiv suchen.»

«Vielleicht nicht. Aber es ist doch ziemlich unwahrscheinlich, daß Dillys March Leo Manning um den Verstand gebracht hat. Ich glaube nicht, daß das so einfach geht, was meinen Sie?»

Wiggins schien darüber nachzudenken. «Na ja, Charles Boyer hat Ingrid Bergman soweit gebracht. Kam kürzlich im Fernsehen.»

Jury tat so, als hätte er das nicht gehört. «Hat Olive Manning denn geglaubt, es sei Dillys March gewesen, die da reumütig in den Schoß der Familie zurückkehrte?»

«Nein, natürlich nicht.»

«Warum hätte sie sie dann umbringen sollen?»

«Tja, ich weiß auch nicht. Sie könnte ja auch nur so getan haben, als würde sie sie nicht wiedererkennen.»

«Hmm. Schauen Sie sich das mal an, Wiggins!» Jury zeigte ihm das Foto, das er aus Lilys Sammlung mitgenommen hatte. «Mary Siddons, Lilys Mutter.»

Wiggins nahm es in die Hand. «Ist sie nicht ertrunken?»

«Ja. Angeblich ein Unfall. Aber ich bin sicher, es war Selbstmord. Sie muß einfach gewußt haben, daß man bei Flut nicht dieses gefährliche Stück unterhalb der Klippen entlanggehen kann, dazu hat sie zu lange in Rackmoor gelebt. Mich interessiert aber vor allem dieses Foto. Es wurde abgeschnitten.» Jury nahm es aus dem schmalen Rähmchen. «Hier auf der linken Seite, sehen Sie das? Ich fand es komisch, daß die Frau ganz am Bildrand klebte. Jemand ist mit der Schere drangegangen, aber warum wohl?»

«Um es zurechtzuschneiden.»

«Ich glaube eher, um jemanden rauszuschneiden.»

Wiggins schaute es sich noch einmal an. «Den Vater vielleicht? Er ist doch einfach abgehauen und hat sie sitzenlassen.»

Jury zuckte die Achseln und steckte das Foto wieder in die Tasche, während Wiggins seine Nasentropfen herausholte.

Jury lehnte sich auf seinem Stuhl zurück und betrachtete die Jagdszenen an der Wand. «Ich hab über dieses Kostüm nachgedacht. Vielleicht hat es Lily aus einem ganz bestimmten Grund an Gemma Temple ausgeliehen? Lily Siddons hatte Angst, sie dachte, jemand wolle sie um die Ecke bringen. Zweimal soll das passiert sein, ich meine, zwei Mordanschläge wurden angeblich auf sie verübt. Vielleicht sollte Dillys March die Zielscheibe abgeben.»

Wiggins hielt die winzige Pipette in sein rechtes Nasenloch: «Zuffiwenns.» Er zog die Tropfen hoch.

Jury hatte zwar schon einige Übung darin, Wiggins' Worte trotz Taschentüchern und Medikamenten zu verstehen, aber in diesem Fall war er ratlos. «Übersetzen Sie bitte.»

«Entschuldigen Sie, Sir. Dieser verdammte Nebel, er ist Gift für meine Nebenhöhlen. Ich meinte nur, diese Geschichte enthält zu viele Wenns. Lily Siddons war sich doch nicht einmal sicher – zumindest nicht vor dem Mord –, ob tatsächlich jemand versucht hat, sie aus dem Weg zu räumen. Gemma Temple dieses Kostüm zu verpassen in der Hoffnung, der Mörder würde sie für Lily halten – das war doch irgendwie viel zu unsicher. Hatte sie denn was gegen diese Gemma Temple?»

«Gegen Gemma Temple hatte sie wohl nichts. Aber gegen

Dillys March! Sie haßte sie. Ein Gefühl, das wahrscheinlich auf Gegenseitigkeit beruhte. Aber Sie haben wohl recht. Sich auf diese Weise jemanden vom Hals schaffen zu wollen ist eine verdammt unsichere Sache.»

«Und was wäre für sie dabei herausgesprungen, abgesehen natürlich von der Befriedigung ihrer Rachegelüste?»

«Geld wahrscheinlich. Geld vom Colonel. Ich kann mir vorstellen, daß er sie in seinem Testament reichlich bedacht hat – das läßt sich übrigens ganz einfach nachprüfen. Wenn Dillys March jetzt auftauchte, ginge ein ganz schön großes Stück des Kuchens an sie.» Jury beugte sich über den Tisch. «Schauen wir uns doch mal die Leute an, die Dillys Marchs Rückkehr in Verlegenheit bringen würde. Motive und Gelegenheiten: Wie sieht es damit bei den einzelnen aus?»

«Julian Crael: Das Motiv liegt auf der Hand. Aber ein hieb- und stichfestes Alibi.»

«Wirklich komisch, das», sagte Wiggins und faltete sorgfältig seine Serviette zusammen.

«Falls das, was er sagt, nicht doch stimmt. Dann ist da noch Adrian Rees. Er hätte reichlich Gelegenheit gehabt – er ist die Grape Lane hochgegangen und hat sie gesehen. Aber wo ist das Motiv? Ich nehme an, daß der Colonel weiterhin den Mäzen spielen würde, wenn auch vielleicht in geringerem Ausmaß.

Und dann Maud Brixenham: Motiv sowie Gelegenheit. Angenommen, der Colonel wäre daran interessiert, wieder zu heiraten – die Rückkehr der verlorenen Tochter (wie Sie sich ausdrückten) würde seine Gefühle ganz schön in Anspruch nehmen.»

«Lily Siddons: Motiv vorhanden, Gelegenheit kaum. Sie scheidet mehr oder weniger aus, sie hätte schon mit affenartiger Geschwindigkeit zur Engelsstiege hochrennen, sie umbringen und dann wieder hierher zurückrasen müssen – alles in zehn Minuten. Man braucht allein schon zehn Minuten, nur um da hochzukommen. Abgesehen davon, sollte sie selbst ja vielleicht umgebracht werden.»

«Kitty Meechem –»

«Oh, die bestimmt nicht, Sir!» Wiggins blickte auf die köstlichen Reste des üppigen Frühstücks, als könne er nicht glauben, daß es von einer Killerin serviert worden sei.

«Wollen Sie noch ein Ei, Wiggins?»

«Oh, nein danke. Ich bin wirklich satt.» Er klopfte sich auf den Bauch.

Jury warf etwas Kleingeld auf den Tisch, das Trinkgeld für Biddy oder Billy, eine ziemlich lahme Bedienung, die sich die Zeit damit vertrieben hatte, das Silber auf dem Nachbartisch hin und her zu rücken und sie anzustarren, bis Kitty der Sache schließlich ein Ende machte. «Gehn wir!»

Jury lehnte sich mit ausgebreiteten Armen über die Kaimauer und blickte auf die glitzernden Häufchen aus Holzstückchen und Muscheln, die die Flut zurückgelassen hatte, und die Boote, von denen einige auf dem Kiesstreifen lagen. Es war heller geworden; der Horizont war dunstig und verschwommen, die Sonne noch verschleiert. Das winzige Dorf mit seinen rotbraunen, die Klippen hochkletternden Dächern sah aus, als könne es jeden Augenblick wie die Bauklötzchen eines Kindes ins Meer purzeln.

«Maud Brixenhams Beschreibung des Abendessens… können Sie mal in dem Notizbuch nachsehen.»

Wiggins holte sein Notizbuch hervor. Jury staunte immer wieder, wieviel er darin unterbringen konnte – vielleicht weil seine Schrift so klein und kritzlig war. Er fand die Stelle und las vor: «‹Es war ganz intim, das Essen, nur Titus, Lily Siddons, Adrian und diese Temple. Wir waren im Bracewood-Salon›, das ist der Raum, in dem Sie mit Julian Crael gesprochen haben… ‹und Gemma Temple saß vor dem Feuer. Julian und ich standen mit unserm Sherry in der Hand herum.›»

Jury blickte auf das Wasser und ertrug die Langeweile, die Wiggins' Notizen verbreiteten. Die Tatsache, daß Wiggins' Genauigkeit einfach nicht zu überbieten war, versöhnte ihn mit seiner frustrierenden Umständlichkeit und der häufig unerträglichen Länge seiner Berichte. In diesem Fall kam auch noch Maud Brixenhams Freude am Detail hinzu. Wiggins las monoton weiter, sogar die Stoffe und die Bilder an der Wand tauchten in seinen Beschreibungen auf. Neben ihm wäre selbst Trollope verblaßt. Geduldig wartete Jury auf den Teil, der ihn interessierte, und beobachtete, wie die blasse Sonne hinter den Wolken hervorkam und wieder verschwand und ein unregelmäßiges Muster aus Licht und Schatten auf das Holz malte, so daß es aussah wie mit dunklem flockigem Gold grundiert. Ein Sturmvogel schoß über das Wasser.

«…und in diesem Augenblick öffnete sich die Tür, und Lily kam herein. Sie erstarrte und blieb auf der Schwelle stehen; sie starrte Gemma Temple an.»

«‹Hat sie die Ähnlichkeit mit Dillys March denn so überrascht?› Das fragten Sie, Sir. Worauf Miss Brixenham antwortete: ‹Überrascht. Geschockt war sie. Ihr Gesicht war weißer als ihr Kleid.›»

«Das verstehe ich einfach nicht», sagte Jury. «Sie reagierte, als hätte sie keine Sekunde daran gezweifelt, daß diese Person Dillys March war. Und offensichtlich war das für sie eine ziemlich unangenehme Überraschung. Trotzdem glaubte sie alles, was man ihr auftischte: die Geschichte mit der Cousine, die der Colonel erfunden hatte. Hätten Sie das geglaubt, wenn Sie Lily Siddons gewesen wären?»

«Nein, wohl kaum. Eine Cousine, die aus dem Nichts auftauchte?»

«Und dann diese Geschichte mit dem Kostüm.» Jury drehte sich mit dem Rücken zur Mauer, zog eine frische Packung Zigaretten aus der Tasche und riß sie nachdenklich auf. Als bestünde zwischen ihm und seinem Chef eine geheime Kameradschaft, zog Wiggins eine frische Packung Hustenbonbons hervor.

«Nehmen wir mal an, Lily glaubte wirklich, diese sogenannte Gemma Temple sei Dillys gewesen. Sie hat sie gehaßt. Als Kind spielte Lily immer nur die zweite Geige, wenn sie mit ihr zusammen war. Warum hätte sie also Dillys March ihr Kostüm überlassen sollen?»

«Colonel Crael zuliebe.»

«Vielleicht. Hätte sie aber nicht genausogut ein anderes für Miss Temple schneidern können? Ich denke, sie lügt.»

«Also, was das betrifft, Sir», Wiggins' Gesicht wurde von seinem breiten, beutelüsternen Grinsen beinahe zerrissen, «die lü-

gen bestimmt alle, durch die Bank.» Er steckte sich eine Husten-
pastille in den Mund, schob sie mit der Zunge hin und her und
sagte: «Der Colonel steht anscheinend nicht auf Ihrer Liste.
Denken Sie, er hat mit dem Ganzen nichts zu tun? Ehrlich gesagt, kann ich mir genausowenig vorstellen, welches Motiv Kitty
gehabt haben könnte.»

Jury lachte. «Das scheint Ihnen ja ein großes Anliegen zu sein?
Sie hat wohl auch keines gehabt. Aber glauben Sie nicht, daß der
Colonel ihr einmal seinen Anteil überlassen wird? Nur scheint
zwischen dieser Sache und dem Mord an Gemma Temple kein
direkter Zusammenhang zu bestehen. Kitty und Lily haben jedenfalls dasselbe Alibi. Sie waren zusammen. Und was den Colonel betrifft – er hatte zwar genügend Gelegenheit, aber absolut
kein Motiv, soviel mir bekannt ist.»

«Sie haben Olive Manning vergessen. Sie hatte ein Motiv und
auch genügend Gelegenheit.»

Jury lächelte. «Sie scheinen ja Ihre ganze Hoffnung auf sie
gesetzt zu haben, Wiggins. Immer wieder kommen Sie auf sie zu
sprechen.»

«Tatsache ist, sie hat Dillys March sehr gut gekannt. Falls das
Ganze wirklich ein abgekartetes Spiel war, dann hätte sie diejenige sein können, die diese Temple aufgetrieben hat, die die Ähnlichkeit mit Dillys March festgestellt und sie in das Old House
eingeschleust hat.»

«Ja. Da haben Sie recht.»

«Sie haben doch einen so guten Riecher, Sir. Wer hat's denn
Ihrer Meinung nach getan?»

«Mit dieser Manning hab ich zwar noch nicht gesprochen,
aber...»

«Aber wie schätzen Sie die andern ein?»

Genau das hatte ihn heute morgen auch so deprimiert und an
diese Beförderung denken lassen, diesen Posten eines Superintendent, den er immer so bescheiden von der Hand gewiesen
hatte, da ihm, wie er sich selbst sagte, weder am Geld noch am
Prestige, noch an der Selbstbestätigung etwas lag. Inzwischen
fragte er sich jedoch, wieviel ihm denn daran lag, sich ständig mit
solchen Geschichten wie dieser herumschlagen zu müssen. Er

wußte nicht, was er Wiggins antworten sollte. Sein Blick wanderte von dem von Möwen markierten Holz bis zu dem matten Gold des Horizonts, und nach einer längeren Pause sagte er dann: «Gar nicht.»

Seine Objektivität wurde von seinen Gefühlen arg bedrängt.

15

Die graugestreifte Katze sprang von der Fensterbank und verzog sich in den hinteren Teil der Rackmoor-Galerie, den sie offensichtlich als ihr Terrain betrachtete. Jury hatte sie aus dem Schlaf gerissen, als er die Hände vors Gesicht hielt und gegen die Scheiben preßte.

Jury trat ein und wäre beinahe auf einen Umschlag getreten, den jemand unter der Tür durchgeschoben hatte. Er hob ihn auf. Er war aufgegangen, und eine Pfundnote ragte heraus, eine von mehreren. Die Adresse, die auf dem billigen Papier stand, war die von Bertie Makepiece; der Brief schien jedoch schon vor Monaten abgesandt worden zu sein. Jury interessierte vor allem der Absender: R. V. H. London S. W. I. Er wollte ihn gerade genauer inspizieren, als Adrian Rees in einer völlig verschmierten Schürze und mit einer kleinen Schüssel in der Hand auftauchte. Er stellte sie auf den Hartholzfußboden, und die Katze kam angerannt.

«Hereinzubitten brauche ich Sie ja offensichtlich nicht mehr», gähnte Rees.

Jury hielt ihm den Umschlag hin. «Das lag auf dem Fußboden.»

Adrian warf einen Blick darauf, und eine leichte Röte überzog seinen Hals und sein Gesicht. «Aha, ein kleines Darlehen von Bertie.» Als Jury ihn einfach nur anschaute, fügte er hinzu: «Was denken Sie denn, um Himmels willen? Daß ich ihn erpresse? Bertie ist der einzige in Rackmoor, auf den man sich verlassen kann, wenn man ein bißchen Kleingeld braucht.»

«Kann ich mir vorstellen. Er scheint ja alles im Griff zu haben. Könnten Sie vielleicht diesen Umschlag erübrigen?»

Adrian sah ihn sich an, nahm die Scheine heraus und gab ihn dann Jury. «Gibt's denn im ‹Fuchs› keine Umschläge mehr?» fragte er grinsend. Dann zog er die Brauen hoch. «Verdammt, kleine Jungs sollte man nicht um Geld anhauen, ich weiß! Aber ich bin wirklich total pleite – das macht wohl keinen sehr guten Eindruck.» Er seufzte und fuhr mit einem Pinsel über seine Schürze, mal in die eine, mal in die andere Richtung.

«Was halten Sie von dieser Geschichte?»

«Von welcher?»

«Der von Bertie. Daß seine Mutter nach Irland gefahren ist?»

Adrian lächelte. «Kaum zu glauben, daß jemand solche Umstände macht wegen einer kranken Oma.»

«Haben Sie seine Mutter gekannt?»

«Roberta? Nur vom Sehen. Ein Leichtgewicht, zumindest was intellektuelle Kraftakte betrifft. Aber unsere Betschwestern scheinen es ja geschluckt zu haben. Stockfisch, Fischauge & Co. Sie müssen zugeben, die Idee ist gar nicht so schlecht. In Belfast wird bestimmt niemand nachschauen wollen. Sind Sie deswegen gekommen?»

«Nein. Eigentlich wegen Gemma Temple. Ihre Beziehung war wohl doch etwas enger, als Sie uns glauben machen wollten.»

Daraufhin erfolgte eine längere Pause, in der Adrian automatisch mit dem Pinsel über seine Schürze fuhr. Dann sagte er achselzuckend: «Jemand hat uns wohl gesehen?» Jury nickte und wartete. «Na ja, eine ‹Beziehung› würde ich es nicht nennen. Es blieb bei diesem einen Mal.»

«Auch bei einem Mal kann viel passieren.» Jury fand diese numerische Betrachtungsweise einfach unverständlich. Er dachte an die Frauen, die er in den letzten Jahren kennengelernt hatte. Ein einziges Mal hatte häufig genügt, um den Stein ins Rollen zu bringen. «Warum haben Sie mir das nicht erzählt, Mr. Rees? Es war doch anzunehmen, daß ich es rauskriegen würde. Und wie Sie sehen, hab ich's auch rausgekriegt. Haben Sie Gemma Temple eigentlich auch an dem Abend getroffen, an dem sie ermordet wurde – ich meine, bevor Sie ihr auf der Grape Lane begegnet sind?»

«Was? Nein, glauben Sie mir! Wer das behauptet, lügt!»

«Sie wurde in der High Street gesehen, ganz in der Nähe von hier.»

«Davon weiß ich nichts. Was die andere Sache betrifft: Gegen mich gab's schon so viel belastendes Material, daß ich mir dachte, es wäre besser, mich darüber auszuschweigen. Ich hab sie als letzter gesehen, und das nach diesen blödsinnigen Tiraden über Raskolnikow und Mord im allgemeinen.»

«Sie glauben doch wohl nicht, daß ich darauf was gebe? Diese Art von Verbrechen ist vielleicht bei Dostojewskij überzeugend, aber auf den Straßen von London ist derlei äußerst selten.»

«Warum haben Sie das nicht gleich gesagt? Dann hätt ich Ihnen vielleicht auch was von meinem Abenteuer mit Gemma Temple erzählt.»

«Wir machen hier doch keine Geschäfte, Mann. Könnte ich nun bitte etwas über Gemma Temple erfahren?»

«Na schön», sagte Adrian aufsässig. «Sie ist mir einmal hier und dann noch paarmal im ‹Fuchs› begegnet. Natürlich ist sie mir auch gleich ins Auge gestochen. Wem wäre sie das nicht? Sie sah ja ziemlich gut aus, und außerdem war's ein neues Gesicht. Eines Nachts, als der ‹Fuchs› gerade dichtgemacht hatte, ging sie noch spazieren, und ich folgte ihr. Sie ging an der Kaimauer entlang in Richtung Old House. Ich holte sie ein, wir sprachen miteinander, und ich schlug ihr vor, den letzten Drink bei mir zu nehmen. Nicht gerade originell, aber was anderes fiel mir nicht ein. Rackmoor ist leider nicht das Sodom und Gomorrha von England. Wir landeten also hier.»

«Und dann?»

«Was ‹und dann›? Das können Sie sich doch wohl denken. So viele Möglichkeiten gibt's wohl nicht.»

«Sie brauchten sie wohl nicht lange zu überreden?»

«Inspektor, ich brauchte sie überhaupt nicht zu überreden. Und ich halte mich nicht gerade für unwiderstehlich.»

Wie bescheiden, dachte Jury. Adrian Rees war geradezu ein Ausbund von Männlichkeit, und die Tatsache, daß er Maler war, verlieh ihm auch noch einen gewissen exotischen Zug. «An welchem Abend war das?»

«Zwei Nächte vor dem Mord.» Adrian lächelte grimmig.

«Hat sie Ihnen was über sich erzählt?»

«Nichts, und das ist die reine Wahrheit. Nichts, was ich Ihnen nicht schon erzählt hätte. Sie lief mit einem Drink in der Hand im Atelier herum, sah sich meine Bilder an und machte irgendwelche blödsinnigen Bemerkungen; wahrscheinlich dachte sie, ich würde das von ihr erwarten. Und sie äußerte sich über das Dorf – etwas öde, fand sie. Aber schließlich haben wir ja nicht nur geredet», Adrian lächelte spitzbübisch.

«Sie hat nicht erwähnt, daß sie schon einmal hier gelebt hat?»

Adrian schüttelte den Kopf. «Als sie am nächsten Abend bei dem kleinen Essen auftauchte, war ich derjenige, der zu stottern anfing und rot wurde. Man hätte denken können, sie hätte mich noch nie in ihrem Leben gesehen. Ich hatte keine Ahnung, daß sie eine Cousine der Craels war.»

«Was wissen Sie über Dillys March?»

«Sie meinen das Mündel der Craels, dieses Mädchen, das eines Tages verschwunden ist?» Jury nickte. «Nur, was der Colonel über sie erzählt hat. Über sie, Lady Margaret und seinen Sohn Rolfe. Als ich dieses Porträt von Lady Margaret malte, saß er häufig hier im Atelier... Was meinen Sie denn genauer?»

Jury gab keine Antwort. «Sind Sie sicher, daß Sie Gemma Temple nicht früher schon mal gesehen haben – bevor Sie nach Rackmoor kamen?»

Adrian starrte ihn wütend an. «Verflucht, natürlich bin ich mir sicher!»

Jury lächelte kurz. «Regen Sie sich nicht auf. Es wäre nicht das erste Mal, daß Sie was verschweigen.» Er blickte in die dunkle Ecke, in der sich die Katze putzte. «Haben Sie das Bild von Gemma Temple fertiggemalt? Ich würde es gerne sehen.»

«Nein, aber ich war gerade dabei, als Sie kamen.»

Jurys Blick wanderte nach unten. «Mit einem trockenen Pinsel?»

Der Ärger, der sich bereits aus seinem Gesicht verflüchtigt hatte, kehrte wieder zurück. «Mein Gott, Ihnen entgeht auch nichts.»

«Dafür werde ich schließlich bezahlt. Bis bald.»

16

Über der Tür des Cafés «Zur Brücke» bimmelte ein kleines Glöckchen, als Jury eintrat. Der Raum war ziemlich klein, hatte eine tiefe Holzbalkendecke und weißgetünchte Wände; um die Tische standen kleine Stühle mit leiterförmigen Rückenlehnen. Auf einer breiten Anrichte stand ordentlich gestapelt blaues und weißes Porzellan. Ein hübscher, sehr sauberer Raum, in dem niemand zu sehen war. Aber mitten im Winter waren wohl auch keine Gäste zu erwarten.

Lily Siddons erschien; sie hatte ein Kopftuch umgebunden, das ihr helles Haar verdeckte, und trug eine Schürze. Jury nahm an, daß sie aus der Küche kam. «Oh, guten Morgen.»

Er tippte an seinen Hut und war überrascht, als er den weichen Stoff fühlte. Er hatte vergessen, daß er seinen Tweedhut aufgesetzt hatte. «Miss Siddons, dürfte ich Ihnen noch ein paar Fragen stellen?»

Sie wischte sich die Hände an ihrer Schürze ab. «Natürlich, ich habe nichts dagegen, wenn *Sie* nichts dagegen haben, mit in die Küche zu kommen; ich könnte dann dabei weiterarbeiten.»

In der Küche sah er, daß sie gerade Gemüse klein geschnitten hatte. Jury zog sich einen Stuhl heran und setzte sich. Sie arbeitete an einem Holztisch, einer riesigen Fleischerbank in der Mitte des Raums. «Ich möchte mit Ihnen über Ihre Mutter sprechen.»

Einen Augenblick lang schwieg sie. Dann sagte sie: «Ich kann mir nicht vorstellen, warum.» Sie nahm eine Kaffeetasse vom Tisch und schüttete den kalt gewordenen Inhalt in den Ausguß.

Während er darauf wartete, daß sie sich ihm wieder zuwandte, fuhr er mit dem Finger durch ein Mehlhäufchen, das auf dem Tisch liegengeblieben war, wahrscheinlich noch vom Brotbakken. Den Teig hatte sie zum Aufgehen in große Schüsseln gefüllt und mit Tüchern bedeckt. An der Wand neben dem stattlichen Herd hingen die Kupfertöpfe und -pfannen. Von den hohen, schmalen Fenstern blickte man auf das Flüßchen, das unter einer

Brücke hindurchfloß. Über die Simse strömte die Morgensonne, malte Rhomben auf den Fußboden und ließ die Böden der Kupfertöpfe funkeln.

«Sie machen alles selbst?»

Lily ging an den Tisch zurück, nickte und nahm das Messer in die Hand. «Im Winter schon, im Sommer hilft mir jemand. Es ist dann ziemlich voll hier.» Noch nie in seinem Leben hatte Jury jemanden so schnell Gemüse schneiden sehen. Die Finger ihrer rechten Hand lagen auf dem Rücken des großen Messers, und mit der linken hob und senkte sie den Griff. Ihre Bewegungen waren schnell und rhythmisch, und die Karotte zerfiel in immer kleinere Teile, während das Messer auf und nieder wippte. «Sie gehen sehr geschickt mit diesem Messer um.» Jury suchte in seiner Hemdtasche nach einer Zigarette und klopfte die Hosentaschen nach Streichhölzern ab.

«Der Trick dabei ist, daß die Klinge immer auf dem Holz bleibt.» Ohne ihn anzublicken, fügte sie hinzu: «Oder wollen Sie damit andeuten, daß ich auch einen Menschen wie eine Karotte zerhacken könnte?»

«Wurde sie denn mit einem Messer umgebracht? Das ist mir ganz neu.»

Lily hielt inne und stemmte verärgert die Hand in die Hüfte. «Kann ich bitte mein Foto zurückhaben? Das Foto, das Sie gestern abend mitgehen ließen?»

Jury griff in seine Tasche. «Entschuldigen Sie, Lily, das war ein Versehen.»

Sie wandte sich wieder dem Gemüse zu. «Ich bezweifle, daß Sie jemals etwas aus Versehen tun.»

Er steckte das Foto wieder in seinen Rahmen und stellte es auf den Tisch. «Ihr Vater scheint nicht besonders zuverlässig gewesen zu sein – einfach so abzuhauen und Sie beide Ihrem Schicksal zu überlassen.» Lily gab keine Antwort. «Seltsam, daß sie ihn so schnell geheiratet hat; sie kann ihn doch kaum gekannt haben. Wie lange waren sie denn verheiratet?»

Das Messer stand still. «Sie versuchen, ihr da was unterzuschieben, wahrscheinlich, daß er ihr ein Kind gemacht hat und daß sie ihn heiraten mußte.»

«War's so?»

«Nein.» Sie verlieh dieser einen Silbe noch mehr Nachdruck, indem sie mit einer ausholenden Armbewegung das Gemüse in eine Stahlschüssel schob.

«Hat Ihre Mutter aufgehört zu arbeiten, als Sie geboren wurden?»

Lily wischte sich die Hände an ihrer Schürze ab. «Mr. Jury, Sie *wissen* das doch alles, warum fragen Sie?»

Um zu sehen, ob es noch eine andere Version gibt, dachte Jury. Er beobachtete ihr Mienenspiel und sagte: «Weil es irgendeinen Grund geben muß für den Selbstmord Ihrer Mutter und diese Anschläge auf Ihr Leben, Lily.» Niedergeschlagen starrte sie auf die Schüssel in ihren Händen, sagte aber nichts. «Könnte es denn wegen Ihrer Mutter sein?»

Bestürzt blickte sie auf. «Wie meinen Sie das?»

«Vielleicht ist damals, als sie noch lebte, etwas passiert. Vielleicht hat sie etwas hinterlassen – ich tappe auch im dunkeln.»

Lily wandte sich ab, schüttelte heftig den Kopf und ließ die Schüssel und das Messer in das Spülbecken fallen.

Jury drang weiter in sie: «Sie können ja völlig ahnungslos sein. Es reicht schon, wenn jemand glaubt, Sie wüßten etwas. Vielleicht sind Sie für jemanden gefährlich?»

«Gefährlich? Das ist doch lächerlich.»

«Wie steht's mit den Craels?»

Sie wirbelte herum, und ihr Gesicht war so weiß wie das Mehl auf dem Tisch. «Ich und gefährlich. *Ich.*» Sie preßte die Handflächen gegen die altmodische Ginghamschürze, als wolle sie ihre Identität beweisen. «Ich war doch nur die Kleine der Köchin. Alle nannten mich so – die Kleine der Köchin. Nicht Lily, sondern die Kleine der Köchin.» Zwei rote Flecken erschienen auf ihren Wangen, als hätte sie reingekniffen, um etwas Farbe zu kriegen. «Ich dachte sogar, ich hieße so. Meine Mutter erzählte mir, auf der Straße hätte mich mal jemand nach meinem Namen gefragt, und ich hätte geantwortet: ‹Die Kleine der Köchin.› Sie fand es komisch!»

«Aber Sie offensichtlich nicht.»

Sie hatte ihm den Rücken zugewandt und den Kopf gesenkt.

Er sah, wie ihre Hand zu ihrem Gesicht hochfuhr und wieder herunterfiel, und nahm an, daß sie weinte. Sie drehte den Wasserhahn auf, bespritzte sich das Gesicht und zog ein Küchenhandtuch herunter. Dann drehte sie sich wieder um und fuhr fort: «Der Colonel war der einzige, der mich anständig behandelte. Für ihn war ich wenigstens Lily. Und er war auch der einzige, der meine Mutter in Schutz nahm, als –» Sie stockte und wandte den Blick ab. «Dillys haßte mich, aber er hat das nie erfahren. Wir waren nur so häufig zusammen, weil der Colonel uns beide ins Herz geschlossen hatte. Ich glaube, er hätte gerne eine Tochter gehabt. Er ist auch nicht so elitär wie die andern – wie Lady Margaret, Julian, Rolfe. Rolfe, das war auch ein ziemlicher Snob, wenn auch etwas lebenslustiger. Manchmal nahm mich der Colonel mit auf Schmetterlingsjagd. Das fand ich ganz toll.» Sie blickte durch das Fenster auf die Äste, die in der schwachen, winterlichen Sonne ganz golden aussahen.

Was sie wohl sah? Sommer – dieses riesige Haus mit seinen weiten, samtigen Rasenflächen, dahinter den dunkelblauen Teppich des Meeres und davor das mit Heidekraut bewachsene Moor? Als er ihr lichtumflossenes Profil betrachtete, hatte er das Gefühl, er könne in ihren Kopf schlüpfen, sie über das Gras rennen und das Netz schwingen sehen. «Sie sagten, der Colonel sei der einzige gewesen, der Ihre Mutter verteidigt hat. Vor wem hat er sie denn in Schutz genommen?»

Lily saß ihm direkt gegenüber. Sie machte einen erschöpften Eindruck. «Vor Lady Margaret. Sie vermißte irgendwelchen Schmuck, ein paar Smaragde oder Diamanten, ich weiß nicht mehr. Und sie behauptete, meine Mutter hätte sie gestohlen. All diese Jahre hatte meine Mutter bei ihnen gearbeitet... Sie fing als Küchenhilfe an. Und plötzlich soll sie auf den Gedanken gekommen sein, etwas zu *stehlen*?» Sie blickte weg und wandte ihm wieder ihr Profil zu. Sie hatte sich auf einen der hohen Hocker gesetzt, die Beine übergeschlagen und die Ellbogen mit den Händen umfaßt. Man hätte denken können, sie hätte ihren Körper verlassen und sich in eine Marmorplastik verwandelt.

«Wegen so was bringt man sich doch nicht um?»

Langsam drehte sie den Kopf, und Jury bemerkte, daß ihre

Bernsteinaugen sich verdunkelt hatten und wie gestern im Schein des Feuers beinahe kornblumenblau wirkten. Ihre Stimme klang ganz ruhig, obwohl sie offensichtlich sehr erregt war. «Sie wissen wohl ganz genau, wegen was man sich umbringt?»

«Nein. Aber man muß schon sehr, sehr verzweifelt sein. Auf falsche Anschuldigungen – und Sie scheinen sich ja ganz sicher zu sein, daß sie unschuldig war – reagiert man gewöhnlich empört und denkt nicht gleich an Selbstmord. Halten Sie es denn für möglich, daß sie sich deshalb das Leben genommen hat?»

Ausweichend antwortete sie: «Ich war erst elf Jahre alt, als sie starb.»

«Ich weiß. Aber halten Sie es für möglich?»

«Ich weiß nicht.» Ihr Gesicht, ihre Stimme waren völlig ausdruckslos.

«Was ist dann mit Ihnen geschehen? Nach ihrem Tod?»

«Ich ging zu meiner Tante Hilda nach Pitlochary. Ich fand es schrecklich. Sie wollte mich auch gar nicht haben, aber sie betrachtete sich als eine gute Christin, und es war sozusagen ihre Pflicht, mich aufzunehmen.»

«Mich wundert es eigentlich, daß die Craels Sie nicht bei sich aufgenommen haben. Wo der Colonel Sie doch so gern hatte.»

«Du lieber Himmel, Inspektor. Ich war doch nur das Kind einer Angestellten. So weit ging die Liebe nun auch wieder nicht. Selbst wenn *er* gewollt hätte, die andern wären bestimmt dagegen gewesen. Julian, Olive Manning, Dillys. *Sie* hatte ihn um den Finger gewickelt, und sie war nicht einmal sein Fleisch und Blut. Aber er hat sich darum gekümmert, daß genug Geld für mich da war, daß ich anständig angezogen war und daß ich auf eine Schule ging. Er hat meiner Tante bestimmt einiges zugeschoben, sonst hätte sie mich als Kellnerin oder etwas Ähnliches arbeiten lassen, als ich alt genug war.»

«Als diese Cousine, Gemma Temple, plötzlich im Old House auftauchte, hatten Sie da nicht auch das Gefühl, sie könnte den Colonel ganz einfach um ihren kleinen Finger wickeln?»

«Ich weiß nicht, was Sie damit sagen wollen.»

«Wirklich nicht?»

Jury war überzeugt, daß sie log.

17

Die Leihbücherei von Rackmoor war ein langer, enger Schlauch, das Erdgeschoß eines früheren Wohnhauses, das sich von außen kaum von den andern Häusern des Viertels unterschied. Das untere Stockwerk war umgebaut – sämtliche Wände und Türen waren herausgerissen worden, so daß Wohnzimmer, Speisezimmer, Gästezimmer und Küche einen Raum bildeten. Der Tisch am Eingang sah aus wie eine alte Theke. Das Schild, das darauf stand, bat den Besucher um RUHE, bevor er sich überhaupt umschauen konnte. Die verschieden großen Regale, der abgetretene Teppich, die kleinen, zusammengewürfelten Lampen auf den im Raum verstreuten Tischen – all das erweckte den Eindruck, die Inneneinrichtung sei auf dem Flohmarkt zusammengekauft worden.

Auch Miss Cavendish erweckte diesen Eindruck: ein alter, brauner Rock, der ihr beinahe bis zu den Knöcheln reichte, eine unförmige, olivgrüne Strickjacke, ein Knoten, der wie ein Nadelkissen aussah. Sie schien gerade ein paar Schulkindern die Leviten zu lesen; als sie Jury hereinkommen sah und nach vorne ging, steckten die Kinder wieder ihre leuchtenden Haarschöpfe zusammen, und das Tuscheln und Kichern ging weiter. Außer ihnen war nur noch eine einzige Person anwesend, eine stattliche Frau, die aufmerksam an einem Regal entlangging.

Miss Cavendish wirkte hier sehr passend. Ihre Augen, die Jury über eine mit einem Ripsband versehene Lesebrille ansahen, machten einen sehr schwachen Eindruck, als hätte sie zu viele Nächte durchgelesen. Ihr fahles Gesicht war wie ein altes Buch mit braunen Flecken übersät. Und wenn sie sich bewegte, hörte man ein Rascheln und ein leichtes Knirschen, als würden sich ihre Seiten lösen, obwohl das Geräusch höchstwahrscheinlich von einem gestärkten Unterrock verursacht wurde.

Jury zeigte seinen Dienstausweis. «Ich hab ein paar Fragen an Sie, Miss.»

«Das hab ich mir gleich gedacht.» Sie musterte ihn von oben bis unten und schmatzte zufrieden mit ihren ungeschminkten Lippen. «Aber ich kann mir nicht vorstellen, wie ich Ihnen behilflich sein kann. Ich wohne am andern Ende des Dorfs, nicht dort, wo dieser brutale Mord verübt wurde. Ich habe das auch schon dem andern Kriminalbeamten erklärt.»

«Ja, ich weiß. Eigentlich bin ich auch wegen einer ganz andern Sache zu Ihnen gekommen.» Miss Cavendish zog die Augenbrauen hoch, erstaunt, daß es auch noch einen anderen Grund geben könnte. «Es dreht sich um Mrs. Makepiece, Berties Mutter. Ich habe gehört, daß Sie sich um Bertie kümmern.»

«Ja. Roberta – das ist Berties Mutter – hat mich gebeten, nach dem Kleinen zu schauen. Rose Honeybun und Laetitia Frother-Guy tun das auch. Aber hören Sie, was hat die Polizei damit zu tun? Ich will doch hoffen, daß wir nicht persönlich für sein Wohlergehen haften?» Noch bevor Jury antworten konnte, fuhr sie fort, sich zu verteidigen: «Uns kann man bestimmt keinen Vorwurf machen. Laetitia Frother-Guy hat sich *tout de suite* mit den zuständigen Stellen in Verbindung gesetzt, und sie sind auch vorbeigekommen, aber alles schien in bester Ordnung zu sein. Roberta hat sich natürlich auch schon vorher abgesetzt, wie Sie sich wohl denken können. Ich finde das einfach skandalös, Großmutter hin, Großmutter her. Ehrlich gesagt, an deren Existenz sind mir auch schon Zweifel gekommen. Der Junge behauptet, Roberta sei nach Belfast gefahren; mir hat sie aber was ganz anderes gesagt. Und es ist auch nicht das erste Mal, daß ich mich um den Jungen kümmere, während sie sich ein paar schöne Tage macht. Vier- oder fünfmal kam das schon vor. Sie haben verstanden, nicht wahr, keine kranken Omas, sondern *Affaires d'amour*, das halte ich für viel wahrscheinlicher. Zugegeben, sie war noch nie so lange weg. Leute wie sie sollten keine Kinder haben; ich hab das auch meiner *confrère* Rose Honeybun gesagt. Wenn sie Gesellschaft braucht, soll sie sich einen Wellensittich kaufen. Der Kleine hat praktisch sein ganzes Leben lang auf sich selbst aufpassen müssen, und er macht das viel besser, als sie dazu in der Lage wäre. Wußten Sie, daß er schon gekocht, geputzt und eingekauft hat, als er noch in den Kindergarten ging? Aber er braucht natürlich jemanden, der ihn anleitet. Er sollte *en famille* leben. Ich hab zwar noch nie ein so selbständiges Kind gesehen, auch wenn seine Art nicht besonders liebenswert ist; man weiß nie, was in seinem kleinen Kopf vor sich geht – er ist so etwas wie ein *Enfant terrible*. Und dieser Hund, den er hat, der treibt mich glatt zur Verzweiflung. Wenn einer die Bezeichnung *bête noire* verdient, dann er. Man denkt, er könne Gedanken lesen. Wie der einen anschaut, also…»

«Was hat Mrs. Makepiece Ihnen denn erzählt?» unterbrach Jury ihren Redeschwall.

«Daß sie nach London fahren wollte. Ja, nach London, ich bin mir ziemlich sicher. Deshalb war ich ja auch so überrascht, als der Junge mir erzählte, daß diese Großmutter – die Bettlägerige – in Belfast wohne und Roberta nach Irland gefahren sei. Ausgerechnet nach Belfast!»

Wahrscheinlich sah sie im Geist eine Armee irischer Nationalisten mit schwarzen Baretts vorbeidefilieren.

«Haben Sie sich nicht gefragt, warum sie von London gesprochen hat?»

«Ja, schon. Aber wie gesagt, Roberta Makepiece hat schon immer ihre kleinen Ausflüge gemacht, und sie mag es überhaupt nicht, wenn man sich in ihre *Affaires de cœur* einmischt. Ihr Mann starb, als er noch ziemlich jung war, und ich weiß nicht, ob das Zusammenleben mit Roberta nicht –»

«Diese Geschichte mit Belfast hat Sie also auch stutzig gemacht?»

«Ich dachte einfach nur, sie sei nach London gefahren und hätte von dort aus einen Zug oder einen Bus zu ihrem Schiff genommen. Oder sie sei von Heathrow aus geflogen.»

Jury dachte einen Augenblick nach. Von Yorkshire aus wäre das ein Zeit- und Geldverlust. Wenn sie geplant hätte, nach Nordirland zu reisen, wäre sie nach Schottland gefahren und hätte in Stranraer die Fähre genommen.

«Inspektor, warum stellt mir die Polizei all diese Fragen? Ich sagte Ihnen doch, daß ich nur ein bißchen aushelfe.»

«Ich machte mir Sorgen um ihn. Meiner Meinung nach ist er doch ein bißchen zu jung, um ganz allein in diesem Haus zu leben.»

Sie faßte das als einen versteckten Vorwurf auf. «Denken Sie, ich bin mir dessen nicht bewußt? Wie kann man als Mutter nur so was machen! Erst kürzlich hab ich zu Rose und Laetitia gesagt, wir sollten besser das Jugendamt anrufen. Aber die scheinen ja alles in Ordnung zu finden. Also, ich frage Sie – drei Monate sind das jetzt schon und von seiner Mutter keine Spur: Der Junge gehört in ein Heim.»

Jury sah kahle, schlauchartige Räume mit langen Reihen eiserner Bettgestelle vor sich. Er versuchte, sich Bertie innerhalb der Mauern einer solchen Institution vorzustellen. Es gelang ihm nicht.

Vor dem Fenster der Leihbücherei war ein kleiner Hund angebunden; in dem dicken, zottligen Fell um seinen Hals steckte eine völlig absurde blaue Schleife. Wahrscheinlich wartete er auf die stattliche Dame, die zwischen den Regalen umherwanderte.

«Ich weiß nicht, ob das die beste Lösung für Bertie wäre», sagte Jury. «Was würde dann mit Arnold passieren? Die beiden sind doch unzertrennlich.»

«Ich glaube *kaum*, daß ein *Hund* der richtige Umgang für ihn ist. *Bête noire*, wie ich schon sagte», meinte sie indigniert.

Jury blickte auf den Tisch. Das RUHE-BITTE-Schild mußte ein Alptraum sein für Miss Cavendish. «Na schön, *delenda est Carthago*. Auf Wiedersehen, Miss Cavendish.»

Sie blinzelte und starrte ihm nach, während er sich umdrehte und zur Tür ging.

Als er wieder auf der Scroop Street stand, fragte er sich, wieso er gesagt hatte, daß Karthago zu zerstören sei. Wahrscheinlich weil ihm gerade nichts anderes eingefallen war. Und Vergil war sein Lieblingsdichter.

Er ging die Scroop Street entlang und spähte durch Berties Fenster, aber weder von Bertie noch von Arnold war etwas zu sehen. Dunkle, gähnende Leere. In der Küche neben der Anrichte hing Berties Schürze. Bertie mußte wohl in der Schule sein.

Bei der Engelsstiege angelangt, beschloß er, die Psalter Lane hochzugehen und den Waldweg zum Old House zu nehmen. Auf der letzten Stufe, ein paar Meter unterhalb der Kirche, drehte er sich um und blickte hinunter. Selbst mitten im Winter sah Rackmoor phantastisch unwirklich aus. Das ganze Dorf lag vor ihm, die in die Klippen gebauten Häuser, die Treppen, die verwinkelten Gassen. Die winzigen blauen und grünen Boote waren die einzigen Farbtupfer auf dem eintönigen Grau des Steins, des Himmels und des Wassers. Aber es gab nicht nur diesen einen Blick: Zu seiner Rechten konnte Jury auch die Moore sehen, Meilen unberührter Schneefelder.

Er wünschte, er könnte unter irgendeinem Vorwand über sie hinwegstapfen.

18

Wie ein Zugvogel schaffte es Sergeant Wiggins immer, sich in wärmere Regionen zu verziehen; Jury entdeckte ihn hinter einer Kanne Tee in der Nähe des Küchenherds. Ihm gegenüber saß Olive Manning.

Sie strahlte jedoch keine Wärme aus. Die Hand, die sie Jury hinstreckte, war trocken und kühl, und ihr Lächeln war noch kühler. Sie schien sich in ihren Kleidern nicht wohl zu fühlen – als wären sie zusammengepfuscht (was bestimmt nicht der Fall war) oder nicht für sie gemacht. So wie sie dasaß – in ihrem dunklen Kleid, an dessen Gürtel ein Schlüsselbund hing, mit ihren spitzen Ellbogen und Backenknochen und der geraden, scharfgeschnittenen Nase –, schien Olive Manning nur aus Kanten und Winkeln zu bestehen. Auch ihre Stimme klang hart und metallisch. Als sie Jury begrüßt hatte, verschwand auch das pflichtschuldige Lächeln; ihre Züge erstarrten und wirkten steif wie das Portrait auf einer Münze. Ihre Augen hatten die Farbe von angelaufenem Silber; ihre Lippen waren dünn, und auf ihrem dunklen Haar lag ein grauer Schleier wie auf alter Schokolade.

Jury zog sich einen Stuhl heran; als sie ihm jedoch eine Tasse Tee anbot, lehnte er ab. «Mrs. Manning, ich möchte nicht noch einmal alles durchgehen, was Sie schon Sergeant Wiggins erzählt haben. Mich interessiert vor allem, ob Sie die junge Frau für Dillys March gehalten haben.»

Sehr bestimmt schüttelte sie den Kopf. «Nein, eindeutig nicht.»

«Wie konnten Sie sich so sicher sein, wo für Sir Titus überhaupt kein Zweifel bestand, daß sein Mündel zurückgekehrt war?» Olive Manning schien sich jedoch immer sicher zu sein, was ihre Gedanken und Gefühle betraf.

Sie lächelte. «In diesem Fall war wohl der Wunsch der Vater des Gedankens, Inspektor Jury. Julian Crael war übrigens ganz meiner Meinung, wie Sie wohl wissen.» Jury nickte. «Auf den ersten Blick sahen sie sich natürlich sehr ähnlich.»

«Nicht nur auf den ersten Blick. Nach den Fotos zu urteilen, die ich von Dillys March gesehen habe, hätte Gemma Temple ihre Doppelgängerin sein können.»

«Das stimmt schon. Nur sind diese Fotos von Dillys fünfzehn Jahre alt. Und es ist nicht nur das Aussehen. Es gibt auch noch andere Dinge, zum Beispiel, wie jemand sich bewegt, spricht –»

«Nicht gerade aus einem guten Stall?»

«So könnte man es ausdrücken. Ich fand sie ziemlich vulgär. Eine gute Kinderstube läßt sich schließlich nicht verleugnen.»

«Könnte sie in den fünfzehn Jahren nicht auch einiges vergessen haben?» Sie schwieg. «Wie ich gehört habe, Mrs. Manning, ist Ihr Sohn in einer Anstalt?»

Die kalten, stahlgrauen Augen luden sich auf; aber alles, was sie sagte, war: «Ja.»

«Und Sie glauben, Dillys March hat ihn soweit gebracht?»

Ihr Gesicht, ihre ganze Haltung wirkten wild entschlossen. Aber sie drehte nur an ihren Ringen, als wolle sie ihre Finger davon abhalten, sich um seinen Hals zu legen. «Sie kennen doch schon den ganzen Klatsch, Inspektor, was wollen Sie denn noch von mir hören?»

«Es gibt einiges, worüber wir sprechen könnten, wenn das wirklich nur Klatsch ist. Was ist zwischen Dillys und Ihrem Sohn vorgefallen?»

«Solange Leo hier gelebt hat – ein Jahr war das, er arbeitete als Fahrer für den Colonel –, war das Mädchen hinter ihm her.»

«Mit Erfolg?»

Schweigen. «Sie hat ihm die Hölle heiß gemacht, was ja nicht so schlimm gewesen wäre, wenn sie es nur auf ihn abgesehen hätte. Aber er war nur einer von vielen.»

«War sie denn so attraktiv?»

Olive Manning lächelte verächtlich. «Also wirklich, Inspektor. So attraktiv braucht man gar nicht zu sein, man muß nur –» Sie schaute Jury an, als müßte er es wissen. «Und wegen ihr hätte er nach einem Monat beinahe seinen Job verloren. Und dann gab es diese gräßliche polizeiliche Untersuchung. Jeder dachte, Leo hätte was damit zu tun gehabt…» Sie verstummte, und die Farbe wich aus ihrem Gesicht. Der Ärger, den sie wahrscheinlich nur mit großer Mühe unterdrückt hatte, schien sie innerlich explodieren zu lassen. «Das war zuviel für den armen Jungen; er war bis über beide Ohren in sie verliebt.»

Das entsprang wohl dem besorgten Herzen einer Mutter, obwohl Olive Manning keinen sehr mütterlichen Eindruck auf Jury machte.

«Damals, vor fünfzehn Jahren, haben Sie doch beobachtet, wie Dillys March weggefahren ist. Erzählen Sie mir bitte davon.»

«Ich schlafe gewöhnlich ziemlich schlecht, das war schon immer so, und ich war auch an diesem Abend noch wach. Irgendein Geräusch veranlaßte mich, zum Fenster zu gehen. Vielleicht eine Autotür, die zugeschlagen wurde. Ich schaute hinaus und sah sie am Garagentor. Sie hielt den Kopf gesenkt und suchte anscheinend nach ihren Schlüsseln. Und dann sah ich, wie sie in ihr rotes Auto stieg und davonfuhr. Davon*schoß*. Wie immer.»

«Das war das letzte Mal, daß Sie sie gesehen haben?» Sie nickte. Jury wechselte das Thema. «Sie sind ungefähr zwei Wochen vor Weihnachten nach London zu Ihrer Schwester gefahren?»

«Ja. Ich übernachte bei ihr, wenn ich Leo besuche… dieser Kriminalbeamte, Inspektor Harkins, oder einer seiner Männer bestand darauf, mit Leo zu sprechen. Es ist wirklich schrecklich, können sie den armen Jungen denn nicht in Ruhe lassen? Er hat doch nichts getan…»

Überrascht stellte Jury fest, daß sie den Tränen nahe war; ihr Sohn war wohl ihr schwacher Punkt. «Ja, ich weiß, sie haben mit ihm gesprochen, aber ich glaube nicht, daß Leo ihnen viel weiterhelfen konnte. Er hat sich an kaum was erinnert.» An nichts, wenn man Harkins Glauben schenkte. «Die Kosten für das Heim, in dem Leo sich befindet, trägt der Colonel, nicht wahr?»

Sie blickte ihn scharf an. «Der Colonel war schon immer ein verantwortungsbewußter Mann. Ich glaube, er weiß, bei wem die Schuld zu suchen ist.»

«Es wäre doch ziemlich ärgerlich, wenn Dillys March zurück-kommen und ihn veranlassen würde, anders darüber zu den-ken.» Olive Manning starrte ihn wütend an, machte den Mund auf und machte ihn wieder zu. «Ich würde gerne noch mit Ihrer Schwester sprechen, Mrs. Manning. Könnten Sie mir ihre Adresse geben?»

«Warum? Was hat denn sie mit der Sache zu tun? Glauben Sie, ich hätte Sie angelogen, was diesen Besuch betrifft?»

«Nein, ein Anruf würde genügen, um das herauszufinden. Wo wohnt sie?»

Sie war verwirrt; ihre Hände flatterten wie zwei kleine Flügel. «Ich kann mir nicht vorstellen, was Sie von ihr wollen. Sie heißt Fanny Merchent. Mrs. Victor Merchent. Sie wohnen in der Ebury Street, Nummer neunzehn. In der Nähe von Victoria.»

«Vielen Dank, Mrs. Manning.» Jury stand auf, und Wiggins erhob sich mit ihm. «Vielleicht muß ich noch einmal mit Ihnen sprechen.»

Olive Manning gab keine Antwort, und sie schaute sich auch nicht nach ihnen um, als sie aus der Küche gingen.

«Haben Sie heute morgen schon Mr. Plant gesehen, Wood?»

«Nein, Sir. Soviel ich weiß, ist er noch nicht heruntergekom-men, Sir.»

«Können Sie ihm bitte ausrichten, ich sei nach London gefah-ren?» Jury lächelte. «Und sagen Sie ihm bitte auch, er solle nicht den ganzen Tag im Bett verbringen.»

Der Butler hatte ein kleines, verschwörerisches Lächeln aufge-setzt, als würden sie beide – Wood und Jury – die Gepflogenhei-ten des Landadels nur zu gut kennen.

Als sie über die schwarzweißen Marmorfliesen der Eingangs-halle gingen, sagte Jury zu Wiggins: «Während Sie einen Wagen auftreiben, werde ich Tom Evelyn einen Besuch abstatten. Ich bleibe nicht lange in London – höchstens einen Tag. Ich muß mit ein paar von diesen Leuten sprechen.»

«Inspektor Harkins fühlt sich vielleicht auf den Schlips getreten. Als sei er seinen Pflichten nicht nachgekommen.» Wiggins lächelte.

«Macht nichts. Er fühlt sich immer auf den Schlips getreten. Ich werde Sie aber in Pitlochary absetzen, dann können Sie ihm alles erklären.»

«Nett von Ihnen, Sir», sagte Wiggins, ohne eine Miene zu verziehen; sein Gesicht war halb verdeckt von seinem Inhaliergerät.

19

Melrose Plant lag zwar im Bett oder vielmehr auf dem Bett, aber Jury hatte sich trotzdem getäuscht.

Er war voll angezogen und starrte auf die kunstvoll bemalte Decke mit ihren Göttern, Göttinnen und Putten. Er lächelte; er dachte an Julian Craels Räume – drei Türen von seinen entfernt.

Melrose hatte das Foto, das er in der Hand hielt, aus genau diesen Räumen entwendet. Und er war zufrieden mit sich.

Zuerst hatte Melrose sich vergewissert, ob Julian auch seinen Morgenspaziergang machen würde: Er bot ihm seine Begleitung an, worauf ihm Julian einen Blick zuwarf, als hätte er ihm vorgeschlagen, gemeinsam in die Badewanne zu steigen. Jemand, der es vorzog, eine Stunde lang im Moor herumzuirren (was Julians Absicht war), statt am Kaminfeuer zu sitzen und Cockburns Very Superior Port zu trinken, konnte nicht ganz normal sein. Für Melrose war es jedoch eine gute Gelegenheit gewesen, seinen Plan durchzuführen.

Sie mochten sich nicht, das war klar. Auch Gemeinsamkeiten wie Alter, Rang, Reichtum und gesellschaftliche Stellung brachten sie einander nicht näher. Melrose fühlte sich schuldig: Es war wirklich seine Absicht gewesen, etwas über Julian in Erfahrung zu bringen, wenigstens einen Eindruck, was den Colonel beruhigt hätte. Er würde es zwar abstreiten, aber Melrose spürte, daß der alte Crael sehr besorgt um den Jüngeren war. Alibi hin oder her.

Ein hoffnungsloses Unterfangen. Aus Julian Crael war nichts rauszukriegen, obwohl das wahrscheinlich seine, Melroses Schuld war. Er dachte an Jury, der wie in der Bibel Wasser aus dem Felsen schlug: Er brauchte nur den Fuß auf Percy Blythes Schwelle zu setzen, und schon fing Percy an zu reden.

Melrose beschloß, daß er sich, wenn es auf die eine Weise nicht ging, seine Informationen eben auf andere Art beschaffen würde. Und das hatte er auch getan. Es war vielleicht nicht gerade fein, die Zimmer eines Gentleman zu durchsuchen. Aber Mord war auch nicht gerade fein.

Er hatte sich in Julians Räume geschlichen, ohne recht zu wissen, welche Beweisstücke er eigentlich zu finden hoffte. Und er hatte auch nicht damit gerechnet, auf etwas zu stoßen. Er war jedoch fündig geworden.

Im Haus hatte sich nichts gerührt. Der Colonel trieb sich in seinen Hundezwingern in Pitlochary herum. Olive Manning war nach Whitby gefahren, und die Dienstboten drehten Daumen.

Melrose hatte also das Haus praktisch für sich allein gehabt. Er war aber schlau gewesen und hatte die Tür zu Julians Zimmer sperrangelweit offenstehen lassen, falls doch jemand vorbeikommen sollte. Dann wäre erst gar nicht der Verdacht aufgekommen, er würde bei ihm herumschnüffeln; er hätte einfach behaupten können, er habe sich ein Buch ausleihen wollen oder etwas dergleichen. Julian besaß eine großartige Sammlung wertvoller, alter Bücher über Yorkshire.

Melrose hatte lautlos jede Schublade, jedes Regal, jeden Wandschrank durchsucht. Es hatte nicht viel Zeit in Anspruch genommen, da die Räume mit den moosfarbenen Vorhängen und den schweren Tudor-Möbeln sehr spartanisch, ja schon beinahe trostlos leer waren.

Melrose zog die Vorhänge auf und schaute aus den hohen Fenstern, die alle aufs Meer hinausgingen; er wollte sich vergewissern, daß Julian Crael nicht doch beschlossen hatte, wieder umzukehren. Da sich der Nebel etwas gelichtet hatte und die Sonne durchgekommen war, konnte er den Weg, der an den Klippen entlangführte, bis zur nächsten, großen Biegung verfolgen. Von Julian war jedoch nichts zu sehen.

Es gab zwei Räume, ein Schlafzimmer und ein kleineres Arbeits- oder Lesezimmer. Er fing mit dem Schlafzimmer an. Die Kommode enthielt die üblichen Accessoires einer gepflegten Herrengarderobe, einschließlich einer viktorianischen Geldkassette und einer Toilettengarnitur mit zwei silbernen Haarbürsten (die Melrose in die Hand nahm und neidisch betrachtete). Außerdem lagen noch Schlüssel, ein Fläschchen Bittersalz und ein Foto von Lady Margaret herum. Sehr interessant war das alles nicht. In dem Schrank hingen ein paar tadellos geschnittene Anzüge, ein Bademantel und eine Reitjacke. Er hatte gesehen, wie Julian einmal in aller Frühe eines der Pferde aus dem Stall holte; an der Jagd selbst wollte er jedoch nicht teilnehmen.

Melrose ging in das Arbeitszimmer, wo in einer Nische zwischen den Regalen ein hübscher, kleiner Sekretär stand. Er klappte die Platte hoch, fand aber nur die üblichen Schreibutensilien – keine privaten Briefe, nur ein paar Rechnungen von einem Londoner Schneider. Systematisch durchsuchte er jede Schublade, stieß aber auf nichts von Bedeutung: Briefpapier, Füllfederhalter und in einer Schublade ein paar Schnappschüsse, die er sich etwas genauer anschaute. Es waren vor allem Moorlandschaften und Ansichten von dem Haus, die schon etwas älter sein mußten. Er schloß die Schubladen und wandte sich den Bücherregalen zu. Sie machten einen sehr ordentlichen Eindruck; nichts schien sich hinter ihnen zu verbergen, keine Geheimfächer oder geheimen Dokumente.

Auf den Regalen standen mehrere gerahmte kleine Fotografien. Eigentlich waren es nur Schnappschüsse, ein Dutzend ungefähr. Sie hatten diese bräunliche Farbe, die sich im Lauf der Jahre einstellt. Auf einigen erkannte er Julian in jüngeren Jahren und die elegante Lady Margaret am Arm ihres Mannes; er wußte auch, daß das schwarzhaarige Mädchen Dillys March sein mußte – er hatte die Fotos gesehen, die der Colonel der Polizei zur Verfügung gestellt hatte.

Dillys war auf mindestens einem halben Dutzend zu sehen, und wenn man die Fotos dazuzählte, auf denen sie mit den andern zusammen posierte, waren es sogar noch mehr. Eines zeigte sie mit Lady Margaret, ein Schnappschuß, der im Garten gemacht worden war; sie war noch beinahe ein Kind, zehn oder elf Jahre vielleicht. Ein anderes mit Julian und einem jungen Mann, der Julians Bruder Rolfe sein mußte. Alle drei saßen auf ihren Pferden. Neben Dillys und Julian, die sich mitten in der Pubertät befanden, sah Rolfe schon sehr erwachsen aus. Er war sehr hübsch, aber nicht vergleichbar mit Julian, abgesehen vielleicht von den blonden Haaren, die er von seiner Mutter geerbt hatte. Dann gab es noch zwei Fotos mit Dillys und Julian, die wohl etwas später aufgenommen waren: Beide standen stocksteif auf der Treppe zum Old House. Auf drei weiteren war Dillys allein zu sehen, einmal auf ihrem Pferd, die beiden andern Male gegen die Stange eines Zauns gelehnt. Sie sah eher schüchtern aus; den Kopf hielt sie gesenkt, und ihre Augen waren von dem Pony und den Wimpern halb verdeckt. Sie konnte noch keine zwanzig gewesen sein und trug noch dasselbe leichte Seidenkleid, das sie schon auf der Treppe getragen hatte.

Er zählte zusammen: sieben Fotos von Dillys. Niemand war so häufig vertreten, und trotzdem behauptete Julian Crael, er könne sie nicht ausstehen.

Melrose wußte nicht, wieso ihm gerade jetzt ein alter Trick seiner Mutter einfiel. Wenn sie mehr Fotos als Rahmen hatte oder wenn sie eines der alten Fotos durch ein neueres ersetzen wollte, nahm sie einfach den Karton heraus und schob das neue vor das alte. Er fing mit den Fotos von Julian und Dillys an, aber hinter der samtartigen Verstärkung steckte immer nur das Stückchen Karton. Er versuchte bei vier verschiedenen Fotos sein Glück. Bei dem fünften, auf dem Dillys gegen den Zaun lehnte, entdeckte er dann noch einen zweiten Schnappschuß: Dillys in einem Park. War es der Regent's Park? Oder der Hyde Park?

Jedenfalls war dieses Mädchen kein Teenager mehr; es war eine junge Frau. Dillys March? Oder Gemma Temple? Melrose hatte die Fotos von Gemma Temple nicht gesehen, aber wenn die Ähnlichkeit wirklich so groß war...

Auch in dem nächsten Rahmen entdeckte er noch ein zweites Foto. Sie stand vor einem Gebäude gegen ein eisernes Gitter gelehnt. Das Gebäude unterschied sich nicht von tausend andern Backsteinbauten der Stadt. Er hätte gerne noch weitergemacht, fürchtete aber, Julian könnte zurückkommen. Seit einer guten halben Stunde war Melrose nun schon in Julians Arbeitszimmer.

Er öffnete die Schreibtischschublade mit den Schnappschüssen, nahm zwei davon heraus und schob sie hinter die Fotos von Dillys. Das war natürlich etwas riskant, aber Julian würde sich wahrscheinlich zufriedengeben, wenn er an dem Rahmen erkannte, daß zwei Fotos dahintersteckten, und er würde sich nicht die Mühe machen, die hinteren hervorzuholen. Auf jeden Fall hatte sich die Sache gelohnt. Er mußte unbedingt Jury von seinem Fund unterrichten.

Als er wieder in seinem Zimmer war und sich auf dem Bett ausstreckte, wurde ihm klar, daß er auf eine heiße Spur gestoßen war. Ob diese Frau nun Dillys March oder Gemma Temple war, interessierte ihn in diesem Augenblick schon nicht mehr – egal, wer sie war, sie hätte nicht in London auftauchen dürfen. Und auch nicht in einem Bilderrahmen in Julian Craels Zimmern.

20

«Dillys March? Ja, die kannte ich, ist aber schon lange her. Was hat sie denn mit der Sache zu tun?»

Tom Evelyn, der Aufseher der Jagdhunde in Pitlochary, schleppte gerade mehrere Eimer mit Brei in die Zwinger, als Jury auf ihn zutrat. «Haben Sie diese Gemma Temple gesehen, als sie in Rackmoor war?» Evelyn schüttelte den Kopf. «Gemma Temple und Dillys March glichen sich wie ein Ei dem andern.»

Er riß die Augen auf – sie waren auffallend blau. Er war beinahe vierzig, aber man hätte ihn auf Ende Zwanzig schätzen können. Auch in zehn oder fünfzehn Jahren würde Tom Evelyn nicht viel anders aussehen – aufrecht, hager, dunkel und größer, als er in Wirklichkeit war, da er sich so gerade hielt. Und auch vor fünfzehn Jahren hatte er bestimmt schon so ausgesehen: ein

Mann, der Frauen gefiel, die Männer mochten, und vielleicht auch Frauen, die Männer nicht mochten.

«Sie wollen mir doch nicht erzählen, daß die Ermordete Dillys March war, oder?»

«Nein. Aber wir würden gerne mehr über Dillys March erfahren von den Leuten, die sie gekannt haben.»

Evelyn rollte seine Ärmel hinunter und knöpfte langsam seine Lederweste zu. «Ich kann Ihnen nur eines sagen, Mann, wo die auftauchte, da gab's garantiert Ärger.»

«Für wen?»

«Für jeden, auf den sie es abgesehen hatte.»

«Für Sie?»

Seine blauen Augen blickten über den Hof und die Hundezwinger hinweg in die Ferne. Er war verlegen, aber er zeigte seine Verlegenheit nicht. Jury fragte sich, ob seine Hölzernheit – seine aufrechte Haltung, sein starrer Gesichtsausdruck – wohl darauf zurückzuführen seien, daß er es vor allem mit Tieren und weniger mit Menschen zu tun hatte. Und daß er die Tiere den Menschen wahrscheinlich vorzog. Eine leichte Röte hatte sein sonnenverbranntes Gesicht überzogen. «Ja, für mich auch, wenn ich sie hätte machen lassen. Seit über zehn Jahren war ich Aufseher gewesen. Davor Reitknecht. Und wegen so einer wie der wollte ich das nicht aufs Spiel setzen.»

Das klang nicht nur verächtlich, sondern richtig schroff. Evelyn war kein Mann, der seine Gefühle zur Schau trug; wenn Dillys ihn nach fünfzehn Jahren noch so in Rage versetzen konnte, dann mußte sie tatsächlich ein Teufelsbraten gewesen sein. Tom Evelyn schien seinen Stolz zu haben, und Jury versuchte, ihm nicht auf die Füße zu treten. «Gut. Sie wollten sie sich vom Hals halten, aber hat sie das davon abgehalten, sich Ihnen an den Hals zu werfen?»

Evelyn ging in die Hocke und rührte den Brei um, der so dick war, daß der Löffel darin steckenblieb. Fünf Meter von ihnen entfernt fingen die Hunde an, nach ihrem Essen zu toben. «Sie hat's auch geschafft. Aber nur kurze Zeit.»

«Was ist passiert?»

«Passiert ist nur einmal was. Lag an meiner jugendlichen

Dummheit. Ich war damals der zweite Pikör. Dillys kam in den Zwinger, sie und der Colonel. Aber sie blieb etwas länger...» Er zuckte die Achseln und überließ es Jury, sich diesen Teil der Geschichte auszumalen. «Sie wollte es zu einer Dauereinrichtung werden lassen, aber ich hatte Schiß. Das Mündel des Colonels – Allmächtiger! Aber eine Crael war das nicht – egal, wo sie herkam und wo sie hin verschwunden ist, Dillys March war einfach eine Schlampe.»

«Haben Sie eine Ahnung, wo sie hingegangen sein könnte? Und finden Sie es nicht komisch, daß sie einfach so verschwunden ist?»

«Mann, ich werde nicht dafür bezahlt, mir darüber Gedanken zu machen.»

«Und was war mit Olive Mannings Sohn, Leo? Ich hab gehört, daß sie mit ihm auch was gehabt haben soll.»

Evelyns Lachen klang so schrill wie das Signal für die Hunde. «Natürlich. Sie hatte mit jedem was. Olive Manning hätte sie umbringen können –» Evelyn warf Jury einen Blick zu. «Sie wissen, wie ich das meine. Sie war untröstlich, als Leo in die Anstalt mußte.»

«Aber Sie glauben doch nicht im Ernst, daß das Mädchen einen sonst völlig normalen Mann reif für eine Anstalt machen konnte?»

Evelyn antwortete nicht. Er bückte sich nach den Eimern mit dem weißen, gallertartigen Inhalt.

«Komisch, daß sie einen, den sie praktisch die ganze Zeit vor der Nase hatte, überhaupt nicht bemerkte. Er war doch bei weitem der attraktivste, zumindest von ihrem Standpunkt aus.»

«Ich weiß nicht, Rolfe Crael interessierte sich für *Frauen*, nicht für kleine Mädchen.» Evelyn lächelte, und das Lächeln war erstaunlich warm. «Aber sie hat es bestimmt probiert.»

«Ich meine nicht Rolfe. Ich meine Julian.»

«Wie kommen Sie denn darauf?»

«Ich weiß nicht – er konnte sie doch nicht ausstehen.»

Wieder dieses schrille Lachen. «Aber das ist doch absolut blödsinnig. Julian war verrückt nach ihr. Jeder konnte das sehen.»

21

An Melroses Tür war die Andeutung eines Klopfens zu hören. Er schob die Fotos unter sein Kissen und sagte: «Herein!»

Wood, mumienhaft reserviert, sagte: «Entschuldigen Sie, Sir, Sie werden am Telefon verlangt. Und Colonel Crael würde Sie auch gern sprechen, wenn Sie herunterkommen. Er ist im Red-Run-Salon, seinem ‹Nest›.»

Melrose sah den Schatten der Mißbilligung auf Woods Gesicht: ein Gentleman, der vollständig angezogen um zwölf Uhr mittags auf dem Bett herumliegt und auch noch die Schuhe anhat? Sein eigener Butler, Ruthven, hätte sich nichts anmerken lassen. Er bedankte sich bei Wood und nahm die Beine vom Bett.

«Wo finde ich hier ein Vergrößerungsglas, Wood? Ich muß ein paar Dinge unter die Lupe nehmen.»

«Colonel Crael hat eines für seine Schmetterlingssammlung. Ich bringe es Ihnen.»

«Ich komme sofort runter. Könnten Sie wohl noch etwas Tee und Toast für mich auftreiben? Ist zufällig Inspektor Jury am Apparat?»

«Nein, Sir. Ich soll Ihnen ausrichten, daß der Inspektor nach London gefahren ist. Es ist Lady Ardry.»

Verflucht, dachte Melrose. Jury in London. Was sollte er nur mit den Fotos machen? «Ist Sergeant Wiggins auch mitgefahren?»

«Kann ich Ihnen nicht sagen. Sie sind zumindest zusammen aus dem Haus gegangen. Ihr Tee kommt sofort, Sir.» Bevor Wood sich wieder entfernte, fügte er nachdenklich hinzu: «Ein vielbeschäftigter Mann, dieser Inspektor Jury.»

Agathas Stimme klang erschreckenderweise so, als befände sie sich in dem Zimmer nebenan.

Wo sie auch, wie sie sagte, innerhalb der nächsten vierundzwanzig Stunden sein würde. Die gute, alte Teddy war ebenfalls von Sir Titus eingeladen worden. Sie würden sich also gemeinsam auf den Weg machen.

Natürlich hatte sie sich selbst eingeladen. Melrose wußte, daß er weder durch Argumente noch durch Beleidigungen oder Drohungen etwas erreichen würde. Sie würde sich einfach taub stellen. Er könnte sie zum Schweigen bringen, indem er sie totprügelte – nur war sie leider in York, und er war hier. Alles, was er tun konnte, war, sie zu überlisten.

«Wie nett», sagte er und schloß gequält die Augen. «Hör zu, Agatha, wenn du noch ein paar Tage warten könntest, dann würde ich vorbeikommen.» Er senkte die Stimme. «Du solltest nämlich noch etwas für Jury erledigen, etwas sehr Wichtiges. Er hat eigens um deine Hilfe gebeten.» Jury würde ihn umbringen.

Gespanntes Schweigen. Die Leitung vibrierte förmlich. Sie erinnerte ihn daran, daß sie immer bereit war, der Polizei zu helfen. Ob er denn vergessen hatte, wie hilfreich sie in Northants gewesen war?

Als Melrose schließlich wieder auflegte, hatte er keine Ahnung, mit welcher Aufgabe er Agatha in York betrauen sollte. Er würde sich jedoch noch etwas einfallen lassen.

Aber *ein* guter Gedanke war ihm beim Telefonieren gekommen. Als Wood wie ein schwarzer Schwan in sein Gesichtsfeld schwamm, fragte ihn Melrose, ob er auch ein Londoner Telefonbuch auftreiben könne. Wood meinte, er würde es ihm zusammen mit dem Vergrößerungsglas bringen.

«Ich habe mich eben sehr angeregt mit Ihrer Tante unterhalten», sagte Sir Titus Crael und klappte sein Whythe-Melville-Buch zu. «Hier ist Ihr Tee. Sie sind wohl ein ziemlicher Langschläfer, hmm?»

Mit einem starren Lächeln nahm Melrose den Tee entgegen. «Wie nett von Ihnen, Colonel, sie hierher einzuladen. Wie ungeheuer nett.»

«Melrose, Sie haben mir leider verschwiegen, daß sie ganz in unserer Nähe weilt. Von hier bis York sind es nur ein paar Stunden.»

Ist mir bekannt! dachte Melrose. Er rieb seine Goldrandbrille blank, stopfte sein Taschentuch wieder in die Tasche und ließ den Blick über die Ruinen von Rackmoor schweifen. Jemand wie Agatha konnte man einfach nicht hierher einladen, an einen Ort, der ein solches Kleinod war, daß er unter Denkmalschutz stand. Es war, als würde man eine Kuh auf die Treppen des Howard Castle stellen. Er ließ seine Augen im Zimmer umherschweifen, während er sich in Gedanken durch die Jahre mit Agatha quälte, und er fragte sich, warum ausgerechnet sie von seiner Familie übriggeblieben war. «Halten Sie denn den Zeitpunkt für so geeignet, Colonel?»

Sir Titus blickte ihn überrascht an: «Aber sie sagte doch, sie sei eine gute, alte Bekannte von Inspektor Jury. Sie hätten sogar schon einmal zusammengearbeitet, damals bei den Gasthofmorden in Ihrem Dorf in Northants. Davon haben Sie mir gar nichts erzählt, Melrose!»

Melrose lächelte matt. «Ich dachte, Sie hätten schon genug am Hals...» Er verstummte, während er hilfesuchend verschiedene Gegenstände fixierte und auf eine Eingebung wartete. Er könnte dem Colonel erzählen, sie hätte sich eine Erkältung zugezogen oder sie sei verschieden – was auch immer. Melroses Blick fiel auf eine Folge von Jagdszenen, die derjenigen im «Fuchs» sehr glich.

«Haben Sie die Jagd erwähnt, Sir Titus?»

«Hmm? Die Jagd, nein, hab ich nicht. Warum?»

Melrose schlug sich gegen die Stirn. «Ach, du meine Güte, das ist wirklich zu dumm. Agatha ist nämlich allergisch gegen Pferde.»

Fassungslos starrte ihn Sir Titus an. Melrose hätte ihm genausogut sagen können, seine Tante habe eine Geschlechtskrankheit.

«Ja. Sie braucht ein Pferd nur zu riechen, und schon kriegt sie einen Anfall.» Er zuckte die Achseln. «Wenn ich ihr erzähle, daß in drei Tagen hier eine Jagd stattfindet, wird sie es sich wohl wieder anders überlegen, befürchte ich. Mit Allergien ist das so eine Sache.»

Er hatte Agatha einmal auf Bouncer sitzen sehen: Wo Bouncer anfing und Agatha aufhörte, ließ sich von hinten nicht erkennen. Bouncer war sie jedoch schnell wieder losgeworden.

Wenn ihm das nur auch gelänge. Melrose seufzte und trank seinen Sherry.

Als er wieder auf seinem Zimmer war, nahm Melrose sich als erstes das Foto mit dem Backsteingebäude vor.

Zuerst dachte er, der weiße Fleck hinter der Frau sei ihr weißes Kleid, das sich in dem Fenster spiegelte. Als er aber das Vergrößerungsglas darüber hielt, erkannte er, daß es eine Gestalt in einem weißen Jackett war, ein Kellner wahrscheinlich. Auf dem Fenster, das unterhalb ihrer rechten Schulter endete, standen drei Buchstaben: A C E. War das ein Wort für sich oder nur der Teil eines Wortes? Er hielt das Vergrößerungsglas über die undefinierbaren Formen hinter dem Fenster. Laternen. Höchstwahrscheinlich diese Papierlaternen, die in billigen orientalischen Restaurants als Dekoration verwandt wurden. Das würde auch das weiße Jackett erklären. Und wie viele solcher Restaurants hatte das Gebäude auch diesen Lagerhaus-Charakter. A C E – es konnte alles bedeuten. Melrose schnappte sich das Londoner Telefonbuch, schlug die Seiten mit den Gaststätten auf, und der Mut verließ ihn. Es gab über hundert chinesische oder fernöstliche Restaurants. Als er aber die Spalten überflog, fiel ihm ein ziemlich häufiger Name auf: das Wort *Palace*. Er schaute auf das Foto. Möglicherweise waren die drei Buchstaben die letzte Silbe dieses Wortes.

Er ging noch einmal die Seiten mit den Restaurants durch und schrieb sich, angefangen mit «China Palace», alle Zusammensetzungen mit *Palace* heraus. Als er damit fertig war, hatte er ungefähr zwanzig Namen auf seiner Liste stehen, aber das war auf jeden Fall besser als einhundert.

Melrose klappte das Telefonbuch zu und überlegte sich, was zu machen war. Da Jury und Wiggins nicht da waren, sollte er die Fotos vielleicht Harkins unterbreiten. Aber Harkins konferierte, wie er gehört hatte, mit dem Polizeidirektor in Leeds.

Zum Teufel damit, er konnte ja zwei Fliegen mit einer Klappe schlagen: Er konnte selbst nach London fahren, New Scotland Yard die Beweisstücke übergeben, Jury bei der Suche nach jenem Palace-Restaurant behilflich sein und in York Zwischenstation machen, um sich durch irgendeinen schlauen Trick Agatha vom Hals zu schaffen. (Nicht allzu schlau, da es sich um Agatha drehte.) Er schaute auf die Uhr: noch nicht einmal ein Uhr. Er könnte in York noch zu Mittag essen oder schon seinen Tee einnehmen und um halb zehn oder zehn in London sein. Ohne sich beeilen zu müssen.

Melrose war zufrieden mit sich. Drei Fliegen auf einen Schlag. Oder vielmehr zwei Fliegen und einen Brummer.

22

Der Sherry Club war ein unauffälliges, cremefarbenes Gebäude mit einer glatten Fassade ganz in der Nähe von Shambles, im Schatten der Kathedrale. Sie hatten sich offensichtlich bemüht, alles zu vermeiden, was nach Reklame aussah. Nur ein kleines Messingschild rechts neben der eichenen Eingangstür wies auf den Club hin. Er hatte das Aussehen und die Funktion eines *Men's Club*, aber in seinem Speisesaal wurden inzwischen auch Frauen zugelassen, solange sie sich weiblich-diskret verhielten und lautlos bewegten (zumindest hatte man diesen Eindruck).

Nicht der geeignete Ort, sich mit Agatha zu treffen.

Melrose war wütend, daß er eine, wenn nicht gar zwei Stunden opfern mußte, um mit seiner Tante Tee zu trinken, aber er wußte, daß sie sehr viel umgänglicher war, wenn sie sich den Bauch vollgeschlagen hatte. Und dann war dieses Treffen ja nur ein kleines Opfer, wenn es ihm gelang, sie von Rackmoor fernzuhalten. Ganz zu schweigen von dieser Teddy.

Er hatte sich an einen Tisch bei einem der hohen Fenster gesetzt, um die Straße im Auge behalten zu können. Nicht, daß er scharf war auf diesen ersten Blick von seiner Tante, aber trotz seiner Anweisungen war sie durchaus in der Lage, vorbeizulaufen, denn der Sherry hatte den Club nicht gerade bekannt gemacht. Hier konnte er ans Fenster klopfen, falls es nötig sein sollte.

Er war absichtlich etwas früher gekommen, um sich die andern Gäste anschauen zu können, bevor sie auftauchte. So kurz nach der Lunchzeit war der Saal jedoch fast leer. An einem Tisch weiter hinten entdeckte er einen Mann und zwei Frauen; sie schieden aus. Außer ihnen gab es nur noch zwei weitere Personen, ein kleines, vogelartiges Männchen, das sich mit Gebäck vollstopfte, und einen anderen Mann, der für Melroses Zwecke schon eher in Frage kam: dunkler Anzug, Schirm und Melone wie ein Gardeoffizier. Er hatte habichtartige, starre Züge. Die Melone lag vor ihm auf dem Tisch; der fest zusammengerollte Schirm (der bestimmt noch nie geöffnet worden war) hing an dem Stuhl. Er las eine Zeitung.

Melrose winkte den Kellner heran. «Dieser Herr da drüben kommt mir sehr bekannt vor. Ich glaube, wir sind zusammen in Harrow gewesen, es liegt allerdings schon etwas zurück. Es ist doch Sir John Carruthers-White, nicht wahr?»

Der Kellner blickte in die Richtung des Gastes. «O nein, Sir. Das ist Mr. Todd, Sir. Er ißt immer bei uns zu Mittag, weil er von hier so rasch wieder in der Kathedrale ist.»

«Ist doch nicht zu fassen!» sagte Melrose und starrte ihn verblüfft an. «Er sieht Carruthers-White zum Verwechseln ähnlich. Die Kathedrale? Was hat Mr. Todd denn dort zu suchen?»

«Er macht die Führungen, Sir.» Der Kellner fegte mit seiner weißen Serviette ein paar imaginäre Krümel vom Tisch. «Sie ist sehr populär, die Kathedrale.»

Als wäre die Kathedrale von York eine neue Rock-Gruppe. «Kann ich mir vorstellen. Und macht Mr. Todd diese Führungen auch im Winter? Ich meine, zur Zeit?»

Der Kellner schien sich nicht zu fragen, warum Mr. Todd, der offensichtlich nicht dieser Carruthers-White war, immer noch Melroses Interesse erregte. «O ja. Heute nachmittag gibt es noch eine oder zwei Führungen. Ich glaube, so gegen drei.»

Er würde also nicht mehr lange bleiben. Verdammt, wo blieb Agatha? «Bitte decken Sie für zwei Personen.»

Der Kellner verschwand. Ein paar Minuten später tauchte er wieder mit seinem Tablett auf und stellte Kanne, Tassen und Kuchen auf den Tisch. Melrose entdeckte seine Tante. Sie stand vor dem Sherry Club und wirkte wie immer völlig fehl am Platz – wie von einem anderen Sonnensystem. Der Hut, den sie trug, verstärkte diesen Eindruck: eine wilde Mischung aus Violett und Blau mit einer langen, grünen Feder. Sie verschwand.

Und tauchte im Speisesaal wieder auf; der Kellner führte sie an den Tisch. Melrose blickte zu Todd hinüber; er hoffte nur, daß er nicht gerade jetzt, wo Agatha eingetroffen war, aufbrechen würde. Nein, er schien sich mit seiner Zeitung und seinem Kaffee für längere Zeit eingerichtet zu haben.

«Wie ich sehe, Melrose, hast du schon ohne mich angefangen.» Sie klappte den Deckel der silbernen Kanne hoch, spähte hinein und inspizierte dann die belegten Brote und den Kuchen. Sie stocherte mit dem Finger in jeder Platte herum und zählte dann laut auf, was sie entdeckte. «Hmm, keine Buttercremetörtchen.»

«An besserem Ort gibt es sie nicht, Agatha. Oder hast du etwa schon bei Fortnum welche gekriegt? Du wirst dich mit dem Gebäck begnügen müssen.»

Sie legte ihren schäbigen Fuchs ab und machte es sich bequem. «Hast du mich hierher beordert, um mit mir über Kuchen zu reden, Melrose? Du hast wohl wieder getrunken?»

Er wünschte, er hätte sich vor ihrem Treffen mit ein paar doppelten Brandys gestärkt. Mit ihr zu reden war schwieriger, als gegen einen Schwarm Karpfen anzuschwimmen. Sie leerte ihre erste Tasse Tee und verschlang ein mit Fischpastete bestrichenes Brot, das war jedoch nur der Anfang.

Melrose bestrich sich ein Brötchen. Eigentlich mochte er diese Brötchen mit den Fruchtstückchen obendrauf überhaupt nicht. «Ich – wir – wollten dich bitten, uns behilflich zu sein. Die Sache ist aber streng geheim.»

«Worum handelt es sich? Und wie geht es Jury? Warum ist er nicht mitgekommen? Der Ärmste wird auch immer in die entlegensten Gegenden geschickt. Ist er denn für London nicht gut genug?»

«Du weißt ganz genau, daß er gut genug ist. Er gehört zur Mordkommission. Es tut ihm aufrichtig leid, daß der Mord nicht in einem schickeren Viertel begangen wurde, in Belgravia oder Mayfair zum Beispiel. Ich dachte immer, du würdest Jury bewundern.»

«Oh, *bewundern*, das ist zuviel gesagt. Er ist schon ein ganz tüchtiger Bursche.» Sie ließ einen Klacks Schlagsahne auf ihr Törtchen fallen.

Offensichtlich empfand sie Jurys Fernbleiben als grobe Beleidigung.

«Agatha, da drüben links hinter dir sitzt ein Herr – nein, dreh dich nicht um, du machst ihn sonst auf dich aufmerksam!»

Sorgsam vermied sie es. Als sie ihr Törtchen gegessen hatte, knabberte sie an einem der Plätzchen herum, überlegte es sich dann aber plötzlich wieder anders, und wie ein unartiges Kind legte sie es auf den Teller zurück und nahm sich ein Stück Obsttorte. «Was ist mit ihm?»

«Ich glaube, er verfolgt mich. Hundertprozentig sicher bin ich mir natürlich nicht, aber – nein, dreh dich nicht um! Jury hält ihn für einen *Agent provocateur*.»

Agatha würde, um ihre Neugierde zu befriedigen, vor nichts zurückschrecken. Melrose schob sein Besteck hin und her und fuhr fort: «Ich – ah, das heißt Jury – wollte dich und Mrs. Harries-Stubbs bitten –»

«Teddy? Um was denn?»

«Ich muß gestehen, daß mir hier etwas ziemlich Peinliches passiert ist…» Sie lächelte, zufrieden, daß er endlich in Ungnade gefallen war. «Ein Aufbewahrungsschein ist verlorengegangen. Er war in meiner Brieftasche. Ich kann nicht verstehen, wie er rausfallen konnte. Aber ich weiß, daß ich ihn bei Teddy verloren haben muß, es ist mir nämlich gleich danach aufgefallen.»

«Für was ist der Zettel denn?»

Melrose erwog verschiedene Möglichkeiten und entschied sich für die Gepäckaufgabe von Victoria Station. Ließen die Leute nicht dauernd ihre Sachen dort stehen?

«Und was hat dieser Todd damit zu tun?»

«Mr. Todd interessiert sich ebenfalls für den Schein.» Melrose zündete sich so unbekümmert eine Zigarette an, als gebe es weit und breit keine Geheimagenten.

Agatha traten die Augen aus dem Kopf. «Ist er nicht gefährlich?»

«Ich denke nicht, schließlich hat er keine Ahnung, daß der Schein bei Teddy herumliegt.» Melrose lächelte strahlend. So konnte er sichergehen, daß sie das ganze Haus auf den Kopf stellen würden, bevor Mr. Todd sie heimsuchte. «Du und Teddy, ihr müßt alles gründlich durchsuchen. Man übersieht ihn leicht, weil er so klein ist.»

«Und wenn ihn die Putzfrau schon rausgefegt hat?»

Melrose starrte auf den Filter seiner Zigarette. «Dann müßt ihr in den Mülltonnen nachsehen.»

Als sie sich dagegen zu sträuben schien, legte er seine Hand auf ihre. Diese Geste war so ungewöhnlich für ihn, daß sie darauf starrte, als wäre ein Fisch auf ihrem Tisch gelandet. «Agatha, dieser Zettel ist verdammt wichtig. Du wirst mich – uns – doch nicht im Stich lassen?»

Sie ließ ein paar Krümel von ihrem Brötchen auf Melroses Ärmel fallen und sagte: «Na ja, was tut man nicht alles für alte Freunde…» Anscheinend kam sie überhaupt nicht auf die Idee, daß Jury die Polizei von ganz Yorkshire zur Verfügung stand, wenn er eine Hausdurchsuchung durchführen wollte. «Wann sehe ich ihn denn? Um Bericht zu erstatten?»

Ein klarer Fall von Erpressung. Vielleicht konnte er Jury dazu überreden, auf der Rückfahrt von London kurz bei ihr vorbeizuschauen. Eigentlich mußte ihm genausoviel daran gelegen sein, sich Agatha vom Leib zu halten. Nein, zum Teufel, es würde ihm überhaupt nichts ausmachen. Jury würde es schaffen, sie um den Finger zu wickeln und gleichzeitig zu ignorieren, ohne daß sie etwas merkte. Wo hatte er das nur gelernt? Percy Blythe fiel ihm wieder ein. «Jury wird mit mir zurückfahren. Morgen, übermorgen oder auch erst in drei Tagen.» Oder überhaupt nicht. Es war zwar nicht anzunehmen, daß Agatha die Kathedrale besichtigen würde, aber vielleicht sollte er diese Sache vorsichtshalber auch noch abklären. «Mr. Todd macht übrigens die Führungen in der Kathedrale. Um sich zu tarnen, spielt er den Fremdenführer.»

«Tatsächlich? Aber was hat dieser Todd denn überhaupt mit den Craels zu tun?»

Melrose hätte ihr einen ganzen Roman über Todd und die Craels erzählen können, aber er wollte so schnell wie möglich nach London. Und er sah auch, daß Todd seine Zeitung zusammenlegte und nach seinem Regenschirm tastete. Wenn Melrose Wert darauf legte, von ihm verfolgt zu werden, mußte er sich beeilen. Hinter vorgehaltener Hand sagte er zu Agatha, die sich gerade einen Brandy-Snap in den Mund schob: «Wenn wir jetzt gehen, können wir ihn vielleicht abschütteln, Agatha.»

Verdrossen antwortete sie: «Ich hab meinen Tee noch nicht ausgetrunken, aber wenn es unbedingt sein muß...» Er hakte sich bei ihr unter und half ihr hoch.

Als sie vor dem Sherry Club standen, versuchte Melrose etwas Zeit zu gewinnen und ließ seinen Wagenschlüssel fallen. Er beobachtete, wie sich die Tür hinter ihnen öffnete und Todd heraustrat. «Wir waren doch nicht schnell genug», flüsterte er. «Tu so, als würdest du ihn nicht sehen. Er muß dann weitergehen; er kann schlecht stehenbleiben und in den Himmel starren.»

Und wie Melrose vorausgesagt hatte, ging Mr. Todd völlig sorglos die Straße hinunter.

«Wirklich gerissen», sagte Agatha. «Man würde nie auf den Gedanken kommen, daß er dir folgt.» Beruhigend tätschelte sie den Arm ihres Neffen. «Vergiß nie, Melrose, wenn irgend etwas passieren sollte, Ardry End ist in guten Händen.»

Melrose blickte auf die plumpe Hand auf seinem Arm und zweifelte nicht an ihren Worten. Zwei von den Ringen seiner Mutter steckten bereits an ihren Fingern.

«Sehr anständig von dir, Tante.» Er tippte an seinen Hut.

Und alle drei – Melrose, Agatha und Mr. Todd – gingen ihrer Wege.

FÜNFTER TEIL

LIMEHOUSE BLUES

I

Jury fuhr erst einmal zu seiner Wohnung, um nach der Post zu sehen. Im Briefkasten lagen ein paar Rechnungen, diverse Prospekte und ein Brief von seiner Cousine aus den Potteries. Obwohl nur eine Cousine, war sie wie eine Schwester für ihn, woran sie ihn auch unaufhörlich erinnerte. Das Erinnern galt jedoch stets seinen brüderlichen, nie aber ihren schwesterlichen Pflichten.

Er riß den Umschlag auf und las den Brief, während er die zwei Treppen zu seiner Wohnung hinaufstieg. Wie üblich wurde sie von Alec, ihrem trunksüchtigen Ehemann, den Kindern, von der Geldnot und der vielen Arbeit fast an den Rand des Wahnsinns getrieben. Jury schaute auf den Poststempel. Der Brief hatte bereits drei Tage wimmernd im Kasten gelegen.

War er nur drei Tage weg gewesen? Müde streckte er sich aus. Er fühlte sich, als wäre er drei Wochen lang im Moor herumgelaufen. Er knipste die Schreibtischlampe an, besah sich das Durcheinander – angelesene Bücher, die über das ganze Wohnzimmer verstreut lagen, dazwischen gebrauchte Kaffeetassen – und hob das Telefon in den Schoß. Er saß in dem einzigen Sessel, den Kopf zurückgelehnt, und dachte über seine Cousine nach. Zugegeben, der Ehemann taugte nicht viel. Aber sie hatte ihn sich ja schließlich selbst ausgesucht, oder? Entscheiden wir nicht selbst über unser Leben, zumindest zum Teil? Warum müssen uns die Leute, die uns nahestehen, auch immer wieder mit Sachen überraschen, über die wir, wie über Möbelstücke im Dunkeln, stolpern und uns fragen: *Wer hat dich ausgerechnet da hingestellt?*

Unwillig nahm er den Hörer ab. Er wußte, es würde schon eine gute Viertelstunde in Anspruch nehmen, alle ihre Sorgen abzuhandeln. Der vielen Tränen wegen wurde daraus fast eine halbe Stunde. Er gab ihr schließlich den Rat, Ferien zu machen – eine Haushälterin zu engagieren und einfach für eine Woche wegzufahren, nach Blackpool oder anderswohin, das Geld dafür würde er ihr schicken. Als sie auflegte, klang sie beinahe fröhlich. Er wußte, er tat es nicht ihretwegen, sondern wegen ihrer Eltern. Sie hatten sich nach dem Krieg ihm gegenüber wirklich sehr anständig benommen, als sie ihn aus dem Heim holten und bei sich aufnahmen. Inzwischen waren beide tot. Und er dachte auch an ihre Kinder. Immer wenn sie mit den Nerven fertig war, mußten es die Kinder ausbaden. Er sah sie vor sich, eine Reihe blanker Gesichter. Das brachte seine Gedanken auf Bertie Makepiece. Er war überzeugt, daß Berties Mutter in London war. Jury zog den Briefumschlag, den er von Adrian bekommen hatte, aus der Tasche und prüfte den Absender: R. V. H., S. W. I. Die Initialen würden ihn nirgendwo hinführen; wer immer der Briefschreiber war, die Adresse war unvollständig. Möglicherweise eine Geschäftsadresse. Er schlug mit dem Briefumschlag gegen seinen Daumen und überlegte. Stand das «H» vielleicht für «Hotel»? Das würde man im Yard leicht feststellen können.

Er war gerade dabei, ein paar Zeilen an seine Cousine zu schreiben, als es ganz leise an der Tür klopfte; es klang, als wollte sich der Besuch im voraus entschuldigen. «Oh, Inspektor Jury.» – Es war Mrs. Wasserman. Sie trug noch ihren schwarzen Mantel und schwarzen Hut und hielt ihre Handtasche fest an die Brust gepreßt. Sie trug immer Schwarz. Mrs. Wasserman hatte nie aufgehört zu trauern. «Verzeihen Sie, Sie sind sicher erst gekommen, aber wissen Sie, was passiert ist?»

«Kommen Sie doch rein, Mrs. Wasserman.»

Zaghaft trat sie ins Zimmer, ihr Blick suchte die Ecken nach

Eindringlingen ab. «Ich bin auf dem Weg zu meiner Freundin, Mrs. Eton, Sie wissen schon. Auf alle Fälle, heute, vorhin, ist mir jemand den ganzen Weg von der Camden Passage gefolgt. Es war dieser Mann…»

Für Mrs. Wasserman waren die Straßen voller Gefahren. Überall lauerten sie wie geifernde Hunde hinter Gittern. Jury fragte sich, ob die Straßen sie wohl an das Niemandsland erinnerten, wo sie wie Vieh aus dem Eisenbahnwaggon heraus ins Lager getrieben worden waren. Die Angst, die sie damals empfand, mußte sich so tief in ihre Seele eingefressen haben, daß sie sich nie mehr, weder zeitlich noch räumlich, auf ihren realen Ursprung zurückführen ließ.

«Wie sah er denn aus?» fragte Jury. Er wußte, es wäre sinnlos, die Verfolgung in Zweifel zu ziehen, es würde ihr die Angst nicht nehmen. Er zog sein kleines Notizbuch aus der Tasche und zückte den Kugelschreiber.

Sie wirkte sofort ruhiger. Sie wollte lediglich ernst genommen werden. «Nicht sehr groß…» Sie machte eine andeutende Handbewegung. «Mager und ein Kopf wie ein Totenschädel; nah beieinanderliegende Augen – irgendwie gemein, wissen Sie. Er trug einen braunen Hut und Mantel.»

Während sie ihn aufmerksam betrachtete, schrieb Jury alles sorgfältig mit. «Es dürfte nicht schwer sein, ihn zu finden. Wir behalten alle Taschendiebe im Auge, die in der Passage arbeiten.» Mrs. Wasserman liebte es, in die Passage zu gehen und die Verkaufstische nach besonders preiswerten Sachen durchzuwühlen, die sie aber nie fand.

«Haben Sie irgend etwas gekauft? Ihr Geld gezeigt?»

«Nur das…», sie öffnete ihre Tasche und zeigte Jury einen kleinen, in einem Papiertaschentuch eingeschlagenen Ring. Wie zu erwarten, war es ein Trauerring, in dem sich eine Haarlocke befand. Aber sehr hübsch.

«Ich habe mit einer Zehnpfundnote gezahlt.»

«Nun, Sie kennen ja diese Langfinger und Taschendiebe. Sie sehen einen Geldschein, und schon glauben sie, auf eine Goldader gestoßen zu sein.» Jury steckte sein Notizbuch weg. «Machen Sie sich keine Sorgen, wir finden ihn schon. Haben Sie ihn früher schon mal gesehen?» Sie schüttelte energisch den Kopf. «Die Camden Passage zieht viele kleine Ganoven an. Meistens sind sie aber ganz harmlos.»

«Die Straßen sind heutzutage nicht mehr sicher, Mr. Jury», sagte sie und drückte mit ihren kleinen beringten Fingern die Tasche eng an sich. «Nichts ist mehr sicher.» Ihre dunklen Augen waren wie schwarze Trauerperlen.

Die Angst, die sie ergriffen hatte, als sie jung und hübsch war, hatte sich auch in ihr breitgemacht und hielt sie nun für immer gefangen, dachte Jury.

«Denken Sie nicht mehr daran, Mrs. Wasserman. Ich würde mir an Ihrer Stelle einen dieser Geldgurte zulegen. Sie müßten dann keine Geldbörse mehr tragen, wenn Sie einkaufen gehen. Diese Gurte sind so gemacht, daß Sie sie unter dem Rock an ihrem Hüftband befestigen können. Es ist ganz einfach. Oder Sie könnten einen nehmen, der in ein Strumpfband eingearbeitet ist, und ihn am Schenkel tragen. Dann werden Sie natürlich noch andere Probleme als nur Taschendiebe haben, wenn Sie zahlen wollen.» Er zwinkerte ihr zu.

Sie schüttelte sich vor Lachen. «Bei meinen Beinen, Inspektor? Voller Krampfadern. Ich habe schon daran gedacht, sie entfernen zu lassen. Nein, Inspektor, meine Beine will niemand sehen, darüber mache ich mir keine Sorgen.»

Jury lächelte. «Haben Sie die Trillerpfeife, die ich Ihnen gab, mitgenommen? Haben Sie die dabeigehabt?» Sie errötete und schlug die Augen nieder. «Ich gebe zu, ich habe sie vergessen. Es war aber sehr nett von Ihnen, sie mir zu geben.»

«Aber das macht doch nichts. Nehmen Sie sie das nächste Mal mit. Ich muß jetzt weg. Wollen Sie zur Angel Station?»

«Ja. Ich will auch dorthin. Mrs. Eton wohnt in Chalk Farm.» Josie Thwaite wohnte in Kentish Town. «Das trifft sich ja gut, Mrs. Wasserman. Ich muß nach Kentish Town, das ist nur eine Station weiter. Sie bekommen eine Polizeieskorte.»

«Oh, Mr. Jury, das ist wirklich wunderbar!» Ihre Hände, die die schwarze Tasche umklammert hielten, entkrampften sich sichtlich.

2

Die Tür, die mit einer Kette gesichert war, öffnete sich einen Spalt. Die Augen, die ihn durch den Türspalt fragend anschauten, waren von einem sanften verletzlichen Braun. Jury nahm an, sie gehörten Josie Thwaite.

«Miss Thwaite? Ich bin Inspektor Jury von…»

Die Art, wie sie tief Luft holte, ließ ihn innehalten. «Sie kommen wohl wegen dem ‹Anfänger›-Schild.»

«Nein. Ich möchte Ihnen nur ein paar Fragen stellen. Wegen Ihrer Freundin Gemma Temple.»

«Oh, Verzeihung!» Die Tür ging kurz zu, als sie die Kette löste. Dann machte sie sie weit auf, wobei sie ihre langen, schwarzen Haare von der Schulter nach hinten schob. Der weiße Pullover, den sie trug, betonte ihre mageren Schultern. Als sie zurücktrat und ihn mit einer Handbewegung zum Eintreten aufforderte, sah er, daß sie überhaupt mager war. Sie hielt sich auch ein wenig krumm. Ihre Haltung, ihr Blick, ihre Stimme – alles an ihr wirkte wie eine Entschuldigung. Ein trauriges Wesen.

Offenbar jedoch nicht wegen ihrer Mitbewohnerin, denn sie kam ohne Umschweife zur Sache. «Sehen Sie, Gemma hat meinen Wagen geborgt, weil sie ihr Anfänger-Schild erst vor kurzem bekommen hatte. Sie wollte unbedingt diesen Ausflug machen, sagte aber nicht wohin und hatte Angst, mit ihrem Schild in eine Kontrolle zu geraten.» Sie bemerkte, daß Jury noch stand, sagte: «Oh, entschuldigen Sie!» und bedeutete ihm, auf einem quadratischen Etwas von einem Sessel Platz zu nehmen. Der Überzug jagte ihm kalte Schauer über den Rücken. «Und so kam es, daß man meinen Wagen dort fand.»

«In Rackmoor. In Yorkshire.»

«Ja, richtig. Vor zwei Tagen war auch ein Polizist aus Yorkshire hier. Sie sind also nicht der erste.»

Jury mußte lächeln. Es klang, als habe sie den Verlust ihrer Unschuld eingestanden. Er zog das Bild, das ihm Harkins gegeben hatte, aus der Tasche. «Ist das Gemma Temple?»

«Ja, das könnte sie sein. Obwohl da zuviel Sonne im Gesicht ist. Doch, das ist Gemma.»

Jury nahm den Schnappschuß wieder an sich. «Sie sagten, Sie wüßten kaum was über ihre Vergangenheit, nur daß sie mal eine Familie namens Rainey erwähnt hat.»

«Das stimmt. Ich glaube, sie hat sie ein paarmal besucht, als sie bei mir wohnte.»

«Wie haben Sie Gemma kennengelernt?»

«Durch eine Annonce. Ich brauchte jemanden, mit dem ich die Miete teilen konnte.» Sie blickte unsicher um sich. «Obwohl die Wohnung nicht so groß ist, nur dieses Zimmer hier und ein Schlafzimmer, aber immerhin besser als nur ein Wohnschlafzimmer, das müssen Sie zugeben.»

«Sie ist viel besser als meine. Zigarette?» Er reichte ihr seine Schachtel.

Sie war offenbar keine starke Raucherin, denn sie schaute das Päckchen an, als wäre es eine exotische Vogelart. Schließlich nahm sie sich vorsichtig eine Zigarette, beugte sich ebenso vorsichtig vor und schob mit der einen Hand ihre Haare zurück, um sie vor dem Feuer, das Jury ihr anbot, zu schützen. Dann lehnte sie sich zurück und blies zaghaft kleine Rauchwölkchen in die Luft, wobei sie die Zigarette zwischen Daumen und Zeigefinger hielt. Sie sah inzwischen ganz entspannt aus, als hätte sie eine Opiumpfeife geraucht; kreuzte ihre Beine und wippte mit dem Fuß, der in einem pelzgefütterten Pantoffel steckte. Das Bild von einem kleinen Mädchen, das mit Mamas Make-up und Zigaretten spielt, war perfekt.

«Also, sie kam auf Ihre Annon...»

«Ja.»

«Sagen Sie, haben Sie Gemma gemocht? Sind Sie gut miteinander ausgekommen?»

Sie sah ihn an und wandte den Blick wieder ab. «Nun, wir hatten keine Streitigkeiten in dem Sinne, wenn Sie das meinen, aber ich mochte sie nicht besonders. Und sie war, wenn es um sie selber ging, nicht sehr gesprächig. Ich hätte Referenzen von ihr verlangen müssen, nicht wahr?» Aus großen Augen blickte sie Jury entschuldigend an, als könnte er sie wegen ihrer Dummheit bestrafen.

«Nachträglich ist man immer schlauer, Josie. Auf diese Weise habe ich schon Hunderte von Fällen gelöst. Glauben Sie, Gemma Temple hatte überhaupt Referenzen vorzuweisen, oder war sie eine von denen, die so in den Tag hinein leben?»

Sie beugte sich etwas vor und senkte die Stimme, als hätte sie Angst, ihre Mama könnte jede Minute um die Ecke kommen und entdecken, daß sie hinter der Scheune rauchte und über Dinge redete, über die man nicht spricht. «Ich würde sagen, in den Tag hinein leben ist viel zu nett ausgedrückt. Sie brachte Männer herauf. Und soweit ich weiß, nicht zweimal denselben. Ich lag da drin im Bett und hörte alles…» Josie lehnte sich zurück. Sie schien darüber nicht empört, sondern einfach nur fassungslos zu sein. «Tatsache ist, daß Gemma mir sagte, sie sei Schauspielerin. Ich glaube aber, daß sie höchstens mal eine winzige Rolle in einem dieser Theater gehabt hat, die eigentlich nur eine Lagerhalle sind, wo die Stühle vor jeder Vorstellung erst aufgestellt werden. Also keineswegs was Großartiges. Gemma hat auch nie wirklich gearbeitet. Aber von Zeit zu Zeit bekam sie Geld…»

«Sie wollen sagen, sie ging anschaffen? Richtig?»

Josie nickte und konzentrierte sich erneut auf die Glut ihrer Zigarette, als versuche sie, Routine zu bekommen.

«Sagte sie nie etwas über ihre Vergangenheit?»

Sie schüttelte den Kopf.

«Warum haben Sie ihr dann Ihren Wagen gegeben, wenn Sie ihr nicht trauten?»

Sie ging sofort in die Defensive. «Nun, ihr Wagen war ja so viel besser, nicht wahr? Und sie schrieb mir auch so eine Art Quittung aus. Darin steht, daß ich, wenn mit meinem irgend etwas passiert, ihren haben kann. Es ist der gelbe, der vor der Tür steht, aber ich vermute, den werden sie mir jetzt wegnehmen.» Ihr Ton verriet, daß das Verschwinden Gemmas sie weniger bekümmerte als die Aussicht, den Wagen zu verlieren.

«Woher hatte sie eigentlich das Geld für den Wagen?»

Josie lächelte schief. «Wenn Sie's mir verraten, werden wir's beide wissen. Wahrscheinlich von einem dieser Kerle.»

«Haben Sie je einen von ihnen getroffen?»

«Nur auf der Treppe, wenn ich zur Arbeit ging. Einmal auch hier. Am hellichten Tag, stellen Sie sich vor!» Ja, am hellichten Tag war es immer sündhafter. «Und immer einen anderen. Ich war schon soweit, sie zu bitten, sich eine andere Bleibe zu suchen.»

«Sie haben keinen Namen gehört? Von jemandem, den ich nach ihr fragen könnte?»

Bekümmert meinte sie: «Nein, tut mir leid. Ich hab nie einen Namen mitgekriegt.»

«Das ist doch nicht Ihre Schuld.» Jury stand auf. «Wo arbeiten Sie?»

«In der Wäscherei an der Ecke.» Sie stand mit dem Gesicht zur Tür und blickte zu Jury auf, als bedaure sie, daß er schon wegging. Sie schlang die Arme um sich, als friere sie, und sagte: «Also dann, auf Wiedersehn. Glauben Sie, die können mir wegen des Wagens was anhängen? Ich meine, weil ich ihr erlaubt habe, damit zu fahren?»

Er gab ihr seine Karte. «Niemand wird Ihnen was tun, Josie. Wenn jemand hier auftaucht, rufen Sie mich einfach an. Aber ich bezweifle, daß jemand kommen wird. Sie haben schließlich kein Verbrechen begangen.»

Sie war sichtlich erleichtert. Sie lächelte, und ihre kleinen, weißen Zähne glänzten beinahe in der Dunkelheit. Er bemerkte das mit großer Genugtuung – zumindest hatte sie diesen einen netten Zug, der ihr über die Runden helfen würde. «Also, gute Nacht, Josie.»

Fehlanzeige, dachte er, als er wieder allein vor dem Wohnblock stand. Er schaute nach rechts und links die Straße entlang und entdeckte an der Ecke den Pub «Three Tuns». Er war unentschieden, ob er sich ein Bier genehmigen oder in Richtung Haltestelle Chalk Farm weitergehen sollte, um auf Mrs. Wasserman zu warten, der er versprochen hatte, sie dort abzuholen. Es war erst Viertel nach zehn, also noch viel zu früh. Nach einem Glas würde er sicher besser schlafen. Er warf seine Zigarette in den Rinnstein. Und in diesem Augenblick sah er im trüben Licht der Straßenlampe den kleinen schmutziggelben Wagen.

Ich bin vielleicht ein Arschloch, sagte er sich, während er das Anfänger-Schild anstarrte. Die ganze Zeit war von diesem Schild die Rede gewesen, und er war nicht darauf gekommen.

3

Melrose Plant hatte nicht die leiseste Ahnung, wie er noch sechs weitere chinesische Restaurants schaffen sollte. Seine Anstrengungen in den Lokalen von Soho und Kensington brachten ihm nichts weiter ein als Sodbrennen, und es war ein Irrtum gewesen, zu glauben, im Preis einer Mahlzeit seien auch irgendwelche Informationen inbegriffen. Hatte er der Bedienung das Bild Gemma Temples gezeigt, erntete er bloß unverständliche Blicke (sie gaben überdies vor, kein Englisch zu verstehen). Es war bereits nach elf, doch er wollte vor dem Schlafengehen noch einen letzten Versuch machen. Er gab sich einen Ruck, stieg an der Haltestelle Aldgate East aus und ging in Richtung Limehouse.

Er fand das Restaurant «Sun Palace» in einer heruntergekommenen Seitenstraße, in der die Sonne höchstwahrscheinlich nie zu sehen war. Das Lokal war nicht sehr groß, es hatte ein einfaches Glasfenster zur Straße hin und jenes gußeiserne Geländer, vor dem Gemma Temple posiert hatte. Die abgeblätterte Goldfarbe ergab den Schriftzug: SUN PALACE. Es war geschlossen.

Melrose Plant seufzte. Er schaute sich um, doch weit und breit war kein Mensch zu sehen. Er ging die Straße hinauf, in der Hoffnung, jemandem zu begegnen, der das Restaurant kannte.

«Hallo, Süßer!» sagte eine Stimme, doch sie klang nicht übermäßig enthusiastisch. «Ein kleiner Ausflug in die Slums?» Sie gehörte einer jungen, ganz attraktiven Dame –, wie jung, war schwer zu sagen. Im grellen Lichtkegel der Straßenlampe erschienen ihre bemalten Lippen schwarz und ihr Gesicht wie eine leblose Maske. Sie saß auf einer Treppe, die zu einem derart kleinen Haus hinaufführte, daß an der Fassade, außer der verschrammten Tür mit dem Oberlicht, nur noch ein Fensterschlitz Platz hatte. Das Gebäude stand eingekeilt zwischen einem Schlüsseldienst und einem anderen, ganz ähnlichen Haus. Beide Häuser schienen

195

einst ein Gebäude gewesen zu sein, das man vor längerer Zeit in der Mitte durchgetrennt hatte. Zusammen hätten sie ein normales Backsteingebäude ergeben. Sie ähnelten sich wie Spiegelbilder, und Melrose wäre nicht erstaunt gewesen, das Duplikat des Mädchens rechts nebenan auf der Treppe sitzend vorzufinden.

Er blieb stehen, stützte sich auf das niedrige, halb verwitterte steinerne Treppengeländer, an das sich das Mädchen mit dem Rücken anlehnte. Sie saß auf einer Stufe, das eine Bein angewinkelt, das andere ausgestreckt, ihre hautengen Jeans zur Schau stellend, Jeans, die in nackten Fesseln und Pfennigabsätzen ausliefen. Darüber trug sie eine ziemlich locker sitzende Strickjacke; die Ärmel waren hochgekrempelt, die oberen vier Knöpfe waren offen, und der Ausschnitt war tief heruntergezogen. Ihre Kleider klebten an ihr wie ein Badeanzug. Sie hätte nur die Stöckelschuhe aus- und eine Badekappe überziehen müssen, um für eine Kanaldurchquerung gerüstet zu sein. Die Kappe wäre eigentlich nicht nötig, denn sie würde nur die schönen Shirley-Temple-Locken verbergen. Ihre Haare waren seidig braun, ganz natürlich – ihre eigenen, er verstand etwas davon. Sie wirkten wie ein Überbleibsel aus ihrer Kindheit, wie etwas, was sie nicht bändigen, nicht in sich auslöschen konnte. Es war merkwürdig, dieser Haarschopf ließ alles übrige an ihr – die Pose, das ganze Sexgehabe – wie eine Verirrung erscheinen, während das kleine Mädchen wie Phönix aus der Limehouse-Asche stieg.

«Ich heiß Betsy», sagte sie, stand auf, wischte ihre Pobacken ab, drehte sich um und stieg die Hüften wiegend die Treppe hoch. Er blieb stehen. Als sie merkte, daß er ihr nicht folgte, machte sie eine ungeduldige Handbewegung. «Na, komm schon, Schatz!»

Melrose folgte ihr.

Hinter der Tür befand sich ein langer, dunkler Flur, der mit altem Linoleum – verwelkte Rosen auf grauem Hintergrund – ausgelegt war. Von der Decke hing an einer langen Schnur eine Birne mit einem fliegenverdreckten Schirm. Er fragte sich, ob sich hinter den Türen, die rechts und links abgingen, noch weitere Betsys verbargen. Eine Tür ging auf, eine rote Haarmähne erschien, erfaßte, was vorging, und verschwand wieder.

Betsy führte ihn in das erste Zimmer links; in ebendas mit dem hohen, schmalen Fenster. Es blickte auf ein Lagerhaus. Wie zu erwarten, wurde das Zimmer von einem enormen Bett beherrscht. Melrose verschlug es den Atem – eine Antiquität, Tudor oder Renaissance, ein Himmelbett mit Intarsieneinlagen. Außer dem Bett gab es noch einen Toilettentisch mit einem dreiteiligen Spiegel, von dem die hellgrüne Farbe teilweise abblätterte, eine Kommode nicht identifizierbarer Herkunft und einen einzigen, bemalten Stuhl. Auf der schmuddeligen Tapete krochen kleine gebundene Sträußchen auf und ab, als wollten sie längst verblaßte Erinnerungen an Blumenmädchen wachrufen.

Mit der einen Hand schloß sie die Tür, die andere streckte sie mechanisch nach ihm aus – ohne Zweifel, um etwas zu entfernen. «Warum nimmst du deine Brille nicht ab? Du hast hübsche Augen, grün wie eine Flasche Abbot.»

Er glaubte nicht recht, daß das zur Routine gehörte – Komplimente waren hier wohl kaum notwendig. Sie lächelte ein wenig, was ihre Kindlichkeit nur betonte: Sie hatte ganz kleine Zähne, von denen einer fehlte.

Als er ihre Hand beiseite schob (wohl wissend, daß sie ihm nach der Brille auch noch andere Sachen abnehmen würde), zuckte sie mit den Schultern und wandte sich ab. «Mach dir's bequem.» Sie warf sich aufs Bett und begann, an ihren Jeans zu zerren. Ihr Blick verfinsterte sich, was nicht ihm, sondern den Jeans galt, die an ihrem Körper klebten. Es war klar, daß sie sich hinlegen mußte, um sie überhaupt ausziehen zu können. «Komm her, Schatz, hilf mir aus den verdammten Hosen raus.» Sie hatte sie bereits so weit runter, daß er ihr geblümtes Bikinihöschen sehen konnte.

«Betsy, wäre es möglich, daß wir uns unterhalten?»

«Unterhalten?» Sie hörte mit dem Gezerre auf und sah ihn an, als finde sie die Idee ganz neu und ziemlich ausgefallen. «Über was denn?» Sie kämpfte ungeduldig weiter mit ihren Hosen: Sie brauchte beim Jeans-Ausziehen genauso Hilfe wie John Wayne beim Umgang mit seinen Stiefeln. Melrose fragte sich, ob sie das je allein schaffte; aber das muß sie wohl auch nie, dachte er dann.

«Ich suche jemanden.»

Uninteressiert zuckte sie die Achseln, gab die Sache mit den Hosen auf und wandte sich den Knöpfen ihrer Jacke zu. «Tun wir das nicht alle?»

Ihre metaphorische Auslegung dieser nüchternen Feststellung verblüffte ihn. Er zog sein Zigarettenetui heraus und bot ihr eine Zigarette an.

Sie schüttelte ihre Locken und begann ihre Strickjacke wie ein kleines Kind mit zusammengezogenen Augenbrauen aufzuknöpfen. Es war klar, daß Betsy, einmal in Fahrt geraten, nicht mehr zu halten war. Aber er war mehr an Informationen als an Betsy interessiert. Er war in seinem Leben nur wenigen faszinierenden Frauen begegnet, Frauen, die intelligent und interessant waren. Die meisten waren bestenfalls reizvoll, so wie Betsy, die jetzt mit den Knöpfen beinahe fertig war und versuchte, sich der Strickjacke zu entledigen, wobei ihre Shirley-Temple-Locken in Aufruhr gerieten. Es war ein schwieriges Unternehmen, da ihre Jeans sie wie in einer Zwangsjacke festhielten. Unter der Jacke trug sie einen Mini-BH, geblümt wie ihr Slip. Einer der Träger wurde von einer Sicherheitsnadel festgehalten. Ihn überkam ein Gefühl der Trostlosigkeit – er wußte nicht, warum.

Als ihre Hände nach hinten langten, um den BH zu lösen, sagte er: «Lassen Sie das, Betsy!»

Sie wandte ihm ihr jungenhaftes Gesicht zu: «Bist du schwul, oder was? Willst nur zugucken? Bist du so eine Art Wojer?»

Melrose nahm an, sie meinte Voyeur. «Schon möglich», sagte er und zog den Schnappschuß, den er aus Julian Craels Zimmer entwendet hatte, zusammen mit einer Zehnpfundnote aus seiner Brieftasche. Er reichte ihr beides. «Ich will wirklich nur eine Information haben.»

Sie schaute erst ihn, dann das Geld an. Sie lächelte, und ihr abgebrochener Zahn wurde sichtbar. «Arm sind wir nicht gerade, was? Und feine Klamotten hast du auch.» Sie stopfte das Geld in ihren BH. Ihre Augen verengten sich: «Verflixt! Bist du ein Polyp?» Sie kämpfte wie wild mit ihren Jeans, um sie wieder hochzukriegen.

«Nein. Sehen Sie sich das Bild an. Haben Sie diese Frau je in den «Sun Palace» reingehen oder rauskommen sehen?»

Sie schüttelte ihre Locken und schaute sich das Bild genau an. «Ein Luxusfummel, was? Sieht teuer aus.»

«Das Kleid ist teuer, die Dame aber nicht.»

«Ist sie im Gewerbe?»

Melrose rauchte, den Ellbogen auf das Knie gestützt. «Würde mich nicht wundern.»

Geistesabwesend spielte Betsy mit einer Locke und drehte sie zu einem Korkenzieher um ihren Finger. «Sieht ein bißchen überkandidelt aus, wenn Sie mich fragen.»

«Das sind nur die Kleider, Betsy.»

Sie blickte ihm in die Augen. «Klingt nett, wie Sie meinen Namen sagen.»

«Wie viele Möglichkeiten gibt es denn, ihn zu sagen?»

Sie zog die Schultern hoch. «Die meisten sagen ihn gar nicht.» Sie lehnte sich zurück, noch immer ohne Strickjacke, und merkte gar nicht, daß die Träger des BHs herunterrutschten und ihre Brüste freilegten. Sie hatte jedes Interesse an dem Foto verloren. Statt dessen schien sie ihm gleich ihre Lebensgeschichte erzählen zu wollen.

Er kam ihr zuvor: «Vielleicht weiß eine andere etwas – ich nehme an, es gibt hier noch andere?»

«Sie sind aber hartnäckig», sagte sie, ohne zu lächeln. Sie schob die Träger des BHs hoch und schwang ihre Beine, die jetzt wieder in den Jeans steckten, vom Bett. «Soll ich rumfragen?»

«Ich wäre Ihnen sehr dankbar. Zeigen Sie das Bild herum, vielleicht erkennt sie jemand wieder.»

Betsy gähnte. Er fügte noch hinzu: «Für denjenigen, der über sie was herausfindet – wer sie ist und wo sie gelebt hat –, ist ein Fünfziger drin.»

Das brachte sie schnellstens auf die Beine: «Ein Fuffziger? Heiliger Strohsack! Bin gleich zurück.» Sie wackelte kokett mit den Hüften. «Gehen Sie ja nicht weg.»

Er hätte auch kaum dafür Zeit gehabt. Fünf Minuten später hörte er ein Geschnatter an der Tür. Drei andere, alle größer als Betsy, standen davor: die Rothaarige, eine Afrikanerin mit langen, lila Ohrringen und eine Dicke, die ihre vierzig Lenze schon längst überschritten hatte. Alle trugen kimonoartige Wickelkleider, als hätten sie gerade ihren Bühnenauftritt hinter sich. Und alle fingen gleichzeitig an zu reden. Aber der Dicken gelang es, sich durchzusetzen.

«Ich hab sie gesehen», sagte sie, als sie sich nach Atem ringend auf dem Bett niederließ und einen ihrer fetten Schenkel hochzog.

Dabei kam ein Strumpf zum Vorschein, der unter dem Knie zu einem Wulst gerollt war und von einem Strumpfband gehalten wurde. «Ich kann nicht behaupten, daß ich sie kenne, aber ich hab sie gesehen.»

«Wo?»

Die Dicke nahm eine gebleichte Haarsträhne zwischen ihre kirschroten Lippen und kaute sichtlich angestrengt darauf. «Ich muß nachdenken.»

Das, dachte Melrose, mußte an sich schon anstrengend sein. Sie schnalzte mit ihren Wurstfingern. «Das war im ‹Sun...›» Sie schlug sich mit der Hand auf den Mund. Dann setzte sie ein geziertes Lächeln auf und fragte: «Krieg ich den Fuffziger, wenn ich Ihnen sage, wer sie kennt?»

«Fünfundzwanzig», sagte Melrose. «Und die Person, die etwas über sie weiß, bekommt die restlichen fünfundzwanzig. Das ist doch fair.»

Aber weder die Schwarze noch der Rotschopf fanden das – sie schienen zu glauben, daß sie allein durch ihre Verbindung zu der Dicken eine Belohnung verdient hätten. Er gab beiden eine Fünfpfundnote, und ihre Gesichter leuchteten auf. Die Dicke nahm ihre fünfundzwanzig Pfund und stopfte sie in den Wulst ihres Strumpfes. «Jane Yang kennt sie. Sie arbeitet im Restaurant. Da hab ich die hier auch gesehen. Als Bedienung im ‹Sun Palace›. Kann sein, daß sie auch auf den Strich geht, weiß ich aber nicht genau. Aber Jane Yang kann's Ihnen sagen.»

Melrose stand auf. «Ich danke Ihnen. Was kann ich Miss Yang sagen, wer hat mich geschickt?»

«Sagen Sie einfach die dicke Bertha, dann weiß sie Bescheid.»

«Dicke Bertha. In Ordnung, danke.» Die Mädchen standen alle an der Tür herum. Zu Betsy sagte er: «Ist das Ihr Bett?» Er griff nach seinem Spazierstock mit dem Silberknauf und schob seinen Mantel zurecht.

Sie schaute verdutzt. «Ich hab doch drauf gelegen, oder? Ja, es ist meins.»

«Ich meine, gehört es Ihnen?»

«Nein, der Wirtin.»

Melrose konnte sich vorstellen, wovon die Wirtin lebte. «Denken Sie, sie würde es verkaufen?»

«Sicher, die würde ihre Großmutter verkaufen, wenn sie eine hätte.»

«Was glauben Sie, wieviel sie verlangen würde?»

«Wieso, wollen Sie's haben? Für fünfzig bis sechzig hat sie's mir schon angeboten.»

«Nein, ich will es nicht. Aber wenn Sie fünfzig aufbringen können, kaufen Sie es, Betsy.» Er zog seine Visitenkarte hervor, schrieb einen Namen auf die Rückseite und gab sie ihr. «Dann rufen Sie diesen Herrn an und lassen es schätzen. Ich weiß es zwar nicht genau, aber ich glaube, daß Sie leicht tausend dafür bekommen können.»

Ihre großen Augen wurden noch größer. «Wollen Sie mich auf 'n Arm nehmen?» Er schüttelte den Kopf. «Heiliger Strohsack!» Die Mädchen standen an der Tür Spalier, als er an ihnen vorbeiging. Betsy schlang ihre Arme um ihn und küßte ihn. Die anderen kicherten.

4

Das Klingeln des Telefons vermischte sich in Jurys Traum mit dem traurigen Wehklagen des Whitby Bull. Als er die Augen endlich aufbekam und zum Fenster sah, wunderte er sich, warum draußen kein Nebel war. Er tastete nach dem Telefon neben seinem Bett.

«London hat Glück.» Die Stimme Chief Superintendent Racers tönte aus der Muschel. «Sie sind zurück, die Frage ist nur, warum Sie noch immer nicht hier sind, um Bericht zu erstatten. Wenn Sergeant Wiggins nicht wäre, der sich Gott sei Dank nicht nur die Nase putzt, sondern gelegentlich auch hier anruft, hätte ich keine Ahnung, wo Sie sich rumtreiben.»

Jurys Wecker auf dem Nachttisch zeigte zehn Minuten vor acht. War Racer schon so früh im Büro? Jury nahm die Uhr und schüttelte sie. «Ich muß nach Lewisham, Sir...»

«Von mir aus können Sie nach Lewisham oder auch zur Hölle gehen, Jury, aber vorher kommen Sie hierher. Ich will, daß Sie innerhalb der nächsten Stunde hier auftauchen. Machen Sie sich also auf die Socken.» Das Telefon verstummte.

5

Fiona Clingmore war eine blasse Blondine, die Schwarz bevorzugte. Heute trug sie einen engen, schwarzen Pullover, der in einem engen, schwarzen Rock steckte. Sie war Racers Sekretärin und Mädchen für alles. Jury hoffte nur, daß sie nicht auch für anderes mißbraucht wurde.

Fiona lebte in den vierziger Jahren. Sie wirkte wie eine Figur aus einem alten Theaterstück, die sich auf eine moderne Bühne verirrt hatte. Jedesmal, wenn er sie ansah – ihre altmodische Frisur, ihre rot nachgezogenen Lippen, ihre Pillbox-Hüte, die sie mit Vorliebe trug –, überkam Jury ein nostalgisches Gefühl, das er sich nicht ganz erklären konnte. Ein paarmal schon hatte er Fiona zum Essen ausgeführt und dabei insgeheim gehofft, daß etwas von dieser Vergangenheit auf ihn abfärben würde. Immer wenn er die Rede auf den Krieg brachte, tat sie so, als hätte sie keine Erinnerungen daran, dennoch vermutete er, daß sie älter war als er. Einmal, als sie ihre Brieftasche herausgenommen hatte, sah er zwischen Kreditkarten und anderen Fotos das alte Bild eines gutaussehenden jungen Mannes in Fliegeruniform. Er hatte sie gefragt, ob das jener Joe sei, von dem sie immer sprach; hochrot im Gesicht hatte sie geantwortet, es sei ein Freund ihrer Mutter. Für Fiona wäre er jedenfalls viel zu alt.

Jury fragte sich, ob Fiona vielleicht nicht doch in zwei verschiedenen Welten lebte. Ob die Sachen, die sie trug, vielleicht gar nicht der letzte Schrei aus der Carnaby Street waren, sondern wirklich noch aus jener Zeit stammten: Kleider, die damals eingemottet worden waren.

«Wie läuft's mit der Arbeit, Fiona?» fragte Jury, während er ihr die Zigarette anzündete.

«Mich haben schon Bessere rumgejagt als der da.»

«Das glaub ich Ihnen gern.» Jury nahm einen Briefumschlag aus der Tasche und gab ihn ihr: «Bitte, finden Sie heraus, was diese Initialen bedeuten. Es könnte ein Hotel in S. W. I. sein.»

«Für Sie tue ich doch alles», sagte Fiona und überreichte ihm einen beigen Briefumschlag.

«Was ist das?»

Fiona, die damit beschäftigt war, ihre Fingernägel sorgfältig zu feilen, zuckte mit den Achseln. «Woher soll ich das wissen? Einer von den diensthabenden Polizisten brachte ihn herauf. Er sagte, er sei gestern nacht abgegeben worden, war irgend so ein feiner Pinkel in einem teuren Schlitten, der meinte, daß da unten ein öffentlicher Parkplatz ist, und beinahe Ärger bekam. Der Polizist sagte ihm, daß er abhauen soll…»

Jury riß den Umschlag auf, zog das Notizblatt heraus und bückte sich nach dem Foto, das auf den Boden gefallen war. Er achtete nicht weiter auf Fionas Geplapper, sondern las:

«Lieber Inspektor Jury,
ich hoffe, der Inhalt wird Sie interessieren – ich fand es in Julian Craels Zimmer. Ich hoffe auch, Sie haben nichts dagegen, wenn ich das andere zwecks weiterer Nachforschungen behalte. Sie und Wiggins waren offensichtlich schon auf dem Weg nach London, noch bevor ich Sie erreichen konnte. Aber so hatte ich die Möglichkeit, in York haltzumachen, um Agatha zu treffen: Sie werden sicher erfreut sein, zu erfahren, daß sie nun für Sie arbeitet. Sie gibt einen ausgezeichneten Maulwurf ab. Ich werde im ‹Connaught› sein und dachte, daß wir uns dort später treffen könnten, um gemeinsam nach Rackmoor zurückzufahren. Ich habe einen sehr schnellen Wagen.

Plant.»

Jury betrachtete aufmerksam das Bild. Es konnte ein Foto von Gemma Temple sein – oder eins von Dillys March? –, aber eines, das erst vor kurzem aufgenommen worden war, keines aus einem alten Fotoalbum. Er nahm an, Plant hatte sich dieselbe Frage gestellt: Was hatte das Bild in Craels Zimmer zu suchen?

«Ein schönes Durcheinander», sagte Superintendent Racer, nachdem Jury den Rackmoor-Fall geschildert hatte. Die Bemerkung war nicht Ausdruck seines Mitgefühls, sondern eher die Unterstellung, Jury sei für das Durcheinander verantwortlich. «Warum zum Teufel sind Sie nicht in diesem gottverlassenen Nest und kümmern sich um die Sache? Was haben Sie eigentlich hier in London verloren?»

«Ich sagte es doch. Ich muß Erkundigungen einziehen…»

Racer, die Arme ausgebreitet, schaute ihn mit gespieltem Entsetzen an: «Merkwürdig, ich hätte schwören können, daß wir hier eine ganze Polizeieinheit haben, alle möglichen Leute, die Erkundigungen einziehen können.» Seine Miene veränderte sich, auf seiner Stirn traten wieder die bekannten Furchen zutage. «Wenn schon jemand nach London kommen mußte, warum haben Sie dann nicht Wiggins geschickt?» Jury suchte nach einem Grund. «Ich brauchte ihn dort, es gab da was, worauf er sich besser verstand.»

Racer wieherte. «Es gibt nichts, worauf sich Wiggins besser versteht als ein anderer, Sie eingeschlossen, Jury.» Racer setzte ein mörderisches Lächeln auf, als hätte er nur gescherzt.

Mit unschuldiger Miene fragte Jury: «Warum geben Sie ihn mir dann immer mit? Sie müssen ja denken, daß ein Blinder den Blinden führt?»

Obwohl Jury geschworen hatte, sich in keinerlei Wortgefecht mit Racer einzulassen, brachte der ihn doch immer wieder so weit, daß er seinen Schwur brach.

«Er steht doch noch in der Ausbildung, oder? Ich nehme an, Sie sind der Ansicht, einer Ihrer Kollegen sollte Sergeant Wiggins erdulden, wollen Sie das sagen? Immer nur die anderen, was?»

Racers verquere Logik war auf ihre Weise so perfekt wie der tadellose Schnitt seines Anzugs aus der Savile Row. «Einzelgänger zu sein ist nicht gut, Jury. Ein Polizist muß im Team arbeiten. Sie wissen, meine Politik ist, zwei Männer bei jeder Ermittlung. Wie würde es in diesem Land aussehen, wenn die Premierministerin überall selbst hinrennen würde, statt einen Untergebenen zu schicken.»

«Ich wußte gar nicht, daß Sie mich so hoch einschätzen», sagte Jury und lächelte.

«Sehr witzig!» Racer spuckte einen Tabakrest aus. «So meine ich das nicht, aber Sie spielen sich ganz schön auf, nicht? Zu dumm, daß Sie nicht mehr Ehrgeiz haben.»

Jury ahnte, woher der Spruch über den Ehrgeiz kam. «Ist noch mal über meine Beförderung gesprochen worden?»

«Ja, der Vize hat Sie erwähnt.» Es klang neidisch.

Jury machte sich nicht die Mühe zu lächeln. Als Racer, die Daumen in die Westentasche gesteckt, von seinem Schreibtisch aufsah, wußte Jury, daß jetzt der Vortrag kam. Die Abrechnung. Racer würde in blumigen und klischeegeschwängerten Worten Jurys gesamte Laufbahn bis ins kleinste analysieren. Er fing damit an, daß er um seinen Schreibtisch herumwanderte, wobei die rote Nelke in seinem Knopfloch bei jedem seiner federnden Schritte erzitterte.

Während Racer sich endlos über Jurys Schwächen ausließ, starrte Jury aus dem Fenster und über die verrußten Schornsteine hinweg, zwischen den hohen Gebäuden hindurch, wie durch einen Tunnel, an dessen Ende ein kleines Stück von der Themse zu sehen war. Der Himmel war taubengrau, und ein paar Schneeflocken schmolzen auf der Scheibe.

«...Geben Sie auf, Jury, wenn Sie keine Beförderung anstreben.» Er hielt in seiner Wanderung inne und bedachte Jury mit einem dünnen Lächeln. «Oder haben Sie kalte Füße bekommen, liegt es daran?»

Jury hatte keine Lust, darauf einzugehen. «Ich werde es tun. Irgendwann mal.»

«Irgendwann mal? Irgendwann mal? Warum nicht jetzt? Wenn ich an Ihrer Stelle wäre...»

Er tönte weiter. Jury nahm an, daß dieses fürsorgliche Gerede Racer im Grunde nur als Vorwand diente, über seine eigene, ziemlich steile Karriere zu sprechen. Es gelang ihm immer, sie hier und da noch aufzupolieren, indem er sie mit Jurys verglich. Racer schien zu vermuten, daß Jury sich vor einer Schlappe fürchtete; Jury war jedoch nur seiner eigenen Unschlüssigkeit wegen noch nicht vor dem Beförderungsausschuß erschienen.

Der Vortrag über Jurys Karriere war ein jährliches – vor einiger Zeit noch halbjährliches – Ritual. Es war vielleicht ein wenig abartig, aber Jury genoß Racers Verhalten. Es faszinierte ihn, welch übertriebene Bedeutung Racer diesem Thema, über das er so gerne sprach, beimaß. Die schwierige Balance zwischen Wort und Handlung hielt Racer beinahe tänzelnd. Wie ein Mann, der ein Ziergitter hochsteigt und immer neue Löcher für Zehen und Fingerspitzen im Ornament findet. Seit der Vizekommissar sich um Jurys Zukunft kümmerte, mußte Racer immer neue Gründe finden, dagegen anzugehen. Warum er das tat, war aber nicht einfach mit Rachsucht zu erklären. Jury fragte sich manchmal, ob Racer in ihm nicht sein jüngeres Ebenbild sah, ein unbeschriebenes Blatt, auf dem er seine Fehler vermerkte, um sich ihrer zu entledigen.

Racer sprach noch immer, während er im Raum auf und ab ging. Über seiner buntkarierten Weste erblühte, wie eine seltene Blume, eine Krawatte, in der eine Saphirnadel steckte. Das verschönte aber nur seine Kleidung. Woher er nur das Geld hatte? Jury erinnerte sich, gehört zu haben, daß Racers Frau vermögend war. Racer blieb vor einem Gemälde stehen. Es war eins der beiden schlechten Bilder, die er aus Regierungsbeständen erstanden hatte; eine erbärmliche Skizze von Westminster Bridge. Mit dem Rücken zu Jury fing er an, alle Fälle aufzuzählen, die Jury im Laufe der Zeit bearbeitet hatte; bei einem Fall, den Jury vor Jahren verpfuscht hatte, hielt er sich besonders lange auf. Das war so seine Art: Er brütete über Jurys Fehlern, als wären sie Gemälde, die er mit Muße bis in alle Einzelheiten untersuchte.

«...Ich wäre Ihnen also sehr verbunden, wenn Sie mir Bericht erstatten würden. Sie brauchen nur den Hörer abzuheben und zu wählen.»

Racer machte mit dem Zeigefinger eine kleine Kreisbewegung in der Luft. «Es ist ganz einfach. Sie werden nie Superintendent werden, wenn Sie die Spielregeln der Teamarbeit nicht einhalten, Jury.»

Jury verließ Racers erfrischende Gesellschaft und suchte Fiona Clingmore auf, die gerade dabei war, sich ihren schwarzen Hut aufzusetzen. Ihr schwarzer Mantel lag neben ihr auf dem Schreibtisch. «Hier, das habe ich für Sie rausgekriegt.» Sie nahm einen Block vom Tisch, riß ein Blatt ab und reichte es Jury. «Royal Victoria Hotel. In Victoria.»

«Fiona, Sie sind wunderbar! Ich würde Sie zum Lunch einladen, aber ich muß noch ein paar Leute aufsuchen.»

Sie winkte ihn mit verschwörerischer Miene und gekrümmtem Finger zu sich und sagte dann: «Eigentlich sollte ich darüber nicht sprechen, aber der Vize und der Super haben sich vor ein paar Tagen Ihretwegen ziemlich gestritten.»

«Sehr schmeichelhaft.»

«Sie wissen, Sie werden zum Superintendent befördert.»

«Ich wäre da nicht so sicher.» Jury nahm einen Schluck von Fionas bitterem Kaffee und setzte die Tasse wieder ab.

«Diesmal ist es anders. Sie hätten schon längst befördert werden sollen, das weiß doch jeder. Ich muß sagen, ich finde, es ist eine Schande, wie er sich Ihnen in den Weg stellt.» Sie zeigte mit dem Daumen zu Racers Tür. «Alle reden darüber.» Sie schloß ihre Tasche mit einem energischen «Klick» und legte sie samt ihrem Arm auf den schwarzen Mantel. «Ja, ich habe sogar jemanden sagen gehört, Sie sollten Commander werden. Komisch…»

«Was ist komisch?»

Sie zuckte die Achseln. «Es scheint Sie so gar nicht zu kümmern.»

Jury blickte auf ihren Arm. Die weiße Haut hob sich gegen den schwarzen Wollstoff ihres Mantels ab.

«Das mag schon sein», war alles, was er sagte.

6

Die Raineys wohnten in einer winzigen Maisonettewohnung in Lewisham, in einer Straße, die reichlich hochtrabend Kingsman's Close hieß. Lewisham war ein ziemlich heruntergekommener, lauter Stadtteil, aber Jury hatte diesen Teil Londons auf der anderen Seite der Themse schon immer gemocht. Auf dem Weg dorthin kam man durch Greenwich und Blackheath mit ihren vielen Grünflächen und Bäumen – und dem Schnee im Winter.

Der Efeu an der Vordertür, der sich mühsam einen Weg nach oben bahnte, sah nicht gerade gesund aus. Die Tür wurde auf sein Klopfen hin schließlich von einem sechs- oder siebenjährigen Jungen mit verschmiertem Gesicht geöffnet. «Meine Mami ist nicht da!» verkündete er und schlug die Tür wieder zu.

Jury klopfte erneut und hörte jemand rufen: «Gerrard! Wer war das?» Nach einigem Hin und Her wurde die Tür von einer jungen Frau aufgerissen, die mit ihrer freien Hand das Kind verprügelte. «Du ungezogener Junge!»

«Ich bin Inspektor Jury von der Kriminalpolizei.» Sie schaute seinen Ausweis an, als verspüre sie ein unstillbares Verlangen auf alles Lesbare. «Ich möchte zu Mrs. Rainey.»

«Also, ich gehör dazu», sagte sie, blähte ihre Backen auf und strich sich die braunen Haare aus dem Gesicht. «Aber ich vermute, Sie wollen zu Mama. Zu meiner Schwiegermutter, Gwen. Aber Gwen ist heute nicht da. Sie ist ins Kino gegangen. Kommen Sie doch rein.» Sie wischte sich ihre rauhen, roten Hände an ihrer Schürze ab, hielt mit der einen Hand die Tür auf und schlug mit der anderen nach den Fingern ihres Sohnes, der, während er Jury anstarrte, unentwegt in der Nase bohrte.

«Mama sagte mir, daß vorgestern schon mal ein Polizist hier war.» Sie schaute sich ratlos in dem kleinen vollgestopften Wohnzimmer nach einer Sitzgelegenheit für Jury um. Die Couch war von einem großen Wäschekorb besetzt. Eine Katze sprang vom Korb herunter und strich genüßlich um die vielen Beine. Gerrard gab der Katze einen Fußtritt und bekam einen zweiten Klaps. Jury nahm an, daß Mutter und Sohn sich auf diese Art meistens verständigten.

«Wir könnten vielleicht in die Küche gehen? Wenn die Zwillinge aufwachen, ist es hier wie im Irrenhaus.»

Sie schliefen in einem Laufstall hinter der Couch. Gerrard tat sein Bestes, sie wieder aufzuwecken, indem er mit einem Stock auf die Sofakissen einschlug. «Hör damit auf!» Er bekam von seiner Mutter eine Ohrfeige. «Kommen Sie», sagte sie freundlich zu Jury. Wahrscheinlich war sie für jede Abwechslung dankbar.

Jury folgte ihr in die Küche, mit Gerrard im Schlepptau, der aus vollem Hals brüllte: «Mami, du hast versprochen, mir ein Brot zu machen!»

Jury faßte ihn an den Trägern seines Overalls. «Du bist verhaftet, alter Junge.»

Das Heulen schlug in Gekicher um. Die jüngere Mrs. Rainey drehte sich um und schenkte Jury einen etwas dümmlichen, aber sehr dankbaren Blick dafür, daß er sich des Kindes annahm. Er fand, sie könne ein wenig Hilfe gebrauchen.

Während das Wohnzimmer wie ein Schlachtfeld aussah, strahlte die Küche – vermutlich der einzige Ort, an den sie sich zurückziehen konnte – vor Sauberkeit. Auf dem Küchenbord standen ein Glas Marmite, Brotscheiben und eine Biskuitrolle als Lunch für den Jungen. Während sie den Tee aufgoß, bestrich Jury eine Brotscheibe und schob sie dem Jungen ohne viel Getue einfach in den Mund. Gerrard würgte und kicherte wieder. Er schien es ulkig zu finden, von einem Fremden und noch dazu von einem Polizisten so hart angefaßt zu werden.

Mrs. Rainey drückte Jury einen Becher Tee mit viel Milch in die Hand. «Ach, übrigens, ich heiße Angela. Sie kommen wegen Gemma, nicht wahr? Der andere Polizist, der hier war, hat Mama irrsinnig viele Fragen gestellt.»

«Ja, es tut mir wirklich leid, daß ich Sie noch einmal belästige, aber ich dachte, vielleicht ist Ihrer Schwiegermutter oder Ihnen noch etwas eingefallen, was uns weiterhelfen könnte.»

Angela Rainey schüttelte den Kopf. «Wirklich, ich glaube, da war nichts weiter. Glauben Sie mir, wir haben es zigmal durchgesprochen. Wissen Sie, Gwen meinte, daß ihr erst jetzt, nachdem das alles passiert ist, auffällt, wie wenig sie eigentlich über Gemma Temple wußte. Ich weiß auch nicht viel mehr, und ich glaube, ich habe sie besser gekannt als Mama. Wissen Sie, Gemma und ich waren ungefähr im selben Alter. Wir wohnten Tür an Tür. Ich meine, vor Jahren, als wir noch alle in Dulwich wohnten.»

Gerrard brüllte: «Ich will Schoko in die Milch!», und seine Mutter ging zum Kühlschrank, nahm eine Flasche und eine kleine Dose mit Hershey-Schokolade heraus.

«Hat Gemma Temple denn nie über die Zeit gesprochen, bevor sie als Au-pair-Mädchen zu Ihnen kam?»

Angela schüttelte den Kopf, als sie Gerrards Hand von der Biskuitrolle schlug. «Sie sagte, sie sei bei einer alten Tante aufgewachsen, und die wäre tot. Danach war sie für eine Weile im Heim. Aber wir können uns an den Namen nicht erinnern. Wenn es überhaupt stimmt…»

Gerrard, dem es mal mit Geheul, mal mit Gejuchze gelungen war, den Geräuschpegel aufrechtzuerhalten, sah, daß seine Mühen nicht gebührend beachtet wurden; er gab auf und schlief ein. Sein Kinn sank auf seine Brust.

«Wie alt war sie, als sie zu den Raineys kam?»

Angela dachte nach. «Ich würde sagen, knapp neunzehn.»

«Was war mit ihrem Geburtstag?»

«Geburtstag?»

«Ja, hat sie ihn nie gefeiert?»

«Komisch. Ich glaube nicht, daß sie das tat. Komisch, ich kann mich nicht daran erinnern, daß überhaupt von ihrem Geburtstag die Rede war.»

«Nie von Verwandten gesprochen?»

«Nein. Sie sagte, sie sei Waise.»

«Auch Waisen haben eine Vergangenheit.»

«Nicht Gemma. Glauben Sie mir, das hat mich auch gewundert. Gemma war sehr verschwiegen.»

«Gab es denn etwas Ungewöhnliches, etwas, woran man sich erinnert? Ich meine, besondere Gewohnheiten, auffälliges Verhalten, Neigungen, Abneigungen – diese Art Dinge.»

Angela schaute Jury über den Rand ihrer Tasse an. «Nur Männer. Es schien, ihre einzige ‹Neigung› waren die Männer. Glauben Sie, es gab in ihrer Vergangenheit etwas, weshalb sie umgebracht wurde?»

«Ja, das könnte schon sein. Treffen – trafen Sie sich mit ihr?»

«Ja, sie kam ein- bis zweimal im Jahr vorbei. Vor einem Monat war sie noch hier. Wir haben recht nett geplaudert. Gemma bildete sich ein, sie sei Schauspielerin, und sie hatte gerade eine kleine Rolle in einem Stück ergattert. Das war noch im Sommer. Es war das letzte Mal, daß ich sie sah. Arme Gemma.»

«Und die Männer. Haben Sie welche gekannt?» Angela schüttelte den Kopf. «Etwas anderes: Konnte sie fahren?» Angela sah verwirrt aus. «Ich meine, hatte sie einen Führerschein?»

«Ah ja, jetzt, wo Sie das fragen, fällt es mir ein: Nein, sie konnte nicht fahren. Das alles ist so komisch. Die ganze Zeit, während sie hier war, hat sie nicht fahren gelernt. Aber es hieß doch, sie hätten ihren Wagen gefunden, oder?»

«Ja.»

Angela schaute zum Küchenbord und knallte ihre Tasse auf den Tisch. «Nun sieh dir das an! Willst du wohl! Wo ist meine Biskuitrolle geblieben?»

Gerrards Mund war verschmiert mit Schokolade; er tat, als würde er schlafen, und versuchte, nicht zu lachen.

Als nach einer gewaltigen Ohrfeige ein noch gewaltigeres Geschrei einsetzte, verabschiedete sich Jury und verließ das Haus.

7

Victor Merchent saß ohne Jackett, nur in Unterhemd und Hosenträger, da und streichelte abwechselnd seinen Bauch und seinen Hund, als wäre der eine die Fortsetzung des anderen. Der Hund lag ausgestreckt auf den Kacheln vor dem Kamin, in dem elektrische Holzscheite glühten. Um Victor Merchents Füße, die in Hausschuhen steckten, waren die Seiten der *Times* drapiert. Er selbst war in die Wetterergebnisse vertieft.

Fanny Merchent saß aufrecht in der Mitte der Couch. Sie schien für die Unterbrechung der täglichen Routine empfänglicher zu sein als ihr Ehemann.

Das Wohnzimmer in der Ebury Street war – genau wie Victor – vollgestopft. Die Einrichtung war ein Sammelsurium von Stilmöbeln und modernen Einrichtungsgegenständen schlimmster Art; nicht die leiseste Spur von dem üblichen Chintz-Charme englischer Wohnzimmer. Zudem war Mrs. Merchent eine Liebhaberin von Nippes. Diverse Mitbringsel aus Brighton, Weston-super-Mare, Blackpool und aus anderen Badeorten der Mittelklasse füllten Fensterbretter und Regale. Seemuscheln, gerahmte

Erinnerungsfotos und Alben, sentimentale Relikte eines langen Lebens, überfluteten alle Tische. Den Kaminsims über dem schlafenden Hund zierten unzählige Porzellanfigürchen.

«Sie fragten nach dem Sohn meiner Schwester, Inspektor. Olive war kurz vor Weihnachten hier. Sie trägt ihr Kreuz wie eine aufrechte Christin.»

Jury tat so, als wäre das Interesse an der Mutter rein nebensächlich und der ausschließliche Grund seines Besuches, einige Informationen über Olive Mannings Sohn zu bekommen.

Victor Merchent blickte von der Wettliste auf: «Ist sie nicht immer um Weihnachten hier?» Seine Unterlippe schob sich vor, und seine Mundwinkel verzogen sich nach unten, um zu zeigen, was er von Olives Besuchen hielt.

«Aber Vic, ich bitte dich! Wenn ich mir deine Familie ansehe!»

«Von denen lebt keiner auf Kosten der anderen, gib's zu, mein Schatz!» Er nahm wieder seine Zeitung auf. «Und wo bleibt mein Tee?»

«Kannst du nicht fünf Minuten warten, Vic?»

«Ich will meinen Tee zur gewohnten Zeit haben.» Er blickte Jury mürrisch an.

«Sie sagten eben, Inspektor…»

«Der Sohn Ihrer Schwester ist in einer Anstalt?»

Bevor die arme Frau antworten konnte, schaltete sich ihr Mann ein: «Irrenanstalt. Der ist ja nicht ganz dicht.» Er stupste sich gegen die Stirn.

«Vic, das ist wirklich nicht nett. Er ist schließlich dein Neffe.»

«Ein angeheirateter.» Sein Blick ließ keinen Zweifel daran, daß derartige Krankheiten nur in ihrer Familie lagen.

Zu Jury sagte sie: «Es war eine Tragödie. Der Junge hatte vor langer Zeit mal einen Nervenzusammenbruch. Olive kommt mehrmals im Jahr hierher, um ihn zu besuchen. Eine unglaublich teure Anstalt, aber sie will es nicht anders. Leo bekommt die beste Behandlung, die es gibt.»

«Das muß Mrs. Mannings Geldbeutel ganz schön belasten.»

Das war für Victor das Stichwort, sich erneut einzuschalten: «Unseren Geldbeutel. Unsere liebe Verwandte, die meint, was

Besseres zu sein, kommt hierher, ißt unser Essen, trinkt unseren Whisky.» Victors Augen wanderten zu einem kleinen Schrank neben dem Fenster. «Nehmen Sie ein Schlückchen, Inspektor?» Mit Daumen und Zeigefinger deutete er seiner Frau an, wie winzig das Schlückchen sein würde. Diese unerwartet freundliche Geste diente offensichtlich dazu, selbst in den Genuß eines Schlückchens zu kommen. Lehnte er den Drink ab, würde Victor seine Mitarbeit aufkündigen. «Danke, ich nehme einen. Aber wirklich nur einen kleinen.»

Victor grinste. «Ich leiste Ihnen Gesellschaft. Ich sage immer, allein trinken ist nix.» Er erhob sich, ging zum Schränkchen und machte die untere Tür auf. «Wie steht's mit dir, Mutter? Ein Glas Sherry vielleicht?»

Ihre Miene zeigte, daß sie einen Drink zu so früher Stunde nicht billigen konnte. Sie schüttelte den Kopf. Als Victor Merchent mit der Flasche und den Gläsern zurückkam, wurde er fast freundlich. Ermunternd sagte er zu Jury: «Schießen Sie los, Inspektor. Sie sagten eben, daß Leo...» Er drückte Jury ein Glas in die Hand.

«Wie dachte Mrs. Manning über die Craels? Ich meine, damals?»

«Ich fürchte, ich habe Ihre Frage nicht verstanden», sagte Fanny.

«Fangen wir doch mit deren Mündel an. Vielleicht erinnern Sie sich noch an das Mädchen. Dillys March. Sie ist offenbar vor fünfzehn Jahren weggelaufen.»

«Die!» zischte Fanny. «Natürlich erinnere ich mich an sie. Olive hat das Mädchen *gehaßt*. Wissen Sie, sie gab ihr die Schuld an allem, was mit Leo passiert ist.»

«Wer ist diese Dillys March, wenn sie nicht gerade von zu Hause wegläuft?» fragte Victor, während er mürrisch sein bereits leeres Glas und die Flasche musterte, als würde er sich fragen, ob er sich noch einen Drink genehmigen dürfte.

«Oh, aber du erinnerst dich doch, Vic. Olive sprach doch über nichts anderes damals, als Leo das erste Mal Schwierigkeiten bekam.»

«Ich kümmere mich nicht um die Angelegenheiten dieser

Frau. Wenn man *mich* fragt, so war Leo noch nie richtig im Kopf», sagte Victor und wandte sich wieder den Wetterergebnissen zu.

«Möglicherweise gab sie den Craels die Hauptschuld», warf Jury ein.

«Ja, ich glaube, so war es. Sie war der Meinung, sie hätten das Mädchen nie ins Haus nehmen dürfen.» Es mußte Fanny Merchent plötzlich klargeworden sein, daß dieser Punkt doch eher etwas mit Olive als mit Leo zu tun hatte. Jury sah die Frage in ihren Augen, noch bevor sie sie aussprach. «Warum fragen Sie Olive nicht selbst danach?» sagte sie und richtete sich steif auf.

«Ich würde es gern tun, Mrs. Merchent», antwortete Jury und schenkte ihr ein entwaffnendes Lächeln. «Nur bin ich im Moment in London, und sie ist in Yorkshire. Als ich in der Gegend von Victoria herumlief, fiel mir wieder ein, daß sie hier ab und zu ihre Schwester besucht...» Jury zuckte mit den Schultern. Er dachte, wenn Polizisten sich wirklich nur so ziellos und gleichgültig verhalten würden, hätten sie viel zu tun.

Sein Gleichmut schien Fanny bereits zu beruhigen. Sie war offensichtlich nicht abgeneigt, über diese Angelegenheit zu reden. «Ich verstehe. Also, wie ich schon sagte, Olive war sehr erbost, daß die Craels diese Dillys zu sich nahmen. Sie sagte, das Mädchen hätte von Anfang an nichts als Ärger gemacht und sie trauere ihr nicht nach. Obwohl es Sir Titus fast das Herz brach. Der arme Mann. Wissen Sie, er hatte schon seine Frau und seinen Sohn verloren.»

Jury nickte. «Was hat Dillys sich denn geleistet? Was meinte Ihre Schwester?»

«Wohl Männergeschichten. Sie war noch sehr jung, wissen Sie. Und sie war hinterlistig. ‹Eine kleine Schlange›, sagte Olive immer.»

«War sie vielleicht eifersüchtig auf den Platz, den das Mädchen einnahm?»

Fanny Merchent schloß diese Möglichkeit nicht aus. «Ich weiß es nicht. Aber Olive ist schon eine merkwürdige Person –»

«Du sagst es», schnaufte Victor. «Sie hat ’ne Menge Geld, aber kommt hierher und lebt auf unsere Kosten. Mir gegenüber ist sie hochnäsig. Ich möchte wissen, wieso. Wer, glaubt sie eigentlich, wer sie ist, verflucht noch mal? Eine Haushälterin, weiter nichts.»

Und er goß sich einen zweiten Drink ein, als wolle er damit Olive Manning herausfordern.

«Das ist doch kein Grund, ihr böse zu sein. Bei all dem Kummer, den sie hat –»

«Kummer! Ich sage dir, was Kummer ist, meine Liebe. Schau nur mich an, was man mit mir gemacht hat…»

Noch bevor Victor in Selbstmitleid versinken konnte, sagte Jury: «Während Mrs. Manning bei Ihnen war, ist doch nichts geschehen, was sie hätte aufregen können, oder? Wirkte sie verändert?» Jury, der eine verneinende Antwort erwartet hatte, war ganz erstaunt, als Fanny sagte: «Ja, es gab da etwas. Das war nach dem Anruf. Erinnerst du dich, Vic, du bist einmal rangegangen. Das war der zweite Anruf.» Sie streckte ihre Hand aus und klopfte mit den Fingernägeln gegen die Zeitung, um seine Aufmerksamkeit zu erregen. Er antwortete nicht. Er starrte wie gebannt auf die Flasche, als ob ihr in jedem Moment ein Geist entsteigen könnte.

«Was war das für ein Anruf?»

Sie sah düster von ihrem Mann zur Whiskyflasche und wandte sich dann zu Jury. «Irgendeine Frau hatte angerufen. Die Stimme war mir nicht bekannt, und ich war erstaunt, daß jemand Olive sprechen wollte. Soviel ich weiß, kennt sie hier doch niemanden. Zuerst dachte ich, es sei das Krankenhaus. Aber sie reagierte in einer Weise, daß es jemand anders sein mußte. Nach einer Weile nahm sie den Apparat mit ins Nebenzimmer und schloß die Tür.» Fanny Merchent ließ erkennen, daß sie Geheimnisse zwischen Schwestern mißbilligte. «Danach war sie ganz aufgedreht. Zwei Wochen lang ging das so. Angespannt irgendwie, aber aufgeregt, wissen Sie. Sie fing an auszugehen. Nicht ins Krankenhaus, dahin bin ich gewöhnlich mitgegangen. Sie ging woandershin, und das jeden Tag ungefähr zur gleichen Zeit. Als ich sie darauf ansprach, hat sie mich damit abgespeist, daß sie Einkäufe machen müsse. Sie wollte nicht, daß ich mitkomme.»

«Sie erwähnten zwei Anrufe.»

«Richtig. Das zweite Mal hat Vic abgenommen. Er sagte nur, jemand wolle Olive sprechen und was Olive sich denn dächte, ob das hier eine Pension sei oder was und ob er dazu da sei, für sie Anrufe entgegenzunehmen und überhaupt.»

Victor Merchent hob die Flasche, die die ganze Zeit in seinem Schoß gelegen hatte, und goß sich einen weiteren Drink ein. Da er Jury als Vorwand nicht mehr benötigte, hatte er auch aufgehört, ihn in das Ritual mit einzubeziehen. «Sie benahm sich wie im Hotel. In einem gottverdammten Hotel.» Plötzlich veränderte sich sein Gesichtsausdruck. Er sah erstaunt aus, als sei ihm plötzlich ein Licht aufgegangen. Er starrte mit leerem Blick in die Luft, wie ein seniler alter Mann, an dem glasklare Bilder aus längst vergangenen Zeiten vorbeiziehen. «Das war's also; ein Hotel. Es war jemand, der von einem Hotel aus anrief, denn als ich sagte, Olive sei nicht da, bat sie darum, sie solle sie im Hotel ‹Sawry› zurückrufen.»

Seine Frau schnalzte mit der Zunge. «Das hast du mir nie erzählt, Vic.»

«Du hast mich nie danach gefragt, oder?» sagte er und leerte hastig sein Glas.

8

Jane Yang war ein feines, zierlich gebautes Mädchen. Sie trug ein türkisfarbenes Kleid mit Stehkragen. Ihre schwarzen Haare lagen wie ein Helm um ihren Kopf. Als Melrose das ‹Sun Palace› betrat, stand sie an der Kasse hinter dem Tresen. Es war noch nicht Mittag, aber das kleine, enge Restaurant war bereits voll. Mürrisch dreinblickende Kellner mit Tabletts voller Speisen unter silbernen Warmhalteglocken hasteten zwischen den Tischen hindurch und gingen durch die Schwingtüren, die zur Küche führten, ein und aus. Von der Atmosphäre konnte die Beliebtheit des Lokals nicht herrühren, also mußte es am Essen liegen. Geheimnisvolle Gewürzmischungen erfüllten die Luft.

Melrose stellte sich in die Schlange hinter das halbe Dutzend

Leute, die ihre Rechnungen bezahlen wollten. Als er an die Reihe kam, hielt er dem Mädchen eine Zwanzigpfundnote und das Foto hin. «Sie sind Jane Yang? Die dicke Bertha sagte mir, Sie würden die Frau auf dem Bild vielleicht kennen.»

Miss Yang sah verwirrt aus: Wäre es nicht ratsam, dieses Geschäft und die zahlenden Gäste auseinanderzuhalten? Aber sie behielt den Geldschein in der Hand.

Ein stämmiger Mann hinter Melrose seufzte: «Mach schon, Kumpel. Wir sind hier nicht bei der Blumenschau von Kew Gardens.» Mit dem Zahnstocher führte er zwischen seinen Zähnen geradezu akrobatische Bewegungen aus.

«Könnten Sie dort drüben warten?» sagte Miss Yang entschuldigend. «Ich bin gerade sehr beschäftigt.»

Melrose ignorierte einfach das hörbare Aufatmen der Leute in der Schlange hinter sich und legte ihr eine zweite Zwanzigpfundnote hin. «Und ich sehr reich.»

Baß erstaunt blickte sie auf das Geld, das plötzlich vor ihr lag, und auf Melroses Chesterfield. Zugleich nahm sie die Rechnung des Mannes mit dem tanzenden Zahnstocher entgegen.

Mit der Schulter gab sie Melrose ein Zeichen, er möge hinter den Tresen gehen, und winkte eine kleine Frau herbei, deren Gesicht so verschrumpelt war wie ein chinesisches Tee-Ei. Die Alte kam schlurfend herbei und ließ mit ausdruckslosem Gesicht den chinesischen Redeschwall des Mädchens über sich ergehen – wahrscheinlich waren es Anweisungen, was sie als Kassiererin zu tun hatte.

Das Mädchen führte Melrose in eine Ecke neben der Küche, nahm den zweiten Zwanziger entgegen, faltete sorgfältig beide Scheine zu einem sauberen Quadrat zusammen und ließ sie zwischen einem Paar schwarzer Frösche, die als Verschluß ihres türkisfarbenen Kleides dienten, verschwinden. Er fragte sich, warum Frauen gerade diese Stelle als so sicher betrachteten.

Sie hielt das Foto in der Hand. «Ich kenne sie, ja. Sie Bedienung hier, oh, ich denken, es war drei Wochen.» Und sie hielt drei Finger hoch, als wolle sie Melrose eine neue Sprache lehren.

«Wie hieß sie?»

«Gemma, Gemma Temple.»

«Und dann, was geschah mit ihr? Ich meine, nachdem sie wegging?»

«Sie treffen einen Mann. Ich glaube, sie zu ihm ziehen.»

«Hat sie ihn hier getroffen, als sie hier arbeitete?»

Jane Yang schüttelte den Kopf, und der seidene Haarhelm tanzte auf ihren Schultern. «Irgendwo – ich vergessen – in London. Vielleicht Bahnhof? Sie geht einmal Freunde besuchen. Hören Sie –» sie breitete ihre Arme aus. «Wir nicht sehr befreundet, wissen Sie. Sie mir nicht viel über Privatleben sagen.»

Melrose nickte. «Sie wissen also nicht, wer dieser Mann war? Aber da Sie wissen, daß sie mit ihm wegging, muß sie Ihnen doch etwas gesagt haben.»

Erneut bewegte sich ihr schwarzes Haar. «Nein, ich sah ihn nur.»

«Sie *sahen* ihn?»

«Ja. Er kommen ins Restaurant. Sehr vornehm war er.» Sie musterte Melrose von oben bis unten. «Wie Sie.» Sie lächelte.

«Der Prinz.» Als Melrose fragend die Augenbrauen hochzog, sagte sie: «So hat sie ihn genannt: Der Prinz. Es war Spaß. Aber er sah aus...» Sie schien nach Wörtern zu suchen, und dabei fielen ihre Augen auf ein Bild über der Kasse, das zu dem Drachendekor des Restaurants überhaupt nicht paßte. Es war eine Reproduktion des Gemäldes von Millais, das dieser für den Seifenfabrikanten Pears gemalt hatte. «Wie er. Ich meine, der Prinz so ausgesehen haben muß, als er klein war.»

Die Beschreibung paßte genau auf Julian Crael. Ein wunderschönes Kind in grünem Samtanzug mit langen, goldenen Locken: Genauso mochte Julian einmal ausgesehen haben.

«Kam er hierher, um sie zu treffen?»

Sie nickte. «Er kommen hier *mit* ihr. Sie aufhören zu arbeiten hier, wissen Sie. Ich glaube, sie ihn den anderen Mädchen zeigen wollen. Der Prinz aber verlegen. Der Gentleman ein anderes Leben gewöhnt.»

Melrose mußte über ihre knappe, sehr anschauliche Ausdrucksweise lächeln.

«Hat sie Ihnen erzählt, wohin sie gehen würde?»

Sie überlegte, und ihre makellose Haut kräuselte sich. «Da war was. Sie mir sagen, er wohnen in elegantem Hotel...» Sie schüttelte den Kopf. «Ich kann Namen nicht erinnern.»

In diesem Augenblick stürmte ein kleiner Mann aus der Küche, der der Zwillingsbruder der kleinen alten Frau hätte sein können. Als er sah, daß Jane sich mit einem Gast unterhielt, ließ er eine Tirade auf chinesisch los, wobei er heftig gestikulierend auf die Kasse zeigte. Im Laufe ihrer Unterhaltung war die Schlange an der Kasse mal kleiner, mal größer geworden, hatte sich aber niemals völlig aufgelöst. Zu ihrer Rechten waren die Küchenschwingtüren in ständiger Bewegung. Der Lärm, der aus der Küche kam, übertönte sogar den Lärm, den die Gäste machten. Wahrscheinlich waren sie in der Küche dabei, Hühner zu schlachten, dachte Melrose.

«Entschuldigung», sagte sie zu Melrose. «Papa sehr böse, ich verlassen die Kasse. Ich muß gehen.»

Melrose zog eine Visitenkarte hervor und schrieb ihr mit seinem goldenen Füllfederhalter sowohl die Nummer seines Hotels als auch die vom Old House auf. «Hören Sie, sollte Ihnen noch etwas zu dieser Gemma Temple einfallen, ihrem Leben, ihrer Familie –» Jane Yang schüttelte den Kopf. «Sie hat keine. Ich glaube, sie im Heim groß geworden. Das war alles, was sie mir sagen.»

«Und Sie können sich auch nicht an das Hotel, in dem er wohnte, erinnern?»

Sie waren wieder an der Kasse, und das Mädchen löste ihre Mutter ab. «Wenn ich mich erinnere, ich anrufen.» Sie zog ihre türkisfarbenen Schultern hoch, und auf ihrem Gesicht erschien ein Lächeln, das ihr Gesicht, die Maske aus Porzellan, aufblühen ließ wie eine Lotusblüte auf einem blauen See. Sie war wirklich sehr hübsch, aber so zerbrechlich, daß ein Mann Angst haben mußte, sie anzufassen. «Entschuldigung», sagte sie erneut und zuckte mit den Schultern.

Melrose drehte sich um und ging. Er hatte bereits die Hand an der Tür, als er durch den Lärm der Gäste hinter sich ihre Stimme vernahm: «Mister!» Sie winkte ihn mit einem breiten Lächeln zurück. Als er am Tresen ankam, sagte sie: «Ich hab's. Das Hotel. *Sawry*. Das ‹Sawry Hotel›.»

Sie sprach es fast wie «*sorry*» aus, das «*r*» kaum hörbar. Melrose grinste. Nur die grimmigen Blicke der Gäste hielten ihn davon ab, ein weiteres Mal seine Brieftasche zu zücken. Er dachte, sie könnten sich vielleicht alle auf einmal auf ihn stürzen, also verließ er das Restaurant.

Als er draußen war, fing er an, den «Limehouse Blues» zu pfeifen.

9

Das Hotel «Sawry» war eines dieser gutgehüteten Geheimnisse von London; die klugen Besitzer wußten, was passieren würde, wenn das Geheimnis publik würde. Es war nicht billig; außerordentlich teuer war es allerdings auch nicht. Geld schien hier einfach kein Thema zu sein, als lasse Erlesenheit sich nicht in Zahlen ausdrücken.

Als die Tür kaum hörbar hinter ihm ins Schloß fiel, wurde Melrose von einer Woge der Wehmut überwältigt. Vor mehr als dreißig Jahren waren seine Eltern mit ihm zu Weihnachten hierhergefahren, und nichts, aber auch gar nichts hatte sich in der Zwischenzeit verändert. Das «Sawry» hielt an seiner Vergangenheit fest, was Melroses Beifall fand. Auch sein eigenes Haus hatte er in dem Zustand belassen, in dem er es übernommen hatte. Nur wenige Gegenstände waren hinzugekommen, entfernt wurden keine. In seinen Augen war die Vergangenheit, so wie sie unter der Glasglocke von Ardry End erhalten geblieben war, vollkommen. Das war auch einer der Gründe, warum er nicht geheiratet hatte; wie sehr sie auch immer beteuern würde, weder ihn noch die Wohnung verändern zu wollen – mit der Zeit würde eine Frau doch damit anfangen, die Möbel herumzurücken.

Ein Perserläufer in den Farben Blau, Gold und Rosa führte geradewegs auf eine Treppe im Stil der Brüder Adam zu. Sie wand sich nach oben, als schwebe sie im Raum. Im Foyer hatte man die Rezeption diskret zurückversetzt; hinter ihr stand ein Gentleman in der für das «Sawry» üblichen Uniform – schwarzer Anzug und weiße Handschuhe.

«Kann ich Ihnen behilflich sein, Sir?»

«Das können Sie», sagte Melrose. «Ich möchte zu Mr. Crael. Könnten Sie ihn vielleicht anrufen und ihm sagen, Mr. Carruthers-Todd sei hier. Danke.»

Der Hotelangestellte, dessen Miene sich normalerweise auch nach einer Schüssel mit kaltem Wasser ins Gesicht nicht verändern würde, zeigte sich erstaunt. «Oh, es tut mir sehr leid, Sir. Aber Mr. Crael ist nicht bei uns.»

Melroses geheucheltes Staunen übertraf noch das des Angestellten. «Sie müssen sich irren. Ich habe einen Brief von Mr. Crael, der besagt, daß er am Elften im ‹Sawry› absteigen wolle…»

Melrose klopfte demonstrativ seine Taschen ab, als suche er den Brief.

Auf dem Gesicht des Angestellten erschien ein kurzes Lächeln. «Es tut mir leid, Mr. Carruthers-Todd. Könnte es vielleicht sein, daß Sie sich im Datum irren?»

Melrose Carruthers-Todd richtete sich auf und bedachte den Angestellten mit einem ziemlich frostigen Blick, der keinen Zweifel darüber ließ, daß sich die Carruthers-Todds äußerst selten, wenn überhaupt, in etwas irrten. «Es war der Elfte, ich erinnere mich genau.» Seinem Tonfall war anzuhören, daß der Angestellte besser daran täte, Mr. Crael umgehend und heil herbeizuschaffen, sonst würde es Ärger geben.

Er wußte, daß Häuser wie das «Sawry» nur in Notfällen Informationen über ihre Gäste herausgaben. Da er den Mann aber in die unglückliche Position hineinmanövriert hatte, beweisen zu müssen, daß Mr. Crael nicht doch in der Besenkammer eingeschlossen worden war, konnte Melrose getrost darauf warten, daß er das Gästebuch hervorholte.

«Sehen Sie selbst, Sir: Mr. Crael war in der Tat bei uns am 11. *Dezember*, nicht *Januar*, Sir.» Der Angestellte unterdrückte ein selbstzufriedenes Lächeln, als er das Gästebuch wieder zuklappte.

«Verflucht!» sagte Melrose und holte tief Luft. «Dann ist also auch Miss March nicht hier?»

Der Angestellte hob fragend eine Augenbraue. «Miss March?

Ich glaube nicht, mich an jemanden dieses Namens erinnern zu können.»

«Temple», sagte Melrose und schnippte mit den Fingern. «Ich meine Miss Temple. Eine Freundin von Mr. Crael.»

«Ach ja. Nein, Sir. Sie ist auch nicht hier, Sir.»

«Hmmm. Ich nehme an, sie ist zur gleichen Zeit wie er abgereist.» Melrose bemühte sich, diesen Satz nicht wie eine Frage klingen zu lassen. Der Mann, den der in Gedanken versunkene Mr. Carruthers-Todd langsam zu ermüden anfing, nickte. «Wirklich eine verflixte Lage. Wenn ich das richtig sehe, bedeutet das auch, daß der arme alte Benderby sie nicht zu Gesicht bekommen wird. Er wird über dieses Durcheinander ganz schön verärgert sein.» Melrose zog einen goldenen Stift und sein kleines Notizbuch aus der Tasche. «Würden Sie ihm das bitte geben, wenn er kommt. Sehr nett von Ihnen, danke.»

Die Verwirrung im Gesicht des Angestellten war echt. «Verzeihen Sie, Sir. *Wem* soll ich das geben?»

«Benderby. Er wird wahrscheinlich hier aufkreuzen und nach Crael fragen. Ich habe ihm gesagt, daß er uns beide hier antreffen wird, und wahrscheinlich wird er über die ganze Angelegenheit ziemlich verärgert sein. Eustace Benderby. Der Name steht hier auf der Vorderseite.» Melrose blickte den Mann an, als halte er ihn für einen Analphabeten. Der Ärmste war nicht einmal imstande, den Empfänger der Nachricht zu entziffern.

Der Angestellte schob den Zettel in eines der Postfächer. «Ich werde das gewiß für Sie erledigen, Sir.»

Melrose murmelte geistesabwesend noch etwas und marschierte hinaus.

Als er auf der Straße war, pfiff er wieder den «Limehouse Blues».

10

Die Verwirrung des Hotelangestellten erreichte ihren Höhepunkt, als zwei Stunden später Chefinspektor Richard Jury auftauchte.

«Es gibt doch hoffentlich keine Probleme, Chefinspektor?»

Im «Sawry» pflegte es keine Probleme zu geben. «Nein, ich glaube nicht. Es dreht sich um einen Ihrer Gäste.» Jury holte das Foto von Dillys March hervor, das sie als junges Mädchen zeigte. «Kommt Ihnen diese Frau bekannt vor?»

Der Angestellte nahm das Bild zwischen seine behandschuhten Finger und betrachtete es einen Moment lang, bevor er sagte: «Etwas an ihr kommt mir bekannt vor. Aber ich bin mir nicht sicher. Ein ziemlich altes Bild, nicht?»

«Das ist richtig. Ich habe auch ein neueres.» Jury zeigte das Foto, das Melrose Wiggins gegeben hatte. «Sagt Ihnen das etwas?»

«Oh, ja. Sie war eine gute Freundin von... von einem unserer Gäste.»

Das «Sawry» fühlte sich für das Wohlergehen seiner Gäste in jeder Hinsicht verantwortlich; ohne einen zwingenden Grund würde man keine Auskunft geben, erst recht keine Indiskretion begehen. Das Haus war wie ein Heiligtum oder ein Banksafe; die häßlichen Tatsachen dieser Welt prallten an dem Mahagoniholz und dem Glas förmlich ab.

«Eine Freundin von Julian Crael?»

Der Mann wirkte erleichtert. Wenn die Polizei von dieser Verbindung bereits wußte, war es vielleicht kein Vertrauensbruch, sie zu bestätigen. «Ja, das ist richtig.» Er war allerdings nicht bereit, ausführlicher zu werden, sofern er nicht mußte.

«Wie oft kam sie hierher?»

Er überlegte kurz. «Einige Male. Seit ungefähr einem Jahr. Sie besuchte Mr. Crael.»

«Ihr Name?»

Der Angestellte machte einen perplexen Eindruck. «Temple. Miss Temple.» Er holte wieder das Gästebuch hervor. «Erst vor einem Monat – im Dezember. Sehen Sie.» Er drehte das Buch zu

Jury hin, damit dieser sich selbst vergewissern konnte. «Am 10. Dezember. Eine Miss Temple. Ich glaube, sie verließ uns noch am selben Abend, nachdem Mr. Crael abgereist war.»

«Hat sie Besucher empfangen?» Jury half ihm, indem er Olive Manning beschrieb. Der Angestellte schüttelte den Kopf. «Irgendwelche Anrufe?»

«Keine, soviel ich weiß, aber das kann ich überprüfen.»

«Bitte tun Sie es. Und geben Sie mir Bescheid.» Jury gab ihm seine Karte und wollte gehen, als ihn der Mann zurückhielt.

«Da ist noch etwas, Sir. Ein anderer Gentleman war hier – ein Mr. Carruthers-Todd –, erst heute nachmittag. Er fragte nach Mr. Crael und Miss Temple und hinterließ eine Nachricht –» Der Angestellte nahm die Nachricht aus dem Postfach.

«Und wie sah dieser Mr. Carruthers-Todd aus?»

«Ziemlich wohlhabend, würde ich sagen. Kultivierte Sprache.» Nachdem er die wichtigsten Punkte abgehandelt hatte, fuhr er fort: «Nicht ganz so groß wie Sie, helles Haar. Auffallend grüne Augen. Die Nachricht war für…», er sah nach unten, «einen Mr. Benderby. Eustace Benderby.»

«Ich bin Benderby», sagte Jury und streckte seine Hand hin, um die Nachricht in Empfang zu nehmen.

11

Das Hotel «Royal Victoria» machte seinem Namen keine Ehre. Es stand eingekeilt zwischen zwei Gebäuden, von denen das eine den Namen «Arab Star» trug; ein Krummsäbel und ein Stern waren auf ein Schild gemalt, dessen Farbe bereits abblätterte. Aus der Tür traten zwei junge Männer mit schwarzen Schnurrbärten, die sich gestikulierend unterhielten.

In einem kleinen Raum mit einer Tür im Cottage-Stil saß ein Mädchen, das der Bemalung ihrer Lippen sichtlich mehr Aufmerksamkeit als ihren potentiellen Kunden widmete. Schließlich schlenderte sie auf ihn zu und musterte ihn aus ihren lila geschminkten Augen. Sie blies eine Kaugummiblase und sog sie zurück in den Mund. Er zeigte seinen Ausweis. «Ich suche eine

Frau, die möglicherweise hier gewohnt hat. Ihr Name ist Roberta Makepiece.»

«Kann mich, glaube ich, an niemand mit dem Namen erinnern. Sie kommen und gehen.» Sie bemühte sich, ihren Busen unter der blauen Strickjacke zur Geltung zu bringen. Unter Jurys Kinn erschien eine zweite Kaugummiblase. Dann sagte sie: «Dotty könnte was wissen.»

«Wer ist Dotty?»

«Die Besitzerin.»

«Und *wo* ist Dotty?»

«In Manchester. Sie ist mit ihrem Kerl da hingefahren.» Ihre Wimpern flatterten. Die dick aufgetragene Mascara hatte unter ihren Augen schwarze Tupfer hinterlassen.

«Und wann wird Dotty wieder zurück sein?»

«Wie soll ich das wissen?»

«Und wie soll ich dann Dotty fragen?»

Der Sarkasmus wirkte. «Nun, Sie können ja Mary fragen. Wenn diese Person hier gearbeitet hat, dann weiß es Mary.»

«Wo ist diese Mary?»

Sie hielt jetzt einen kleinen Taschenspiegel in der Hand und inspizierte erneut ihren Mund. Jury, der sich nur noch für Mary interessierte, langweilte sie. «Mary Riordan. Irgendwo dort...» Sie machte eine vage Handbewegung. «Ich nehme an, sie deckt die Tische im Eßzimmer.»

Im Eßzimmer waren zwei Mädchen, besagte Mary und ein zweites träges Mädchen vom Lande mit zwei dünnen braunen Zöpfen und rötlicher Gesichtsfarbe, die mit lethargischen Bewegungen Servietten und das Besteck auflegte.

Mary sah zum Glück weniger einfältig aus. Sie hatte eine weiche, rauchige Stimme und einen irischen Akzent, der gut zu ihren auffallend blauen Augen paßte. «Roberta Makepiece? Also, jetzt... ja. Ich erinnere mich jetzt. Sie hat aber nicht lange hier gearbeitet.» Mary hielt ihr Metalltablett wie einen Panzer vor ihre Brust. «Sie ist mit einem Kerl abgehauen.»

Das «Royal Victoria» schien für Liebespaare gut zu sorgen. «Sie wissen nicht, wohin?» Jury hatte die Hoffnung schon aufgegeben, als Mary nickte und sagte:

«Könnte sein. Wissen Sie, ich habe einen Brief von ihr bekommen... eigentlich war es das Geld, das ich ihr geliehen hatte und das sie mir zurückschickte. Da stand eine Adresse drauf. Wenn Sie einen Moment warten, dann lauf ich hinauf und hole ihn.»

«Wenn es sein muß, warte ich hier den ganzen Tag auf Sie.» Er lächelte. Er hätte Mary küssen können; sie wurde mit jedem Moment hübscher und ihre Wangen rosiger.

Jurys Lächeln ließ sie rücklings gegen den Türpfosten prallen. Sie errötete, drehte sich um und eilte hinaus, das Tablett noch immer in der Hand. Als sie weg war, las er noch einmal Plants Nachricht. Wenigstens war sie kurz:

> Rufen Sie mich im «Connaught» an, wenn Sie noch sprechen können.
>
> Plant

Das Mädchen mit den Zöpfen, das wie eine Schnecke um die Tische strich, schien an Polypen in der Nase zu leiden. Ihr Schnaufen erinnerte Jury an Sergeant Wiggins. Mary kam mit einem Brief in der Hand zurück. «Ich hab's gefunden. Sie heißt jetzt nicht mehr Makepiece, sondern Cory. Hier ist die Adresse.» Sie hielt Jury den Zettel hin. Die Wohnung lag in Wanstead.

«Muß geheiratet haben», sagte Mary.

Jury lächelte. «Oder sonstwas. Danke schön, Mary. Sie wissen gar nicht, wie sehr Sie mir geholfen haben. Gibt es hier ein öffentliches Telefon? Ich muß jemanden anrufen.»

Marys blaue Augen glitzerten, als sie zu ihm hinaufblickte. Sie führte Jury zum Telefon, und es war ihr deutlich anzumerken, daß sie nur zu glücklich darüber war, Scotland Yard behilflich zu sein.

12

Der Blick, mit dem sie ihn von oben bis unten musterte, hätte den Lack von einem Stuhl abkratzen können.

«Roberta Makepiece.»

Über die Türkette hinweg sah er, wie ihre Kiefer den Kaugummi bearbeiteten, den sie schon die ganze Zeit über langsam hin- und herbewegt hatte. «Ich heiße Cory. Mrs. Cory. Sie haben sich in der Tür geirrt.» Sie versuchte, die Tür zu schließen, aber Jury hielt seine Hand dagegen.

«Kriminalpolizei, Mrs. Cory. Chefinspektor Richard Jury.» Er schob ihr seine in Plastik eingeschweißte Ausweiskarte unter die Nase.

«Was ist los...?» Ihre Augen weiteten sich. «Joey? Ist es wegen Joey?» Ihre Stimme klang weniger besorgt als erleichtert, was Jury veranlaßte, sich über Liebe und Loyalität Gedanken zu machen.

«Dürfte ich vielleicht hereinkommen...? Es wird nicht lange dauern.»

Sie schloß die Tür für einen kurzen Moment, um die Kette zu entfernen. Dann hielt sie die Tür auf und bedeutete ihm mit einem kurzen Nicken hereinzukommen. «Ich wollte gerade einkaufen gehen.»

«Es wird nicht lange dauern. Können wir uns setzen?»

Sie zuckte die Achseln. «Machen Sie sich's bequem.» Jury setzte sich auf den Rand eines glänzenden Kunstledersessels. Sie nahm auf einer weißen Couch aus Webpelz Platz. Alles in dieser Wohnung – die Möbel, die Gardinen, die Kleidung, die sie trug –, alles sah billig, neu und sauber aus, als sei das Leben, das hier gelebt wurde, unmittelbar den Steinen von Wanstead entsprungen. Die Wohnung glich einem Schaustück in einem Kaufhausschaufenster – einschließlich der Puppe. Roberta Makepiece war zwar ganz hübsch, aber ausgesprochen steif und hölzern – eine abweisende, starre Frau. Behindert durch einen engen, wadenlangen Rock, hatte sie sich mit kleinen, gezierten Schritten auf die weiße Couch zurückgezogen. Über dem Rock trug sie einen engen, gestreiften Pullover, unter dem sich ihre kleinen, spitzen Brüste abzeichneten. Die kunstvollen, mit Schildpatt-kämmen hochgehaltenen und mit Haarspray fixierten Locken ließen ihr Gesicht noch schmaler erscheinen.

Jury fragte sich, was Cory wohl an diesem Gebilde gefiel. Sie ständig um sich zu haben mußte schlimmer als Zahnschmerzen sein. Er vermutete auch, daß sie nicht wirklich Mrs. Cory war; wie die Möbel war auch sie jederzeit austauschbar.

Mit einem leuchtend lackierten Daumen und Zeigefinger nahm sie den Kaugummi aus dem Mund und ließ ihn in einen riesigen Glasaschenbecher fallen. Dort lag er dann traurig – das einzige Ding im Raum, das gebraucht aussah.

Neben ihr auf der weißen Couch lagen ihre Tasche und ihr Mantel. Daß sie im Begriff war wegzugehen, schien die Wahrheit zu sein. Jury bezweifelte allerdings, daß sie häufig die Wahrheit sagte.

Warum hatte er sich die Szenerie so anders ausgemalt? Eine schlampige, hübsche Frau in einem Morgenrock, ein ungemach-tes Bett, Schnappschüsse von Bertie, die an der Spiegelkommode steckten... Er schien hier überhaupt nicht zu existieren, kein einziges Foto und nichts in ihrem Gesicht erinnerte an ihn. «Also, worum dreht's sich denn?» Die Hand mit den rot lackier-ten Fingernägeln fuhr hoch zum Haar, um sich zu vergewissern, daß das künstliche Gebilde durch diesen unwillkommenen Ein-dringling auch nicht in Unordnung geraten war.

«Ich bin gekommen, um mit Ihnen über Ihren Sohn zu spre-chen, Mrs. Cory.»

Sie sah schnell weg und nahm den Kaugummi aus dem Aschenbecher. «Ich habe» – sie steckte ihn in den Mund – «kei-nen Sohn. Ich weiß nicht, wovon Sie reden.»

Jury fühlte, wie ihm kalt wurde, wie sein Griff um die Kante der Armlehne härter wurde. «Ich rede von Bertie. Bertie Make-piece.» Er kam sich wie ein Idiot vor, weil er es sagte, als müßte der Name in ihr eine Erinnerung wachrufen. Als würde sie «Oh, ja, der», sagen und mit den Fingern schnippen.

Seine Miene mußte sie eingeschüchtert haben, denn sie sagte: «Hören Sie mal, was hat eigentlich Scotland Yard damit zu tun? Was hat die Polizei hier zu suchen. Haben Sie mit dem Jugendamt zu tun, oder was?» Ihre Stimme wurde eindringlicher. «Ich nehme an, Sie wollen mich dazu bringen, daß ich zurückgehe?»

«Ich bin nicht dienstlich hier. Nur aus Interesse. Ich traf Bertie, als ich an einem Fall arbeitete, und fand, daß die Geschichte, mit der er Ihre Abwesenheit erklärte, irgendwie seltsam klang. Bertie behauptet, daß seine Mutter wegfahren mußte, um eine kranke Großmutter zu pflegen. In Nordirland. Sieht aber so aus, als seien Sie in London, nicht?»

«Nordirland? Ich hab nie was von Irland gesagt! Ich hab zwar eine alte Oma, die da lebt, aber ich hab nie gesagt, daß ich dahin fahre.» Jetzt war ihrer Meinung nach wohl Bertie der schuldige Teil. «Also, so was!»

«Bertie erzählt jedem, daß die alte Oma in Nordirland lebt, auf der Bogside.» Jury mußte gegen seinen Willen lächeln. Aber sie blickte nur stumpf vor sich hin. War er gekommen, um zu sehen, ob sie genug Humor besaß, um über den Einfallsreichtum ihres Sohnes zu lachen? Um noch etwas von einer Mutter in ihr zu entdecken?

«Er erfand immer irgendwelche Geschichten. Er phantasierte alles mögliche zusammen…» Ihre Stimme verlor sich, während sie an dem Couchfell zupfte.

«Bertie? Ich habe genau das Gegenteil festgestellt. Vernünftig, ausgeglichen, umsichtig.» Wenn jemand von den beiden ein Phantasieleben führte, dann war es die Mutter und nicht der Sohn. Und was für eine dürftige Phantasie noch dazu, dachte er, als er sich noch einmal im Zimmer umsah.

«Ja, das stimmt. Umsichtiger als ich. Bertie konnte alles, machte auch alles, wenn ich arbeitete. Kochen, abwaschen, putzen. Er hat sogar den alten Köter dazu gebracht, daß er einkaufen ging. Er ist doch noch da, oder? Arnold?»

Es klang, als würde sie nach einem Bekannten aus ihrer Kindheit fragen. Jury nickte. Ihre Stimme wurde kriegerisch, sie lehnte sich vor, und ihre Hände umklammerten ihre Knie. «Hören Sie. Bert kriegt Geld, dafür sorge ich. Ich hab ihm gesagt, er soll nur weiterhin die Schecks mit der Rente einlösen…»

«Dazu muß er unterschreiben. Das ist Unterschriftenfälschung.»

«Nun, trotzdem. Sehen Sie, das müssen Sie verstehen: Ich hab ihm einige Male geschrieben. Ich habe es ihm *erklärt*, ich meine, daß ich es dort nicht aushalten kann. Ich bin *nicht* einfach weggegangen und hab ihn seinem Schicksal überlassen.»

Versuch nicht, mir was weiszumachen, dachte Jury. «Sie haben also Miss Cavendish und einige andere gebeten, sich um ihn zu kümmern. Sie erzählten Miss Cavendish, daß Sie nach London fahren würden, stimmt das?»

Sie nickte eifrig, als spreche er jetzt ihre Sprache. «Sehen Sie, ich gebe ja zu, daß ich keine gute Mutter bin.» Sie lächelte grimmig, als werde durch dieses Eingeständnis alles geklärt. «Glauben Sie mir – ich wollte keine Kinder. Ich hab zu früh geheiratet. War erst achtzehn…»

Ihre Rechtfertigung glich dem Zelebrieren einer alten, bedeutungslos gewordenen Messe: langweilig und zur Genüge bekannt, da er diese oder ähnliche Geschichten schon zu oft gehört hatte: die schwierigen Umstände in ihrem Leben, in dem kleinen Fischerdorf. Eine gescheiterte Ehe mit einem nichtsnutzigen Kerl. Und immer das leidige Geld. Nur Ärger, keine Zukunftsperspektiven, und sie, die doch noch so jung war… Und dann Rackmoor selbst. Die fürchterliche Langeweile dort oben im Norden, keine Neonlichter, keine Unterhaltung, nichts. Ihre Begegnung mit Joey Cory. Ein gutaussehender Mann, der sie zum Lachen brachte und Geld hatte. Aber er wollte sie nicht mit Kind. Keine Kinder, sagte er.

«Sehen Sie, alles neu! Cory kauft immer alles neu. Wenn irgend etwas kaputtgeht oder schmutzig wird, dann schmeißen wir es einfach weg und kaufen es neu.» Ihr verkrampftes, schiefes Lächeln war triumphierend, als hätte sie einen Weg gefunden, das Haus zu überlisten.

Ein Wegwerfleben. Jury konnte sich vorstellen, daß die Tage in diesem Zimmer genauso aussahen wie die einzelnen Blätter eines Kalenders – unbeschrieben, kein einziger Eintrag. Er stand aus dem Sessel auf. «Und was macht er mit Ihnen, wenn Sie kaputt und schmutzig sind?»

Zornig sprang sie von der Couch auf; ihr schmales Gesicht glich einer weißen, kalten Flamme. Der Schlag, den sie ihm versetzte, ließ ihn zwar zurückweichen, tat aber kaum weh. Ihre Hand war so leicht, daß er sich eher wie die hysterische Berührung eines Vogelflügels anfühlte. Sie hatte sich damit nur selbst erschreckt. Sie fing die schuldige Hand mit der anderen ein. Er sah jetzt, wie dünn ihre Hände waren, dünn und blau geädert. Er wunderte sich über ihre Hagerkeit, über die einst sicher hübsch gerundeten Linien, die immer eckiger wurden. Die Wangen unter den Backenknochen wirkten schon richtig eingefallen.

«Sie haben kein Recht hierherzukommen und mir solche Dinge zu sagen», ihre Wut flackerte noch einmal auf. «Und ich vermute, daß Sie jetzt gleich zum Jugendamt gehen und denen alles brühwarm erzählen. Ich werde nicht nach Rackmoor zurückgehen, soviel kann ich Ihnen sagen. Wenn ich ihn nehmen muß, dann muß er schon hierherkommen und…» Sie fuhr sich mit der Hand über die Stirn, als ob sie Kopfschmerzen hätte. Diese Idee wurde offensichtlich durch den Gedanken an Cory in Frage gestellt.

«Ich werde nichts weitermelden», sagte Jury. «Ich will nicht, daß man Sie findet.»

Sie blinzelte und starrte ihn in der sich ausbreitenden Stille an. Sie wirkte jedoch nicht erleichtert. Ihre Augenbrauen zogen sich zusammen. Es war, als hätte sich ihr Leben lediglich in ein neues, schwieriges Puzzle verwandelt, das aus noch kleineren Gras- und Himmelsteilchen bestand, deren Farben verblaßt waren und die sich deshalb noch schwerer zusammensetzen ließen.

Jury dachte daran, wie Bertie sich bei ihr fühlen würde. Ihr Ärger darüber, ihn wie ein sperriges Gepäckstück an ihrer schmerzenden Hand mit sich schleppen zu müssen, würde ihn erdrücken. Jeder und nahezu alles wäre besser als sie: selbst Einsamkeit, Entbehrung, Mangel, Verlust. Verläßlicher, fühlbarer, etwas, wonach er die Hand ausstrecken konnte, um es anzufassen. Wohingegen Roberta Makepiece keine Person zu sein schien, die man anfassen konnte. In ihren sauberen dunklen Kleidern stand sie vor dem weißen Hintergrund wie ein zorniger Hieb, den ein Künstler seiner Komposition versetzt hat, weil er sie nicht mehr sehen kann.

«Was Sie tun werden, ist folgendes», sagte Jury. «Sie werden drei Briefe schreiben. Einen an Bertie – ihm werden Sie die Wahrheit schreiben; das, was Sie mir erzählt haben. Achten Sie darauf, daß Sie nicht lügen, nichts beschönigen oder ihm irgendwelche Hoffnungen machen. Außer der einen Hoffnung: daß er nie, unter keinen Umständen, in ein Heim kommen wird. Daß Sie ihm vorübergehend bei den Lügen helfen werden, die er gezwungenermaßen erzählen muß. Das ist auch der Zweck des zweiten Briefes: Sie werden Miss Cavendish genau das schreiben, was Bertie den Leuten erzählt. Sie seien in Nordirland, in Belfast, und pflegten Ihre Großmutter. Formulieren Sie es so, daß es zu Herzen geht, und sagen Sie, daß sich die Krankheit noch lange hinziehen wird – so lange, daß Sie nicht wüßten, ob Sie in absehbarer Zeit zurückkommen können. Das bedeutet, daß Sie in Rackmoor jemanden brauchen, der sich um Bertie kümmert. Und darum geht es im dritten Brief, den an Kitty Meechem. Ich würde sagen, daß Kitty dazu recht geeignet ist –»

«Kitty! Sie meinen die, die den ‹Fuchs› betreibt? Hören Sie, ich will nicht, daß mein Junge in einem Pub lebt –»

Jury konnte sich über dieses «mein Junge», über diese merkwürdig verdrehte Moral nicht mal ärgern, da er schon halb erwartet hatte, daß Roberta Makepiece protestieren würde, weil sie den drohenden Verlust jetzt als real empfand.

«Das ist ein durchaus respektabler Laden, und Kitty ist eine großartige Person. Sie mag Bertie sehr. Und Arnold auch. Natürlich gibt es da immer noch Froschauge und Stockfisch, wenn Sie lieber wollen, daß –»

Ein Lächeln huschte über ihr Gesicht, das sie aber schnell unterdrückte. «Nein, die wohl kaum. Aber sehen Sie…»

Jury überging ihre Einwände: «Dann nehmen Sie die Briefe und stecken sie in einen Umschlag und schicken sie zu dieser alten Oma, damit sie in Irland gestempelt werden. Das wird uns mindestens so lange weiterhelfen, bis die Sache geklärt ist…»

«Auf legalem Wege», wollte er nicht hinzufügen, das hätte für sie zu unabänderlich geklungen. Es war merkwürdig. Obwohl sie so kalt war und dieses schneeweiße Zimmer sie noch kälter machte – kalt, berechnend und egoistisch –, spürte er trotz allem die Furcht in ihr, etwas ganz zu verlieren, was sie in Wirklichkeit schon längst weggeworfen hatte.

«Und wenn ich es nicht tue?» Ihre Stimme verriet, daß die Herausforderung nur vorgetäuscht war.

«Dann werde ich zurückkommen. Auf Wiedersehen, Mrs. Cory.»

Als er die Tür öffnete, zog sie ihn am Ärmel. «Warten Sie noch –» Sie schien nicht zu wollen, daß er ging, aber auch nicht zu wissen, warum er bleiben sollte. Sie versuchte Zeit zu gewinnen und sagte: «Robert. Er heißt eigentlich Robert.»

«Was?» Jury wußte nicht, was er davon halten sollte.

Sie lächelte vage; in Gedanken schien sie ein altes Album durchzublättern. «Er wird Bertie gerufen. Aber er heißt Robert. Hab ihn nach mir genannt. Ja, so war's.»

Es traf Jury wie ein winziger Pfeil, daß sie doch einmal das Bedürfnis gehabt haben mußte, ihr Kind als einen Teil ihrer selbst auszugeben – Robert und Roberta.

Sein Ärger über sie war lange zuvor verflogen. «Ich werde es mir merken.» Er lächelte. Ein Lächeln, das diesmal auch bei Roberta Makepiece ein Lächeln hervorrief. «Auf Wiedersehen.»

Die Tür schloß sich hinter ihm.

Er ging die Straße zur Underground Station zurück. Die Gegend war wie ausgestorben, mit Ausnahme einer räudigen Katze mit rötlichem Fell, die sich auf einer Veranda putzte. Das Fell sah hoffnungslos struppig aus, dennoch ließ die Katze nicht davon ab. Ein Wind kam plötzlich auf und blies eine Zeitungsseite an Jurys Bein. Sie wurde weitergetrieben, gegen einen Baum geweht und blieb dann schließlich an einem Eisengeländer hängen, wie ein alter Rentner, der seine Haustür sucht und nicht findet.

Er ging die Straße entlang – die Zeitung wurde immer weiter durch die Gegend geweht – und fragte sich, warum er hierhergekommen war. Er hatte das Gefühl, nur wenig erreicht zu haben. Dennoch schien etwas in ihm sein Tun zu billigen. Er erinnerte sich an eine Lehrerin, die er als kleiner Junge gehabt hatte. Diese Lehrerin hatte er mit der Leidenschaft eines Kindes

geliebt. Sie hatte ihm die Hand auf den Kopf gelegt, auf ihn her-
untergelächelt und ihn gelobt, weil er eine kreideverschmierte
Tafel besonders sauber gewischt hatte.

13

Als Jury um sechs Uhr ins «George» kam, sah er Jimi Haggis an
der Bar sitzen. Seine langen Beine waren um einen Hocker geschlungen, und er spießte gerade ein Stück kalte Fleischpastete
auf.

«Hallo, Jimi», sagte Jury und setzte sich auf den Hocker neben ihm.

«He, Richard.» Jimi klopfte ihm auf die Schulter und wandte
sich wieder den Silberzwiebeln zu, die er mit der Gabel auf seinem Teller herumschubste. Jimi war vom Rauschgiftdezernat,
und Jury vermutete, daß es ihm da so gefiel, weil er bei der Arbeit
sein Haar lang und sein Hemd offen tragen konnte. Jimi wischte
sich einen Krümel aus dem herunterhängenden Schnauzer.

Für ein paar Minuten saßen sie schweigend nebeneinander.
Der Pub füllte sich mit den Stammgästen, die nach der Arbeit
hierherkamen, und mit vielen zufälligen Besuchern. Eine besonders attraktive junge Dame machte es sich auf dem Hocker rechts
neben Jimi bequem.

«'tschuldigung, Süße», sagte Jimi und streckte den Arm nach
dem Senftopf vor ihr aus; die Gelegenheit war günstig, da sie
noch damit beschäftigt war, sich auf ihrem Sitz zu installieren. Er
schaffte es, ihren Busen zu streifen, und Jury sah, daß sich ihre
Augenbrauen in mildem Ärger zusammenzogen, als sie Jimi ansah. Als sie bemerkte, daß Jury sie beobachtete, sah sie weg und
dann gleich wieder zu ihm hin. Jury lächelte sie an, als teilten sie
ein Geheimnis. Durch den Rauch ihrer Zigarette hindurch erwiderte sie es. Es war jedoch schon mehr als ein Lächeln.

Jimi machte sich ganz viele Senfpünktchen auf seine Pastete
und sagte: «Was ich nicht verstehe, ist: Hier bin ich mit meiner
Alten und drei Kindern, zwei davon noch in den Windeln. Also
hier bin ich –» Er breitete seine Arme aus, streifte erneut den

Busen neben sich und murmelte: «Tut mir leid, Süße – jung, sexy, gutaussehend, ein freier Geist, jedenfalls fühle ich mich so. Und da bist du... groß, solide, zuverlässig wie ein Safe – deine Augen erinnern mich an die Londoner Silberschätze, weißt du das? – egal, da also bist du, hast keine Verpflichtungen, und die Frauen liegen dir zu Füßen. Da kommt eine von ihnen.» Jimi zeigte mit seiner Gabel auf Polly, das Barmädchen.

«Hallo», sagte sie zu Jury, ohne Jimi dabei anzusehen. «Was soll's sein?»

«Ein Bitter und eins von den Soleiern, Polly.» Zwischen Jury und Jimi stand unter einer hohen Plastikhaube eine Platte. Polly faßte die Haube am Knauf, hob sie hoch und rollte ein Ei auf einen kleinen Teller. Sie lehnte sich über den Tresen, wodurch sie einen noch größeren Einblick in ihr Dekolleté gewährte. «Wo bist du denn gewesen? Dieser Typ ist fast jeden Tag hier. Arbeitet der nie?»

Jimi blickte finster auf ihren tiefen, gerüschten Ausschnitt.

«Er arbeitet gerade.»

Polly bemerkte Jimis Blickrichtung, winkte Jury zu, zwinkerte mit den Augen und ging an die andere Seite des Tresens.

«Das ist es, was ich meine», sagte Jimi. «Ich versteh das einfach nicht.»

«Ich auch nicht.»

«Du mußt zugeben, daß ich einen gewissen Charme habe.» Er hielt inne, als wäre sein ganzes Identitätsgefühl abhängig von Jurys Nicken. «Gestern abend, das muß ich dir erzählen, hatte ich eine mit ein Paar Titten wie...» Er hielt seine Handflächen nach oben und bewegte sie, als würde er Kürbisse wiegen, dann packte er die Haube, unter der die Pyramide von Soleiern aufgebaut war, und preßte seine Stirn gegen das Plastik.

Jury schüttelte den Kopf. Jimi war einer der besten Männer, die sie hatten, wahrscheinlich sogar der Beste im Rauschgiftdezernat, obwohl er jünger als die meisten von ihnen war, ungefähr zehn Jahre jünger als Jury. Bei der Arbeit strahlte er äußerstes Selbstvertrauen aus; aber außerhalb brauchte er jede Krücke, die sich ihm anbot, und Jury war derjenige, der das meiste Gewicht tragen konnte.

«Diese Rothaarige, mit der du mal gegangen bist», fragte Jimi. «Was ist mit der passiert?»

Maggie war ein Foto in Jurys Schreibtischschublade. Da hatte er sie vergraben. Aber hin und wieder exhumierte er die Leiche. «Sie hat einen anderen geheiratet, einen Australier.»

Jimi schaute ihn total ungläubig an. «Verheiratet mit einem anderen? Und auch noch mit einem Australier? Jesus! Gab es nicht irgendeinen...?»

«Warum lassen wir das Thema nicht fallen, Jimi?» Jury sah das Mädchen neben Jimi an. Sie war bordeauxrot gekleidet, ihr Arm hob sich wie Seide gegen das dunkle Mahagoniholz ab.

«Okay, Mann, okay.» Jimi hielt die Hände hoch und wandte sich wieder seinem Essen zu. «Habe gehört, daß du jetzt endlich befördert wirst.»

«Verdammt unwahrscheinlich, wie das Blumenmädchen sagen würde.» Jury hatte keine Lust mehr, über Frauen oder Beförderungen zu reden; er warf einige Münzen auf den Tresen und stand auf. «Ich habe eine Verabredung, Jimi. Wir sehen uns später.»

Auf dem Weg durch den Raum spürte er, wie der Samtblick des Mädchens in Bordeauxrot ihm folgte.

Die Tür öffnete sich, und Melrose Plant kam herein. Er ließ seinen Blick über die Köpfe schweifen, entdeckte Jury und kämpfte sich einen Weg durch die Menge, die sich mittlerweile schon an der Bar drängte. «Benderby, alter Knabe!» sagte Melrose.

Jury stieß einen Stuhl vor. «Setzen Sie sich, Mr. Plant, Benderby und ich danken Ihnen für Ihre Benachrichtigung. Und für das Bild. Also, erzählen Sie schon, wie Sie das gemacht haben!»

«Scotland Yard meine Methoden verraten? Warum um Himmels willen sollte ich? Ich bin dafür, daß ich einen Drink bekomme. Wollen Sie auch noch einen?» Plant zeigte mit dem Silberknauf seines Stocks auf Jurys Glas.

«Ich hab nichts dagegen.»

Melrose nahm das Glas, legte seinen Stock auf den Tisch und kämpfte sich zurück durch die Menge. Jury zog unter dem Tisch einen Stuhl heran und legte seine Füße darauf. Hundemüde war er. Er rollte den Stock hin und her, hob ihn hoch, wurde neugierig und spielte an dem Knauf herum. Er zog daran. Ein Stockdegen. Himmel noch mal.

Melrose kam mit den Getränken zurück, setzte sich und erzählte, was sich in den letzten vierundzwanzig Stunden zugetragen hatte; er begann mit dem Bild, das er Jury hinüberschob. «Wir wissen also, daß Crael sie kannte. Aber welche von beiden kannte er? Ich meine, welche von beiden war sie?»

«Gemma Temple», antwortete Jury und steckte das Bild in seine Tasche. «Sie fuhr mit dem Wagen ihrer Zimmergenossin nach Rackmoor, weil ihrer ein Anfängerschild hatte. Gemma Temple hatte gerade ihren Führerschein gemacht.»

«Du lieber Himmel, und Dillys March fuhr immer diesen roten Wagen.»

Jury nickte, und dann starrten beide schweigend in ihr Bier.

Jury lehnte sich zurück und schaute durch den oberen Teil des bleiverglasten Fensters, durch den die Lampen draußen zu sehen waren. Das aprikosenfarbene Licht eines ungewöhnlich sonnigen, aber kalten Tages war von den Tulpenornamenten der Scheibe verschwunden, und London dämmerte in den frühen Abend hinein. Aber es erzeugte kein Gefühl der Melancholie in Jury, der sogar in dem verrauchten Pub den Schnee riechen konnte, der bald fallen würde. London im Winter war für Jury die beste Jahreszeit. Die Straßen feucht wie alte Handschuhe, der Geruch von Gummistiefeln; dampfende Pferde mit ihren Reitern vor dem Palast. Er liebte London und wurde manchmal von diesem Gefühl geradezu überwältigt.

«Ich glaube, daß Julian Crael Gemma Temple irgendwo begegnet ist und von ihrer Ähnlichkeit mit Dillys March völlig geblendet war. Ich vermute, Dillys bedeutete Julian mehr, als er je zugeben würde. Er fing also mit Gemma ein Verhältnis an. Gemma sah darin die Möglichkeit, an ein Vermögen ranzukommen. Er muß ihr viel erzählt haben von sich, seiner Familie und seinem Zuhause – und von Olive Manning. Ich glaube, er wollte sie verlassen; vielleicht, weil er gemerkt hatte, wie fadenscheinig sein Phantasiegebilde war. Also setzte sich Gemma mit Olive in Verbindung, und die beiden arbeiteten diesen Schwindel aus.»

«Warten Sie mal. Olive Manning bestritt vom ersten Augenblick an, daß die Frau Dillys March sei. Wie konnte sie da gleichzeitig den Colonel glauben machen wollen, Dillys sei zurückgekommen.»

«Stimmt. Das verstehe ich auch nicht. Ich weiß nur, daß Gemma und sie gemeinsame Sache gemacht haben. Und wenn die Sache mit dem Diebstahl schiefging, dann hätte das ja ein verdammt gutes Motiv für einen Mord…»

«Es gibt noch ein besseres, oder? Julian Craels Motiv.»

«Ich weiß, er ist Ihr Kandidat. Aber warum sollte er sie ermorden? Warum nicht seinem Vater die ganze Geschichte erzählen? Julian wußte, daß die Frau nicht Dillys March war. Und vergessen Sie nicht sein Alibi…»

«Sie glauben also wirklich nicht, daß er es war, oder? Immer verteidigen Sie ihn.»

«Ich weiß nicht, wer es getan hat, mehr kann ich Ihnen nicht sagen. Und ich ‹verteidige› ihn nicht.» Jury fragte sich, ob er nicht doch recht hatte. Was lag ihm an diesem Mann, der so distanziert, so kalt war und – genaugenommen – das einleuchtendste Motiv hatte. Julian Crael beschäftigte ihn, und wahrscheinlich wollte er Plants vollkommen berechtigten Verdacht einfach mit Argumenten aus der Welt schaffen. Er dachte an Julian, wie er im winterlichen Licht des Wohnzimmers stand, seine Arme auf dem Kaminsims, unter dem Bild jener schönen Frau mit dem Seidenschal, die seine Mutter gewesen war. Und er fühlte in dem Lärm des verrauchten Pubs das gleiche Frösteln wie dort in der Stille des Wohnzimmers, als er Julian Crael zugehört hatte. «Ich dachte, Sie wüßten, daß sie tot sein könnte.» In den Worten schwang eine leise Frage mit, als verstehe der Sprecher selber nicht, was er gesagt hatte, als erwarte Julian eine Antwort von etwas, was außerhalb lag, von etwas Großem – von den Mooren vielleicht, oder der See.

Wer könnte denn tot sein, fragte sich Jury.

«Sie wollen nicht, daß er schuldig ist.» Plants Bemerkung unterbrach seine Gedanken, und er bemerkte, daß er die ganze Zeit über das Mädchen in Bordeauxrot, das immer noch an der Bar saß, angestarrt hatte.

Verärgert über sich selbst, leerte er schnell sein Glas und sagte: «Es ist fast sieben. Wir sollten lieber losfahren. Die Fahrt zurück nach Rackmoor dauert sechs Stunden. Ich würde ganz gern noch mit Olive Manning sprechen.»

Plants Blick glich einem Pfeil. «Ja, ich habe gehört, was Sie sagten. Ob ich will, daß jemand schuldig oder unschuldig ist, steht nicht zur Debatte. Vergessen Sie nicht, daß Crael ein Alibi hat.»

Plant saß immer noch da und fixierte seinen Spazierstock. «Ist das alles? Es soll schon mal vorgekommen sein, daß ein Alibi durchlöchert worden ist.»

14

«Sollen wir anhalten und Agatha aufstöbern? Sie wird nur Ihnen Bericht erstatten. Ich würde gerne wissen, wie sie mit der Suche nach dem Aufbewahrungsschein vorangekommen ist.»

Unter seinem Hut hervor erwiderte Jury: «Ich glaube, ich werde auf dieses kleine Vergnügen verzichten, wenn Sie nichts dagegen haben.»

Sie wechselten sich beim Fahren ab und lagen gut in der Zeit. Melrose fuhr, seitdem sie in einem Café einen Kaffee getrunken hatten mit einem fürchterlichen Stück Pie. «Es könnte ja auch sein», sagte Melrose, «daß der Mörder Gemma Temple mit Lily Siddons verwechselt hat. Aber welches Motiv könnte da dahinterstecken?»

«Der Colonel hat Lily Siddons sehr gern», sagte Jury, seine Stimme wurde durch den heruntergezogenen Hut gedämpft. «Genauso gern wie Dillys March, glaube ich.»

«Meine Güte, er hat ja die halbe Grafschaft gern. Ich hoffe, daß wir nicht überall in Yorkshire Leichen finden werden.»

Jury gab keine Antwort.

Melrose nahm an, er sei eingenickt, und beschleunigte den Jaguar auf hundertfünfundvierzig Stundenkilometer.

15

Plant hatte sich diskret entschuldigt und war auf sein Zimmer gegangen. Wood, der seine Überraschung kaum verbergen konnte, ging Olive Manning holen.

Alle anderen im Haus schienen zu schlafen, worüber Jury ganz froh war; er wollte sowenig Aufsehen erregen wie möglich.

Jury stand im Red-Run-Salon, dem «Nest» des Colonels, als Olive Manning erschien. Im Bademantel, ohne Schlüsselbund und ohne ihre kunstvolle Frisur sah sie fast menschlich aus. Sie verschwendete auch keine Zeit, wie Jury mit Erleichterung feststellte.

«Fanny hat schon immer zuviel geredet», war das erste, was sie sagte. Wie Jury zog sie es vor, beim Reden zu stehen.

«Wie hat Gemma Temple Sie ausfindig gemacht?»

«Durch Julian natürlich. Er war höchst indiskret. Wie auch immer, die ganze Sache hatte sich zu meinem Vorteil entwickelt – oder hätte es getan, sollte ich vielleicht lieber sagen, wenn nicht irgend jemand diese Frau ermordet hätte.»

«‹Irgend jemand›? Nicht Sie, Mrs. Manning?»

«Ich ganz bestimmt nicht. Obwohl es bestimmt schwierig wird, Sie davon zu überzeugen, da bin ich sicher.»

«Ihre Verbindung zu Gemma Temple würde das vermuten lassen. Aber alles schön der Reihe nach, die Details zuerst: Woher wußte Gemma Temple, daß Sie Ihre Schwester besuchten?»

«Sie rief erst hier an. Wood oder sonst jemand sagte ihr, ich sei in London bei meiner Schwester. Daraufhin rief sie mich dort an und sagte, sie hätte mir etwas von großer Wichtigkeit über Dillys March mitzuteilen. Ich war überrascht. Wer war diese Fremde, die etwas über ein Mädchen wußte, das vor fünfzehn Jahren verschwunden war? Sie wohnte im Hotel «Sawry». Julian war an diesem Morgen gerade nicht da, wie ich später herausfand. Als ich sie sah –» Olive Manning schloß die Augen. «Die Ähnlichkeit war frappierend. Nun, ich dachte natürlich, sie sei Dillys. Die Frau war wenigstens so schlau einzusehen, daß die Informationen, die sie über Dillys und über ihre Vergangenheit im Old

House hatte, einer genaueren Prüfung nicht standgehalten hätten. Sonst hätte sie es wohl auf eigene Faust versucht. Sie brauchte sozusagen noch den letzten Schliff; da mußte so einiges ausgebügelt werden, damit sie sich als Dillys ausgeben konnte.» Olive Manning sagte das gleichmütig und ohne Reue.

«Und Sie übernahmen das Ausbügeln?»

«Ja.»

«Wie dachten Sie, damit bei Julian durchzukommen? Er hätte es nie zugelassen, daß die Frau sich hier einnisten würde und die Rolle seiner Cousine –»

«Hier *einnisten*. Um Gottes willen. Das hätte ich auch nicht gewollt. Sie hätte die fünfzigtausend bekommen, und wir hätten sie uns dann geteilt. Das ist alles. Warum Julian das zugelassen hätte? ‹Zulassen› ist vielleicht nicht ganz der richtige Ausdruck. Hätte er denn den Colonel überzeugen können, daß sie nicht Dillys March war? Gemma hätte sich immer herausreden können und hätte zudem ihren Spaß an dem ganzen Schauspiel gehabt.»

«Warum haben Sie es sich nicht einfacher gemacht und Julian erpreßt?»

«Zum einen glaube ich nicht, daß Julian bezahlt hätte. Er gehört eher zu der Sorte, die sich stellen und dann verreißen lassen. Zum anderen hätte er gar nicht so schnell das Geld auftreiben können.» Sie lächelte kurz. «Dichterische Gerechtigkeit, verstehen Sie. Die Craels ließen es zu, daß Dillys March meinen Sohn zugrunde richtete. Ich dachte, ich hätte es verdient, zu sehen, wie ‹sie› Julian in die Knie zwingt.»

Was für eine zartfühlende Frau, dachte Jury. «Wie hatten Gemma und Julian sich überhaupt kennengelernt?»

«Durch Zufall. Auf einem Bahnhof – Victoria Station, glaube ich.»

«Zuerst haben Sie bestritten, daß sie Dillys ist. Sie haben also erst ganz zum Schluß die Möglichkeit eingeräumt, daß sie vielleicht doch Dillys sei, um Ihrer Meinung mehr Gewicht zu verleihen?»

«Ganz recht, Inspektor. Ich dachte, es sei besser, nicht gleich darauf einzugehen.»

«Es gab keine Beweise.»

«Ich hatte Zugang zu einigen Papieren. Der Geburtsurkunde von Dillys March und anderen. Falls ich sie wirklich gebraucht hätte. Aber Sie kennen Colonel Crael schlecht, wenn Sie glauben, daß es dazu gekommen wäre. Er hätte ihr ihre ‹Erbschaft› gegeben, keine Angst. Trotzdem hatte ich etwas in der Hand, was diese Dillys im passenden Moment hätte vorzeigen können.»

«Dieser Moment ist nie gekommen.»

Es folgte ein langes Schweigen. Sie seufzte. «Gut, Inspektor. Bevor Sie die Hunde auf mich hetzen, möchte ich Ihnen einen kleinen Handel vorschlagen.»

Daß sie gar nicht mehr dazu in der Lage war, schien ihr überhaupt nicht in den Sinn zu kommen. Sie hätte ebensogut über den Preis des grünen Samtsofas feilschen können, auf das sie ihre Hand gelegt hatte. In dem trüben Schein der Milchglaskugel – der einzigen Lampe, die Wood angemacht hatte – glitzerte der rosa Topasring an ihrem Finger.

«Was für einen Handel, Mrs. Manning?»

«Wissen Sie, ich habe mich offen zu dem Betrug – so nennen Sie das doch – bekannt. Und ich werde Ihnen da auch keine Schwierigkeiten bereiten. Dennoch denke ich, daß ich das Recht habe, meinen Namen von der Mordanklage reinzuwaschen. Das kann ich aber nicht, wenn Sie mich jetzt mitnehmen.»

Jury lächelte. «Das ist unsere Aufgabe – ich meine, Sie von der Anklage reinzuwaschen, falls es möglich ist.»

Sie schüttelte den Kopf. «Es gibt da keine Erfolgsgarantie. Inspektor, ich möchte nur vier bis fünf Stunden Zeit haben. Morgen findet eine Jagd statt – ich sollte wohl eher heute morgen sagen. Wenn Sie mir bis dahin meine Bewegungsfreiheit lassen könnten –»

«In vier bis fünf Stunden können Sie über alle Berge sein –»

Sie schnaubte. «Ich bitte Sie, Inspektor. Ich wüßte nicht, wohin ich gehen wollte. Mein Leben ist das Old House und mein Sohn, und wie könnte ich ihn jemals wiedersehen, wenn ich abhaue?»

Ihm gefiel, wie sie das Wort aussprach. Er lächelte. «Was haben Sie vor? Was habe ich davon, wenn ich Ihnen diese Stunden zugestehe?»

«Vielleicht gelingt es mir, Ihnen einen Fuchs aus dem Bau zu scheuchen. Morgen holen wir, um eine Lieblingsformulierung des Colonels zu gebrauchen» – sie lächelte – «das gute alte Stück hervor.»

SECHSTER TEIL

DAS GUTE ALTE STÜCK

I

Um Punkt halb neun rappelte sich Melrose Plant wieder auf. Er hatte noch nicht gefrühstückt, nur von dem betäubenden Sattel- trunk hatte er einen Schluck genommen, um Körper und Geist zu stärken. Vor einer halben Stunde war er schon einmal herun- tergefallen, als sein Pferd den Sprung über eine Mauer nicht ge- schafft hatte. Diesmal war es ein kleiner Bach, der ihn zu Fall brachte. Melrose klopfte sich ab und stieg wieder aufs Pferd. Es schadete nichts, daß sein Kopf wie betäubt war – seinen Händen und Füßen erging es nicht anders. Er wußte schon nicht mehr, welches nebulöse Pflichtgefühl seinem Gastgeber gegenüber sei- nem kränklichen Knie zur Heilung verholfen und ihn um sechs Uhr früh aus dem warmen Bett in die kalte Morgenluft gezerrt hatte. Prost und Waidmanns Heil hatte der Colonel zigmal wie- derholt.

Melrose stieg wieder auf sein Pferd. Das Ganze konnte ihm gestohlen bleiben. Er war weder an Hunden noch an Füchsen interessiert. Allein die Menschen interessierten ihn. Sie ritten über die Moore, rot berockt, mit Schwalbenschwänzen, ganz in Tweed, als gäbe es keine Schürfwunden oder zerfetzte Jagdröcke (von beidem gab es genügend), von dem Mord ganz zu schwei- gen.

Er musterte die Reiter, die in sein Blickfeld kamen – rote Jagd- anzüge, Meltons, Derbies; die Frauen trugen Samtkappen, Halsbinden, handgearbeitete Stiefel, Jeans und Pullover. Eine

bunt zusammengewürfelte Gesellschaft, die sich in diesem gottverlassenen Moor hier draußen, in Nässe, Nebel und Schnee
köstlich zu amüsieren schien. Eine verwegene Schar unberittener
Teilnehmer krönten den in der Ferne liegenden Hügel; sie sahen
aus wie die Zuschauer bei einem Kricketspiel. Der Huntsman
war nirgendwo zu sehen. Melrose hatte ihn zuletzt entdeckt, als
sie zu dem Bau geritten waren, den Tom Evelyn vor einer halben
Stunde aufgespürt hatte.

Er spähte durch den Nebel und glaubte, den Colonel zu erkennen. Da von Evelyn keine Spur war, dachte Melrose, ein Teil
der Jagdgesellschaft würde einem anderen Fuchs nachjagen,
denn Colonel Crael hatte seinen Hut abgenommen und damit
das Signal gegeben.

Im Gegensatz zu Melrose schien seinem Schimmel das Ganze
zu gefallen, und als die Hundemeute zu bellen anfing, fiel er wieder in Galopp. Zum Glück war es ein freies Feld mit wenigen
Mauern und ohne Stacheldraht. Melrose hielt sich tapfer, als sein
Pferd einen doppelten Graben übersprang. Die Schlußhunde
waren im Nebel verschwunden, und sie mußten jetzt nach Gehör reiten, da man nichts sehen konnte.

Der Schimmel nahm einen weiteren Graben, und Melrose sah
sich jeden Moment schon wieder am Boden liegen. Außer dem
Geräusch der Hufe, die über den gefrorenen Boden dahinstoben,
hörte er nur noch das Bellen der Meute. Durch ein Loch im Nebel sah er eine Gruppe von Pferden und Reitern, die an einer
langen Steinmauer standen. Er nahm an, der Colonel habe einen
Fang gemacht, und freute sich darüber – vielleicht konnten sie
jetzt umkehren, etwas essen und sich wieder wie zivilisierte
Menschen benehmen. Er brachte sein Pferd zum Traben, ritt
heran und stieg mit zehn oder zwölf anderen bei der Mauer ab.

Die Mauer, die vor ihnen lag, schien aus dem Nebel herauszu-
wachsen. Soweit Melrose das beurteilen konnte, war es eine
ziemlich sinnlose Umzäunung. Die Hunde bellten auf derart un-
gewohnte Art und Weise, daß sogar Melroses ungeschultes Ohr
heraushören konnte, daß dies keinen Fang bedeutete. Colonel
Crael schien sie zurückhalten zu wollen, und der zweite Pikör
stand kreidebleich da, offenbar nicht der Kälte wegen. Du großer

Gott! dachte Melrose, als er sie schließlich entdeckte. Olive Manning lag ausgestreckt mit dem Gesicht nach unten über der Mauer, wie eine große Stoffpuppe. Auf der einen Seite hingen ihre Füße herunter, auf der anderen die Arme. Alles war voller Blut; es rann die Steine herunter und verfärbte den Schnee; die Reithosen, der schwarze Melton und die Stiefel waren blutverschmiert. Es sah aus, als hätte sie noch, bevor sie starb, versucht, sich aufzusetzen, um von den mörderischen Steinen wegzukommen. Den Sprung über diese Einzäunung hätte jeder Reiter und jedes Pferd verweigert, um statt dessen nach einer Schranke oder einem anderen Zugang zu suchen. Aber es war nicht die Höhe, die einen Sprung unmöglich machte, sondern die Tatsache, daß die Mauer mit diagonal angebrachten messerscharfen Kalksteinen bestückt war. Es war, als würde man auf Spikes fallen.

«Holen Sie Jury», sagte Melrose zu den Umstehenden.

2

«Ich war es, der sie gefunden hat, Inspektor Jury; oder vielmehr Jimmy und ich.» Colonel Crael stand an die Mauer gelehnt, als würden seine Beine sich weigern, ihn zu tragen.

In der Zeit zwischen dem Davongaloppieren des zweiten Pikörs, der im «Fuchs» anrufen wollte, und Jurys Eintreffen hatte Melrose Plant erfolgreich den Platz abgesichert. Tom Evelyn hatte die Hunde zusammengetrieben.

Außer Jury, Wiggins, Colonel Crael und Olive Mannings Leiche befand sich niemand mehr in den Mooren.

Jury verfluchte sich leise, während er die Leiche untersuchte und auf Harkins und den Mann von der Spurensicherung wartete. Hätte er Olive Manning für die Dauer der Jagd nicht freigelassen, wäre das hier nicht passiert. «Wann haben Sie sie zuletzt gesehen?»

«Ich erinnere mich nicht, sie überhaupt gesehen zu haben, Inspektor. Die Jagdgesellschaft bestand aus ungefähr fünfzig Personen; das sind ziemlich viele Leute für die Jahreszeit. Ich habe eigentlich gar nicht nach Olive Ausschau gehalten.»

«Wieso ist sie allein losgeritten? Sie muß vor den Hunden gewesen sein?»

«Ehrlich gesagt, ich weiß es nicht. Vielleicht ist sie dem ersten Fuchs, Toms Fuchs, gefolgt.»

«Erzählen Sie, was dann passiert ist.»

«Wir ritten in schnellem Galopp. Die Hunde mußten seit ungefähr einer halben Stunde gelaufen sein, ohne die Fährte zu verlieren. Nun, der Wind liegt ja auch günstig, und die Hunde rannten also weiter geradewegs auf Dane Hole zu. Danach, eine halbe Meile weiter, teilte sich die Meute in der Nähe von Kier Howe. Das liegt auf der anderen Seite von Cold Asby. Jedenfalls sah ich dann diesen jungen Fuchs aus dem Badsby Hole herauskommen. Der zweite Pikör – das ist Jimmy – gab ein Signal, und wir jagten hinterher. Als wir uns dieser verfluchten Mauer hier näherten, fragte ich mich, warum sie denn so plötzlich haltmachten? Ich dachte, sie hätten die Fährte verloren, vielleicht weil Schafe den Weg überquert hatten. Schafe sind manchmal schlimmer als Rinder; es gelingt ihnen, die Witterung vollständig wegzuwischen.»

Jury unterbrach ihn: «Fahren Sie fort, bitte.»

«Die Hunde rannten die Einzäunung entlang. Ich dachte, sie wollten die Öffnung auskundschaften – sie befindet sich etwas weiter weg, und dann… nun ja… Jimmy war im selben Moment neben mir, als die Hunde anfingen zu bellen. Wir erreichten die Stelle – Olive – beinahe gleichzeitig. Und wenige Augenblicke später kam Evelyn dort den Hügel runter mit der laut bellenden Meute.» Der Colonel zuckte mit den Schultern und starrte in das graue Licht. «Das ist alles. Evelyn brachte die Jagdhunde unter Kontrolle und führte sie weg.»

Jury wandte sich von Olive Mannings leblosem Körper ab.

«Sergeant Wiggins, Sie nehmen den Jeep und fahren mit Colonel Crael zurück zum Old House und sehen zu, daß niemand das Haus verläßt.»

«Das wird nicht so einfach sein, Inspektor», sagte Crael.

«Einige müssen noch bis nach Pitlochary reiten, und ich bin sicher…»

«Es ist mir scheißegal, wie weit sie reiten müssen.»

3

Dr. Dudley wischte sich die Hände ab und schüttelte den Kopf. «Raffiniert eingefädelt – aber so kann es nicht passiert sein.»

«Das habe ich mir schon gedacht», sagte Jury und beobachtete, wie Harkins' Männer beinahe wie Hunde ausschwärmten und sich entlang der Steinmauer verteilten. Sie kämmten alles nach Spuren ab.

Harkins stand in seinem mit Schafsfell gefütterten Mantel herum und rauchte. «Raffiniert ist der richtige Ausdruck.» Harkins fuhr mit seiner behandschuhten Hand über die Steine. «Ich würde nicht gerne darauf fallen wollen, weiß Gott nicht.»

Der Arzt war gerade dabei, seine Sachen wieder in die Tasche zu verstauen. «Sie könnten ruhig darauf fallen. Es würde Sie nicht töten, obwohl es einigen Schaden anrichten würde.» Er klappte seine Tasche zu und erhob sich. «Diese Steine könnten Sie zwar ganz schön zerfetzen, aber nicht wie eine Reihe von Messern durchbohren. Die Verletzungen stammen nicht von den Steinen, das ist sicher.»

«Ich wage kaum, Sie zu fragen, von was sonst», sagte Jury und sah Dudley an.

«Es war wohl die gleiche Waffe wie bei dem Temple-Mord.»

«Und da wir noch immer nicht wissen, was es war…» Harkins ging zu der Stelle, wo man Olive Mannings Pferd gefunden hatte. Es stand da, als warte es darauf, daß sie wieder aufsitzen würde. Die Leiche wurde gerade auf Jurys Anweisung hin in einer Plastikhülle zu dem wartenden Combi geschafft, dessen Blaulicht gespenstisch aufleuchtete. Die Männer aus Pitlochary hatten diesen abgelegenen Tatort über einen alten Feldweg erreicht, der von der Straße nach Pitlochary abging und über das Howl-Moor führte. Von da an waren die Wegverhältnisse ziemlich schwierig. «Jemand hat sie also erstochen und über diese Mauer geworfen, damit es so aussieht, als hätte das Pferd sie abgeworfen, und ist dann weggeritten. In der Tat raffiniert. Nur hat dieser Jemand das Pferd nicht bedacht. Es stand auf der falschen Seite der Mauer.» Harkins schnitt das Mundstück von seiner handgerollten Zigarre ein.

Jury sah ihn an. Harkins wäre ihm zwar bedeutend sympathischer gewesen, wenn er seine Leute weniger geschunden hätte. Aber er war zweifellos ein guter Polizist.

Der Arzt sagte: «Es könnte vor ungefähr vier oder fünf Stunden passiert sein. Ich kann Ihnen genaue Angaben machen, sobald ich sie im Leichenschauhaus habe.»

«Es muß also kurz vor Jagdbeginn geschehen sein. Soviel ich weiß, fing sie um sieben oder halb acht an.»

«Ein höllischer Zeitpunkt», sagte Harkins und ließ den Blick über das kalte, öde Moor schweifen. «Und ein höllischer Ort für ein Rendezvous.»

«Das stimmt. Aber wir wissen jetzt, warum er gewählt wurde», sagte Jury.

Jury mußte durch ein braunes Meer von Hunden waten, deren Schwänze wie Wimpel hin- und hergingen und die gerade von zwei Jagdhelfern in einen wartenden Wagen getrieben wurden. Tom Evelyn näherte sich ihm auf einem rötlich schimmernden Pferd. Jury stellte erstaunt fest, daß manche Menschen für ihren Beruf wie gemacht zu sein schienen. Es sah aus, als wäre Evelyn in seinem roten Jagdanzug und mit den Reitstiefeln auf sein Pferd gemalt worden.

«Ich möchte, daß Sie noch eine Weile hierbleiben, Tom.»

Evelyn tippte mit den Fingern gegen seinen Hut, sagte aber nichts.

Um das Old House herum standen Pferdewagen, Wohnwagen, Combis, Lastwagen, Autos und Land Rovers. Jury ging über den Hof, vorbei an den noch dampfenden Pferden und an den dort versammelten Frauen und Männern, die je nach Menge des gereichten Satteltrunks besser oder schlechter gelaunt waren. Jury wollte gerade die Treppe hinaufgehen, als er hinter sich eine Stimme hörte:

«Inspektor Jury, ich habe was für Sie.»

Lily Siddons saß auf Red Run, ihrer haselnußbraunen Stute, und sah einfach umwerfend aus. Sie hatte nichts mehr gemein mit dem Mädchen, das er in der Küche des Cafés «Zur Brücke» gesehen hatte. Sie trug weder den schwarzen Melton noch den einfachen Tweed der anderen Frauen. Lily hatte einen jagdgrünen samtenen Reitanzug an. Es war kaum zu fassen, daß es ein und dieselbe Person war. Ihre bernsteinfarbenen Augen schimmerten sogar in der fahlen Morgendämmerung. Sie hatte ihre Kappe abgenommen und an den Zügeln befestigt, und ihr goldenes Haar wehte in der sanften Brise. Sie war nicht mehr «die Kleine der Köchin». Das hier war ihr eigentliches Milieu. Sie sah elegant, gelassen und sehr sicher aus.

Wahrhaftig wie eine echte Crael.

Er nahm den silbernen Becher, den sie ihm herunterreichte.

«Was ist das?» Jury versuchte zu lächeln, aber es gelang ihm nicht so recht.

«Ein Satteltrunk, zum Aufwärmen.» Ihre Augen wurden dunkler, wie er es bereits zuvor gesehen hatte, wenn sie etwas bedrückte. «Schrecklich. Aber wenn ich ehrlich bin – ich habe Olive Manning nie gemocht. Und es gibt keinen Grund –» Sie zuckte leicht mit den Schultern und ritt auf Red Run über den Hof, wobei die Hufe auf den Steinen hallten. Jury trank nichts, sondern hielt nur wie gelähmt den Becher in der Hand. Er sah, wie sie im Stall vom Pferd stieg, und fragte sich, wie er nur hatte so blind sein können.

Während er sie betrachtete, schien der Nebel aufzusteigen, sich aufzulösen und in die Bäume zurückzuziehen. Die Sonne war zwar noch nicht zu sehen, aber es war heller geworden. Der Himmel war milchig; der Morgen hatte eine Farbe wie altes Zinn. Für ihn setzte sich Lily Siddons' Leben plötzlich zu einem einheitlichen Ganzen zusammen, vergleichbar den kleinen Stückchen in einem Kaleidoskop, die ein Muster bilden.

Da waren die Goldjungen: Julian und sein Bruder Rolfe. Mary Siddons war von Lady Margaret einfach ausgebootet und Rolfe, der Frauenheld (meist Held der falschen Frau), nach Italien verfrachtet worden. Daraufhin Mary Siddons' Selbstmord. Die Goldkinder. Dieses unbeschreibliche Haar, das ihm schon am ersten Abend, als sie im Gegenlicht stand, aufgefallen war. Lily Siddons hatte Lady Margarets Haare geerbt. Sie war Colonel Craels Enkelin.

4

Ian Harkins schälte sich gleichsam aus seinen Hüllen; er knöpfte seinen teuren, mit Schafsfell gefütterten Wildledermantel auf, um den Blick auf einen graublauen Anzug freizugeben. Er lehnte sich zurück, legte einen seidig bestrumpften Knöchel über das Knie, machte es sich übertrieben langsam bequem, während alle übrigen warten mußten.

Sie befanden sich im Arbeitszimmer des Colonels – Jury, Harkins, der Colonel und Wiggins. Jury hatte Harkins soeben erzählt, was er in London herausgefunden hatte, und Harkins war verärgert, daß es nicht der Fund seiner Männer – das heißt sein Verdienst war. Da ihn Jury mit dem Ergebnis in London überrundet hatte (so wenigstens betrachtete Harkins die Angelegenheit), hatte Jury beschlossen, Harkins mit dem Verhör beginnen zu lassen.

Die gute Zigarre, die ihm der Colonel anbot, lehnte Harkins zugunsten seiner eigenen, besseren ab. Er entfernte die Zellophanhülle, zündete sie sich mit einem silbernen Feuerzeug an und zog daran, bis sie rot aufglühte. Jury ließ ihm Zeit, ließ ihn seinen Auftritt vorbereiten. Er mußte wohl seine Tücken haben, denn Jury nahm eigentlich an, daß Harkins es vorgezogen hätte, Leuten mit Rang und Namen nicht auf die Füße zu treten – in diesem Fall auf die des Colonels. Allerdings würde er vor Jury nicht als Kriecher erscheinen wollen, indem er vor Sir Titus katzbuckelte. Umgekehrt gehörte er zu denen, die glaubten, sie müßten ausfällig werden, um etwas zu erreichen. Jury vermutete, daß für Harkins der Übergang zwischen beiden Verhaltensweisen fließend war. Er wünschte sich, daß Harkins' Persönlichkeit da weniger gespalten wäre, denn er spürte, daß er eigentlich ein scharfsinniger Polizist war. Als er Harkins beobachtete, wie er dasaß und den Colonel betrachtete, spürte er, daß er den wirklichen, den eigentlichen Inspektor Harkins vor sich hatte – Harkins in Aspik.

«Sir Titus», sagte Harkins, «fragten Sie sich nicht, warum sie, wo sie doch eine so gute Reiterin war, über die Mauer gesprungen ist?»

Die Frage schien den Colonel zu verwirren. «Was?»

«Aus welchem Grund hätte Olive versuchen sollen, über diese Mauer zu springen?»

Jury lächelte kurz. Offenbar stand Harkins, wenn nicht mit Jury, dann doch mit dem Tod auf du.

«Ich weiß es nicht.»

«Würden Sie es tun?» Bei dieser Frage zog Harkins leicht eine Augenbraue hoch.

«Nein.»

«Würde überhaupt jemand an dieser Stelle springen?»

Colonel Crael runzelte die Stirn. «Ich kenne niemanden, der das je getan hat, nein.»

«Sie hat es» – Harkins klopfte mit seinem kleinen Finger die Asche von seiner Zigarre – «auch nicht getan.» Der Colonel sah ihn verwundert an. «Aber Sir Titus, haben Sie das nicht schon längst vermutet? Sie fiel nicht über diese Steine. Jemand hat sie da hingelegt.»

«Hingelegt –?»

Harkins unterbrach ihn. «Wo war Ihr Sohn heute morgen?»

Die Frage kam höchst unerwartet und wirkte wie ein Schlag ins Gesicht. «Nun, ich nehme an, Julian befand sich im Bett. Oder er machte einen Spaziergang. Manchmal geht er ganz früh –»

«Vielleicht im Howl-Moor spazieren?» Harkins knisterte mit der Zellophanhülle, in die seine Zigarre eingewickelt gewesen war. Das unangenehme Geräusch paßte gut zu seiner Stimme. Dem Colonel stieg die Röte ins Gesicht, und er wollte etwas einwenden, wozu ihm Harkins aber keine Gelegenheit gab. «Sir Titus, haben Sie unter diesen Umständen nicht auch daran gedacht, daß Ihre Haushälterin vielleicht ermordet worden ist?»

«Wie meinen Sie das?»

Harkins schnaufte ungeduldig über diese Begriffsstutzigkeit. «Den Mord an dieser Temple, natürlich. Sie sagten, Sie ritten der Spur eines anderen Fuchses nach, ist das richtig?» Der Colonel nickte. «Natürlich sind Sie mit dem Zeremoniell einer Jagd weitaus besser vertraut als ich. Dennoch erscheint mir das, was Sie taten, eher als eine Verletzung des Zeremoniells.» Das Gesicht des Colonels zeigte wieder nur Ratlosigkeit.

«Sir Titus, Ihr Huntsman hat doch die Spur des ersten Fuchses verfolgt. Ist es nicht ziemlich ungewöhnlich für einen Jagdherrn, die Spur des zweiten aufzunehmen? Ist es nicht» – auf Harkins' Gesicht war plötzlich ein Lächeln zu sehen, das er wie eine Freikarte vorzeigte – «unhöflich. Sie müssen das doch am besten wissen.» Er entfernte eine Fluse von seiner seidenen Socke. «Und der zweite Fuchs hat Sie dann unverzüglich zu jener Stelle geführt.»

Das Gesicht des Colonels wurde puterrot. Er erhob sich aus seinem Stuhl, setzte sich aber wieder und sagte: «Wollen Sie damit sagen, Inspektor Harkins, daß ich gewußt habe, daß Olive Mannings Leiche auf der Mauer liegen würde?»

«Der Gedanke ist mir durch den Kopf geschossen.»

In der darauffolgenden Stille machte sich Wiggins daran, eine frische Packung Hustenbonbons aufzureißen, ließ aber nach einem Blick auf Harkins davon ab und lutschte weiter auf dem Bonbon herum, das sich noch in seinem Mund befand. Jury brach das Schweigen, was ihm einen finsteren Blick von Harkins eintrug. «Colonel Crael, wir wissen inzwischen, daß Gemma Temple nicht Ihr Mündel Dillys war. Ihre ganze Geschichte war eine Lüge. Sie kam hierher in der Absicht, sich die Erbschaft unter den Nagel zu reißen.»

Harkins warf Jury einen vernichtenden Blick zu, weil er Informationen preisgegeben hatte. Jury konnte ihm das nicht übelnehmen; trotzdem war er der Meinung, der Colonel habe ein Recht, es zu erfahren.

Der Colonel schloß kurz die Augen. Dann sagte er: «Also gut. Dennoch verstehe ich nicht ganz, woher sie soviel über Dillys und über uns wissen konnte.»

«Sie war genauestens informiert worden.» Jury brachte es beinahe nicht heraus: «Von Olive Manning.»

Das Gesicht des Colonels schien um Jahre zu altern.

«Von Olive? Olive?»

«Ich fürchte, ja. Sie ist nicht über die Tatsache hinweggekommen, daß Dillys March ihren Sohn in den Wahnsinn getrieben hat, zumindest nahm sie das an. Sie tat es aus Rache – und Geldgier. Olive Manning war also gefährlich für jemanden… Sie wußte, wer Gemma Temple ermordet hatte.» In Harkins' Stimme lag die Autorität eines Deus ex machina, der auf die Bühne herabgestiegen ist, um das traurige Durcheinander, das die Schauspieler verursacht haben, wieder in Ordnung zu bringen.

«Vielleicht», sagte Jury. «Vielleicht war es aber auch etwas anderes…» Er dachte an die Anschläge auf Lily Siddons. Da er aber über Lily und über den Zusammenhang, den er zwischen ihr und der Familie Crael vermutete, keine kühnen Behauptungen aufstellen wollte, unterbrach er sich. «Die Reise, die Ihre Frau und Ihr Sohn vorhatten, war sie nicht ein wenig plötzlich?»

«Das ist so lange her…»

«Kann es sein, daß Lady Margaret ihren Sohn von jemandem trennen wollte? Von einer Frau?»

«Ich verstehe nicht, worauf Sie hinauswollen.»

Auch Harkins verstand es nicht. Er saß da und sah höchst unglücklich aus über den Verlauf, den das Verhör genommen hatte.

«Ich meine Mary Siddons.»

Sein Erstaunen war nicht geheuchelt.

Wenn es eine Beziehung zwischen Rolfe und Mary gegeben hatte, der Colonel hatte nichts davon gewußt. Lady Margaret hingegen war bestens informiert gewesen, das hätte Jury schwören können. «Sie war ein hübsches, liebenswertes Mädchen, Mary Siddons, oder?» Der Colonel schwieg. «War es nicht möglich, daß die beiden ein Verhältnis hatten?» Der Ausdruck im Gesicht des alten Mannes verriet Jury, daß es nicht nur möglich, sondern sogar wahrscheinlich war.

«Mein Gott.» Der Colonel holte tief Luft. «Margaret wollte das Mädchen rausschmeißen. Das war kurz bevor sie und Rolfe abfuhren. Ich habe mich immer gefragt, warum. Daß Mary etwas gestohlen haben sollte, daran habe ich nie geglaubt. Nun, ich wollte sie nicht gehen lassen, ich wollte es einfach nicht, und in dem Punkt habe ich mich durchgesetzt, aber –»

Aber auch nur in diesem, dachte Jury. «Sie hatten keine Ahnung von dieser Verbindung?»

«Chefinspektor, ich denke, es wäre vielleicht besser, wenn wir uns wieder den gegenwärtigen Problemen zuwenden würden.» Harkins war frustriert.

«Das sind indirekt die gegenwärtigen Probleme», sagte Jury. «Wäre es möglich, Colonel Crael, daß Olive Manning von der Beziehung zwischen Rolfe und Mary etwas gewußt hat?»

«Olive? Ja, das ist gut möglich. Margaret stand sie jedenfalls sehr nahe.»

«Wie alt war Lily damals?» Er bemühte sich, der Frage einen so beiläufigen Ton wie nur möglich zu geben.

«Oh, ich weiß nicht. Sie muß zehn oder zwölf Jahre gewesen sein.»

Mary Siddons hatte all die Jahre geschwiegen. Man hatte ihr entweder Geld angeboten oder sie eingeschüchtert; einen Mann für sie gefunden, und Rolfe war zu schwach oder zu desinteressiert gewesen, um seiner Mutter zu widersprechen. Mary Siddons mußte aber ein letztes Mal versucht haben, ihn an sich zu binden, und dabei kläglich gescheitert sein. Rolfe wurde von seiner Mutter abgeschleppt. Jury wußte nicht genau, ob es Ian Harkins' Gegenwart oder einfach seine Intuition war, die ihn davon abhielt, all das laut auszusprechen. Er tat es jedenfalls nicht.

«Was geschieht jetzt?» fragte der Colonel.

«Es wird neu ermittelt. Ihr Sohn geht nicht auf die Jagd, oder?»

Die Art und Weise, wie Harkins die Frage herausschleuderte, erschreckte sogar Jury. Der Colonel wurde ganz blaß, als die Frage erneut auf Julian kam. «Nein.»

«Wo war er dann heute morgen?»

«Ich weiß es nicht. Sie haben mich das bereits gefragt, Inspektor.» Seine Stimme klang schwach.

«Und folgte er der Jagd nicht zu Fuß?»

«Nein. Julian mag nicht jagen», antwortete der Colonel niedergeschlagen.

«Aber lange Spaziergänge mag er. Ich nehme an, er kennt sich im Howl-Moor ziemlich gut aus.»

«Inspektor Harkins», fuhr ihn Colonel Crael an, «ich mag Ihre Unterstellungen nicht.»

Jury hatte die Anschnauzereien satt. «Jeder hätte ein Treffen mit Olive Manning da draußen arrangieren können, ob zu Fuß oder als Reiter der Jagdgesellschaft. Spaziergänge über das Moor beweisen noch gar nichts.»

Die Äußerung trug ihm zwei sehr unterschiedliche Blicke ein.

Nachdem er eine Weile überlegt hatte, sagte Colonel Crael: «Aber es dürfte für den Mörder doch äußerst schwierig gewesen sein, Olive dort draußen im Moor, an dieser Mauer aufzuspüren?»

«Offensichtlich nicht», entgegnete Harkins bissig, «Sie selbst haben es auch geschafft.»

«Ich glaube, der alte Mann war etwas durcheinander», sagte Harkins, als sie in dem langen Gang standen. Eine Frau kam aufgeregt aus dem Eßzimmer. Dort wurden gerade die Teilnehmer der Jagd von Harkins' Männern befragt.

«Ja, den Eindruck hatte ich auch», sagte Jury. «Mir ging es nicht viel anders.»

Harkins lächelte grimmig. «Soll das ein Kompliment sein, oder gefällt Ihnen mein Vorgehen nicht?» Er zündete sich eine neue Zigarre an und sagte dann: «Wen ich aber eigentlich ausquetschen möchte, ist Julian Crael. Und ich bezweifle sehr, daß er für den fraglichen Zeitpunkt ein Alibi hat.»

«Ich werde Julian Crael selbst befragen.»

«Ich wäre gern dabei.»

«Sprechen Sie doch später mit ihm. Geben Sie mir nur ein paar Minuten –»

«Hören Sie, Jury, das ist immerhin mein Amtsbezirk –»

«Ihr Amtsbezirk!» Jury vergaß seinen Schwur, niemals die Beamten einer ländlichen Polizeieinheit zurechtzuweisen. «Ihr Leute, ihr ruft London an und bittet um Hilfe. Okay, daraufhin bekommt ihr einen Mann wie mich. Euer Pech. Aber solange ich hier bin, ist das mein Amtsbezirk, und ich bestimme, wie diese Untersuchung durchgeführt wird.»

«Schon gut, schon gut», sagte Harkins beruhigend. Sein Lächeln wirkte auf irritierende Weise überlegen. Mit seinen

schweinsledernen Handschuhfingern fuhr er über den gepflegten Schnauzer, als wollte er damit sein Lächeln löschen. «Bis
später.» Harkins drehte sich um und enteilte.

5

Im Bracewood-Salon saßen Jury und Julian sich auf der Couch
gegenüber. Julian saß nach vorn gebeugt, die Hände gefaltet, und
sah auf den Boden, so daß Jury lediglich seinen hellen Haarschopf sehen konnte. Er wirkte verletzbar – der Kopf eines jungen Mannes. «Zigarette?»

Julian schüttelte den Kopf und stand auf. «Ich könnte aber
einen Drink vertragen. Sie auch?»

«Warum nicht? Aber nur einen kleinen.» In Anbetracht der
Einsamkeit, in der Julian all die Jahre gelebt haben mußte, und
des Schmerzes, der ihm unmittelbar bevorstand, brachte Jury es
nicht übers Herz, ihn auch noch allein trinken zu lassen.

Julian füllte zwei Gläser mit Whisky und fügte seinem noch
ein wenig Soda hinzu. «Es tut mir leid wegen Olive. Ich kannte
sie fast so lange, wie ich lebe.» Er stellte sich vor den Kamin.
«Aber das nehmen Sie mir wohl nicht ab?»

«Warum sollte ich nicht?»

«Weil ich den Eindruck habe, daß Sie trotz meines Alibis glau-
ben, ich hätte diese Temple ermordet.» So wie er dastand, den
Arm auf dem Kaminsims, bedeckt von dem dunklen Stoff seines
Blazers, schien seine Pose identisch mit der seiner Mutter zu
sein. Er sah wirklich jung aus. Obwohl er kaum jünger war als
Jury, wirkte Julian immer noch unberührt.

Jury überging seine Bemerkung. «Wo waren Sie heute morgen?»

«Ich bin ausgeritten. Ich kam so gegen neun zurück. Und ich
war nicht draußen im Howl-Moor. Bis zu der Mauer wäre es
ohne Frühstück im Bauch etwas weit.»

«Waren Sie allein?»

Julian starrte ihn an. «Nein, ich hatte mein Pferd dabei.»

«Haben Sie Olive Manning heute morgen gesehen?»

«Nein.»

«Ich wollte Sie wegen Dillys March fragen.»

«Zum hundertsten Male, diese Frau war nicht Dillys March.»

«Ich weiß.» Jury nahm einen Schluck Whisky; er brannte ihm auf der Zunge. «Olive Manning hat sie hierhergebracht, damit sie sich als Dillys March ausgibt.»

Diese Enthüllung schien ihn genauso aus der Fassung zu bringen wie den Colonel. Er mußte seine Stellung am Kamin aufgeben, um sich hinsetzen zu können. «Olive? Oh, mein Gott, aber warum –?»

«Wegen des Geldes und aus Rache, nehme ich an. Ihrer Meinung nach hatten die Craels schuld an Leos traurigem Schicksal.»

«Es fällt mir schwer zu glauben, daß sie meinen Vater auf diese Art betrogen hat. Wie haben Sie es herausgefunden?»

«Indem ich ins Hotel ‹Sawry› ging.» Julian erblaßte.

«Vielleicht war es Miss Temple, die die Streichhölzer liegenließ. Mit Absicht, natürlich.»

Es entstand ein langes Schweigen, das nur von einem funkensprühenden, berstenden Holzscheit im Kamin unterbrochen wurde. «Sie wissen es also», sagte Julian.

Er holte das Bild aus seiner Tasche, das Melrose gefunden hatte, und legte es auf den kleinen Tisch neben Julians Stuhl. Julian betrachtete es eine ganze Weile und murmelte leise: «Wie dumm von mir.» Er ließ den Kopf zurückfallen und sagte: «Es war dumm, die Bilder aufzuheben. Ich erspar mir die Frage, wie Sie an die Fotos gekommen sind. Es ändert schließlich nichts an der Sache. Ich nehme an, das beantwortet alle Ihre Fragen?»

«Nein. Haben Sie sie in London kennengelernt?»

«An der Victoria Station. Ich hatte den Zug nach London genommen... das war letztes Jahr. Ich ging in das Café, um eine Tasse Kaffee zu trinken. Sie saß da, aß ein Stück Kuchen und trank Tee. Ich konnte es nicht fassen, jenes Mädchen, das Dillys hätte sein können, da sitzen zu sehen. Natürlich nur ein wenig älter. Man sah es ihr allerdings kaum an.» Sein Lächeln war schwach, nervös. «Es ist nicht meine Art, Frauen anzusprechen, wirklich, aber ich nahm all meinen Mut zusammen, und es ging gut. Ein albernes Gespräch über die Züge und das Wetter. Sie war sehr freundlich.»

«Prostituierte sind bekannt dafür.»

Julian wurde rot. «Aber sie war keine, ich meine, nicht wirklich.»

Jury lächelte. «Nur so ein bißchen.»

«Denken Sie, was Sie wollen. Eigentlich war sie eine arbeitslose Schauspielerin. Dafür gibt es Beweise, wenn ich nicht irre?»

«Ja. Sie kannten Gemma Temple also ungefähr ein Jahr. All ihre Reisen nach London…»

«Offensichtlich eine unkluge, gefährliche Liaison. Aber ich konnte mir nicht helfen. Ich frage mich, wie viele Männer das schon gesagt haben? Aber es war – als würde mir etwas wiedergegeben. Als Mutter und Rolfe und dann auch Dillys verschwanden, fühlte ich mich beraubt. Ich war nicht nur allein, sondern auch, nun ja, beraubt, verletzt. Als ob man dieses Haus geplündert und alles entfernt hätte. Ich kann es nicht erklären. Aber mit ihr zusammen war es… als ob alles wieder gut wäre.» Er verstummte. Julian ließ die Vergangenheit weniger los als seinen Vater. «Sie müssen Dillys sehr gemocht haben, sonst hätten Sie wohl nicht versucht, sie in der Person von Gemma Temple wiederauferstehen zu lassen.»

Julian warf ihm einen Blick zu. «Eine fixe Idee, meinen Sie das? Eine Art Verrücktheit?» Er wandte sich um und starrte auf das Porträt Lady Margarets. «Ich war ihr Schoßhündchen. Schoßhündchen, objet d'art – sie reichte mich herum wie eine vollendet geschnittene Gemme. Ich war schön.» In seiner Stimme lag eher Verachtung und Bitterkeit als Eitelkeit und Stolz. «Ich war jemand, der verhätschelt und geputzt wurde, den sie aber, sobald sie damit fertig war, wieder in das Schmuckkästchen zurücklegte – eine Puppe mit Flachshaar und Saphiraugen. Ich glaube nicht, daß sie mich überhaupt zur Kenntnis nahm, außer wenn ich der Öffentlichkeit vorgeführt wurde. Es war, als existierte ich einfach nicht, wenn es niemanden gab, dem ich vorgezeigt werden konnte. Aber ich habe sie vergöttert, sie über alles geliebt. Nachts lag ich wach und habe darauf gewartet, daß sie nach Hause kommt, von einer Party zurückkehrt. Wenn ich den Wagen kommen hörte, schlich ich mich ans Fenster, um sie zu sehen. Wenn es zu finster war, um etwas erkennen zu können, dann horchte ich; sie trug diese raschelnden Kleider. Es ist merkwürdig, wie die Kleider anderer Frauen einfach nur an ihnen hingen, ohne ein Geräusch zu machen. Aber an dem Rascheln erkannte ich immer, daß sie es war.» Er saß zurückgelehnt im Stuhl und hatte die Augen geschlossen. «Warum mußte sie mit Rolfe zusammen sterben? Eigentlich hätte ich es sein sollen.»

«Aber was ist mit Dillys March? Wir sprachen von ihr. Sah sie Ihrer Mutter wirklich so ähnlich?»

«Nein, nicht äußerlich. Aber in allem anderen erinnerte sie mich an Mutter. Sie war der Schützling meiner Mutter, beinahe ihr anderes Ich.»

«Ihre frühere Aussage – daß Sie Dillys nicht mochten – entsprach also nicht ganz der Wahrheit.»

Julian drehte den Kopf beiseite und lächelte ein wenig. «Es war aber auch nicht gerade Lüge.» Seine Augen schimmerten im Licht des Kaminfeuers, ein Schimmern, das von Tränen oder vom Aufblitzen eines Säbels hätte herrühren können.

«Sie war faszinierend, ja, das schon, aber überhaupt nicht liebenswert. Sie hätte einen Tag wie heute gemocht: die Jagd und den anschließenden Tötungsakt, um es metaphorisch auszudrücken. Der Tod hat sie fasziniert. Ich glaube, sie war jemand, der einen Selbstmordpakt wundervoll gefunden hätte. Bereits mit sechzehn, ja schon mit vierzehn, hatte sie Liebhaber und reichlich davon.»

«Sie haben Gemma Temple sehr viel über sich erzählt, oder?»

«Ja, sehr viel.»

«Auch über Olive Manning und ihren Sohn?»

«Das floß an einem Punkt auch in die Unterhaltung ein, ja. Die Geschichte meines Lebens. Ich erzähle sie nur selten.»

«Haben Sie daran gedacht, sie zu heiraten, Mr. Crael?»

«Vollkommen undenkbar.» Es klang wie das Zuschnappen der Zigarettendose, aus der er sich eine Zigarette genommen hatte.

«Vielleicht nicht für Gemma Temple. Sie hat bestimmt gedacht, daß sie einen dicken Fisch an Land gezogen hat.»

«Ich glaube, ich weiß, was Sie sich zurechtgelegt haben, Inspektor. Gemma Temple, die durch mich einiges erfahren hatte und der Olive Manning die übrigen Einzelheiten erzählt hatte – Gemma kam also hierher, in der Absicht, sich als Dillys auszugeben. Und aus Wut, Rache oder was auch immer habe ich sie getötet. Ganz einfach.»

«Nein, Sir, ganz so einfach nicht. Es gibt da noch den Mord an Olive Manning. Warum sollten Sie Olive Manning umbringen, sie wäre doch noch am ehesten für die Mörderin von Gemma Temple gehalten worden. Ein Raubmord wird es wohl kaum gewesen sein.»

«Aber Inspektor, wollen Sie etwa doch noch meinen Kopf retten?»

«Tun Sie doch nicht so, als wäre es Ihnen völlig egal. Ihnen ist vieles nicht egal, mehr als Sie verkraften können, fürchte ich. Erzählen Sie mir, was passiert ist, nachdem die Temple hier auftauchte.»

«Ich sah sie zum erstenmal, als ich in dieses Zimmer trat; sie waren alle hier versammelt – mein Vater, Gemma und Olive Manning. Wood hatte gerade den Sherry serviert. Ich öffnete die Tür und blickte ihr direkt in die Augen.» Er sah Jury an. «Da saß die Frau, die ich, wie ich meinte, zum letztenmal gesehen hatte, als ich sie in Tränen aufgelöst und völlig hysterisch verließ, weil ich sie nicht heiraten wollte. Und sie lächelte», sagte Julian, als wolle er damit sagen, daß ihr Lächeln alles Unheil dieser Welt mit sich gebracht hätte. «Ich glaube, jedes Wort, das an diesem Nachmittag gesprochen wurde, hat sich in mein Gedächtnis eingeätzt. ‹Hallo, Julian›, sagte sie und streckte mir die Hand entgegen. ‹Was zum Teufel machst du denn hier›, sagte ich.

‹Ich kann verstehen, daß du fassungslos bist›, sagte mein Vater. ‹Ich konnte es auch nicht glauben.› Er war völlig außer sich vor Freude. ‹Sie ist zurückgekommen – Dillys ist wieder da.›»

Julian schloß die Augen. «Beinahe wäre ich herausgeplatzt – vor versammelter Mannschaft, aber etwas in ihren Augen hielt mich zurück. Die ganze verdammte Situation war so unmöglich, daß ich lachen mußte. Der Gedanke, daß sie sich als Dillys ausgeben könnte…»

«Sie haben sie getötet, nicht?»

Müde drehte Julian den Kopf, um Jury anzusehen. «Nein, aber ich weiß, Sie werden mir nicht glauben –»

Jury schüttelte den Kopf. «Nicht Gemma Temple, Dillys March.»

Das Tageslicht war so schnell aus dem Zimmer gewichen, als hätte jemand mit den Fingern eine Kerze ausgelöscht. Außer dem halbrunden Lichtschein des Kaminfeuers war das Zimmer in Dunkelheit getaucht. Die verschwommenen Konturen der Stühle und Tische ließen sie wie Überbleibsel aus einer anderen Welt erscheinen. Julian schwieg eine Weile, dann sagte er: «Wie zum Teufel sind Sie darauf gekommen?»

«Ich habe es schon länger vermutet. Sie schien nicht jemand zu sein, der eine größere Summe Geld einfach so sausen läßt. Aber eigentlich haben Sie es mir selbst vor ein paar Minuten gesagt.»

«Inwiefern?»

«Wie Sie Ihre Begegnung in der Victoria Station beschrieben haben. Bisher wurde doch immer angenommen, daß Dillys nach London weggelaufen sei. Da fand man auch ihren Wagen. Warum haben Sie also nicht angenommen, daß diese junge Dame, ihre Doppelgängerin, tatsächlich Dillys *war*? Doch nur weil Sie wußten, daß sie tot ist.»

«Mein Gott», sagte Julian kaum hörbar und schloß wieder die Augen.

Jury nahm Julians Glas, goß ihm noch einen Whisky mit Soda ein und hielt es ihm hin. Einen Augenblick lang stand er über ihm. «Erzählen Sie.» Abwesend nahm Julian Drink und Zigarette entgegen und sagte dann: «Als wir jünger waren, haben Dillys und ich einen Pakt geschlossen, daß wir keine Geheimnisse voreinander haben würden. Wir haben ihn sogar mit Blut besiegelt, indem wir uns in die Finger schnitten – das war Dillys' Idee; sie hatte eine Vorliebe für dramatische Dinge. Sie wollte, daß wir unser Blut mischen. Ich bin beinahe in Ohnmacht gefallen. Wörtlich. Ich kann kein Blut sehen, und Dillys fand das furchtbar komisch… Aber ich nehme an, daß Sie das alles gar nicht hören wollen –»

«Doch, erzählen Sie weiter.»

Er lehnte sich zurück, seine Finger umschlossen das Glas, als wäre es ein Gesangbuch, das er an seine Brust drückte. «Dillys war auf Lily eifersüchtig, das war ganz offensichtlich; nur wäre sie eher gestorben, als daß sie das zugegeben hätte. Der Colonel hatte Lily sehr gern, und Lily war eigentlich auch hübscher als Dillys. Aber Dillys war ‹jenseits› von hübsch, wenn Sie verstehen, was ich meine. In dieser Hinsicht war sie wie meine Mutter. Sie hatten beide ein – inneres Feuer, ja, so könnte man es wohl nennen. Aber dieses Feuer war nicht immer so wunderbar. Manchmal war es auch das reinste Höllenfeuer. Mama konnte furchtbar wütend werden. Dann warf sie mit Dingen um sich und kreischte wie ein Fischweib. Armer Vater, dachte ich dann. Andererseits war es irgendwie aufregend…

Dillys war klug und sehr überzeugend – sie konnte einem alles einreden. Die Geschichte, daß Mary Siddons den Schmuck, diesen Ring oder was es auch war, gestohlen hat, war eine glatte Lüge. Mary hätte so etwas nie getan. Wenn etwas gestohlen wurde, dann hat es Dillys getan, glauben Sie mir. Die Geschichte mit Leo Manning brachte dann das Faß zum Überlaufen. Der arme Kerl war ziemlich hinüber. Olive hat entweder gelogen oder sich selbst etwas vorgemacht, als sie behauptete, Dillys sei für seinen Zusammenbruch verantwortlich. Dillys war durchaus imstande, jemand an den Rand des Wahnsinns zu treiben, und daß sie keine *Wohltat* für ihn war, steht außer Zweifel. Aber Leo war schon in einem schlimmen Zustand, als er hierherkam. Manchmal kam er mir vor wie ein schmeichlerischer Heuchler, ein moderner Uriah Heep; dann wieder sah ich sein Lächeln und dachte, daß es so scharf wie eine Rasierklinge sei. Er erinnerte mich an eine Figur aus einem Stück, an einen Mann, der mit seinem Kopf in der Hutschachtel herumspaziert. Das war genau der seelische Zustand, den Dillys als eine Herausforderung begriff, sie konnte ihn formen wie ein Bildhauer Lehm, ihn einmal in die eine und dann wieder in die andere Richtung biegen. Nun, die beiden hatten ein Verhältnis. Es gab ein Sommerhaus in der Nähe der Klippen, wo sie sich trafen… da waren sie auch in jener Nacht.

Ich machte einen Spaziergang. Nein, ich habe Dillys gesucht.

Ich sah ein schwaches Licht im Sommerhaus und ging ein Stück weiter auf dem Pfad zwischen den Klippen und spähte durch das Fenster. Und da stand sie, vollkommen nackt. In dem Moment fiel es mir wie Schuppen von den Augen. Zuerst dachte ich, sie spielte nur mit ihm; ich dachte nicht, daß sie wirklich... Sie können sich nicht vorstellen, was ich in diesem Moment empfand. Der Ausdruck, jemand ‹sieht rot›, trifft es genau. Es kam mir so vor, als stünde ich da und sähe durch eine Fensterscheibe aus Blut. Ich stand da und habe in der Kälte gewartet; wie lange, weiß ich nicht mehr. Ich werde nie das Geräusch des Windes vergessen, der von der See kam und die Äste wie Säbel klirren ließ. Ich spürte, wie eine Welle des Hasses über mir zusammenschlug, aber sie war nicht kalt, sondern ganz warm und weich.

Schließlich kam sie aus dem Haus und nahm den Pfad zum Haus zurück. Ich höre noch heute ihre Schritte auf dem Kies und wie sie irgendein blödes Lied summt, als wäre nichts geschehen, während für mich eine Welt zusammengebrochen war. Ich versperrte ihr den Weg und fing an, sie anzuschreien. Dillys hat nur gelacht.

‹Wie lange geht das schon mit euch›, fragte ich sie.

‹Das geht dich zwar nichts an – aber ungefähr seit Leo hier ist.›

‹Dann wird er nicht sehr lange mehr hierbleiben. Zumindest nicht, wenn ich es Vater sage. Und du auch nicht. Das wird er nicht dulden.›

Darüber hat sie erst recht gelacht. ‹Dann erzähle es, wie ein petzender Schuljunge. Aber mir wird er eher glauben als dir. Ich werde ihm sagen, daß Leo versucht hat, sich an mich ranzumachen. Was auch stimmt. Auf dem Gebiet ist er ziemlich erfahren.›

Dann hat sie mir bis in alle Einzelheiten geschildert, was sie bei ihren Treffen im Laufe des Jahres alles getrieben hatten. Ich war gelähmt vor Wut. Das Ironische war, daß sie diesen knöchellangen Mantel und einen Hut trug und eher wie eine Nonne aussah. Ich nahm den nächstbesten Stein und zerschmetterte ihr damit den Schädel. Sie fiel zu Boden. Ich stand da und starrte eine Ewigkeit auf sie herab. Ich glaube, ich wartete darauf, daß sie einfach wieder aufstehen, sich den Staub abklopfen und lachen würde. Heute denke ich, mir war die Tatsache, daß sie tot dalag, gar nicht richtig bewußt.»

Julian saß nach vorne gebeugt und fixierte Jury, als würde er gerade einen sehr komplexen juristischen Sachverhalt erklären. «Ich wußte, ich mußte sie wegschaffen – nicht, weil ich Angst hatte – die kam später. Nein, ich mußte sie aus meinem Leben und aus meinen Gedanken entfernen, das Geschehene auslöschen. Ich wollte sie vor allem vor mir verstecken und nicht vor den anderen, auch nicht vor der Polizei. In dem Augenblick habe ich nicht einmal an die Polizei gedacht.

Unterhalb von dem Pfad gibt es zwischen den Felsen eine Stelle mit einer teuflischen Strömung. Sie ist so gefährlich, daß sich nicht einmal ein Taucher dort hinunter wagt. Sie würde dort einfach verschwinden, und der Körper würde nie gefunden werden. Ich stand genau darüber. Ich brauchte sie nur hinunterzurollen...

Ich lief zum Haus zurück, ging auf ihr Zimmer, packte ein paar Sachen von ihr in einen Koffer und warf mir dann eines ihrer Lieblingscapes um. Es war kaum etwas von mir zu sehen. Als Olive zum Fenster hinaussah, dachte sie natürlich, es sei Dillys, die in ihr Auto stieg. Ich fuhr den Wagen zum Parkplatz, der oberhalb von Rackmoor liegt, und stellte ihn dort ab; er war dort einer von vielen. Dann ging ich zurück. Niemand hat mich gesehen, niemand hat mich vermißt.» Er sagte das, als werde ihn nie mehr jemand vermissen. «Am nächsten Morgen herrschte natürlich Aufregung, weil Dillys abgehauen war, andererseits tat sie das öfter. Ich sagte, ich würde den Tag über nach York fahren. Ich nahm mein Auto und fuhr zum Parkplatz. Dort stieg ich in Dillys' Wagen, fuhr damit nach London und ließ ihn einfach stehen. Dann nahm ich den Zug zurück nach York und von dort den Bus nach Pitlochary und ging am selben Abend zu Fuß nach Rackmoor, um meinen Wagen zu holen.» Er sah Jury an. «Glauben Sie mir, ich weiß, wie das klingt. Sehr kaltblütig und bis ins letzte Detail geplant: der Umhang, das Auto, die Fahrt nach London – aber zu dem Zeitpunkt war es nicht so. Es war der reinste Irrsinn; ein Gefühl, als wäre alles vom Zufall gesteuert, sofern man überhaupt von einem Gefühl sprechen kann. Ich hätte mich auch unter Wasser bewegen können, alles war schwer wie Blei. Nur Teile meines Gehirns funktionierten noch. Das übrige fühlte sich wie… eingeschlafen an. Danach war ich eine Woche lang krank, ich meine buchstäblich krank. Als würde sich alles in mir sträuben gegen das, was passiert war; wie der Organismus nach einer Herztransplantation. Ich habe es einfach abgestoßen. Diese Nacht war etwas, was es nicht geben durfte, wie ein Baum, der plötzlich über den Weg fällt, auf dem man geht, wie – oh, mein Gott, ich weiß nicht, wie ich es erklären soll.»

Jury stand wieder auf, nahm sein leeres Glas und goß sich ein. «Sie haben das schon ganz gut hingekriegt, würde ich sagen.» Er zündete sich eine Zigarette an und setzte sich wieder hin. «Und nachdem sich die Aufregung gelegt hatte, mußte der Verdacht natürlich auf Leo fallen – fehlte nur die Leiche.»

«Daran habe ich überhaupt nicht gedacht. Sie fragen sich wohl, ob ich schweigend zugelassen hätte, daß sie ihn dafür aufknöpften, falls es dazu gekommen wäre?»

«Ich frage mich nicht viel.»

«Das würde ich Ihnen gern glauben.»

«Zurück zu Gemma.»

«Die ich nicht getötet habe.»

«Dafür hatten Sie allerdings ein handfestes Motiv. Sie wußte von Dillys, oder?» Julians aschfahles Gesicht beantwortete seine Frage. «Das ist auch der Grund, warum Sie ihre wahre Identität nicht verraten wollten, nicht wahr?»

«Ich hätte es getan. Ich war drauf und dran, dem Colonel die ganze erbärmliche Geschichte zu erzählen –»

«Nur brauchten Sie es nicht zu tun, so wie die Dinge sich entwickelten.»

Es entstand ein langes Schweigen. In dem schummrigen Licht sah Jury, wie eine Träne langsam über Julians Gesicht rollte. Er sah zum Porträt seiner Mutter auf. «Ich habe gehört, daß sie nicht aus dem Auto rauskommen konnte. Und dieser gottverfluchte Rolfe war betrunken, als sie abfuhren. Ich frage mich, ob ich sie hätte retten können, wenn ich dabeigewesen wäre?»

Jury sah an Julian vorbei, ohne das Gemälde anzusehen. Er sah zum Fenster, in den unerbittlichen Nebel hinaus, der vorbeidriftete und sich ständig veränderte, als würde er nach einer passenden Form suchen und dabei gespenstisch an das Fenster pochen.

«Nein», sagte er nur.

6

«Ein Verbrechen aus Leidenschaft?» sagte Melrose Plant und schob seine Augenbrauen hoch, als wären es Flügel, auf denen sein belustigtes Gesicht vor lauter Überraschung gleich in den grauen Himmel fliegen würde. «Und Julian Crael?»

«Dann ist er also gar nicht – dieser Eisberg, für den wir ihn hielten, oder?»

Mit den Rücken an die Mauer gelehnt, standen sie auf der Molen-Promenade und sahen zum «Fuchs» hin. Jury beobachtete, wie ein Fenster aufging und zwei Pulloverarme – vermutlich Kittys – einen Wassereimer ausschütteten. Das Leben geht weiter, dachte Jury. «Sie haben ihn eigentlich nie gemocht?»

«Nein, wohl nicht. Was geschieht jetzt mit ihm?»

«Im Augenblick noch gar nichts. Ich muß erst die anderen Dinge klären. Ein fünfzehn Jahre alter Mord aus Leidenschaft...» Jury zuckte mit den Schultern.

«Es muß wirklich fürchterlich sein, wenn man so vernarrt ist in eine Frau, daß man jede Perspektive verliert.»

Jury lächelte über Plants Art, sich auszudrücken. «Gewalt ist ihm schon zuzutrauen. Aber nicht unbedingt vorsätzliche Gewalt.»

«Sie verteidigen ihn ja wirklich. Aber wer ist es dann, der oder die über Leichen geht, um an das Vermögen der Craels zu kommen?»

«Ich weiß es noch nicht.» Jury beobachtete, wie ein Kormoran auf Frühstückssuche ging. «Sagen Sie, Mr. Plant, was halten Sie eigentlich von Lily Siddons?»

«Von Lily Siddons? Ich weiß nicht. Ich bin kaum mit ihr in Berührung gekommen. Nur zwei- oder dreimal vielleicht. Ich muß zugeben, sie ist eine faszinierende Frau. Sie hat etwas von einem Chamäleon. Wenn man sie so mit ihrem Kopftuch im Café sieht, wie sie den Brotteig knetet, fällt sie einem nicht weiter auf. Als ich sie dann aber heute sah, ich muß schon sagen…» Melrose pfiff lautlos durch die Zähne. «Hoch zu Roß sah sie aus, wie…» Er schien nach den richtigen Worten zu suchen.

«Als wäre sie mit einem Adelstitel geboren.»

«Jetzt, wo Sie es sagen, ja.»

«Ich glaube, das wurde sie auch.» Melrose starrte ihn an.

«Erinnern Sie sich an Rolfe, den anderen Sohn, der von Lady Margaret weggeschleppt wurde? Ich glaube, Rolfe war ihr Vater. Ich möchte auch behaupten, daß Lady Margaret sich große Mühe gegeben hat, damit ihr Mann nichts davon erfuhr. Sie können sich vorstellen, wie er sich seiner Enkelin gegenüber verhalten hätte – daß sie die Kleine der Köchin war, hätte keine Rolle mehr gespielt. Also entführte ihn die Mutter nach Italien.»

«Großer Gott. Aber was ist mit Lily, weiß sie es?» fragte Melrose.

«Offenbar nicht. Aber es könnte der Grund sein, warum jemand sie töten wollte.»

«Beispielsweise Julian Crael.»

«Oder Maud Brixenham oder Adrian Rees. Es würde mich nicht wundern, wenn er als Maler, mit einem Blick für solche Dinge, das schon lange entdeckt hätte.»

«Aber wie dumm von ihm! Warum nicht küssen statt killen – er hätte sie doch heiraten können, um an die Beute ranzukommen?»

«Lily hätte damit einverstanden sein müssen. Und Männer scheinen sie seltsamerweise kaltzulassen.»

«Aber warum wurde Olive Manning dann getötet? Oder wußte sie, daß Lily eine Crael ist?»

«Ich glaube, ja. Olive war die Vertraute von Lady Margaret, und ich vermute, daß ihr nichts daran lag, dieses Geheimnis auszuplaudern.»

Plant schüttelte den Kopf. «Die Rechnung geht nicht auf.»

«Vorläufig noch nicht, aber sie wird. Gemma hatte, nachdem sie von Julian abserviert worden war, um so mehr Grund, diesen Schwindel aufzuziehen: Geld und Rachsucht. Für sie muß es geradezu ein Spaß gewesen sein. Sie brauchte nur mehr Informationen und jemanden im Haus, der sie unterstützte, falls Colonel Crael an ihrer Identität Zweifel kommen sollten. Es war sehr klug von Olive, zuerst zu bestreiten, daß es Dillys sei. Nach dem Mord mußte sie natürlich ihre Aussage aufrechterhalten.»

«Sie müssen zugeben, daß Julian Crael durch die ganze Geschichte nicht gerade entlastet wird.»

«Er hat aber auch ein Alibi. Glauben Sie mir, Harkins hat es überprüft.»

«Das hat er nicht.» Melrose sagte den Satz so beiläufig, als würde er den Möwen ein paar Brotbrocken zuwerfen. «Ich habe mich mit der Dienerschaft unterhalten. Erinnern Sie sich an die vielen Aushilfen, die der Colonel engagiert hatte?»

«Erzählen Sie mir ja nicht, Julian Crael sei inkognito als Diener verkleidet herumgelaufen –»

Plant schüttelte ungeduldig den Kopf. «Vielleicht erinnern Sie sich, daß der Treppenabsatz vor Julians Zimmer wie eine Empore aussieht. Dort spielte die Kapelle – auch kostümiert.» Melrose lächelte.

«Und die Musiker mischten sich unter die Gäste. Angenommen, Julian hatte etwas an, einen Mantel oder etwas, um seine Haare zu verbergen, eine Maske, und trug eine, oh, ja, eine Zither? Du lieber Himmel, ich würde nicht mal meine Tante erkennen, wenn sie eine Zither trüge. Er brauchte ja gar nicht darauf zu spielen. Er brauchte nur diese Treppe hinunterzugehen – oder hinauf. Wen kümmert schon ein Musiker in einem Kostüm. Warum schütteln Sie den Kopf?»

«Julian hat mir dieses Alibi kein einziges Mal unter die Nase gerieben, als ich mit ihm sprach. Es war beinahe so, als würde er seine Schuld als vollendete Tatsache akzeptieren. Oder wenigstens, daß ich ihn für schuldig hielte. Außerdem ist Julian nicht –»

«Wenn Sie jetzt sagen ‹er ist nicht der Typ, der einen Mord begeht›, dann muß mich Harkins wegen Beamtenbeleidigung verhaften.»

«Harkins würde Ihnen im Gegenteil einen ausgeben.» Jury blickte ihn nachdenklich an. «Ich muß allerdings zugeben, daß das, was Sie da sagen, eine Möglichkeit darstellt – obwohl es meiner Meinung nach ziemlich unwahrscheinlich ist.»

«Also, ich habe Julians ‹perfektes Alibi› satt. Warum fällt es Ihnen so schwer zu glauben, daß er der Schuldige ist?»

Jury sah die Stufen hinunter. Sergeant Wiggins kam angerannt und nahm jeweils zwei Stufen auf einmal. «Um Ihnen die Wahrheit zu sagen, ich glaube, keiner von ihnen hat es getan. Hier kommt Wiggins.»

Sergeant Wiggins war außer Atem. «Inspektor, es ist… Les Aird… Miss Brixenham… sagt, er sei… heute morgen draußen im Howl-Moor gewesen… er möchte… daß Sie mitkommen und mit ihm über die Sache sprechen.» Wiggins mußte sich nach dieser Anstrengung an die Mole lehnen.

«Meinen Sie, er hat was gesehen, Wiggins?»

Wiggins nickte, fuhr sich mit einem Taschentuch über das Gesicht und legte eine Tablette unter seine Zunge.

«Na, dann mal los.»

«Dürfte ich mitkommen, Inspektor? Ich weiß, es ist Sache der Polizei, aber…»

«Nach allem, was Sie getan haben, Mr. Plant, sehe ich keinen Grund, warum Sie nicht mitkommen sollten. Und ich bin sicher, daß Sie mir helfen können, mit Les zu sprechen. Immerhin beherrschen Sie die romanischen Sprachen.»

7

«Er ist wirklich ganz aus dem Häuschen», überbrüllte Maud Brixenham den Lärm der Rockmusik. Alle drei standen wie vom Blitz gerührt da, während die Aschenbecher auf den Tischen tanzten. Maud hämmerte gegen die Decke. Der Lärm wurde zu einem Brausen, als böge ein Zug, von dem man gedacht hat, er würde einen überfahren, plötzlich auf ein Nebengleis ab.

Melrose Plant, der sich anscheinend ganz zu Hause fühlte, setzte sich, holte sein goldenes Zigarettenetui hervor und hielt es ihnen hin. Er sah zur Decke hoch, während er mit der Zigarette gegen das Etui klopfte und sagte: «Ihr Neffe hat ja einen ziemlich konservativen Geschmack. Das sind doch die Rolling Stones, wenn ich nicht irre?»

Jury und Maud Brixenham starrten ihn an, er lächelte jedoch nur und zündete sich eine Zigarette an.

«Was ist heute morgen passiert, Miss Brixenham?»

«Mir war vollkommen neu, daß Les sich für die Jagd interessiert. Daher war ich auch ganz verblüfft, als er mir sagte, er sei draußen gewesen und hätte gesehen – oder meinte gesehen zu haben, wie zwei Leute an der Mauer entlanggingen, wo sie... Olive... lag.» Sie spielte mit einem Knopf herum, der nur noch an einem Faden hing. Wenige Sekunden später hielt sie ihn in der Hand.

«Sie folgten der Jagd zu Fuß?»

«Ja, ich reite nicht. Ich finde es einen fürchterlichen Sport.»

«Ich würde gerne mit Les sprechen. Können wir raufgehen?» Sie nickte. «Vielleicht könnten Sie Sergeant Wiggins inzwischen erzählen, wo Sie waren.» Unglücklich nickte sie wieder.

«Hallo, Les», sagte Jury, als sich die Tür öffnete und Les Aird, nichts Gutes ahnend, durch den Türspalt blickte. «Das ist Mr. Plant. Dürfen wir reinkommen?»

Als sie im Zimmer waren, ging Les zur Stereoanlage, drehte sie um ein oder zwei Dezibel leiser und warf sich dann auf das Bett – oder was davon noch zu sehen war. Bündel mit schmutziger Wäsche türmten sich wie Grabhügel hier und da auf. Die verblaßte Blümchentapete war unter den Schichten von Postern kaum noch zu erkennen. Auf den Postern waren Gruppen – Rockgruppen, wie Jury vermutete –, aber waren es verschiedene? Oder war es nur eine in unterschiedlicher Kostümierung? Auf allen herrschte das gleiche Verhältnis zwischen glattrasierten und bärtigen Gesichtern, zwischen Weißen und Schwarzen, zwischen Schlapphüten und Afros.

Zuerst dachte Jury, die Nadel würde hängen. Dann aber hörte er, daß der Sänger nur immer wieder den gleichen Text herausschrie. Sein Gesichtsausdruck mußte ihn verraten haben, denn Les fragte ihn in leicht säuerlichem Ton: «Sie können wohl mit dieser Musik nichts anfangen?»

Bevor Jury antworten konnte, sagte Melrose Plant: «Ganz im Gegenteil, seit Ron Wood in der Gruppe ist, spielen sie erheblich besser. Dürfen wir uns setzen?»

Les Aird starrte Melrose mit offenem Mund an. Dann grinste er breit und sagte: «Richtig, Mann. Viel abgeklärter.» Er fegte einen Haufen unappetitlicher Socken vom Stuhl. «Sind Sie ein Bulle?» Er schien bereit, die Pluspunkte, die er Melrose soeben erteilt hatte, wieder rückgängig zu machen.

«Ich? Lieber Gott, nein, das wäre unter meiner Würde.»

Les grinste wieder. «Sie sehen auch nicht aus wie einer.»

«Das will ich hoffen.» Melrose nahm im Sessel Platz. Jury mußte sich seinen Holzstuhl selbst holen. Les lag auf dem Bett und hatte seine kurzen muskulösen Arme vor die Brust gelegt, so daß der halbkreisförmige Schriftzug *The Grateful Dead* kaum noch zu sehen war.

«Zigarette?» Melrose hielt ihm sein Goldetui hin.

Les schien nicht abgeneigt, schüttelte dann aber energisch den Kopf. «Ich rauche nicht. Zu jung.»

Jury bemerkte, wie ihn Les von der Seite ansah, als fürchtete er, Scotland Yard würde einen Bericht über ihn schreiben. In Anbetracht des Rauchgestanks im Zimmer unterdrückte Jury nur mit Mühe ein Lächeln über diese Verzichterklärung.

«Also, das bin ich auch, aber ich tue es trotzdem.» Melrose hielt ihm noch immer die Zigaretten hin. Les schnappte sich eine, so schnell und gierig, als wäre es ein Joint.

«Danke, Mann.» Die Musik hämmerte weiter.

«Macht es dir was aus, die Musik ein bißchen leiser zu stellen?» fragte Jury.

Les warf Jury einen Blick zu, als hätte er genau das von ihm erwartet. Er erhob sich widerwillig vom Bett und ging in Socken zur Stereoanlage hinüber.

«Du hast nicht zufällig die Platte ‹The Wall›?» fragte Melrose Plant. «Pink Floyd ist zwar nicht genau mein Fall, aber irgendwie ganz passend für ein Verhör.»

«Ist cool, Mann.» Les kauerte über seinen Plattenalben und suchte danach. «Ich dachte, ich hätte sie, aber is nicht. Wie wär's mit ‹Atom Heart Mother›?»

«Die tut's auch», sagte Melrose. Jury sah ihn entgeistert an. Er schien nur der Musik wegen gekommen zu sein.

«Der andere Typ», sagte Les, während er die Platte wechselte, «sah auch nicht wie ein Bulle aus. Tolle Klamotten.»

«Inspektor Harkins.»

«Ja, der führte hier 'nen Affentanz auf, als ob ich es getan hätte. War mir schleierhaft, was in dem seinen Kopf vorging.»

«Was geschah heute morgen, Les?» fragte Jury.

«Was?»

Les hatte sich mit unschuldiger Miene Melrose zugewandt.

«Inspektor Jury fragte nach deinem Spaziergang im Howl-Moor.»

«Ah, ja.» Les sandte einen Rauchring in die Luft und steckte seine Zigarette hindurch. «Ein ziemlich irrer Ort», sagte er. «Dort scheint immer irgend jemand hopszugehen.»

«Wie in Dodge City», sagte Jury.

«Du bist also zum Howl-Moor gegangen, und was geschah dann?» fragte Plant.

«Ja. Ich ging so zwischen halb sieben und sieben raus. Tante Maud hatte mich belabert, ich sollte doch hingehen und mir die Jagd ansehen. Ein schönes Vergnügen, im Dunkeln draußen im Moor zu stehen und sich die Eier abfrieren lassen. Nicht gerade stockdunkel, aber fast. Na ja, mir wurde es jedenfalls zu langweilig, da herumzustehen und auf die Rotröcke zu warten, deshalb ging ich los, mir die Gegend ansehen. Ich kam schließlich an die Mauer, wo man sie gefunden hat. Es dämmerte inzwischen, und in dem Nebel konnte ich zwar nichts sehen, dafür aber hören. Es war keine normale Unterhaltung, eher ein Flüstern.»

«Aus welcher Richtung kamst du? Warum bist du ausgerechnet in diesem Teil des Moors gelandet?»

«Über die High. Auf der anderen Seite des Parkplatzes gibt es einen Pfad, der zum Schluß auf die Hauptstraße trifft. Den nehmen ganz viele; Tante Maud erzählte mir, daß die meisten von den Leuten, die der Jagd zu Fuß folgten, ihn gegangen sind. Sie schienen zu wissen, wo die Jagdgesellschaft vorbeikommt. Mir ist das alles ziemlich egal. Aber ich dachte, daß dieser eine Morgen mich nicht umbringen würde.»

«Warum hast du nicht gewartet und bist mit deiner Tante gegangen?»

«Was?» Les sah Jury verständnislos an.

«Warum bist du allein losgegangen?» fragte Plant.

Beiläufig klopfte er die Asche von seiner Zigarette. «Keine Ahnung.» Nervös blickte er von dem einen zum anderen. «Okay, okay, ich werd's Ihnen sagen. Ich dachte, meine Freundin würde dort auf mich warten – sie wohnt in Strawberry Flats. Das sind die Sozialwohnungen nicht weit von der Pitlochary Road. Sie tauchte aber nicht auf.»

«Erzähl weiter. Du hast Stimmen gehört. Waren es Frauenoder Männerstimmen?»

«Keine Ahnung. Die waren zu weit weg.»

«Sie konnten aber auch von den Leuten kommen, die zu Fuß gingen, nicht wahr?» schlug Jury vor. «Die auf die Jagdgesellschaft warteten?»

Les setzte die Füße auf den Boden und beugte sich nach vorne. Das Thema schien ihn zu interessieren, und Plants Zigaretten rückten damit in seine Reichweite. «Also, ich hörte dieses Geräusch. Es war ein Zwischending zwischen einem Schrei und einem Stöhnen. Ich hab vor Angst fast in die Hosen gemacht. Ich hab herumgeschaut, aber, wie ich schon sagte, bei diesem Nebel hätte man nicht einmal einen Elefanten neben sich erkennen können.» Er nahm die Zigarette, die ihm Melrose anbot, und zog daran, als wollte er alle, die er verpaßt hatte, dadurch wettmachen. «Also, ich bin schnellstens von dort abgehauen, Mann. Gott, das ist vielleicht ein komischer Ort. Wenn einem dort jemand die Hand auf die Schulter legt, weiß man nicht, ob es dazu auch einen Körper gibt. Geisterstadt. Scheiße, Mann, ich dachte, das darf doch nicht wahr sein. Und nicht genug damit, dann kommt auch noch dieser andere Bulle heute morgen, nachdem man sie gefunden hatte, und schnüffelt hier herum und fragt mich einen Haufen Fragen. Und wissen Sie, was er zu mir gesagt hat: ‹Sie waren vielleicht die letzte Person, die Olive Manning lebend gesehen hat.› O Mann, das hat mir wirklich den Rest gegeben. Ich mit einem Mörder in diesem Scheißmoor da draußen.»

Als Jury und Melrose Plant in das Wohnzimmer zurückkehrten, trank Maud Brixenham gerade einen Schluck ihres wäßrig aussehenden Sherrys und erteilte Wiggins abgehackte Antworten auf seine Fragen.

«Der arme Junge», sagte sie. «Er war ganz fertig mit den Nerven.»

Die Musik, die oben wieder mit voller Lautstärke gespielt wurde, bot dafür keinerlei Anhaltspunkte, dachte Jury. Und Les Aird selbst auch nicht. Ihn zu entnerven würde ziemlich schwierig sein.

«Sind Sie allein zum Moor gegangen, Miss Brixenham?» fragte Jury.

«Nein, ich bin mit den Steeds hinaufgelaufen. Einem jungen Paar, das in der Scroop Street wohnt.»

«Blieben Sie die ganze Zeit bei ihnen?»

Sie seufzte. «Nein. Wenn ich's doch nur getan hätte. Kurze Zeit danach habe ich aber Adrian Rees gesehen. Ich war ziemlich erstaunt, ihn dort anzutreffen, weil er die Jagd eigentlich schrecklich findet. Aber da war er. Er sagte, er sei auf der Suche nach einem Sujet für ein Bild. Warum will er die Jagd denn malen, wenn er sie nicht ausstehen kann?» Maud zuckte mit den Schultern und nippte an ihrem Sherry.

«Wo befanden Sie sich, als Sie ihn sahen?»

«Am Momsby Cross. In der Nähe von Cold Asby. Der Boden dort ist sumpfig. An der Stelle fließt nämlich ein kleiner Bach durch, aber die Stelle ist so gut wie jede andere, wenn man was sehen will.»

«Wo genau liegt das im Verhältnis zur Mauer?»

Ihr Gesicht war genauso blaß wie der Sherry, den sie trank. «Momsby Cross ist, warten Sie mal, ungefähr eine viertel Meile davon entfernt. Aber ich weiß es nicht genau. Fragen Sie Adrian. Er ging genau in die Richtung –» Ihre Hand fuhr zu ihrem Mund hoch, eine Geste, die Jury reichlich theatralisch vorkam. «Das soll nicht heißen… also, er ging einfach weiter.»

«Um welche Uhrzeit war das?»

«Ungefähr um halb acht, glaube ich. Ziemlich früh.»

«Wie gut kannten Sie Olive Manning, Miss Brixenham?»

Sie seufzte. «Inspektor Jury, dieselben Fragen habe ich soeben Ihrem Sergeant und der Polizei von Yorkshire beantwortet. Es war wieder dieser Inspektor Harkins.»

«Ich weiß. Aber bei den vielen Leuten mußte die Befragung zwangsläufig oberflächlich ausfallen.»

«Oberflächlich? Der Ansicht bin ich ganz und gar nicht. Ich glaube, daß der Mann abends nach Hause geht und noch seinen Teddybär ausfragt.»

«Inspektor Harkins ist zweifelsohne gründlich», sagte Jury. Sie sah ihn nur an. «Nur, es gibt ein paar Leute, die besonders in diesen Fall verwickelt sind –»

Maud setzte sich kerzengerade auf. «Damit meinen Sie doch ‹Hauptverdächtige›, oder?»

«Wie gut kannten Sie Mrs. Manning?»

«Nicht sehr gut. Ich versuchte, nett zu ihr zu sein, hatte damit aber wenig Erfolg.»

«Sie wissen nicht, welches Interesse jemand haben könnte, sie aus dem Weg zu räumen?»

«Du großer Gott, nein!»

Die ganze Zeit über hatte sie Plant und Wiggins, nicht aber Jury angesehen – als ob sie und nicht er die Vernehmung durchführten.

«Sie sagten, Adrian Rees sei mit Ihnen zusammen am Momsby Cross gewesen und dann weitergegangen. Und was ist mit Mr. und Mrs. Steed, wohin sind die gegangen?»

«Sie sagten, sie wollten zum Dane Hole. Dort hat Tom Evelyn schon häufiger einen Fang gemacht. Aber mir war nicht danach zumute. Nach Dane Hole ist es noch eine halbe Meile.»

«Haben Sie Mr. Rees dann noch einmal gesehen? Nach dem Momsby Cross?»

«Nein.»

«Wann haben Sie erfahren, daß Olive Manning ermordet wurde?»

«Heute morgen, als Mr. Harkins uns seinen Besuch abstattete.»

Jury stand auf, und auch Plant und Wiggins erhoben sich. «Recht schönen Dank, Miss Brixenham.»

Sie begleitete sie an die Tür. Auf dem Weg dorthin war ihr Halstuch zu Boden geflattert.

«Pink Floyd?» sagte Jury und hielt Melrose auf dem Weg vor dem Haus fest. «Wann sind Sie je mit Pink Floyd in Berührung gekommen, können Sie mir das verraten?»

Aus seiner Tasche zog Melrose eine gefaltete Kopie des *New Musical Express* und reichte sie Jury. «Also wirklich, Inspektor, Sie werden es in Ihrem Beruf nie zu etwas bringen, wenn Sie nur Vergil lesen.» Er warf einen Blick auf seine flache Golduhr. «Ich sehe, für unseren Tee ist es bereits zu spät. Gentlemen, darf ich Sie zu einem Rackmoor-Nebel einladen?»

8

«Vampir-Fledermäuse», schrie Bertie, während er mit einer alten Steppdecke über dem Kopf durch die Küche sauste und mit seinen Ellbogen kleine hektische Flugbewegungen machte. Dabei wirbelte er die Rauchschwaden durcheinander, die aus der Pfanne mit dem Frühstücksspeck aufstiegen; er war angebrannt, weil Bertie anscheinend lieber flog als kochte. Er stieß einen hohen, durchdringenden Ton aus, wie ihn seiner Meinung nach die Fledermäuse von sich gaben.

Arnold ging einen Schritt zurück. Wenn das ein neues Spiel sein sollte, dann wollte Arnold nicht daran teilnehmen.

Mit der Steppdecke wedelnd, fing Bertie an, auf Zehenspitzen zu gehen. «Sie saugen Blut, lieber Arnold, ja, das tun sie!» Er hatte seine Zähne über die Unterlippe gepreßt, damit sie wie die Zähne eines Vampirs aussahen. Jedem anderen Hund hätte sich bei Berties kreischendem Lachen das Fell gesträubt. Arnold gähnte nur.

Seufzend nahm Bertie die Steppdecke vom Kopf und inspizierte den angebrannten Frühstücksspeck. Sie mußten sich eben mit Toast begnügen. Speck wie diesen gab es dreimal wöchentlich: zwei Streifen für ihn, einen für Arnold. Bertie war sehr sparsam.

«Jedenfalls», sagte er und spießte den Toast auf eine Toastgabel auf, «hörte sich das für mich so an. Mit dem Haufen Löcher im Leib muß sie ja wie ein Sieb ausgesehen haben.» Er hielt den Toast übers Feuer und drehte ihn behutsam. Dann hielt er ihn Arnold hin, damit er ihn begutachtete. «Braun und knusprig. Ich denke, wir werden ein gekochtes Ei zum Tee essen.» Er setzte einen kleinen Topf mit Wasser aufs Feuer, nahm zwei Eier aus einer Schüssel im Regal, legte sie hinein und spießte noch ein Brotstück auf die Toastgabel. «Toast und Eier.» Er summte vor sich hin und dachte: Aber ich glaube, die Löcher sind zu groß und zu weit auseinander... Er drehte das Brot auf die andere Seite und summte noch ein wenig, während der Toast goldbraun wurde. Er nahm ihn von der Gabel und spießte ein neues Stück auf. Plötzlich hielt er abrupt inne und betrachtete die Gabel. Zinken. «Was es auch war, es machte zwei Löcher, nicht, Arnold?»

Arnold schnupperte. Die Toastgabel interessierte ihn nicht. Er wollte Toast und Speck.

Plötzlich bekam Bertie große Augen und flüsterte: «Arnold!»

Arnold, der sich unter seinem Halsband gekratzt hatte, horchte auf. Etwas in Berties Tonfall hatte seine Aufmerksamkeit erregt, als wäre eine Katze auf das Fensterbrett gesprungen. «Arnold! Der Schwalbenschwanz!»

9

Am selben Abend nahmen Melrose Plant und Sir Titus Crael ihre Drinks im Bracewood-Salon zu sich. Julian blieb unsichtbar. Vielleicht war er spazieren, was Melrose nicht traurig stimmte. Inzwischen tat er ihm eher leid. Julians Reaktionen waren seit heute morgen besonders dumpf; er schien schon mit seinem Leben abgeschlossen zu haben. Aber auch das Mitgefühl, das Melrose für ihn empfand, änderte nichts an seiner Überzeugung. Für ihn war er der Schuldige. Wer hatte ein besseres Motiv als er? Julian hätte sie auf keinen Fall gewähren lassen. Vielleicht hatte Gemma Temple eine Art Erpressung vorgeschwebt: Wenn du mir das und das gibst, gehe ich weg.

Colonel Craels Stimme unterbrach ihn in seinen Überlegungen: «Mein Junge, es tut mir leid, daß Sie in all die Schwierigkeiten hineingezogen wurden.»

Melrose errötete ein wenig. Ihm schoß durch den Kopf, daß er bei «all diesen Schwierigkeiten» seine Hand mit im Spiel hatte. «Ich müßte mich eigentlich bei Ihnen entschuldigen, Sir Titus, weil ich Sie obendrein noch mit meiner Gegenwart belästige. Ich habe vor, Sie heute zu verlassen.» Letzteres war eine Lüge.

Der Colonel gluckste und wedelte die Worte weg, als wären sie Rauch. «Aber keineswegs. Es freut mich außerordentlich, daß Sie hier sind. Haben Sie eine Ahnung, was eigentlich mit Julian los ist? Ich kann nicht glauben, daß er wegen der armen Olive so erschüttert ist. Er hat sie eigentlich nie gemocht, und sie war auch nicht unbedingt jemand, den man mochte... Aber ich will nicht schlecht von einer Toten sprechen.» Er nahm einen Schluck Whisky und fuhr sich mit einem riesigen Taschentuch übers Gesicht, wie ein Bauer, der auf seinem Feld steht. «Mein Gott, ich weiß es nicht. Es ist einfach zuviel.»

«Das ist es in der Tat.»

«Lassen Sie uns über etwas anderes sprechen.»

«Wann wird Ihre nächste Jagd stattfinden?»

«Nach dem, was geschehen ist, weiß ich nicht, ob es überhaupt noch eine geben wird.»

«Aber es kommen doch noch so viele schöne Jagdtage. Man kann hier doch viel länger jagen als in Northants, nicht wahr?»

«O ja. Bis weit in den April hinein.» Er nahm den roten Reitrock, den er über einen Stuhl mit der Lehne zum Feuer gehängt hatte, und schüttelte ihn aus.

Melrose wunderte sich, warum er eine so häusliche Aufgabe wie das Trocknen der feuchten Kleider nicht den Dienstboten überließ. Aber vielleicht war dies ein kleines Ritual, das der Colonel am liebsten selbst durchführte.

Sir Titus sagte etwas von einem kleinen Loch im Ärmel. Er gluckste wohlwollend, als könne der Ärmel ihn verstehen. «Das gute, alte Stück. Ich muß es zum Schneider in der Jermyn Street schicken. Eine Weile muß es der Schwalbenschwanz tun, obwohl der Jagdherr normalerweise keinen trägt. Was soll's, heutzutage noch auf der Etikette zu bestehen hat ja keinen Sinn mehr. Kennen Sie Jorrocks?» fragte er Melrose, dessen Gedanken nicht bei der Jagd, sondern bei dem zerfetzten Körper Olive Mannings waren. Melrose schüttelte den Kopf.

Der Colonel zitierte: «Ich kenne keinen wehmütigeren Augenblick als den, wenn ich am Ende der Saison die Schnur von meiner Kappe entferne und das gute, alte Stück zusammenfalte – ein Stück, mit keinem anderen vergleichbar; je älter und nutzloser es wird, desto mehr wächst es einem ans Herz.»

«Schwalbenschwanz?» sagte Melrose plötzlich und starrte den Colonel an.

«Wie bitte?»

«Sie sagten gerade ‹Schwalbenschwanz›.»

«Ja, warum. Das ist mein Reitrock, den ich benutze, wenn –»

Der Colonel verstummte, weil Melrose so abrupt aufgestanden war, daß er seinen Drink verschüttet hatte, und dann beinahe aus dem Zimmer rannte.

10

Die graugestreifte Katze saß verschlafen im Galeriefenster. Sie war es offenbar inzwischen gewohnt, in ihrem Schlaf gestört zu werden, denn als Jury die Hände an das Gesicht hielt und durchs Fenster spähte, rührte sie sich überhaupt nicht, sondern drehte sich nur traumwandlerisch auf die andere Seite. Es war niemand da – die Geschäfte schienen im Winter nicht gerade gut zu gehen. Drinnen war es dunkel, da aber das OFFEN-Schild im Fenster hing, nahm Jury an, daß Rees im Haus war, und machte die Tür auf. Die Türglocke klingelte, die Katze rekelte sich, drehte sich mehrmals im Kreis und kehrte dann in ihre ursprüngliche Schlafposition zurück.

Jury rief: «Hallo, ist jemand da?» und hörte daraufhin Stiefel die Hintertreppe herunterpoltern. Adrian erschien in seinem farbenverschmierten Kittel. Das schwarze Haar, das ihm in die Stirn fiel, sah ein wenig verfilzt aus, als hätte er so intensiv gearbeitet, daß er ins Schwitzen geraten war. Er strich sich die Haare mit dem Arm zurück, denn er hielt noch immer seinen Kamel-haarpinsel in der Hand.

«Ah, Inspektor Jury. Dachte ich mir doch, daß Sie noch mal vorbeischauen würden. Wollen wir nach hinten in die Küche ge-hen?»

Da in der Küche kein Platz für zwei nebeneinanderstehende Personen war, setzte sich Jury an einen Klapptisch, während Adrian das Fenster öffnete und zwei Flaschen kaltes Bier herein-holte.

«Ich möchte keins, danke –»

Adrian stellte eine Flasche zurück in das schmutzige Schnee-häufchen. «Ich nehme an, Sie sind wegen Olive Manning gekom-men. Inspektor Harkins hat mich beinahe davon überzeugt, daß ich sie getötet habe.» Adrian bedachte Jury mit einem kurzen Lächeln. «Aber eben nicht ganz.»

«Sie sind heute morgen der Jagd gefolgt. Warum? Ich habe gehört, Sie verabscheuen die Jagd.»

«So, so. Sie sind ja bestens über meine Vorlieben und Abnei-gungen informiert. Wer hat Ihnen das gesagt?»

«Ein kleines Vögelchen.»

Adrian öffnete seine Flasche, setzte sich, kippte mit dem Stuhl nach hinten und nahm einen tüchtigen Schluck. Er wischte sich den Mund ab und sagte: «Das ist wahr. Die Fuchsjagd ist meiner Ansicht nach eine der dümmsten Sportarten, die es gibt. Eigent-lich hat es überhaupt nichts mit Sport zu tun.»

«Warum sind Sie dann heute morgen draußen gewesen?»

«Weil der Colonel ein Bild haben wollte. Ein großes Gemälde von der Pitlochary-Jagd, für die Halle. Ich war lediglich Beob-achter.»

«Maud Brixenham sagt, Sie hätten sie am Momsby Cross ge-troffen. Danach sind Sie in Richtung Cold Asby weitergegan-gen.»

«Ach, das ist also Ihr kleines Vögelchen. Maud ist nicht gerade eine Freundin von mir.»

«Davon habe ich nichts gemerkt. Sie hat nichts Schlechtes über Sie verlauten lassen.»

Adrian brachte seinen Stuhl geräuschvoll nach vorne und

brummte: «Na, hören Sie, Inspektor. Dafür ist sie zu klug. Ein Frontalangriff ist nicht Mauds Art.»

«Was könnte sie denn gegen Sie haben?»

«Ich glaube, daß sie auf jeden eifersüchtig ist, der beim Colonel ein Stein im Brett hat. Er mag mich; er bewundert mich sogar –» Adrian lächelte, neigte seinen Kopf nach vorne und klopfte die Asche von der Zigarre.

«Ich verstehe nicht, warum Sie das so erstaunt. Sie sind ein ausgezeichneter Maler, soweit ich das beurteilen kann. Befanden Sie sich irgendwo in der Nähe der Mauer?»

«Ich weiß es nicht genau. Ich kenne mich nicht so gut aus im Moor, jedenfalls nicht so gut wie die, die der Jagd gefolgt sind.»

Jury holte eine Generalstabskarte hervor, breitete sie auf dem Tisch aus und zeigte auf Momsby Cross. «Sie und Maud befanden sich hier.» Jury fuhr mit dem Finger über die Karte – Dane Hole, Cold Asby und Momsby Cross. «Die Leiche wurde hier gefunden. Das ist ungefähr eine viertel Meile von Momsby Cross entfernt.»

Adrian nahm die Karte in die Hand und warf einen kurzen Blick auf die verschiedenen Linien, Punkte und Schattierungen. Er schüttelte den Kopf. «Vielleicht diese Hügel da... an denen könnte ich vorbeigegangen sein. Aber die scheinen nicht in der Nähe der Mauer zu liegen.»

Jury faltete die Karte zusammen und steckte sie wieder in die Tasche. «Und dann sind Sie ins Dorf zurückgegangen?»

«Ja. Ich habe von alldem erst erfahren, als Inspektor Harkins vor ein paar Stunden an meine Tür klopfte.»

«Was das Gemälde betrifft – wenn Sie so gegen die Jagd sind, warum haben Sie dann den Auftrag angenommen?»

«Wollen Sie mir etwas über Kunst und Moral erzählen? Inspektor, ich würde *jeden* Auftrag annehmen. Ich habe da keinerlei Skrupel. Wenn Scotland Yard mich beauftragen würde, Phantombilder zu malen, dann würde ich das auch tun, glauben Sie mir. Und da wir schon davon sprechen –» Adrian knarrte mit seinem Stuhl, schob sich eine Zigarre zwischen die Lippen und stand auf. «Kommen Sie doch mal mit nach oben.»

Adrian enthüllte das Gemälde, das in einer Ecke seines Ateliers stand. Es war das Bild, an dem er gerade gearbeitet hatte. «Es ist natürlich nach dem Gedächtnis gemalt, aber ziemlich detailgetreu, glaube ich. Gefällt es Ihnen?»

Jury war verblüfft. Die Frau auf dem Bild schien eher in die Dunkelheit und den Nebel gehüllt zu sein als in den schwarzen Umhang, der sie umwehte. Ihre Haltung war so starr, als hätte sie ihm Modell gestanden. Jury nahm an, daß sie nicht gerade so ausgesehen hatte, als Adrian ihr in der Nacht zum Dreikönigsfest begegnet war. Die Gestalt war sehr langgliedrig; Hals und Hände schimmerten bläßlich, und das Gesicht mit der schwarzen Maske wirkte richtig erschreckend: die linke Gesichtshälfte leuchtete gespenstisch, die rechte hingegen war völlig schwarz und verschmolz beinahe mit dem dunklen Hintergrund. Das Licht – das Spiel zwischen Hell und Dunkel – war meisterhaft wiedergegeben. Der Nebel lag wie eine silbrige Aureole um die Straßenlampen. Auf seine Art war dieses Bild ebenso eindrucksvoll wie das von Lady Margaret.

Das Bild war nicht sehr groß. Jury streckte die Hand aus, um es hochzunehmen, und sagte: «Darf ich?»

«Natürlich.»

Er ging damit zur Lampe und betrachtete es eingehend. «Es ist bemerkenswert. Ich wünschte nur, Sie wären schneller damit fertig geworden. Haben Sie es Harkins gezeigt?»

Adrian ging gerade einen Topf mit Pinseln durch. Er schmiß sie auf den Boden und drehte sich um. «Großer Gott, was für Banausen ihr seid! Ihr denkt doch nur an Mord und Totschlag.»

«Ganz recht. Ich verbringe einen Großteil meiner Zeit damit. Ist das die Engelsstiege im Hintergrund?»

Adrian, der seine Pinsel säuberte, nickte.

«Verdammt, wenn es dem entspricht, was Sie gesehen haben, ist das hundertmal besser als ein Phantombild.»

«Sie vergessen, daß ich Maler bin. Genau zu beobachten gehört zu meinem Beruf.»

Unten läutete es an der Tür. Erstaunt spähte Adrian hinunter. «Bestimmt kein Kunde. Ich hab ganz vergessen, wie sie aussehen. Und Sie können es auch nicht sein, da Sie ja schon hier sind. Jemand muß sich im Nebel verirrt haben.»

«Sehen Sie doch einfach mal nach.»

Adrian machte Anstalten, seine Haare in Ordnung zu bringen, und ging hinunter.

Jury hörte gedämpfte Stimmen von unten; er war noch immer in das Bild versunken. Er runzelte die Stirn.

Etwas stimmte nicht. Ein dunkles, verschwommenes Bild tauchte vor seinem geistigen Auge auf. Er sah ein Gesicht in einer Welle, eine Spiegelung in einem Schwimmbecken. Und plötzlich sah er auch sich selbst, wie er im «Fuchs» vor dem Spiegel stand...

«Mr. Jury», schrie Adrian die Treppe hoch. «Kommen Sie runter, Sie haben Besuch.»

Behutsam stellte er die Leinwand auf die Staffelei zurück. Das Gesicht, die Spiegelung, war wieder verschwunden. Aber etwas stimmte nach wie vor nicht.

Mit Percy Blythe hatte er überhaupt nicht gerechnet: Er steckte in einem schweren Mantel, mehreren Pullovern und hatte sich fast bis zur Nasenspitze in Schals gewickelt. Krampfhaft hielt er seine Strickmütze fest und beäugte verstohlen die Bilder an den Wänden.

«Hallo, Percy. Sie wollen mich sprechen.»

«Ja, will ich.» Er warf Adrian Rees einen finsteren Blick zu. «Allein.»

Adrian entschuldigte sich ausgesucht höflich. Als seine Schritte nicht mehr zu hören waren und Percy Blythe sich vergewissert hatte, daß er selbst auch außer Hörweite war, sagte er: «Es ist wegen Bertie. Der Bengel ist bei mir gewesen und hat was gestohlen.»

«*Bertie*? Das kann nicht sein –»

«Hab's mit eigenen Augen gesehen.» Er zeigte auf seine Augen, um Jury zu beweisen, daß er zwei davon hatte. «Ich kam gerade die Dagger Alley hoch, als ich ihn und Arnold bei mir rausgehen sah. Hab mich versteckt.»

«Vielleicht wollten sie Sie nur besuchen, Percy? Und sind einfach reingegangen –» Jury unterbrach sich, als er Percys Kopfschütteln sah.

«Gegen das Reingehen hab ich nix, aber gegen das Rausgehen. Und wie verschlagen die beiden aussahen, wie zwei Aale schlichen sie sich davon –»

(Bei der Vorstellung von Arnold als einem Aal hätte Jury beinahe laut aufgelacht.)

«– mit der Mordwaffe.»

«*Was?*»

«Der Mordwaffe, junger Mann. Mit der sie erstochen wurde. Wenn ich gewußt hätte, daß es Stiche waren, hätte ich Ihnen das gleich sagen können.»

11

Nicht einmal bei Tag mochte Bertie diesen Weg, geschweige denn bei Nacht.

Er hielt den Schwalbenschwanz mit der Spitze nach unten und achtete genau auf seine Schritte. Er wollte sich nicht die Augen ausstechen, wenn er hinfiel, was bei dem Nebel und dem sumpfigen Boden durchaus möglich war. Die Baumwurzeln, die wie Füße prähistorischer Monster über den Weg krochen, waren in dem vorbeidriftenden Nebel kaum sichtbar, und ein paarmal wäre er auch beinahe darüber gestolpert.

Er wollte zu einer bestimmten Stelle, einem Loch in den Klippen, das zwischen dem Old House und der Mole lag. Dort konnte man, laut Percy Blythe, alles ins Meer werfen, ohne daß es je wieder auftauchte. Und auf diese Weise sollte der Schwalbenschwanz verschwinden. Selbstverständlich wußte *er*, daß Percy mit dem Mord nichts zu tun hatte. Aber die Polizei würde vielleicht anderer Ansicht sein, wenn sie dieses Ding in seinem Haus fand. Jemand mußte ins Haus geschlichen sein, es genommen und später wieder zurückgebracht haben. Bertie wußte, daß er möglicherweise Beweismaterial vernichtete. Er hatte genügend amerikanische Filme gesehen, um das zu wissen. Er hatte stundenlang am Küchentisch vor einer Tasse Tee gesessen, den Kopf zwischen den Händen, und hatte über das Problem nachgedacht. Sogar Arnolds Futter hatte er darüber vergessen.

Schließlich hatte er das Problem in den Griff bekommen: Es gab keine Beweise, daß der Mord mit dem Schwalbenschwanz ausgeführt worden war. Es gab viele Gegenstände, die Zinken hatten. Die Toastgabel beispielsweise. Unendlich viele.

Sein Fuß stieg gegen etwas Hartes – er nahm an, es war eine Wurzel –, und beinahe wäre er wieder hingefallen. «Komm schon, alter Arnold», flüsterte er und fragte sich, warum er flüsterte. Niemand konnte ihn hören. Und Arnold mußte er nicht auffordern mitzukommen, denn der wich nicht von seiner Seite. Wahrscheinlich wollte er nur seine eigene Stimme hören. Um sicherzugehen, daß Arnold nicht zurückblieb, hatte er ihm einen Finger ins Halsband gesteckt. «Komm schon», sagte er erneut. Er hörte den Whitby Bull; in dieser Stille kam es ihm vor, als wäre das Nebelhorn ganz nah an seinem Ohr. Vielleicht war er schon in der Nähe der See.

Er steckte den Schwalbenschwanz in die Regenmanteltasche, damit er die Hände frei hatte, um sich im Nebel voranzutasten. Er hätte seinen schwarzen Mantel anziehen sollen; dieses alte gelbe Ölzeug war viel zu kalt. Und seine Taschenlampe war auch nicht besonders nützlich. Das trübe, gelbe Licht war eher gruselig als hilfreich, weil es die Äste wie Skelettarme und die Büsche wie kauernde Tiere aussehen ließ. Wenn ihm Percy bloß nicht diese dummen Witze erzählt hätte – daß Arnold ein Kobold sei; es war überhaupt nicht komisch. Hätte er bloß nicht über die verwunschenen Seelen geredet. Und über die tödlichen Höhlen der Druiden. Das hörte sich alles ganz gut an, wenn man bei Percy im Warmen saß; wenn man aber hier draußen an solche Dinge dachte, war das nicht gerade beruhigend. Er hätte den Weg von der Mole aus nehmen sollen, aber vielleicht wäre ihm dann auf der High oder in der Grape Lane jemand begegnet. Wenn er nur noch etwas anderes hören würde als immer nur das Geräusch seiner Füße, die quietschend in den sumpfigen Boden einsanken, oder Arnold, der den nassen Boden beschnupperte, als folge er einer Fährte. Bertie zog ihn am Halsband. Jetzt hörte er den Sog der Wellen und ging ein wenig schneller. Als er die Brandung hörte, war er erleichtert; gleich würde er es los haben –.

Etwas bewegte sich.

Bertie drehte sich ruckartig um und beschrieb dabei mit seiner Taschenlampe einen Kreis. «Wer ist da?» schrie er. Aber zwischen den hin und her gepeitschten Ästen und dem vorbeidriftenden Nebel ließ sich kaum unterscheiden, ob sich etwas bewegte oder nicht. Er stand mit dem Rücken zur See und konnte linker Hand an der Spitze der Bucht die Lichter von Rackmoor erkennen. Arnold knurrte tief und leise, als hätte ihn Bertie angesteckt. Sie drehten sich beide wieder um und gingen auf den Rand der Klippen zu. Es kam alles nur von diesen dummen Geschichten von Kobolden und verwunschenen Seelen. Etwas näherte sich ihm von hinten. Diesmal hörte er ganz deutlich Schritte oder etwas, was sich einen Weg durch das Unterholz bahnte. In der Dunkelheit und dem Nebel nahmen aber selbst die Bäume menschliche Formen an, und es war schwer zu sagen, ob dieses Etwas nun ein Mensch war.

Arnold ließ wieder ein tiefes Knurren hören. Im Gebüsch raschelte es; es klang, wie wenn der Wind durch einen Korridor fuhr. Arnold hatte richtig zu bellen angefangen, und Bertie liefen kalte Schauer über den Rücken, als wäre er in einem Tunnel eingesperrt und der Zug käme geradewegs auf ihn zu. Plötzlich fiel ein Lichtstrahl auf sein Gesicht; geblendet von dem Zyklopenauge der Taschenlampe, schloß er die Augen. Noch bevor Bertie seinen Arm hochreißen konnte, hatte ihm eine Hand die Brille von der Nase geschlagen.

Arnold bellte wütend. Bertie, der nur noch seine Umrisse erkennen konnte, raste auf die verschwommene Gestalt zu, die seine Brille auf den Boden geschmissen hatte und jetzt versuchte, ihm seinen Regenmantel vom Leib zu zerren. Jemand hatte es auf den Schwalbenschwanz abgesehen, da war er sicher.

Bertie hörte ein Rascheln und Trippeln und Arnolds beinahe hysterisches Bellen. Es glich dem Geräusch zweier Hunde, die sich gegenseitig an die Gurgel wollten. Nur war von dem einen Hund außer dem schweren Atem kein Geräusch, keine Stimme zu hören. Er hatte Angst, sich ohne seine Brille zu bewegen. Ohne sie konnte er nichts sehen; er wußte aber, daß er in der Nähe der Klippenkante stand, denn unter sich hörte er das Tosen der Wellen.

Wie nahe er daran gestanden hatte, bemerkte er erst, als ihn zwei Hände hinunterstießen.

Es ist ein Werkzeug, das beim Decken von Strohdächern benutzt wird, teilte Percy Blythe Jury mit, als sie in seinem Haus angelangt waren. Er wies auf die Wand, an der die anderen beschilderten Werkzeuge hingen. Der Schwalbenschwanz fehlte.

«Wenn er reingeht, um irgendwelchen Kram zu holen, dagegen hab ich nix. Warum haben Bertie und Arnold aber gerade das genommen?» Er beschrieb es als einen ungefähr vierzig Zentimeter langen Gegenstand mit Zinken, die nach Belieben geschärft werden konnten.

Jury fragte ihn, wer davon wüßte, und er sagte jeder, sogar die Craels. «Die war'n hier. Der Alte wollte von mir einen Fuchsbau zugestopft oder Hecken angepflanzt haben. Und der Junge war auch schon hier, ein- oder zweimal.» Nein, er schließe nie seine Tür ab, und die Dark Street sei um diese Jahreszeit leer. Jeder hätte hereinspazieren können.

Obwohl es in dem Häuschen warm war und er zwei Pullover und eine Windjacke anhatte, spürte Jury, wie ihm ein kalter Schauer den Rücken herunterlief. Bertie lief mit einem Gerät herum, das sehr wahrscheinlich die Mordwaffe war.

Der Sturz konnte ein paar Sekunden oder ein paar Stunden zurückliegen; er hatte jegliches Zeitgefühl verloren. Seine Hände hatten in der Felswand etwas gefunden, das einem dicken Stumpf glich – er konnte ihn nicht sehen, vielleicht war es eine alte Baumwurzel. Jedenfalls war er fest genug, um sich ranzuhängen.

Das Schwierige war nur, daß er keinen Halt für seine Füße fand, eine Ritze, in der er sich abstützen konnte. Er hing genau über einem Felsvorsprung, und seine Füße fuhren nur über Flechten und dann – ins Leere. Obwohl er nur kurze Zeit so gehangen hatte, waren seine Arme bereits müde. Die Augen hielt er fest zusammengepreßt; er konnte ja sowieso nichts sehen. Er dachte, seine Arme würden gleich aus den Gelenken springen. In seinen Ohren sauste es so laut, daß er nicht einmal mehr die Wellen hörte. Er fing an zu beten: «Heilige Maria Mutter Gottes...»

An mehr konnte er sich nicht erinnern, die Fortsetzung war ihm entglitten wie das Stück Schiefer, das den gottverlassenen Felsen herunterglitt. Er hörte ein scharrendes Geräusch, das langsam näher kam, und ein schweres Atmen. Er spürte plötzlich den vertrauten Geruch von nassem Hundefell. Er drückte sein Gesicht gegen die Felswand und weinte. Wenigstens hatte man aus Arnold nicht auch ein Sieb gemacht. Wie durch ein Wunder spürte er im gleichen Moment etwas unter seinen Füßen. Er wurde ein klein wenig emporgehoben, genug, um seine Arme von dem entsetzlichen Gewicht zu befreien. Es bewegte sich unter ihm, und mit der Entlastung seiner Arme hörte auch das Sausen in seinen Ohren auf, und er vernahm Arnolds Keuchen – Arnold, der all die kleinen schmalen Felspfade kannte und sich wie eine Bergziege auf ihnen bewegte. Unter ihm mußte ein kleiner Vorsprung sein, gerade breit genug für Arnold, und vielleicht auch ein schmaler Pfad. Womöglich ein Überbleibsel aus der Zeit, als Teile der Klippen zusammen mit drei Häusern ins Meer gestürzt waren. Er durfte gar nicht daran denken.

Bertie, der weder richtig hing noch stand, drückte sein Gesicht an die Felsen und preßte seinen Körper gegen die kalten, harten Klippen, als wären sie weiche, menschliche Formen, die seiner Mutter gehören könnten, wenn sie ihn nicht im Stich gelassen hätte. Auch daran durfte er nicht denken. Und er vergaß völlig, die heilige Maria, Jesus, den Engel Gabriel, die Sterne, die Sonne und den Mond in sein Gebet einzuschließen. Nur Arnold schloß er ein.

In dem Haus in der Scroop Street war offensichtlich niemand da. Die Fenster waren dunkel, und die Tür war zu. Da sie nicht abgeschlossen war, ging Jury hinein und tastete nach dem Lichtschalter. Er sah das Telefon, das auf einem niedrigen Ständer stand. Er rief ein paarmal Berties Namen, erwartete aber keine Antwort.

Er wählte die Nummer vom Old House, und Wood antwortete. Nein, Bertie habe er nicht gesehen und Mr. Plant sei auch nicht im Haus. Er habe vor einer knappen Stunde überstürzt das Haus verlassen – und er, Wood, nehme an, er sei auf der Suche nach Inspektor Jury.

Auch Kitty hatte Bertie nicht gesehen. Sie kam ans Telefon im
«Fuchs». Als er Wiggins am Apparat hatte, erzählte ihm Jury,
was geschehen war, und wies ihn an, Harkins anzurufen; er solle
genügend Männer mitbringen, um das Dorf, Howl Moor, die
Wälder in der Nähe vom Old House und auch die Klippen am
Meer absuchen zu lassen.

«Was ist ein Schwalbenschwanz?» fragte Wiggins. Seine
Stimme klang rauh und kratzig. Das bedeutete leider, daß er wieder etwas ausbrütete. «Warum hat Bertie das Ding genommen?»

«Wer weiß? Vielleicht wollte er der Polizei helfen oder Privatdetektiv spielen oder Percy schützen. Zu viele amerikanische
Fernsehserien. Ich will, daß er gefunden wird – sofort. Ich werde
die Engelsstiege hochgehen und den Weg durch den Wald nehmen. Der Gedanke, daß Bertie mit diesem Ding herumläuft, gefällt mir gar nicht.»

«Ist Arnold bei ihm, Sir?»

«Ich weiß nicht, ist er das nicht immer?»

«Dann kann ja nichts passieren», sagte Wiggins in einem arm-
seligen Versuch, humorvoll zu sein.

Ein Felsbrocken, ein Erdklumpen – etwas hatte sich gelöst und
fiel die Felswand herunter. Arnold verlagerte geringfügig sein
Gewicht. Bertie konnte die Nägel seiner Pfoten gegen den Stein
schaben hören und war überzeugt, daß sie beide im nächsten
Moment abstürzen würden. Er preßte seinen Körper gegen die
nassen Steine und versuchte, sich an der Wurzel ein wenig hoch-
zuziehen, um Arnolds Rücken zu entlasten. Es war bitter kalt; er
konnte seine Finger kaum noch spüren; mit gekreuzten Handge-
lenken hing er in der Luft.

Arnold bellte. Bertie schloß daraus, daß Arnold wieder festen
Boden unter sich hatte, und ließ seine Füße so weit herunter, bis
sie wieder auf Arnolds Rücken standen.

Dann aber hörte er ein anderes Geräusch, das von oben kam.
Es war ein Scharren über der Erde und dem Stein, und er begriff,
daß jemand im Begriff war, den gleichen Abstieg zu versuchen,
den er vorhin Arnold hatte machen hören.

Ein warmes Gefühl der Erleichterung stieg in ihm hoch. Jemand hatte Arnold bellen hören und kam jetzt zu Hilfe – aber vielleicht kam auch jemand zurück, um das Angefangene zu Ende zu führen.

Das Blut erstarrte ihm in den Adern, aber gleich darauf hörte er ganz in seiner Nähe eine Stimme, die ihn eher barsch als freundlich aufforderte: «Gib mir deine Hand.»

Eine kalte, unbekannte Stimme. Bertie konnte den ausgestreckten Arm eher spüren als sehen. Wer immer es war, viel näher konnte er nicht kommen, da er kaum Platz zum Stehen und auch keinen sicheren Halt für seine Füße hatte.

«Gib mir deine Hand!»

Die Stimme klang schneidend. Er hatte plötzlich vor etwas ganz anderem Angst – nicht mehr vor der Felswand, an die er sich klammerte, als wäre es der Körper seiner Mutter. Panik ergriff ihn, und er fürchtete, daß sein Zittern ihn in die Tiefe befördern könnte.

In diesem Moment kroch Arnold unter ihm weg.

Bertie streckte blitzschnell seine Hand der Stimme und dem Atmen des anderen entgegen. Er dachte nur an diesen einen letzten Augenblick seines Lebens; gleich würde die Hand, die jetzt noch die seine umklammert hielt, ihn in das Dunkel fallen lassen.

Es gab nur das: diesen letzten Augenblick seines Lebens. Dann hörte er jedoch andere Geräusche über sich. Stimmen. Hunde. Während die Hand, die die seine hielt, ihn von seinem Halt herunterschwang und ein anderer Arm ihn an den Schultern packte, überlegte er einen Moment lang, ob diese verfluchten Idioten mit den Hunden ausritten.

«Bertie!»

Diese Stimme kam von der Felskante oben und war ihm bekannt; sie gehörte Inspektor Jury. Er wurde langsam hochgehievt, was wohl harte Arbeit war, nach dem keuchenden Atem der verschwommenen Gestalt neben ihm zu urteilen. Ein letzter Ruck – und er stand wieder auf festem Boden.

Bertie konnte nur Lichtpunkte und formlose Umrisse erkennen, die sich wie im Traum in seinem Blickfeld bewegten. Aber sie interessierten ihn überhaupt nicht.

«Arnold!» schrie er. Der Terrier bellte, und Bertie fiel auf die Knie und schlang seine Arme um das nasse Fell des Tieres.

Jemand stand neben ihm und wischte ihm das Gesicht mit einem Taschentuch ab. «Bertie, alter Junge.» Es war Inspektor Jury. «Schau, wir haben deine Brille gefunden.» Er setzte sie Bertie auf die Nase.

Das Geschehen um ihn nahm plötzlich Formen an, als wäre ein Vorhang hochgezogen worden. So mußte sich ein Blinder fühlen, der plötzlich wieder sehen konnte, dachte Bertie. In der pechschwarzen Nacht wirkten die Menschen wie weiße Statuen in einem dunklen Garten.

Einer von ihnen trat einen Schritt vor, und er erkannte Inspektor Harkins, der sich eine Zigarre anzünden wollte und die Hand schützend vor ein Streichholz hielt. Jury sprach mit jemandem, der hinter Bertie stand – nicht mit Harkins, sondern mit einem anderen. «Ein Glück, daß Sie hier draußen waren.»

Bertie drehte sich um und sah Julian Crael hinter sich. Er stand nicht in dem Licht der Taschenlampe. Er säuberte sich gerade die Hände mit einem Taschentuch. In seinem Hemdsärmel war ein großer Riß. Dann hob er den Mantel auf, den er auf den Boden geworfen hatte, damit er ihn beim Abstieg nicht behinderte, und zog ihn an.

«So ein Zufall», sagte Harkins.

Julian schwieg.

Jury schluckte, als hätte er selbst diese bittere Pille verpaßt bekommen. Nicht gerade einfach zu verdauen – des versuchten Mordes an jemandem beschuldigt zu werden, dem man gerade das Leben gerettet hatte.

«Ich glaube, es ist besser, wir gehen zum Haus zurück und unterhalten uns dort», sagte Harkins.

«Ich begleite Bertie nach Hause», sagte Jury.

«Wir müssen den Jungen aber vernehmen», warf Harkins ein.

«Das kann ich machen, wenn er zu Hause ist. Nicht hier.» Harkins wandte sich unwillig ab, und Jury zog Wiggins beiseite. «Gehen Sie mit ihnen zum Old House und sorgen Sie dafür, daß er von Harkins nicht gelyncht wird. Danach kommen Sie zu Berties Haus.»

Harkins gab zwei seiner Männer Anweisungen, nach der Waffe zu suchen, und ging mit Julian fort.

«Mr. Crael», Bertie riß sich von Jury los, rannte zu Julian hinüber und schlang seine Arme um ihn, als hätte auch Julian ein dichtes, nasses Fell.

Als er ihn losließ, hob Julian die Hand und salutierte kurz: «Jederzeit, Sportsfreund.»

Arnold bellte und ließ den Schwanz wie eine Peitsche durch die Luft sausen.

Das sieht ja beinahe nach Wedeln aus, dachte Jury.

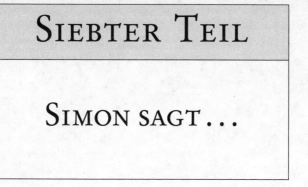

SIEBTER TEIL

SIMON SAGT ...

I

Da Bertie beinahe im Stehen einschlief, steckten sie ihn gleich ins Bett. Jury bestand darauf, bei ihm zu bleiben und auf der Couch zu übernachten. Großzügig verzichtete Wiggins auf sein Zimmer im «Fuchs» und blieb auch. Und Melrose, der nichts verpassen wollte, erwachte am frühen Morgen mit schmerzender Schulter, weil er auf einem Sessel eingeschlafen war.

Nun saßen sie alle um den Küchentisch mit dem Wachstuch: Jury, Bertie, Melrose, Wiggins und Arnold. Melrose hatte den letzten freien Stuhl Arnold überlassen und sich selbst auf einen Hocker gesetzt.

Während sie Bertie mit Tee und Toast fütterten, wiederholte er immer wieder: Nein, er hätte nichts gesehen; nein, er hätte nichts gehört; nein, er hätte nichts gerochen, was ihm einen Hinweis darauf geben könnte, wer ihn gestoßen hatte.

Um seinem Gedächtnis etwas nachzuhelfen, schob Jury noch ein paar Speckstreifen auf Berties und auch auf Arnolds Teller. «Du mußt dich doch an irgend etwas erinnern, Bertie.»

«An überhaupt nichts», sagte Bertie entschieden und spießte den Speck auf. «Wer bezahlt denn das hier?» Er hielt einen aufgespießten Speckstreifen hoch.

«Das geht auf mich», sagte Melrose. «Sergeant Wiggins hat in aller Frühe den alten Kaufmann aus dem Bett geholt.»

Wiggins sah nach der schlaflosen Nacht gar nicht gut aus. Er stocherte mit einem Stück Toast in dem Eigelb herum.

«Na, dann vielen Dank. Wir mögen Speck, Arnold und ich.»

«Jemand muß dir gefolgt sein», sagte Jury. «Wer immer es war, er muß gedacht haben, daß du dieses Dachdeckerwerkzeug ins Old House oder zur Polizei bringen wolltest und daß du gesehen hättest, wer es aus Percys Haus mitgehen ließ.»

«Aber das hab ich ja nicht, oder?»

«Das wußte der Mörder aber nicht. Warum hast du es denn eigentlich mitgenommen?»

«Um zu verhindern, daß Percy Ärger kriegt.»

«Das ist zwar sehr nobel von dir», sagte Wiggins, den Mund voller Toast, «aber das bedeutet Unterschlagung von Beweismaterial, Junge.» Er zeigte mit der Gabel auf Bertie.

Bertie wurde eine Spur blasser. «Was wird man mit mir machen?»

«Oh, dir einen Orden geben, wahrscheinlich», sagte Melrose und versuchte, es sich auf dem Hocker bequem zu machen. Dann seufzte er: «Ich habe mal wieder die Gelegenheit verpaßt, im rechten Moment an Ort und Stelle zu sein. Ich denke, es ist besser, wenn ich mich pensionieren lasse.»

Jury lächelte und trank seinen Tee. «*Ich* sollte mich pensionieren lassen. Ich habe nicht einmal an Percys Werkzeuge gedacht.»

«Na ja, Sie haben sie sich auch nicht so genau angesehen wie ich. Sie hingen an der Wand. Und da es an dem Abend damals nichts anderes zu tun gab…» Er hatte diese Niederlage immer noch nicht verwunden.

«Der alte Arnold verdient den Orden», sagte Bertie.

«Das stimmt», sagte Melrose Plant. «Vielleicht solltest du ihm eine dieser Krawatten besorgen, von denen du mir erzählt hast. Eine Krawatte von der Mordkommission. Die würde Arnold gut stehen.»

Bertie schaute ihn an. «Ich kann Ihnen nur sagen, wer es *nicht* war. Inspektor Harkins ist bescheuert. Es war nicht Mr. Crael.»

Melrose, der sich gerade eine Zigarre ansteckte, hielt inne und blickte über die flackernde Flamme seines Feuerzeugs auf Bertie. «Du meinst, weil er da hinuntergekrochen ist und dich hochgehievt hat? Das wäre in der Tat sehr lobenswert, wenn er dich vorher nicht hinuntergeschubst hätte. Als er uns da oben hörte, konnte er dich ja wohl kaum fallen lassen.»

Bertie schüttelte den Kopf. «Es ist wegen Arnold.»

«Ich kapier nicht», sagte Jury. «Erklär mir das mal.»

«Arnold kroch weg. Als Mr. Crael mir sagte, ich soll loslassen, hörte Arnold auf zu bellen und kam unter mir hervorgekrochen. Ich mußte loslassen. Hatte gar keine andere Wahl, oder? Sie glauben doch nicht, daß er das gemacht hätte, wenn es dieselbe Person gewesen wäre, die mit dem Schwalbenschwanz auf uns losgegangen ist, oder? Sie glauben doch nicht, daß Arnold so blöd ist, oder?»

«Ganz bestimmt nicht», sagte Melrose und blätterte in der Morgenzeitung, auf der Suche nach einem Kreuzworträtsel.

«Bertie hat recht», sagte Jury.

Wiggins sagte: «Aber man kann sich doch nicht immer auf einen Hund verlassen, oder?»

Jury warf ihm einen Blick zu. Es war jedoch kein Scherz – Wiggins' Gesicht war so ernst wie das eines Heiligen, während er sich Zucker in den Tee löffelte. Jury zündete sich eine Zigarette an; sie schmeckte nach alten Socken.

«Auf Arnold kann man sich aber verlassen», sagte Bertie zu Wiggins. «Er ist der klügste Hund, den ich kenne.» Bertie stopfte sich noch ein Stück Toast in den Mund. «Er kann sogar ‹Simon sagt› spielen.»

«Wie reizend», sagte Melrose, der gerade ein Wort mit neun Buchstaben für «Verwirrung» suchte.

«Schauen Sie mal her! Arnold: Simon sagt, mach das.» Bertie sprang von seinem Stuhl hoch.

Arnold machte die Bewegung nach, indem er sein Hinterteil hochhob.

«Sehen Sie?» fragte Bertie. Dann wieder zu Arnold: «Arnold: Simon sagt, mach das!» Vergnügt legte er die Hand auf die eine Gesichtshälfte.

Arnold hob die Pfote zum Auge.

«Na mach schon, Arnold!»

«Aber er hat es doch schon gemacht», sagte Melrose. Er

konnte sich nicht erklären, warum ihn das, was der Hund machte, so faszinierte.

Mit einer mißbilligenden Geste sagte Bertie: «War die falsche Seite.»

Melrose schlug sich mit der Hand an die Stirn. «Um Himmels willen, du kannst doch von Arnold nicht verlangen, daß er spiegelverkehrt denkt, oder?» Melrose kramte in der Zwieback-Schachtel und packte noch zwei Stück auf Arnolds leeren Teller. Bertie gab sich ganz nonchalant. «Von diesem Hund doch.»

Wiggins kicherte.

Jury starrte vor sich hin.

Wie ein Sturmvogel, der mit seiner kostbaren Beute aus den Fluten auftaucht, stieg das schemenhafte Bild aus den Tiefen von Jurys Bewußtsein auf. Es war Jury, wie er vor dem Spiegel stand und sein Taschentuch einmal auf der einen Seite, dann auf der anderen anbrachte... und ein zweites Bild... die Hand, die sich Les Aird aufs Gesicht gelegt hatte, um das merkwürdige Aussehen der Person im Nebel zu beschreiben... und vor allem, Adrian Rees. Das Bild. Ja, jeder hatte den gleichen Fehler begangen. Und er selbst war der größte Idiot gewesen. Seine Gedanken wanderten zurück zu dem Polizeibericht, in dem Gemma Temples Leiche beschrieben wurde... oder hatte er die Antwort, die längst verschwommen in seinem Hinterkopf vorhanden war, einfach verdrängt?

Sie sahen ihn alle an.

Ohne es zu merken, war er aufgestanden. «Ich muß telefonieren. Wiggins, Sie kommen in fünfzehn Minuten nach. Frühstücken Sie erst zu Ende.» Geistesabwesend steckte er seine Zigaretten in die Tasche.

Wiggins blickte ihn erstaunt an. «Nachkommen, Sir? Wohin? Ist irgend etwas nicht in Ordnung?»

«Doch, doch. Ich möchte, daß wir uns in einer Viertelstunde bei Adrian Rees treffen.»

2

«Was war denn das?» sagte Melrose und blickte fragend in die Runde; selbst Arnold blickte er an.

«Sah so aus, als hätte er einen Geist gesehen oder so was», sagte Wiggins und trank seinen Tee aus.

Melrose wandte sich wieder seinem Kreuzworträtsel zu. Es war vielleicht etwas leichtfertig, aber er hatte genug vom Detektivspielen; er konnte also wieder zu einer Freizeitbeschäftigung zurückkehren, für die er besser geeignet schien. *Man kann auf ihrem Namen Musik spielen.* Eine Figur Shakespeares. Fünf senkrecht. Er kaute an seinem Bleistift. Fünfzehn waagerecht war *Idiot*. Wie passend, dachte er. Musik spielen. *Piano.* Nein, es gab kein Piano bei Shakespeare. Wenn das so weiterging, würde er es nie in seiner üblichen Zeit von fünfzehn Minuten schaffen. Oh, verdammt, dachte er. *Viola* aus *Was ihr wollt.* Na, immerhin ganz gut.

Viola und Sebastian. Zwillinge…

Es fing an, in seinem Kopf zu arbeiten. Die nächste Viertelstunde dachte er darüber nach. Schließlich wandte er sich an Bertie und fragte: «Kann ich mir mal Arnold ausleihen?»

3

Sie tauchte in der Grape Lane aus dem Nebel auf und ging langsam auf ihn zu. Sie war ohne Hut, und der Wind von der See fuhr ihr durch das helle Haar.

«Kitty hat mir gerade die Sache mit Bertie erzählt», sagte Lily. «Ich habe im ‹Fuchs› mit ihr einen Kaffee getrunken. Schrecklich, einfach schrecklich.»

Tränen glänzten in ihren Augen. «Wer kann nur so was tun?»

Sie sah ihn traurig und zugleich erwartungsvoll an. Und wie immer war er berührt von ihrer blassen Schönheit und der Tragik, die ihr anhaftete. Er versuchte, ihr zu antworten, aber seine Lippen waren ganz taub. Endlich sagte er: «Wir wissen es nicht.»

«Ich wollte gerade ins Café. Sie auch?»

«Nein, nein. Ich bin auf dem Weg in die Galerie.»

«Kommen Sie danach doch auf einen Kaffee vorbei, bitte.»

Jury bedankte sich und blickte ihr nach. Hatte er sie nicht erst gestern in einem eleganten grünen Samtanzug auf einer braunen Stute gesehen? Er blickte noch immer auf die Stelle, wo sie, vom Nebel verschlungen, verschwunden war.

4

Die graugestreifte Katze versuchte, die Schneeflocken zu fangen, die gegen die Fenster der Galerie Rackmoor stoben und zerschmolzen. Sie fuhr mit den Pfoten immer wieder gegen das Glas und ließ sich bei diesem frustrierenden Unterfangen auch dann nicht stören, als es an der Tür klingelte und Jury hereinkam.

Drinnen war es kaum dunkler als draußen. Es hatte zu schneien angefangen, als Jury Berties Haus verlassen hatte, und Rackmoor lag nun in dämmrig-düsteres Dunkel gehüllt da.

Aus der kleinen Küche im hinteren Teil hörte man Gepolter – vielleicht war eine Pfanne heruntergefallen –, danach einen Schwall von Obszönitäten, gefolgt von ein paar falschen Pfeiftönen. «Mr. Rees!» rief Jury.

Adrian erschien. In dem schwachen gelben Licht der Küche war nur seine Silhouette zu erkennen. «Ah, Inspektor! Gerade zur rechten Zeit, um mein bescheidenes Frühstück aus getrocknetem Haferkuchen mit mir zu teilen. Das, was die arme kleine Jane Eyre in ihrer fürchterlichen Schule essen mußte. Na ja, eigentlich brate ich mir ja Eier mit Speck, aber Tage wie diese schlagen mir immer ein wenig aufs Gemüt. Was gibt's?»

«Ich würde gern noch einmal das Bild sehen, das Sie von der Temple gemalt haben.»

«Endlich ein Kunde! Wieviel wollen Sie dafür zahlen?» sagte Adrian grinsend und führte ihn nach oben.

Das Ölgemälde stand auf der Staffelei, die Adrian in die Nähe eines Fensters gerückt hatte, um das schwache Licht so gut wie möglich zu nutzen. Die Wirkung auf Jury war wieder dieselbe; es spukte in seinem Kopf.

«Sind Sie sicher, daß sie genauso aussah?»

Adrian seufzte, nahm einen Schluck aus der Kaffeetasse und versuchte dabei, nicht mit dem Löffel in Konflikt zu kommen. «Sie fragen mich immer das gleiche. Ja, ja und noch mal ja.»

«Das ist nicht Gemma Temple.»

Jury drehte sich um und ging nach unten. Adrian blieb oben zurück und starrte mit offenem Mund auf die leere Treppe und dann wieder auf das Bild.

Jury zog seine irische Mütze aus der Tasche und schob sie sich auf den Kopf. Der Schnee schmolz sofort wieder weg. Als er die Hauptstraße entlangging, wünschte er sich, daß da große Haufen Schnee liegen würden – trocken, weiß, unberührt…

Hinter sich hörte er eine Stimme, die seinen Namen rief. Er drehte sich um und sah Wiggins, der auf ihn zurannte.

«Was ist mit Adrian Rees?» Der Sergeant atmete schwer und holte seinen Inhalator heraus, während sie Seite an Seite weitergingen.

«Nichts. Ich wollte nur das Gemälde sehen.»

«Gemälde? Welches Gemälde? Ich dachte, Sie seien los, um ihn zu verhaften. Sie sahen aus wie…» Wiggins fand nicht die richtigen Worte. Er hob den Inhalator an seine Nasenlöcher.

«Das von Gemma Temple. Das heißt von dieser Frau, die er für Gemma Temple gehalten hat. Ich erkläre Ihnen das mal…»

Sie waren in die Bridge Walk eingebogen und die kleine, enge Treppe hinaufgestiegen. Plötzlich blieb Jury stehen und schaute zur Brücke. «Wer zum Teufel ist das?»

Wiggins blinzelte durch den Schnee, der inzwischen stärker fiel. «Sieht aus wie Mr. Plant und Arnold.»

5

Melrose Plant lehnte an der Mauer des Cafés «Zur Brücke» und rauchte. Er zeigte auf ein kleines Schild hinter der Scheibe. GE-SCHLOSSEN. «Um zehn wird geöffnet. Wir müssen noch ein paar Minuten warten.»

Keineswegs unfreundlich fragte Jury: «Was zum Teufel tun Sie denn hier? Und auch noch mit Arnold?» Arnold an der Leine? Er konnte es kaum glauben.

«Ich dachte schon, Sie würden gar nicht mehr fragen. Oh, es macht einfach Spaß, einmal vor Ihnen an einem Ort zu sein. Zigarette?» Jury schüttelte den Kopf. «Soll ich jetzt eine lange, ermüdende, wenngleich brillante Erklärung vom Stapel lassen, oder warten wir lieber, bis es sich von selbst klärt? Aber an Ihrem wild entschlossenen Gesicht sehe ich, daß es jetzt sofort sein muß. Also gut, Arnold...»

Die Jalousie an der Tür schnappte nach oben. Das kleine Schild wurde umgedreht und zeigte nun: OFFEN. Lilys lächelndes Gesicht erschien. Sie öffnete die Tür und sagte: «Entschuldigung, ich wußte nicht...» Dann fiel ihr Blick auf Arnold.

Und Arnolds Blick fiel auf sie; Arnold knurrte.

Nicht laut, aber das Knurren durch das fast geschlossene Maul schien aus der Tiefe seines Bauches zu kommen. Es klang gleichmäßig und klang gefährlich.

Lily wich einen Schritt zurück. Sie versuchte zu lachen. «Um Himmels willen, was ist denn nur mit Arnold los?»

Melrose sah zu Jury hin, und Jury nickte. Melrose zog etwas an der Leine, aber Arnold rührte sich nicht; er blieb einfach sitzen, unnachgiebig wie ein Stein. Jetzt erkannte Jury auch den Grund für die Leine, die Melrose ein paarmal um sein Handgelenk gewickelt hatte. Er zog daran. «Komm schon, Alter.» Zuerst reagierte Arnold nicht, aber dann drehte sich der Terrier um, und mit einer Selbstbeherrschung, die Jury noch bei keinem menschlichen Wesen erlebt hatte, trottete er neben Melrose den Bridge Walk entlang.

Ein Gentleman und sein Hund auf ihrem morgendlichen Spaziergang.

Lily machte Anstalten, die Tür zu schließen, aber Wiggins setzte seinen Fuß dazwischen und drückte seine schmale Hand gegen den Rahmen. «Wir hätten gern einen Morgenkaffee, Miss.»

Jury hätte fast gelacht. Humor war nicht gerade Wiggins' Stärke. Und Wiggins mußte sich über diesen Besuch sehr gewundert haben. Lily stand kerzengerade und kreidebleich in der Mitte des Raums.

«Sie sind Lily Siddons», stellte Jury mit unterkühlter Förmlichkeit fest. Er erhielt natürlich keine Antwort. «Wir sind hier, um Sie wegen Mordes an Gemma Temple und Olive Manning und wegen versuchten Mordes an Bertie Makepiece zu verhaften. Ich muß Sie darauf aufmerksam machen, daß alles, was Sie ab jetzt sagen, zu Protokoll genommen wird und vor Gericht gegen Sie verwendet werden kann.»

Einen Moment lang ließ ihr Schweigen den Raum ganz weiß erscheinen. Allein das Geräusch der Schneeflocken, die gegen die Scheibe klatschten, unterbrach die Stille. Wiggins hatte sein Notizbuch hervorgeholt.

Dann fing sie an zu lachen. Ein Lachen, bei dem man eine Gänsehaut bekam. Sie schien unter dem Gelächter zusammenzubrechen und ließ sich auf einen Stuhl fallen. «Und wer wird Ihr Kronzeuge sein, Inspektor?» Sie schluckte mehrmals. «Dieser *Hund*?»

Das Gelächter klang echt. Das war es auch, was Jury so schrecklich daran fand. «Nein. Obwohl er einen besseren abgeben würde als so mancher, den ich kenne.»

Als sie vom Stuhl aufsprang, sagte Jury: «Setzen Sie sich.»

«Ich hätte gern ein Glas Wasser.»

«Sergeant Wiggins wird Ihnen welches holen.» Auf dem Eßtisch neben dem Seitenfenster standen ein Krug mit Wasser und Gläser. Wiggins goß ihr ein Glas ein und brachte es ihr.

Während sie daran nippte, sah sie Jury über den Rand des Glases an. Noch nie hatte er so veränderliche Augen gesehen – blaß wie das Mondlicht, golden wie ein Schmetterling, blau wie Kornblumen.

«Sie scheinen vergessen zu haben», sagte sie, «daß *mich* jemand töten wollte.» Ihre Stimme war weich; auf ihren Lippen spielte ein Lächeln.

«Das war Ihr geschicktester Zug. Sich selbst als Opfer hinzustellen. Wer würde schon darauf kommen, daß das Opfer der Mörder ist? Aber diese Geschichte haben *Sie* uns erzählt, nicht wahr?»

Die folgende Spalte ist am Seitenrand abgeschnitten:

Jury preßte das Taschentuch [...]
sich wieder vor. Wiggins hatte [...]
rückgezogen und hörte aufmerl[...]
schlagen vor sich. «Es war kein[...]
kerwerkzeug aus Percy Blythe[...]
schließlich Freunde.»

Lily zerrte eine Zigarette aus [...]
und hielt sie an ihre Lippen. «Ich[...]

«Natürlich wissen Sie das. Ich[...]
nen möglich ist, Ihre Hände von [...]
Er lächelte fast und zündete ein S[...]

«Sie sind ein sehr cleverer Bull[...]
Gesicht gleiten und sagte: «Es tu[...]
ihr Kinn in die Hand und weinte l[...]
blassen Wangen. «Sie haben rech[...]
ihren Sachen fand, wußte ich Bes[...]
Sie genommen haben. Ich habe s[...]
Rolfes Gesicht, er war mit ihr z[...]
bückte sich, hob den Ring auf, star[...]
Tisch fallen. «Ich habe ihn nie b[...]
Gott! Dabei sehe ich ihnen auch n[...]
nie einer gesehen?» Ihre Stimme kl[...]

«Sie haben sich mit Olive Mann[...]
Und Sie dachten, Bertie hätte Sie [...]
benschwanz nahmen, oder?» Sie er[...]

«Sie müssen Gemma Temple ein[...]
etwas, was sie veranlaßte, zur Enge[...]
ihr ausrichten lassen, Julian wolle si[...]
Ich vermute, Adrian. Deshalb hat l[...]
straße entlangkommen sehen; sie [...]
‹Fuchs› saß, weil sie nicht durch die[...]
mir vorstellen, daß Maud Brixenha[...]
merkung über ihre Beziehung fallen[...]

Lilys hartnäckiges Schweigen bew[...]
tigen Spur war; es war, als würde sie[...]

«Sie können mir auch alles erzäh[...]
Sie wissen es.»

Lily lächelte enerviere
oder? Ganz zu schweige
gestanden; Jury ließ sie z
mal ein Glas zurechtrüc
und Wiggins tatsächlich
zu trinken. Jury hätte jetz
Kehle war wie zugeschnü

«Sie hatten das beste
Colonel Crael hätten Sie

Sie sah von einer Servie
ner Selbstbeherrschung g

Er war beeindruckt; si
«Wie lange wissen Sie es
ich sagen. Aber Olive Man
rets Vertraute gewesen. I
Crael um, nicht wahr? Ro
fach wegschleppen ließ. U

Sie riß sich derart schne
und warf ihn nach Jury, da
war, als er das «Ping» au
geschenkt! Geschenkt! Ei
graviert, die meiner Mutte
mit ihnen, sie haben sie in d
einen Anspruch auf das G
Stellung, den Namen hat, d

Jury packte sie an den Sc
dachte schon, daß sie sich w
Hand hochfuhr und ihre N
zerkratzten. Er fühlte das I
er sie auf einen Stuhl, währe
Jury zu Hilfe zu eilen. «Sc
das Wiggins ihm hinhielt.

Sie saß schweigend da. Wi
Mitte des Tisches die Kristal
Kunden mitgebracht hatte. S
fuß in einer Mulde aus schw
könne sie darin ihre Zukunft

«Es ist doch völlig unmöglich, so schnell von hier zur Engels-stiege zu kommen. Sogar Sie haben das gesagt.»

«Sie waren nicht zu Hause, als Gemma getötet wurde. Und es war nicht Gemma Temple, die Adrian in der Grape Lane sah. Sie waren es. Gemma Temple war bereits tot. Sie haben sie, kurz nachdem Les sie gesehen hat, ermordet. Und danach ist *Ihnen* dann Adrian in der Grape Lane begegnet.»

Lilys Gesicht war weiß, ihre Stimme brüchig. «Was soll denn das?»

«Wie ich sagte: Sie wurde vor elf Uhr fünfzehn getötet. Nicht danach, wie wir dachten.» Jury beugte sich vor, ohne daran zu denken, daß Lily kurz zuvor auf ihn losgegangen war. Er glaubte, die letzten Spuren von Lady Margarets Schönheit aus ihrem Gesicht weichen zu sehen.

«Lily…»

Es passierte schneller als die Attacke mit den Fingernägeln: der erhobene Arm, die Kristallkugel gerade einen Zentimeter von seinem Kopf entfernt und der blitzschnelle Fuß Wiggins', der alles umwarf – Tisch, Stühle, Gläser, Bestecke und auch Jury – bei dem Versuch, ihre Hand von Jurys Kopf fernzuhalten. «Mein Gott!» sagte Jury und stand vom Boden auf. «Wo haben Sie denn das gelernt?»

«Karate, Sir.» Wiggins atmete schwer. «Gut für die Neben-höhlen, habe ich festgestellt.»

Jury kniete neben Lily, die bewußtlos auf dem Steinfußboden lag. «Sie muß mit dem Kopf aufgeschlagen sein. Gibt es über-haupt einen Arzt in Rackmoor? Sehen Sie zu, daß Sie einen auf-treiben. Ich bleibe bei ihr.» Jury schob seinen Anorak unter ih-ren Kopf. «Haben Sie Aspirin, Wiggins? Meine Kopfschmerzen bringen mich um.»

Er wußte, daß er sich in dieser einen Sache auf ihn verlas-sen konnte; Sergeant Wiggins würde immer Aspirin bei sich haben.

Vom Fenster aus beobachtete Jury, wie Wiggins in der Abend-dämmerung die Straße entlanglief. Er sah durch das Schneege-stöber auf die Brücke über das Flüßchen. Auf dem Geländer lag eine weiße Schneedecke.

Jury ging zum Tisch zurück, setzte sich hin und betrachtete Lilys Gesicht in der Dunkelheit. Aschfahl und wie aus Marmor. Sie bewegte sich etwas und stieß ein leises Stöhnen aus. Er überlegte, ob er ihr einen Brandy geben sollte. Ob es hier überhaupt welchen gab? Es war wohl besser, auf den Arzt zu warten. Er saß da und betrachtete ihre Züge, die Spuren von Lady Margarets Schönheit.

Jury legte den Kopf in die Hände. Welch eine Verschwendung, dachte er.

6

«Lily?» sagte Colonel Crael. «*Lily*? Ausgerechnet… das kann doch nicht Ihr Ernst sein!» Er blickte zu Jury auf, der in der Mitte des Bracewood-Salons stand, als müsse ihm ein Irrtum unterlaufen sein, als hätte er Lily mit jemandem verwechselt.

«Tut mir leid, Colonel Crael.»

Einen Moment lang herrschte Schweigen. «Ich würde sie gerne sehen, wenn ich darf.»

«Nein, jedenfalls nicht jetzt.» Niemals, wenn die Entscheidung von Jury abhinge. Vielleicht würde eines Tages doch alles herauskommen, ihre Beziehung zu der Familie. Aber Jury hatte nicht vor, es ans Tageslicht zu bringen. Wenn der Colonel ausgerechnet jetzt, wo er nichts unternehmen konnte, erfahren würde, daß Lily seine Enkelin war, wäre das nach all den Verlusten, die der alte Mann hatte hinnehmen müssen, bestimmt zuviel für ihn.

Wenigstens konnte der Colonel sich damit trösten, daß Julian unschuldig war. «Dann ist Julian… also Gott sei Dank nicht mehr in Gefahr.»

Julian, der am Kaminsims lehnte, schaute Jury mit einem sonderbaren Lächeln an.

Nachdem der Colonel gegangen war, gestärkt und beruhigt durch einige Whiskys und Melrose Plants Begleitung, sagte Julian zu Jury: «Leider bin ich das nicht, was meinen Sie? Aber was soll's. Ich bin froh, daß alles vorbei ist.»

Jury fragte sich, wie Julian wohl auf die Nachricht reagieren würde, daß Lily eine Crael, Rolfes Tochter war. Es würde ihm die Bürde der familiären Bindungen, unter denen er schon sein ganzes Leben gelitten hatte, bestimmt noch schwerer machen. Jury hoffte, er würde es nie erfahren. «Wissen Sie, Mr. Crael, ich glaube nicht, daß das Gericht sehr streng mit Ihnen verfahren wird. Einem fünfzehn Jahre alten...» Jury zuckte mit den Achseln. «Mord» wollte er nicht sagen. «Und außerdem haben Sie Bertie das Leben gerettet.»

«Es klingt fast, als wollten Sie sich entschuldigen, Inspektor. Bertie ist wirklich ein cleveres Bürschchen. Zu dumm, daß seine Mutter ihn so schmählich im Stich gelassen hat. Ich werde ab und zu bei ihm vorbeischauen. Falls ich die Freiheit dazu habe.»

Ironisch hatte er das hinzugefügt, in dem Versuch, seine alte Gleichgültigkeit wiederzuerlangen; eine Attitüde, die in den letzten vierundzwanzig Stunden zusammengebrochen war.

Julian warf seine Zigarette ins Feuer und streckte ihm wortlos die Hand hin. Jury schüttelte sie.

An der Tür drehte sich Julian noch einmal um und sagte: «Ich habe mich entschlossen, auf meine Beschwerde bei Scotland Yard zu verzichten.»

«Worüber wollten Sie sich beschweren?»

«Über Brutalität von seiten der Polizei.»

Mit einem Lächeln, das Jury zum erstenmal aufrichtig erschien, schloß Julian die Tür hinter sich.

«Ich weiß nicht, was ich sagen soll, Sir... Mein Gott...» Wiggins' Stimme am Apparat klang unnatürlich hoch und vor Angst richtig gequetscht.

Jury schloß die Augen angesichts dieser Nachricht. «Wie ist es passiert?»

«Sie sagte, sie wollte sich einen Tee machen, und ich sagte ja, aber ich müsse mit ihr kommen. Ich habe sie nicht aus den Augen gelassen, glauben Sie mir. Ich hab sie beobachtet wie ein Habicht eine Maus...»

«Weiter. Was passierte dann?»

«Wir waren in der Küche. Sie benutzte nicht den Elektrokessel. Ich glaube, spätestens da hätte ich Verdacht schöpfen müssen. Sie setzte einen Topf mit Wasser auf. Ich stand am Herd dicht neben ihr. Und bevor ich überhaupt wußte, was sich abspielte, hatte sie schon das Ganze nach mir geworfen – den Topf, das Wasser und so weiter.»

«Sind Sie verletzt? Haben Sie sich schlimm verbrannt?»

«Nein, im ersten Augenblick tat es natürlich weh, und ich riß deshalb die Arme hoch. Das nutzte sie aus, um sich aus dem Staub zu machen. Sie rannte zur Tür hinaus und schob den Riegel vor. Ich brauchte fünf Minuten, um sie aufzubrechen, aber...»

Sie war verschwunden. «Ist Harkins schon da?»

«Sie kamen gerade bevor ich Sie anrief. Ich glaube, der wird mich umbringen, Sir.» Er sagte das so nüchtern, daß Jury beinahe lachen mußte.

«Na, wahrscheinlich braucht er mehr Männer. Aber als erstes schicken Sie jemanden zum oberen Parkplatz. Er soll nachsehen, ob ihr Wagen noch da ist.»

«Das habe ich bereits gemacht, Sir, ich dachte, daß sie dahin gehen würde, aber anscheinend hat sie das doch nicht getan. Der Wagen ist noch da. Es gibt nur eine Ausfahrtstraße, und die hat Harkins sperren lassen.»

«Es gibt eine Menge Wege, auf denen man zu Fuß rauskommt. Wir müssen das ganze Dorf abriegeln.» Jury verabschiedete sich. Er wollte gerade den Hörer auflegen, als er Wiggins' Stimme hörte: «Sir?»

«Ja?»

«Ich will mich nicht rausreden. Aber sie war wirklich verdammt schnell, Sir. Ich meine, ich habe noch nie jemanden gesehen, der sich so schnell bewegen konnte.»

«Ist schon in Ordnung, Wiggins. Hätte jedem passieren können. Ich weiß, daß sie schnell ist. Ich habe sie beobachtet, wie sie mit einem Messer hantierte.»

Wiggins versuchte zu lachen. «Lieber kochendes Wasser als ein Messer.»

7

Den ganzen Vormittag durchkämmten sie das Dorf; vor allem konzentrierten sie sich auf das leere Lagerhaus neben der «Glocke» und die leerstehenden Häuser, die nur im Sommer von Urlaubern bewohnt waren. Jury dachte an Maud Brixenhams Worte: *Das war mal ein Schlupfwinkel für Schmuggler. Man kann sich in den verwinkelten kleinen Straßen gut verstecken.*

Wie recht sie hatte! Die Straßen, Gäßchen, Sackgassen verschlangen sich zu einem komplizierten Muster, gingen mal rauf, mal runter und änderten dann plötzlich wieder die Richtung. Ein gutes Dutzend Männer, einschließlich Melrose und Bertie, streiften in und um Rackmoor herum, befragten die Leute und drangen bis in die hintersten Ecken vor.

Nach Jurys Meinung befand sich Lily Siddons schon längst in York oder auf dem Weg nach London.

Es war inzwischen schon fast dunkel. Jury und Harkins, die den ganzen Tag über nichts gegessen hatten, saßen im «Fuchs» und schlangen ihr Dinner hinunter. Trotz ihres Schocks war Kitty noch in der Lage gewesen, zwei Teller mit Käse, Brot und Silberzwiebeln herzurichten.

«Rees und ich haben den gleichen Fehler gemacht», sagte Jury. «Auf dem Bild, das er gemalt hat, ist die linke Gesichtshälfte weiß. Was auch stimmte, wenn man sie betrachtete. Und wenn Les Aird die *rechte* Seite als weiß bezeichnet hat, dann nur, weil er Gemma Temple und nicht Lily gesehen hat. In dem Polizeibericht hieß es, ‹die linke Seite›. Sie gingen aber davon aus, genauso wie ich es hätte tun sollen, es sei die linke Seite des *Opfers*. Adrian Rees begegnete also Lily Siddons in der Grape Lane. Sie achtete darauf, daß sie gesehen wurde; sie wollte, daß wir dachten, Gemma Temple sei zu diesem Zeitpunkt noch am Leben gewesen. Sie wußte, daß Kitty irgendwo in der Nähe war, um ihr ein Alibi zu liefern.»

«Spiegelverkehrt», sagte Harkins, eindeutig erfreut darüber, daß zumindest der Polizeibericht genau war, wenn es schon keiner der Zeugen war. «Nahm sie die Leinwand mit, um den Verdacht auf Rees zu lenken?»

«Vielleicht, ich bin mir nicht sicher. Aber ich hätte die weiße Farbe an der linken Mauer der Engelsstiege sehen müssen. Gemma Temple hatte den Fleck hinterlassen, als sie da kopfüber hinfiel. Ihre linke Gesichtshälfte hinterließ die Spuren.»

Harkins schnitt die Spitze einer Zigarre ab. «Ich muß sagen, Miss Siddons hat verdammt gute Nerven bewiesen: den Verdacht von sich abzulenken und einen imaginären Mörder zu erfinden, der es auf *sie* abgesehen hatte.»

«Die Bremsen an ihrem Wagen, der Heuhaufen. Wir hatten aber lediglich ihre Aussage. Sie nähte zwei identische Kostüme. Das einzige, was sie nicht wissen konnte, war, welche Seite sich Gemma Temple nun weiß und welche sie schwarz schminken würde. Es würde mich nicht wundern, wenn ihr überhaupt nicht aufgefallen ist, daß sie den gleichen Fehler gemacht hat wie ich. Wie wir alle. Obwohl ich nicht glaube, daß Sie diesen Fehler gemacht hätten. Ihnen wäre es sofort aufgefallen, wenn Sie Adrians Porträt gesehen hätten.»

Harkins schwieg und betrachtete die schweinslederne Zigarrenschachtel, als sähe er sie zum erstenmal. «Ich war Ihnen gegenüber allerdings im Vorteil. Ich habe die Leiche, ich habe das Gesicht gesehen – Sie nicht.» Er hielt Jury die Schachtel hin. «Zigarre?»

Jury lächelte. Der Kreis hatte sich geschlossen.

Sie standen gerade auf, um zu gehen, als Wiggins in den «Fuchs» gestürmt kam, um ihnen zu sagen, daß Lily Siddons gefunden worden sei.

8

Mindestens zwei Dutzend Leute – einige Polizisten, ein paar Dorfbewohner sowie Melrose Plant und Bertie – standen am Rand der Klippen, ungefähr an derselben Stelle, an der in der vorherigen Nacht Bertie gegangen hatte. Alle schauten nach unten.

Zwei von Harkins' Männern hatten sich Taue um die Hüften gebunden und stiegen langsam die Klippenwand hinunter. Aber die Felsstruktur, die verhindert hatte, daß Bertie einen Halt fand, verhinderte auch, daß die Männer weiterkamen. Es gab keinen Weg hinunter, selbst für Arnold nicht, den Bertie fest am Halsband hielt.

Lily war genau demselben schmalen Kiesstreifen zwischen Rackmoor und Runner's Bay gefolgt, den ihre Mutter vor vielen Jahren gegangen sein mußte. Jury konnte sie kaum erkennen; sie stand unten und blickte hoch, das Wasser ging ihr schon bis zu den Knöcheln und würde bald bis zu den Knien reichen und dann –

Sie hob den Arm. Sie hätte eine badende Urlauberin sein können, die ihren Freunden am Strand zuwinkte.

Jury hatte seinen Mantel abgeworfen und war schon halb über den Klippenrand geklettert, noch bevor es jemand merkte, noch bevor Wiggins schreien konnte: «Mein Gott! Sie kommen da nicht hinunter!»

Die Leute, die sich oben auf den Klippen versammelt hatten, protestierten lauthals, unter ihnen auch Harkins und Melrose Plant, die beide in ihrer jeweiligen Ausdrucksweise Jury zuriefen: «Kommen Sie zurück, Sie verdammter Idiot!»

Aber nur Berties Aufschrei erwies sich als wirkungsvoll: «Hol ihn, Arnold, schnell!»

Noch bevor Jury einen Zentimeter weitergehen konnte, fühlte er, wie der Terrier ihn am Unterarm packte. Und das gab Plant, Harkins und Wiggins gerade genug Zeit, ihn wieder über den Rand der Klippen zu ziehen.

«Bitte Richard, keine Heldentaten, die Ihnen das Genick brechen.» Harkins warf Jury den Mantel über die Schultern.

«Darum ging's nicht...», sagte Jury, strich sich die Haare aus der Stirn und schaute benommen über den Klippenrand. Er sah gerade noch, wie die letzte Welle über Lilys Kopf schwappte und wie sie ihre weißen Arme gegen das winterlich dunkle Wasser ausstreckte.

Es sah aus, als hätte sie noch einmal zum Abschied gewinkt.

9

Sie verabschiedeten sich von Bertie.

«Der Château de Meechem war heute abend besonders gut, Copperfield», sagte Melrose, während er ein unglaublich hohes Trinkgeld in Berties Tasche schob. «Und auch das Essen war ausgezeichnet, obwohl der versprochene Räucherlachs mal wieder durch seine Abwesenheit glänzte.»

Bertie ließ sein Handtuch, das er zum Abwischen der Tische benutzte, knallen und legte es sich über den Arm. «Is wohl nich die Saison, nehm ich an.»

«Bertie», sagte Jury. «Ich hab so eine Ahnung, daß deine Mutter noch für einige Zeit in Nordirland bleiben wird. Auf jeden Fall wirst du bald von ihr hören. Wie auch Miss Cavendish. Wenn also eine von ihnen – Froschauge, Stockfisch oder wer auch immer – dir mit ihren Fragen lästig wird, sag ihnen nur, daß für sie bald was im Briefkasten liegen wird. Und wenn auch das sie nicht zufriedenstellt, sollen sie mich anrufen.» Er steckte eine Visitenkarte mit der Nummer von Scotland Yard in dieselbe Tasche, in die Melrose vorher das Geld geschoben hatte.

Berties Augen strahlten und schielten abwechselnd. «Woher wissen Sie…» Dann besann er sich anscheinend eines Besseren und fing an, Arnolds Kopf zu kraulen.

«Mach dir keine Sorgen», sagte Jury und streckte ihm seine Hand hin. «Auf Wiedersehen, Bertie.»

Bertie schüttelte die Hand. «Bleiben Sie denn nicht noch über Nacht, Sir?»

«Nein, ich nehme in York den Nachtzug. Aber ruf mich mal an, ja? Damit ich weiß, was hier so passiert.» Jury zwinkerte mit den Augen.

«Darauf können Sie sich verlassen, Sir. Gib die Hand, Arnold. Hast du denn keine Manieren?»

Arnold hielt die Pfote hoch.

«Auf Wiedersehen, Bertie», sagte Melrose Plant. «Ich wünsche dir, daß du nie dreizehn wirst.»

Draußen spazierten Jury und Plant die Mole entlang, um noch einen letzten Blick auf das Dorf zu werfen.

«Ich glaube nicht, daß es das Geld war», sagte Jury. «Ich glaube nicht, daß sie das Geld wollte oder die Privilegien, die mit dem Namen Crael verbunden sind. Ich glaube, sie wollte einfach zur Familie gehören.» Plant sagte nichts, und Jury wandte sich um und starrte auf die dunklen Wellen, die heranrollten. «Manchmal denke ich, ich habe den falschen Beruf. Nun soll ich auch noch zum Superintendent befördert werden. Es kommt mir so vor, als solle ich Recht sprechen. Wie soll man das bloß tun? Zum Beispiel im Fall von Julian Crael oder Lily, die genauso Opfer sind wie wir auch... dennoch soll sie völlig kaltblütig zu Werke gegangen sein?» Er schaute auf die See hinaus, als könnte sie Lily zurückbringen. «Es ist nicht meine Sache, das zu entscheiden, nicht wahr? Meine Aufgabe ist lediglich, solche Leute zu verhaften und sie der Justiz zu übergeben. Nur manchmal gelingt mir das einfach nicht. Ich frage mich, was das ist – Gerechtigkeit.» Er schwieg eine Weile und sah auf die See hinaus. «Ich frage mich auch, was es heißen wird, Superintendent zu sein.»

Plant zündete sich eine Zigarette an. «Es ist kühl.»

Sie kehrten der See den Rücken zu und gingen zurück in die Nebel von Rackmoor.

Für Katherine und
J. Mezzanine

und im Gedenken an George Roland,
1930–1983

ERSTER TEIL

STRATFORD

«Wer liebte je, und
nicht beim ersten Blick?»

William Shakespeare,
Wie es euch gefällt

Die Pforten des Royal Shakespeare Theatre entließen die Zuschauer wieder einmal in diesen hinterhältigen Regen, der immer genau das Ende der Vorstellungen abzupassen schien. Heute abend war *Wie es euch gefällt* aufgeführt worden, und den Leuten stand ins Gesicht geschrieben, daß sie noch nicht zu sich gefunden hatten, als würde infolge einer magischen Verwandlung die bukolische Idylle des Waldes von Arden auch draußen im Dunkeln und im Nieselregen weiter funkeln und glitzern.

Die Leute strömten auf die Gehsteige und in die verwinkelten Gassen, um dann in den geparkten Autos und den Pubs zu verschwinden. Das Licht der Scheinwerfer um das Theater herum fiel wie glänzende Münzen auf das Wasser. Als es erlosch, war es, als hätte ein Bühnenarbeiter mit einem Schalterdruck den Fluß ausgeknipst.

Der «Schwarze Schwan» – oder die «Torkelnde Ente», je nachdem, von welcher Seite der angehende Gast sich näherte – lag strategisch sehr günstig direkt gegenüber dem Theater. Das Wirtshausschild mit den zwei Tieren (fliegender Schwan auf der einen Seite, betrunkene Ente auf der anderen) war verantwortlich dafür, daß Ortsfremde, die sich bei dem einen verabredet und das andere vorgefunden hatten, einander zuweilen verfehlten.

Fünf Minuten nach dem letzten Vorhang war die «Ente» zum Brechen voll mit Leuten, die bis zur Polizeistunde noch möglichst betrunken werden wollten. Die Menge quoll aus dem Inneren der Kneipe bis auf die ummauerte Terrasse. Der

Zigarettenrauch machte die Nacht so undurchdringlich wie einer dieser guten alten Londoner Nebel. Es war Sommer, und es wimmelte nur so von Touristen; die meisten Stimmen hatten einen amerikanischen Akzent.

Eine der Amerikanerinnen, Miss Gwendolyn Bracegirdle, die auf der Veranda ihrer riesigen, mit rosafarbenem Stuck verzierten Villa in Sarasota, Florida, nie mehr als ein Schlückchen Sherry zur Zeit zu sich nahm, stand mit einem Bekannten in einer dunklen Ecke der Terrasse und ließ sich vollaufen.

«Oh, mein Lieber, nicht *noch* einen! Das ist mein zweiter – wie nennt man das hier?»

«Gin», lachte ihr Begleiter.

«Gin!» Sie kicherte. «Wirklich, ich *kann* nicht mehr!» Aber sie hielt ihr Glas so, als würde sie bestimmt noch einen schaffen.

«Tun Sie einfach so, als wäre es ein sehr trockener Martini.»

Miss Bracegirdle kicherte wieder, als ihr das Glas aus der Hand genommen und wieder aufgefüllt wurde. Für Gwendolyn Bracegirdle – wenn nicht für die ganze Menschheit – war es ein Riesenschritt von süßem Sherry zu Martinis.

Vage lächelnd ließ sie ihren Blick über die anderen Gäste auf der Terrasse schweifen, aber niemand lächelte zurück. Gwendolyn Bracegirdle war nicht der Typ, den man sich einprägt, so wie sie sich die anderen einprägte. (Wie sie ihrem Begleiter erklärt hatte – wenn sie eine besondere Begabung besaß, dann war das ihr Gedächtnis für Gesichter.) Gwendolyn selbst war von unscheinbarem Äußeren – eine kleine Pummelige mit Dauerwellen; das einzige, wodurch sie an diesem Abend herausstach, war ihr perlenbesetztes Brokatkleid. Ihr Blick fiel auf eine ältere, hagere Frau, deren feuchte, kummervolle Augen sie an ihre Mutter erinnerten. Das ernüchterte sie etwas; Mama Bracegirdle hielt nichts von Spirituosen, es sei denn, sie selbst trank sie, aus medizinischen Gründen natürlich. Mama hatte eine Unmenge von Wehwehchen. Im Augenblick (die fünf Stunden Zeitunterschied mitgerechnet) süffelte sie wahrscheinlich auf der Veranda des Rosaroten Horrors; denn als ein rosaroter Horror erschien das Haus der inzwischen an Kalk, Flechtwerk und Strohdächer gewöhnten Gwendolyn aus dreitausend Meilen Entfernung.

Als ihr ein weiterer eisgekühlter Drink in die Hand gedrückt wurde und ihr Bekannter sie anlächelte, sagte Gwendolyn: «Wie um Gottes willen soll ich bloß mein Zimmer wiederfinden.» Ein wirklich trostloses Zimmer dazu: oberster Stock, Blick auf den Hinterhof, eine klumpige Matratze und ein Waschbecken mit Warm- und Kaltwasser. Das Bad war am Ende des Flurs. Sie hätte sich natürlich etwas viel Besseres leisten können, aber sie hatte sich für das «Diamond Hill Guest House» entschieden, weil es so wahnsinnig britisch war, in einem *Bed-and-Breakfast* zu wohnen und sich nicht bedienen zu lassen wie die anderen in ihrer Reisegruppe, die im «Hilton» oder anderen teuren Hotels in amerikanisiertem Luxus schwelgten. Gwendolyn war überzeugt davon, daß man sich den jeweiligen Landessitten anzupassen hatte, und sie hielt nichts davon, im «Hilton» in die Kissen zurückzusinken und sich wie in den Staaten alles aufs Zimmer bringen zu lassen.

«Ich habe wirklich keine Ahnung, wie ich das allein schaffen soll», wiederholte sie und lächelte verschämt.

«Ich bring Sie schon nach Hause.»

Das Mädchen hinter der Theke der «Ente» verkündete die Sperrstunde.

«Noch einen auf den Weg.»

«*Noch einen!* Ich bin noch nicht mit dem hier fertig – na, wenn Sie darauf bestehen…»

Während der Abwesenheit ihres Begleiters prüfte sie kurz ihr Make-up im Handspiegel und fuhr sich mit dem kleinen Finger über ihre auberginefarbenen Lippen. Beim Anblick der Frauen um sie herum mit ihren blassen Lippen und ungeschminkten Gesichtern, die in dem rauchgeschwängerten Dunkel beinahe gespenstisch wirkten, fürchtete sie, sie hätte vielleicht doch etwas zu dick aufgetragen.

«Whoo-*ee*», sagte Gwendolyn und fächerte sich mit der Hand Kühlung zu, als der vierte Gin vor ihr stand. «In diesen Pubs ist ein solches Gedränge, ich schwör's, es ist hier heißer als drüben in Sarasota. Inzwischen kommen auch viele Engländer zu uns rüber. Aber sie fahren alle nach Miami, wo doch Floridas Westküste so viel hübscher ist... Was denken Sie, war dieses Stück nicht wundervoll? Und wäre es nicht herrlich, den ganzen Tag nichts zu tun, als im Wald von Arden herumzutollen? Ich verstehe nicht, warum dieser Wie-hieß-er-gleich so *melancholisch* war –»

«Jacques, meinen Sie?»

«Hmm. Er erinnert mich an jemanden aus Sarasota. Ich meine das Gesicht des Schauspielers. Ich habe Ihnen doch erzählt, was meine Mama immer sagt: ‹Gwennie, es ist richtig unheimlich, dein Gedächtnis für Gesichter.› Mama sagt immer, ich könne Gesichter lesen wie ein Blinder.» In Wirklichkeit hatte Mama das nie gesagt, Mama sagte ihr nämlich nie etwas Nettes. Deswegen litt sie wahrscheinlich auch unter diesem... diesem Komplex. Gwendolyn fühlte ihr Gesicht brennen und wechselte schnell das Thema. «Wirklich zu schade, daß ich Sie nicht schon vor Beginn der Vorstellung gesehen habe. Neben mir war noch ein Platz frei, den sich dann in der Pause irgendein Teenager schnappte. Konnten Sie denn vom Balkon aus etwas sehen?» Ihr Begleiter nickte, während das Mädchen hinter dem Tresen noch einmal an die

Sperrstunde erinnerte. Gwendolyn seufzte. «Wirklich zu schade, daß diese Kneipen immer so früh zumachen müssen. Ich meine, gerade ist man in Stimmung gekommen, und schon muß man aufhören... Wäre es nicht nett, wenn wir noch eine kleine Spritztour machen könnten?» Das erinnerte Gwendolyn an den alten Cadillac, den Mama die ganze Zeit in der Garage stehen hatte und nur zu Hochzeiten und Beerdigungen herausholte. Gwendolyn nannte ihn die Eiserne Jungfrau. Der Caddy hatte sogar eine gewisse Ähnlichkeit mit Mama, die gewöhnlich strenges Grau oder Schwarz mit einem metallischen Schimmer trug. Die winzigen Streifen in ihren grauen Augen glichen Radspeichen, der Knoten, zu dem sie ihr graues Haar hochsteckte, hatte die Form einer Radkappe. Ganz wie der alte Wagen.

«Na, wir könnten noch einen kleinen Spaziergang machen, bevor Sie nach Hause gehen. Ich geh gern am Fluß entlang.»

«Oh, das wäre schön», sagte Gwendolyn. Sie leerte ihr Glas und verschluckte sich beinahe, so brannte der Gin, den Mama für Teufelszeug hielt; sie nahm ihre perlenbestickte Handtasche an sich. Das blaue Brokatkleid war wohl doch des Guten zuviel gewesen. Aber wenn man nicht einmal im Royal Shakespeare Theatre Abendgarderobe tragen konnte, wann dann? Manche Leute, dachte sie, als sie das Lokal verließen, würden sogar zu einer Krönung Jeans tragen.

Wie alle Pubs leerte sich die «Torkelnde Ente» wie durch Zauberei. Wenn sie schließen, schließen sie; dem Wirt scheinen plötzlich fünf zusätzliche Hände zu wachsen, mit denen er Gläser von Tischen abräumt, während für den Gast dieser letzte Schluck, dieser allerletzte Tropfen das einzige zu sein scheint, was ihn vor dem Engel der Finsternis bewahrt.

Als sie die Straße überquerten, wurden die Lichter der «Ente» bereits gelöscht. Sie nahmen den unbeleuchteten Weg auf die Kirche zu – ein gemütlicher Bummel, bei dem sie sich über das Stück unterhielten.

Als sie um die Dreifaltigkeitskirche herumgegangen waren, blieb ihr Bekannter stehen. «Was ist?» fragte Gwendolyn in der Hoffnung, die Antwort zu kennen. Sie versuchte, der in ihr aufsteigenden Erregung Herr zu werden, konnte sie jedoch genausowenig unterdrücken wie den Haß, der sie vorhin bei dem Gedanken an Mama erfüllt hatte. Diese obskure Begierde war etwas, was sie nicht verstand, was ihr die Schamröte ins Gesicht trieb. Aber schließlich, so sagte sie sich, spielte es heutzutage keine Rolle, für *wen* man diese Gefühle entwickelte. Und die Scham gehörte dazu, das wußte sie. Ihr Gesicht glühte. Schuld daran war Mama. Hätte sie Gwendolyn nicht all diese Jahre zusammen mit dem Caddy in der Garage abgestellt...

Die Stimme ihres Bekannten und sein kurzes Lachen unterbrachen ihre Gedanken. «Sorry, das muß an diesen Drinks liegen. Da drüben sind Toiletten...»

Sie gingen zu dem weißgetünchten kleinen Häuschen, das tagsüber von zahlreichen Touristen frequentiert wurde, das aber nachts in genauso dunkler Stille lag wie der Weg, auf dem sie gekommen waren. Gwendolyns Erregung wuchs.

«Sie haben doch nichts dagegen?»

Gwendolyn kicherte. «Nein, natürlich nicht. Aber sehen Sie nur: Die Toiletten sind außer Betrieb.»

Die Hand eines männlichen Begleiters von ihrem Knie schieben – näher war Gwendolyn Bracegirdle der Sache, die Shakespeare als den Akt der Dunkelheit bezeichnete, noch nie gekommen. Seit langem war ihr schmerzlich bewußt, daß ihr jeder Sex-Appeal fehlte.

Es war ihr deshalb hoch anzurechnen, daß sie, als sie mit sanfter Gewalt in die öffentliche Toilette geschoben wurde, als sie Hände auf ihren Schultern und Atem in ihrem Nacken spürte und schließlich eine Befreiung empfand, als wären Brokatkleid, BH und Slip plötzlich von ihr abgefallen – daß sie diesen Angriff auf ihre Person also nicht abwehrte, sondern sich sagte: *Zum Teufel, Mama! Gleich werde ich vergewaltigt.*

Und als sie dieses komische Kitzeln um die Brust herum spürte, kicherte sie beinahe und dachte: *Der komische Kerl hat eine Feder…*

Der komische Kerl hatte eine Rasierklinge.

2

Der von Weiden gesäumte und mit Licht überzogene Avon floß träge am rosa Backsteinbau des Theaters und an der Dreifaltigkeitskirche vorbei. Enten schliefen im Riedgras, und Schwäne schaukelten verträumt am Ufer.

An einem solchen Morgen und an einem solchen Ort hätte es einen nicht überrascht, Rosalind zu sehen, wie sie an Bäume geheftete Gedichte las, oder Jacques, wie er am Flußufer vor sich hin brütete.

Von weitem hätte man auch die Dame und den Herrn, die zwischen der alten Kirche und dem Theater am Fluß standen, für zwei Personen aus einem Shakespeare-Stück halten können, die von der Bühne herabgestiegen waren, um an diesem verzauberten Fluß Schwäne zu füttern.

Es war ein arkadisches Idyll, eine Rêverie, ein Traum…

Beinahe.

«Du hast mein letztes Sahnetörtchen an die Schwäne verfüttert, Melrose», sagte die Dame, die nicht Rosalind war, und steckte die Nase in eine weiße Papiertüte.

«Sie waren trocken», sagte der Herr, der zwar melancholisch, aber doch nicht Jacques war. Melrose Plant fragte sich, ob der Avon an dieser Stelle tief genug war, um sich darin zu ertränken. Aber warum der Aufwand? Noch weitere fünf Minuten, und er würde ohnehin vor Langeweile sterben.

«Ich hatte sie mir für mein zweites Frühstück aufgehoben», murrte Lady Agatha Ardry.

Melrose blickte auf die silbrige Fläche des Avon und seufzte. Eine richtige Schäferidylle war das, fehlten nur noch eine Schäferin oder Milchmagd. Eine Schäferin mit veilchenblauen Augen würde so wunderbar zu ihm passen. Seine Gedanken drifteten wie die Brotkrümel auf dem Wasser zurück nach Littlebourne und zu Polly Praed. Mit einem Milcheimer konnte er sich Polly allerdings nicht vorstellen.

«Wir frühstücken alle zusammen im ‹Cobweb Tea Room›. Und du wirst vielleicht auch von deinem hohen Roß steigen und dich zu uns gesellen», sagte sie vorwurfsvoll.

«Nein, ich gedenke mein Frühstück hoch zu Roß einzunehmen.»

«Immer mußt du dich aufspielen, Plant. Wirklich, es ist zu ärgerlich –»

«Mich aufspielen – genau das tue ich nicht. Der Beweis: Ich werde heute morgen nicht im ‹Cobweb Tea Room› frühstükken.»

«Du hast sie noch nicht einmal begrüßt.»

«Eben.»

Sie waren Agathas Verwandte aus Milwaukee, Wisconsin. Bislang hatte Melrose sie nur von weitem gesehen. Er war entschlossen, es dabei zu belassen, mochte sie ihm auch noch so sehr zusetzen. Er hatte sich im Falstaff einquartiert, einem klitzekleinen, aber reizenden Hotel an der Hauptstraße, und auf diese Weise Agatha und die amerikanische Verwandtschaft gezwungen, in einem Touristenhotel abzusteigen. Er hatte die ganze Sippe auf dem Gehsteig vor der plumpen Tudorimitation des Hathaway gesehen: die Vettern und Kusinen ersten und zweiten Grades und die Verwandten um tausend Ecken, eine wahre Flotte von Verwandten, die mit einem dieser Reisebusse gekommen waren. Vor zwei Wochen hatte Agatha ihm auf Ardry End den Brief unter die Nase gehalten und darauf bestanden, daß er sie unbedingt begrüßen müsse. «Unsere amerikanischen Verwandten, die Randolph Biggets.»

«Nicht die meinen, das steht fest», hatte Melrose hinter seiner Morgenzeitung hervor erwidert.

«Angeheiratet, mein lieber Plant», sagte Agatha mit einem so selbstzufriedenen Gesichtsausdruck, als hätte sie ihn in diese Lage gebracht.

«Nein, auch nicht angeheiratet. Das geht auf Onkel Roberts Konto, und er hat das Zeitliche gesegnet.»

«Mach doch nicht immer Schwierigkeiten, Plant.»

«Ich mache keine Schwierigkeiten. Ich habe die Randolph Biggets nicht geheiratet.»

«Möchtest du nicht mal deine eigene Familie kennenlernen?»

«Keine Familie und noch weniger Freunde, um frei nach Hamlet zu zitieren. Und Hamlet wäre es viel besser ergangen, wenn er sich daran gehalten hätte. Aber ich schätze, wenn Claudius Randolph Bigget geheißen hätte, wäre es Hamlet auch nicht so schwergefallen, ihn beim Gebet um die Ecke zu bringen.»

Während Agatha die verschiedenen Kuchen auf dem Teewagen nachzählte, meinte sie süffisant: «Na, dann muß der Berg eben zum Propheten kommen.»

Melrose ließ die Zeitung sinken. Das ließ nichts Gutes erahnen. «Was meinst du damit?»

Sie ergriff ein mit rosa Zuckerguß überzogenes Cremetörtchen. «Ganz einfach, wenn wir nicht *dorthin* fahren können, dann muß ich die Biggets eben bitten, *hierher* zu kommen. So ein kleiner Ausflug aufs Land, das gefällt ihnen bestimmt.»

«Hierher?» Melrose erkannte sehr wohl ihre erpresserischen Absichten. Er tat jedoch ganz ahnungslos und sagte: «Du hast doch nur zwei Räume in deinem kleinen Landhaus. Aber vermutlich kannst du sie im ‹Jack & Hammer› unterbringen. Dick Scroggs hat immer etwas frei. Vor allem seit diesem Mord vor drei Jahren.» Er füllte ein paar leere Kästchen in seinem Kreuzworträtsel aus.

«Du hast wirklich einen sehr morbiden Sinn für Humor, Plant. Ich muß schon sagen, mit all dem Platz auf Ardry End könntest du dich etwas gastfreundlicher zeigen.» Als er nichts darauf erwiderte, fügte sie hinzu: «Wenn du sie schon nicht bei dir übernachten läßt, solltest du sie zumindest zum Tee mit Sahnehäubchen einladen.»

«Sie sollten besser auf ihren Tee mit Sahnehäubchen verzichten. Ich wette, sie sind schon dick genug.» Melrose vervollständigte eine mit *L* beginnende Senkrechte durch *aib*.

«Dick? Du hast sie doch noch nie gesehen.»

«Sie hören sich so an.»

Keine zehn Pferde hätten Melrose im Juli nach Stratfordupon-Avon gebracht. Aber dann schaffte es der Anruf von Richard Jury zwei Tage zuvor. Da es nicht allzu weit von Long Piddleton war und Jury wegen einer polizeilichen Routineangelegenheit nach Stratford mußte, hatte er vorgeschlagen, Plant solle sich doch hinters Steuer setzen und hinkommen, falls nichts Dringlicheres anstünde.

Und Melrose hatte sich hinters Steuer gesetzt, während Agatha, einen Picknickkorb im Schoß, vom Beifahrersitz aus ihre Anweisungen gab.

«Das gute alte Stratford», sagte Agatha, die Arme ausgestreckt, als wollte sie die Stadt an ihren Busen drücken.

Melrose beobachtete, wie sie über die Straße auf den «Cobweb Tea Room» zuging, wo sie mit ihren Verwandten im Dunkel der schweren Balken und abgetretenen Fußböden Kaffee trinken würde. Je weniger Licht, je wackliger die Tische, desto größer die Begeisterung der Touristen. Agatha machte da keine Ausnahme, doch war ihr der Stand der Dinge auf dem Kuchenteller sehr viel wichtiger war als der Zustand der Tische. Hätte sie gewußt, daß er sich mit Richard Jury zum Abendessen verabredet hatte, wäre Melrose sie nie losgeworden.

Denn es wäre ihr nicht nur Jury, sondern auch eine kostenlose Mahlzeit entgangen.

Am Ende einer Lindenallee lag Stratfords Dreifaltigkeitskirche. William Shakespeare war dort begraben, und Melrose wollte sich den Chor anschauen. Die schwere Tür fiel leise hinter ihm ins Schloß, als wäre sie sich mehr des Genies bewußt als des Pilgerknäuels am Souvenirstand, wo alles gekauft wurde, was das Bild des Dichters trug – Lesezeichen, Schlüsselringe, Adreßbücher. In der Kirche selbst war niemand außer einem älteren Mann, der sich neben der Geldbüchse am Anfang des Mittelschiffs postiert hatte. Melrose angelte nach einem 10-Pence-Stück, das für den Blick auf Shakespeares letzte Ruhestätte zu entrichten war. Als würde man auf dem Jahrmarkt einmal Karussell fahren wollen, dachte er. Er kam sich wie ein Leichenfledderer vor; der Grabwächter schien jedoch anders darüber zu denken, denn er grinste Melrose breit an und hob die rote Samtkordel hoch.

William Shakespeare muß ein Mann mit Geschmack gewesen sein. Wenn jemand ein in Marmor gehauenes Denkmal in Lebensgröße, einen kleinen Hund zu Füßen und einen Sarkophag in einer mit Samt ausgeschlagenen Nische verdient hatte, dann Shakespeare. Statt dessen gab es nur diese kleine Bronzetafel mit seinem Namen und den Namen anderer Familienmitglieder, die an seiner Seite ruhten. Melrose überkam eine für ihn ganz ungewöhnliche, fast religiöse Verehrung für dieses Genie, das auf jeden Pomp verzichtete.

Bevor er das Kirchenschiff verließ, besichtigte Melrose noch den Chor und die ungewöhnlichen Holzschnitzereien an den Armlehnen des Chorgestühls. Während er die geschnitzten Gesichter, die kleinen Wasserspeiern ähnelten, bewunderte, machte er einen Schritt rückwärts und trat dabei gegen etwas, das sich bei näherer Betrachtung als die Rückfront eines Mannes herausstellte, der zwischen den Bänken herumkroch.

«Oh, entschuldigen Sie», sagte der noch ziemlich junge Mann, während er sich aufrichtete und einen Riemen über seiner Schulter zurechtrückte, an dem ein ziemlich großer, quadratischer Kasten hing. Zuerst dachte Melrose, es wäre vielleicht irgendeine raffinierte Kameraausrüstung; dagegen sprach jedoch, daß der Kasten aus Metall war. Ein Geigerzähler vielleicht? Suchte der Bursche nach radioaktivem Material im Chor? «Haben Sie etwas verloren?» fragte Melrose höflich.

«O nein, ich habe nur mal unter die Sitze geschaut.» Die Holzsitze konnten hochgeklappt werden, wenn sie nicht gebraucht wurden. Aber nicht alle befanden sich in dieser Position. «Nach den Schnitzereien. Es sind sogar welche unter den Bänken», erklärte er.

«Sie meinen die Misericordi?»

«Heißen sie so? Komische Dinger. Warum, zum Teufel, hat man sie dort unten angebracht?»

«Kann ich Ihnen leider auch nicht sagen.»

Melrose schätzte ihn auf Ende Dreißig, nicht ganz so jung, wie er ursprünglich angenommen hatte; er hatte sich wohl von dem jungenhaften Gesicht täuschen lassen, dessen Frische den Eindruck machte, als wäre es gerade mit einer harten Bürste geschrubbt worden. Er war ziemlich groß, hatte braunes Haar und sah nicht gerade elegant aus in seinem Seersucker-Anzug und der abscheulichen, gepunkteten Fliege. Er fuhr mit dem Finger am Kragenrand entlang wie ein Mann, der Krawatten verabscheut. Sein Akzent ließ auf Amerika oder Kanada schließen. Melroses Ohr war aber ohnehin nicht darauf gestimmt, den Unterschied zu hören. Höchstwahrscheinlich war er Amerikaner.

«Sind Sie von hier?» fragte der Mann, als er Melrose durch das Mittelschiff folgte, am Hüter der Samtkordel vorbei.

«Nein, nur zu Besuch.»

«Ah, ich auch.» Es klang, als wäre er endlich in der unermeßlichen Einöde Stratfords auf einen Kameraden gestoßen, als würden alle Besucher dieser Stadt eine Wüste durchwandern. «Nette Kirche, nicht wahr?»

«Ja, sehr nett.»

Der Amerikaner blieb zwischen den Stühlen und den Gebetskissen stehen und streckte unversehens eine plumpe Hand mit spatelförmigen Fingern aus. «Harvey L. Schoenberg aus D.C.»

«Ich bin Melrose Plant.» Er schüttelte dem Mann die Hand.

«Und von wo?»

«Northants. Das heißt Northamptonshire. Ist ungefähr neunzig oder hundert Kilometer von hier.»

«Noch nie gehört.»

«Das haben die wenigsten. Abgesehen von ein paar hübschen Dörfern in einer ganz hübschen Landschaft, gibt es dort keine besonderen Sehenswürdigkeiten.»

«Na, hören Sie», sagte Harvey Schoenberg und stieß die schwere Kirchentür mit der Schulter auf. «Machen Sie es nicht schlechter, als es ist.» Er sagte das, als hätte Melrose seine Heimat in Verruf gebracht. «Ich wäre froh, wenn wir in D.C. einen solchen Juli hätten.»

«Wo liegt denn dieses Disi?» fragte Melrose unsicher.

Schoenberg lachte. «Sie kennen doch Washington, D.C.?»

«Ah, Ihre Hauptstadt.»

«Ja-ah. Die Hauptstadt der guten alten Staaten. Aber ein furchtbares Klima, glauben Sie mir.»

Melrose hatte gerade beschlossen, den Kirchenweg zu verlassen und den Weg am Fluß entlang zu nehmen, als Schoenberg, der immer noch an seiner Seite war, fragte: «Wer ist Lucy?»

«Was?»

«Lucy.» Schoenberg zeigte auf den gepflasterten Weg. Die Inschrift war in den Stein unter ihren Füßen gemeißelt. «Eine Freundin Shakespeares oder so was Ähnliches?»

«Ich glaube, es ist der Name einer Familie. Der Lucys.» Melrose wies mit seinem Spazierstock, den ein silberner Knauf zierte, nach links und rechts auf den Boden unter den Linden. «Sie müssen entweder da oder dort begraben sein.»

«Komisch, wir gehen also über Gräber?»

«Hmm, ich wollte eigentlich am Fluß entlanggehen, Mr. Schoenberg. Hat mich gefreut –»

«Gut.» Er schob den Schulterriemen des großen Metallkastens etwas höher und folgte Melrose über den Rasen. Er war wie ein entlaufener Hund, dem jemand im Park den Kopf getätschelt hat und der sich nun nicht mehr abwimmeln läßt.

«Mir entgeht nichts», sagte Schoenberg, der sich einen Kaugummi in den Mund schob. «Ich sammle nämlich Material für ein Buch.»

Es wäre wohl unhöflich, dachte Melrose, ihn nicht zu fragen, was für ein Buch das sein soll. Also tat er es.

«Über Shakespeare», sagte Schoenberg fröhlich und begann zu kauen.

Melrose seufzte innerlich tief auf. Oje! Warum um Himmels willen wollte dieser Amerikaner, dessen Gesicht so blank geschrubbt war wie eine Frühkartoffel, sich ausgerechnet in diese gefährlichen Gewässer begeben?

«Es muß doch Berge von Büchern über Shakespeare geben, Mr. Schoenberg, haben Sie denn keine Angst, darunter begraben zu werden?»

«Harv. Begraben? Aber nein. Was ich vorhabe, ist vollkommen neu. Eigentlich geht es vor allem um Kit Marlowe, weniger um Shakespeare.»

Melrose scheute sich fast zu fragen: «Ich hoffe, es geht nicht um die Authentizität seiner Werke?»

«Authentizität? Sie meinen, wer sie geschrieben hat?» Schoenberg schüttelte den Kopf. «Es ist eher biographisch als literarisch. Eigentlich ist es Marlowe, für den ich mich interessiere.»

«Ich verstehe. Als Gelehrter? Gehören Sie irgendeinem Institut an?»

«Ich hab nicht mal meinen Master. Diesen Intellektuellenmist überlasse ich meinem Bruder. Er ist Dekan am Englischen Seminar eines Colleges in Virginia. In ein paar Tagen treffe ich mich mit ihm in London. Nein, ich bin Programmierer.» Er tätschelte den Metallkasten und zog den Schulterriemen hoch.

«Tatsächlich? Ich war schon immer der Meinung, daß wir viel zuviel Dekane und viel zuwenig Programmierer haben.»

Harvey Schoenberg grinste übers ganze Gesicht. «Na, es wird bald jede Menge davon geben, Mel. Der Computer wird unsere Welt verändern. Wie dieses kleine Baby hier.» Und er tätschelte den Kasten, als wäre er tatsächlich ein Baby.

Melrose blieb abrupt stehen, und ein paar hungrige Schwäne kamen erwartungsvoll angepaddelt. «Mr. Schoenberg, Sie wollen doch nicht etwa sagen –»

«Harv.»

«– daß da wirklich ein Computer drinsteckt?»

Harvey Schoenbergs dunkle Augen glitzerten durch das Spinngewebe aus Schatten, das die Weiden auf sein Gesicht warfen. «Und ob. Wollen Sie ihn sehen, Mel? Aber warten Sie, ich lad Sie zu einem Bier ein und erzähl Ihnen alles haarklein. Einverstanden?»

Ohne seine Antwort abzuwarten, setzte Harvey sich in Bewegung.

«Na ja, ich –» Melrose war sich keineswegs sicher, ob er alles haarklein wissen wollte.

«Kommen Sie, kommen Sie», Harvey Schoenberg gestikulierte, als wären sie im Begriff, einen Bus zu verpassen. «Die ‹Torkelnde Ente› ist gleich da drüben. Oder der ‹Schwarze Schwan›, wie Sie wollen. Wie kommt es eigentlich, daß das Lokal zwei Namen hat?»

«Soviel ich weiß, ist der ‹Schwarze Schwan› das Restaurant.»

Schoenberg sah über die Schulter zurück auf den Fluß.

«Wo kriegen sie nur die Schwäne her? Ich hab mir die Sache zum Spaß etwas näher angesehen und ein kleines Programm zusammengestellt, um rauszufinden, wann am wenigsten damit zu rechnen ist, daß sie sich am Ufer versammeln, um sich füttern zu lassen. Der Ishi hat das alles für mich ausgerechnet.»

Melrose wußte nicht genau, wie er diese Information aufnehmen sollte. «Ich nehme an, die Schwäne kommen aus einem Schwanenteich.»

«Tatsächlich. Ist das eine Art Hühnerfarm?»

Der «Schwarze Schwan» lag direkt vor ihnen. Melrose hatte das Gefühl, einen Drink zu benötigen. «Nicht wirklich.» Er hob den Blick zum strahlend blauen Himmel und fragte sich, ob er vielleicht zuviel Sonne abbekommen hätte. «Was», fragte er, «ist ein Ishi?»

«Ishikabi. Dieser Kleine da. Japaner, aber von mir höchstpersönlich umgebaut.»

Harvey Schoenberg schien für alles und jeden einen Spitznamen zu haben, seinen Computer eingeschlossen.

Den Sonnenstich durch einen Old Peculier gelindert, wartete Melrose – nicht ohne Bangigkeit – darauf, daß Harvey Schoenberg ihm alles erklärte. Der Ishi saß als Dritter im Bunde auf einem Stuhl neben Harvey. Der Deckel des Kastens war hochgeklappt und gab den Blick auf einen kleinen Monitor und eine Tastatur frei. Da waren Schlitze für die Disketten, und auf dem grünen Bildschirm pulsierte ein winziges weißes Quadrat. Anscheinend Ishis Herzschlag. Er war so wahnsinnig schnell, daß Melrose den Eindruck bekam, er und Harvey könnten ihre Ungeduld kaum noch bezähmen.

« Wer tötete Marlowe?» sagte Harvey Schoenberg.

«Nun, niemand weiß genau, was pas-»

Harvey schüttelte so heftig den Kopf, daß seine Fliege auf und ab hüpfte und er sie wieder in Ordnung bringen mußte. «Nein, nein. Das ist der Titel meines Buches: *Wer tötete Marlowe?*»

«Ach, tatsächlich?» Melrose räusperte sich.

«Und nun –» Harvey stützte sich auf seine verschränkten Arme und beugte sich weit über den kleinen Tisch – «erzählen Sie mir alles, was Sie über Kit Marlowe wissen.»

Melrose überlegte einen Augenblick. «Kit, das heißt, Christopher –» Melrose besaß nicht Harveys Begabung, sich jedem Fremden gleich anzubiedern – «Marlowe kam bei einer Wirtshausschlägerei ums Leben; soweit ich mich erinnere, ließ er sich in einem Pub in Southwark vollaufen –»

«Deptford.»

«Ja, richtig, Deptford – irgendwie entwickelte sich ein Streit, und Marlowe wurde erstochen. Ein unglücklicher Zufall. So ungefähr muß es gewesen sein», murmelte Melrose abschließend, als er das piratenhafte Lächeln auf Harvey Schoenbergs Gesicht sah.

«Und weiter?»

Melrose zuckte die Achseln. «Womit? Mehr weiß ich nicht.»

«Ich meine, sein Leben. Die Stücke und so weiter.»

«Ich hatte den Eindruck, der literarische Aspekt würde Sie nicht interessieren.»

«Tut er auch nicht. Nicht wie diese Studierten, die alles mögliche mit seinem Werk anstellen, nur um zu beweisen, daß Burschen wie Bacon Shakespeares Stücke geschrieben haben. Wie Marlowe und Shakespeare zueinander standen, das ist was ganz anderes.»

«Ich glaube nicht, daß Christopher Marlowe und Shakespeare sich so gut verstanden haben. Marlowes Ruf war schon ziemlich gefestigt, als Shakespeare auf der Bildfläche erschien. Er hatte bereits *Tamburlaine* und *Doktor Faustus* auf die Bühne gebracht, und man hielt ihn für den wohl besten Dramatiker Englands. Irgendwie war er auch in die Politik verwickelt. Marlowe war ein Agent, eine Art Spion...»

Während Melrose seinen Vortrag fortsetzte, saß Harvey auf seinem Stuhl und nickte energisch, wie ein Lehrer, der darauf wartet, daß ein idiotischer Schüler seine auswendig gelernte Lektion herunterrasselt, damit er dazwischenfahren und ihn korrigieren kann.

«*Tamburlaine* entstand, als Marlowe noch in Cambridge studierte, oder zumindest ein Teil davon. Ein erstaunliches Werk für einen so jungen Autor. Außerdem war da noch *Doktor Faustus* –»

«‹War dies das Gesicht, das tausend Schiffe hat entsandt?›» sagte Harvey ein bißchen niedergeschlagen.

«Richtig.» Melrose taute allmählich auf. «Wie finden Sie mich?»

«Großartig. Sie wissen wirklich eine Menge. Sie sind wohl Professor oder so was Ähnliches?»

«Ich halte tatsächlich ab und zu Vorlesungen an der Universität. Nichts Bedeutendes.» Melrose leerte sein Glas und goß sich den Rest der Flasche ein. Ihm war etwas schwindlig – entweder von dem Old Peculier, der es in sich hatte, oder von Harvey Schoenberg, der es noch mehr in sich hatte. Es ließ sich nicht genau unterscheiden.

«Literatur, was?»

«Französische Lyrik. Aber zurück zu Marlowe –»

Sich noch weiter vorbeugend, sagte Harvey mit leiser, gedämpfter Stimme: «Der Earl von Southampton, was wissen Sie über ihn?»

Wenn Melrose mit hochgeschlagenem Mantelkragen in einem dunklen Hauseingang gestanden hätte – der Eindruck, geheime Informationen weiterzugeben, wäre kaum stärker gewesen. «Southampton? War er nicht Shakespeares Sponsor? Ein Kunstmäzen?»

«Richtig. Jung, reich, gutaussehend. Ein hübscher Knabe, dieser Southampton.»

«Ich bitte Sie, Sie wollen doch nicht Shakespeares Heterosexualität in Frage stellen. Das wäre blanker Unsinn.»

Harvey schien überrascht. «Haben Sie die Sonette gelesen?»

«Ja. In ihnen ist nur von Liebe, Treue –»

«Ach, tatsächlich.» Er wandte sich dem Ishi zu und bewegte seine Finger so schnell, wie Melrose es noch nie gesehen hatte. Das winzige weiße Quadrat hüpfte hin und her, und Worte erschienen auf dem Bildschirm.

> War's seiner Dichtung Prunkschiff, ohne Wanken
> in siegessicherm Kurs auf deinen Wert,
> was mir zerstört hat reifende Gedanken,
> zur Gruft verkehrt den Schoß, der sie gebärt?

Anscheinend hielt er das für einen schlagenden Beweis. «Wem der Schuh paßt... Aber darum geht es nicht. Verflucht, mir ist es völlig gleichgültig, was die Burschen im Bett getrieben haben. Aber wir wissen, daß Marlowe andersrum war.»

Wissen wir das?»

«Sicher. Was zum Teufel hatte Ihrer Meinung nach diese Walsingham-Geschichte zu bedeuten? Oh, ich weiß, es gibt da eine Theorie, nach der Kit bei einer Auseinandersetzung wegen einer Dame von zweifelhaftem Ruf erstochen worden sein soll. Und es gibt auch noch diese Geschichte von der Bootspartie, bei der Marlowe es ganz besonders wild getrieben haben soll; er geriet in einen Streit und ging über Bord.» Harvey schnaubte und beförderte damit diese beiden Theorien ebenfalls über Bord. «Hören Sie, ob Sie's glauben oder nicht: Tom Walsingham war Marlowes eigentlicher *Freund*.» Harvey zwinkerte und rückte seine fürchterliche Fliege zurecht. «*Hero und Leander* ist ihm gewidmet.» Harvey schob sein Glas beiseite und lehnte sich zu Melrose hinüber, als wären sie Spione auf einer heißen Spur. «Die Walsinghams hatten sehr viel Kohle und sehr viel Macht. Und Tommy-Boy hat Kit als Spitzel rekrutiert –»

Melrose räusperte sich. «In welchem Jahrhundert leben wir, Mr. Schoenberg?»

«Harv – ihn nach Spanien geschickt und dort in ein Kloster eingeschleust, wo er herausfinden sollte, was die Katholiken planten. Sie wissen schon, Maria, die Königin von Schottland und ihre Sippe.» Harvey lehnte sich zurück und trank von seinem Bier.

«Der Name kommt mir bekannt vor.»

Harvey richtete sich auf. «Nun? Kein Wunder, wenn Kit an Gott und der Welt zweifelte, als sie ihn in den Kerker warfen. Tom Walsingham hatte schließlich genügend Einfluß; er hätte all das verhindern können. Aber was tut er? Er läßt Kit die Sache allein ausbaden...» Harvey wedelte empört mit der Hand. «Wie die CIA oder M-5: ‹Wenn Sie geschnappt werden, Null-Null-Sieben, kennen wir Sie nicht.› In diesem Stil.»

Entgegen seiner Absicht gab Melrose nicht nach. «Wir haben es mit einer Zeit außerordentlicher Konflikte zu tun, in politischer wie religiöser Hinsicht. Es war einfach nicht möglich, sich ungestraft die scheinbar ketzerischen Ideen eines Faustus zu eigen zu machen und privat dann die Katholiken in Spanien zu bespitzeln –»

Harvey Schoenberg winkte ab. «Ach was. Zu allem Unglück brach dann auch noch die Pest aus. Eine Seuche – verdammt unangenehme Angelegenheit, so was.» Harvey studierte seine Fingernägel, als würde er dort nach Spuren suchen. «Ich weiß das alles auch. Aber, sehen Sie, an diesem Punkt gerieten die meisten, was Marlowes Tod betrifft, auf die falsche Fährte. Wer seinen Tod nicht für bloßen Zufall hält – *Zufall!* Haben Sie schon einmal gehört, daß jemandem zufällig ein Schwert ins Auge gerät?» Harvey schüttelte den Kopf über diese Sorte von Forschern, die statt eines Elefanten eine Mücke ausbrüteten. «Das können wir abhaken. Also, wer wußte, daß Kit ermordet wurde, machte den Fehler zu glauben, daß die Burschen, die sich in der Taverne von Deptford mit ihm anlegten, ihn aus politischen Gründen töteten; daß die befürchteten, Kit könnte im Falle einer Verhaftung auspacken und erzählen, was er über Walsingham und Raleigh und die ganze Affäre wußte.»

Melrose hatte während dieses Vortrags das Etikett von seiner Bierflasche abgekratzt, eine unliebsame Angewohnheit, die er gewöhnlich unter Kontrolle hatte. «Ich nehme an, Sie sind da anderer Meinung?»

Wieder beugte Harvey sich über den Tisch und senkte die Stimme. «Hören Sie, seit vierhundert Jahren versucht man herauszufinden, was sich in dieser Taverne in Deptford abgespielt hat. Die einzigen Zeugen – was für ein Pech – waren gleichzeitig die Hauptakteure. Da waren Poley, Skeres und Frizer. Und Marlowe, aber er war tot, der arme Kerl –»

«Einer der größten, wenn nicht *der* größte Verlust für die englische Literatur.» Melrose, der äußerst selten dozierte, verspürte plötzlich das Bedürfnis dazu. Außerdem spürte er die Wirkung des Alkohols. Zweifellos eine Abwehrreaktion gegen diesen Ansturm totaler Unvernunft. «Neunundzwanzig war er –»

Der Verlust für die Literatur ließ Harvey Schoenberg jedoch kalt. Er war Wichtigerem auf der Spur. «Ja, er starb. Aber das tun wir alle. Der Punkt ist, daß die meisten annehmen, Skeres und Frizer wären von Walsingham gedungen worden, und die Gründe wären, wie gesagt, politischer Natur gewesen. Wissen Sie, was ich davon halte?»

«Keine Ahnung.»

«Vollkommener Blödsinn.» Schoenberg lehnte sich selbstzufrieden zurück, den Arm über die Rückenlehne seines Stuhls gelegt.

«Tatsächlich?» Melrose wagte kaum zu fragen, aber er spürte gleichzeitig, daß sein Widerstand mehr oder weniger gebrochen war: «Was ist also passiert? Wer ist Ihrer Meinung nach verantwortlich?»

Harvey Schoenberg ließ dieses verschwörerische, piratenhafte Lächeln aufblitzen, das wirkte, als hätte er ein Messer zwischen den Zähnen. «Sie werden aber niemandem von meiner Theorie erzählen?» Und wieder tätschelte er seinen Computer. «Hier ist alles drin – das ganze Beweismaterial.»

«Jemandem davon erzählen? Ich schwöre, selbst auf der Streckfolter würde kein Wort über meine Lippen kommen.»

«Shakespeare», sagte Harvey Schoenberg und leerte sein Glas zufrieden bis auf den letzten Tropfen.

3

Entgeistert starrte Melrose ihn an. Aber Harvey Schoenberg schien die Tatsache, daß er eben den wahnwitzigsten Schluß in der Literaturgeschichte gezogen hatte, völlig kaltzulassen. «Sie wollen mir also weismachen, daß William Shakespeare die Schuld an Christopher Marlowes Tod trifft?»

Harveys graue Augen glitzerten wie die Scherben eines zerbrochenen Spiegels. Er lächelte und nickte. Er bot Melrose eine Zigarette aus einer Packung Salem an.

«Sie sprechen von dem größten literarischen Genie aller Zeiten!»

«Was hat das eine mit dem anderen zu tun?» Harvey beugte sich vor, um Melrose Feuer zu geben. «Was das Temperament betrifft, so wissen Sie doch, wie Schriftsteller, Maler und ihresgleichen einzuordnen sind. Äußerst labil. Und die Genies sind wahrscheinlich die verrücktesten.»

«Shakespeare war nicht ‹verrückt›.» Melrose hustete, als er den Rauch der nach Menthol schmeckenden Zigarette einatmete. «Im Gegenteil, alles spricht dafür, daß Shakespeare ein

äußerst vernünftiger und geschickter Geschäftsmann war.»
Warum ließ er sich überhaupt auf diesen Amerikaner und
seine verrückten Theorien ein? Hatte er vielleicht mit Agatha
zu viele Gespräche dieser Art geführt?

Harvey hob einen Fuß auf seinen Stuhl und legte das Kinn
auf sein Knie. «Der Punkt ist – was wissen wir denn wirklich
über diese Burschen, die damals gelebt haben? Verflucht,
selbst den eigenen Namen haben sie jedesmal anders geschrieben.» Er ließ seine Asche auf den Fußboden fallen. «Marloe,
Marley, Marlowe und sogar Marlin – ich bin auf sieben, acht
verschiedene Schreibweisen gestoßen –, wie zum Teufel sollen wir da wissen, was sie geschrieben oder unterschrieben
haben.»

«Und was war sein Motiv? Hatte Shakespeare auch nur den
geringsten Grund, Marlowe aus dem Weg zu räumen?»

Harvey beugte sich wieder über den Tisch und sagte: «Mel,
haben Sie denn nicht zugehört? Der Earl von Southampton,
das war der Grund.»

«Aber der Earl von Southampton war doch *Shakespeares*
Gönner! Nicht Marlowes. Das ist doch…»

Harvey seufzte, als hätte er es satt, eine Lektion zu wiederholen, die schon längst hätte sitzen sollen. Wieder wandte er
sich dem Computer zu, tippte etwas ein und sagte: «Die
Eifersucht zwischen beiden hätte ausgereicht, ein Schlacht-
schiff zu versenken, und Sie sind verrückt, wenn Sie das leug-
nen wollen. Sie sagten, Sie hätten die Sonette gelesen. Dann
schauen Sie sich das mal an.»

Da ich allein dich rief als Muse an,
zehrt' ich allein von deiner Anmut Gnade.
Doch ist nun bald mein Liederschatz vertan,
und andre schreiten schon auf meinem Pfade.

Ich weiß, Geliebter, wohl: dein holdes Bild
ist wert, daß beßre Dichter von ihm singen;
doch was den Sänger je vor dir erfüllt,
er stahl es dir, um dir's zurückzubringen.

Pries deine Tugend er, nahm er den Preis
von deiner Art; der deine Schönheit sang,
fand sie auf deinem Antlitz, und er weiß,
daß jedes Wort aus deinem Wert entsprang.

Drum dank ihm nicht, bezahl nicht Huld mit Huld;
du hast geschenkt – er bleibt in deiner Schuld.

«Sehen Sie, was ich meine? ‹Und andre schreiten schon auf meinem Pfade› et cetera. Schauen Sie sich das genau an und sagen Sie dann ja nicht, Shakespeare sei nicht in der Lage gewesen, Marlowe die Augen auszustechen. Das heißt natürlich nicht, daß Shakespeare sich selbst die Hände schmutzig gemacht hat. Er ließ Nick, Skeres und Frizer die Dreckarbeit machen –»

«Das waren doch *Walsinghams* Männer, Himmel noch mal, nicht Shakespeares.»

«Aber Billy-Boy hat sie gekannt; ich meine, all diese Burschen haben einander gekannt.»

«Wie wollen Sie das beweisen –?»

Harvey war jedoch zu sehr damit beschäftigt, seinen Computer zu füttern und das kleine, weiße Quadrat herumzujagen, um auf Melroses zaghafte Fragen zu achten. «Wenn Sie das letzte Sonett nicht überzeugt hat, dann schauen Sie sich noch mal dieses an.»

In siegessicherm Kurs auf deinen Wert,
was mir zerstört hat reifende Gedanken,

zur Gruft verkehrt den Schoß, der sie gebärt?
War es sein Geist, der, mehr als Menschen ahnen,
von Geistern mitbekam, was mich verdorrt?

«Was halten Sie davon? Und schauen Sie sich das ‹was mich verdorrt› an. Offen gestanden würde es mich nicht wundern, wenn Will Shakespeare versucht hätte, Kit Marlowe zu erwischen, bevor Kit ihn erwischte. Ich frage mich, was ‹zur Gruft verkehrt› wohl bedeutet», fügte er müßig hinzu.

Sein Gegenüber schien allen Ernstes zu glauben, Christopher Marlowe sei umgebracht worden, weil Shakespeare Angst hatte, seinerseits von ihm umgebracht zu werden. Melrose hatte das Gefühl, er müsse sich mit Schoenberg duellieren oder sonst etwas. Ihm einfach mit dem Handschuh ins Gesicht schlagen und ihm die Wahl der Waffen überlassen.

«Und dann gibt es da noch ein Sonett, das wie eine Selbstmorddrohung aussieht – soll ich es mal aufrufen –»

«Nein, vielen Dank, rufen Sie nichts mehr auf. Ich habe noch eine Verabredung und bin schon viel zu spät dran –»

«Du lieber Himmel, nicht noch einen Drink auf die schnelle?»

«Nur ein Schierlingsbecher könnte mich zum Bleiben veranlassen, Mr. Schoenberg.» Er besann sich jedoch auf seine gute Erziehung und rang sich ein frostiges Lächeln ab.

«Harv. Oh, das ist gelungen. Ich hab Sie ganz schön in Fahrt gebracht, was?... Na ja, wundert mich nicht. Ich meine, die Welt ist einfach noch nicht bereit für meine Theorie. Aber glauben Sie mir, in diesem Schätzchen hier hab ich sämtliche Beweise.» Er tätschelte den Ishikabi. Als Melrose nach seinem Spazierstock griff, sagte Harvey Schoenberg: «Sehen Sie sich heute abend *Hamlet* an?»

Melrose getraute sich kaum, darauf zu antworten: «Ich denke schon.» Er und Jury hatten zwei Parkettplätze.

«Sollten Sie sich auch nicht entgehen lassen. Es gibt da alle möglichen Hinweise… es ist nämlich ein Rachedrama.»

«Tatsächlich?»

«Sind sie alle. Also Kyd – ich meine Tom Kyd – war ein guter Freund Marlowes; dazu kann ich nur sagen: Bei solchen Freunden – wer braucht da noch Feinde.» Schoenberg winkte ihn zurück. «Kommen Sie, setzen Sie sich einen Augenblick, ich möchte Ihnen was zeigen.»

Melrose verspürte eine schreckliche Faszination, als hätte ihn das Schlangenauge des Computers hypnotisiert, und setzte sich wieder.

Harvey tippte auf der Tastatur herum und sagte: «Können Sie sich das vorstellen? Daß Kyd solche Dinge von Marlowe sagt?»

…unter den wertlosen, nichtigen Schriftstücken (an denen mir nichts lag) & die ich ausgehändigt habe, wurden die Fragmente eines Streitgesprächs gefunden, in denen Marlowe diesen, ausdrücklich als den seinen bezeichneten Standpunkt vertrat. Darunter befanden sich auch Papiere von mir (mir selbst unbekannt), die vor zwei Jahren entstanden sein müssen, als wir zusammen in einer Kammer schrieben… Daß ich mit einem so gottlosen Mann verkehrte oder befreundet war, mag sonderbar erscheinen… er war maßlos & von großer Grausamkeit… ein Atheist…

«Natürlich darf man nicht außer acht lassen, daß Kyd diese Aussage gegen Marlowe unter der Folter gemacht hat –»

Melrose, für den nun Folter kein Fremdwort mehr war, erhob sich. «Das war äußerst aufschlußreich, Mr. Schoenberg.»

«Harv. Kyd schrieb *Die Spanische Tragödie* –»

«Ist mir bekannt», sagte Melrose eisig.

Harvey Schoenberg seufzte: «Wie ich schon sagte, wenn man eines kennt, kennt man sie alle. Diese Rachedramen gleichen sich wie ein Ei dem anderen.»

Melrose mußte ihm entgegen seiner Absicht widersprechen: «*Hamlet* fällt für mich keineswegs in die Kategorie eines Rache –»

Es wurde ihm jedoch nicht gestattet, seinen Gedanken zu Ende zu formulieren.

«Wieso nicht? Alles derselbe Kram. Das Problem war nur – Hamlet wollte sich an Claudius rächen, hat aber immer die Falschen erwischt, bis er dann endlich an den Richtigen geriet.»

Melrose mußte zugeben, daß diese *Hamlet*-Interpretation von herzerfrischender Schlichtheit war.

4

Detective Superintendent Richard Jury machte sich nichts vor.

Er wußte, daß sein Besuch bei seinem alten Freund Sam Lasko nur ein Vorwand war, um ein paar Tage in Stratford zu verbringen und wie durch Zufall vor Jenny Kenningtons Tür zu stehen.

Die Füße auf Detective Sergeant Laskos Schreibtisch, blätterte er im Telefonbuch von Stratford. Er versuchte den Eindruck zu erwecken, daß er nichts Bestimmtes suchte; denn hinter den dichten Augenbrauen und den dicken, hornumrandeten Brillengläsern der Dame in der Ecke – Laskos Sekretärin – verbargen sich Augen, die wie Laserstrahlen das Telefonbuch bis zur Seite mit den Ks, die er gerade sichtete, durchdringen konnten, um dann mit einem perfiden Lächeln der Welt davon zu berichten. Jury gab sich Mühe, an nichts zu denken: Wahrscheinlich konnte sie auch Gedanken lesen.

Er fand den Eintrag *Kennington, J.*, nahm einen Bleistift und notierte die Nummer in seinem Adreßbuch. Indem er sich einredete, nun die Straße nach London suchen zu wollen, stand er auf und besah sich den großen Stadtplan von Stratford. Sie wohnte in der Altstadt.

«Kann ich Ihnen behilflich sein, Superintendent?»

Die Stimme traf ihn zwischen den Schulterblättern. Er fuhr herum. Machte sie sich über ihn lustig? «Was? Nein. Nein. Ich habe nur nachgesehen, wie ich am besten nach London zurückkomme.»

«Was ist mit der Straße, auf der Sie hergekommen sind?» fragte sie. Schwungvoll zog sie ihren Bogen aus der Maschine und lächelte ihr seelenkundiges Lächeln.

Er wollte etwas über Baustellen und Straßenarbeiten vor sich hin brummen, sagte dann aber nichts, weil sie ihm früher oder später doch auf die Schliche kommen würde. Sie jedoch spannte ein neues Blatt ein, als wäre die Frage ohnehin müßig gewesen.

Idiotisch, dachte Jury, meinte jedoch nicht sie damit, sondern sich selbst. Er lehnte sich auf Laskos Stuhl zurück und fragte sich, wieso er eigentlich dem Gesang wahrhaft verführerischer Sirenen gegenüber stets taub blieb, während er anderen Frauen gedankenlos nachhechtete.

Angeregt durch diese Wassermetaphorik, schweiften seine Gedanken an die Ufer des Avon; in seiner Phantasie befreite er sie von den Touristen und ließ Jenny Kennington allein am Fluß entlangwandeln. Die Enten in ihrem schillernden Blau und Grün schaukelten schläfrig im Riedgras, und auf dem kühlen, ruhigen Wasser glitten die Schwäne vorbei. In Gedanken drückte er auf den Auslöser: Enten, Schwäne, Jenny Kennington. Dann ließ er es September werden. September wäre noch viel besser. Die Sonne fiele durch die Bäume, und das Wasser wäre mit goldenem Licht überzogen. Oktober. Noch besser. So kalt, daß sie sich die Arme reiben und den Wunsch nach menschlicher Wärme verspüren würde…

Jenseits der Decke der Polizeiwache schaukelten Enten und schwebten Schwäne, und Jury zerbrach sich den Kopf, wie er diesen Zauber Wirklichkeit werden lassen könnte. Wie wäre es mit einer Einladung zum Dinner im «Schwarzen Schwan» mit ihm und Melrose? Und dann ins Theater? Plant hätte bestimmt nichts dagegen, obwohl er sie letztes Jahr in Littlebourne nicht kennengelernt hatte.

Immer mit der Ruhe, Kumpel. Melrose Plant mußte einer der begehrtesten Junggesellen auf den Britischen Inseln sein. Er besaß Verstand, Charakter, war liebenswürdig und sah gut aus. Jury war sich nicht sicher, ob er dergleichen auch zu bieten hatte. Aber er wußte verdammt gut, daß er alles übrige *nicht* besaß. Geld zum Beispiel. Melrose Plant war nämlich steinreich. Und dazu noch adlig. Obwohl er auf seine Titel verzichtet hatte, gehörten sie zu ihm wie das Kielwasser zu einem Schiff. Der Earl von Caverness, Lord Ardry. Zwölfter Viscount der Ardry-Plant-Linie –

Lady Kennington und Lord Ardry…

Besser kein gemeinsames Dinner im «Schwarzen Schwan».

Das ist absurd! Du bist ein Polizeibeamter! Er sprang von Laskos Stuhl auf.

«Wer ist Polizeibeamter?»

Zu seiner unendlichen Verlegenheit stellte er fest, daß er diese Überlegung laut angestellt hatte. Da in diesem Augenblick jedoch Detective Sergeant Lasko in der Tür erschien, mußte er Gott sei Dank nicht antworten.

«Ärger im ‹Hilton›», sagte Lasko und warf seine Mütze knapp an dem alten Kleiderständer vorbei. Lasko hatte das Gesicht eines Bassets; die Hautfalten unter den Augen schienen unter der Last der Melancholie herabzusacken. Sein Temperament entsprach seinem Aussehen. Er bewegte sich langsam, so als würde sein Trübsinn ihn auf Schritt und Tritt behindern.

«Ärger?» fragte Jury, glücklich über alles, was die Aufmerksamkeit der Stenotypistin von ihm ablenkte.

«Ein Mann namens Farraday sagt, sein Sohn sei verschwunden.»

«Und was ist seiner Meinung nach passiert?»

Lasko zuckte die Achseln. «Das letzte Mal haben sie ihn Montag morgen beim Frühstück gesehen. Er sagte, er wolle sich Shakespeares Geburtshaus anschauen. In der Henley Street.»

«*Montag?* Heute ist *Mittwoch*. Sie scheinen es ja nicht gerade eilig zu haben, ihn wiederzufinden.»

Lasko schüttelte den Kopf und hievte sich auf den Rand seines Schreibtischs.

«Angeblich haben sie es nicht gleich gemeldet, weil der Kleine – er ist neun – schon öfter auf eigene Faust losgezogen ist. Sieht so aus, als sei er recht selbständig, auch nach dem, was seine Schwester sagte – das heißt, eine seiner Schwestern –»

«Nun mal langsam, Sammy, ich finde mich in dem Dickicht dieser Familienbeziehungen nicht mehr zurecht.»

«Okay. Da ist einmal der Vater, James Farraday –» Lasko zog ein kleines Adreßbuch aus seiner hinteren Hosentasche und blätterte es durch. «James, der Vater. Und dann eine Stiefmutter, Amelia Soundso, komischer Name; eine Schwester Penelope; eine andere Schwester, nein, Stiefschwester, noch so ein komischer Name – ich glaube, ich hab das nicht richtig notiert –, Bunny Belle? Bunny Belle stammt aus der ersten Ehe der Frau. Mit *der* würde ich auch gern mal von Montag bis Mittwoch durchbrennen, das kannst du mir glauben. Aber Amelia ist, unter uns gesagt, auch nicht so übel –»

Da Jury an ähnliches gedacht hatte, brachte er eine Engelsgeduld auf. Er war ohnehin ein sehr geduldiger Mensch. Er wartete, bis Lasko aufhörte, mißvergnügt seine Sekretärin anzustarren, die leider nicht eine von Bunny Belles Eigenschaften besaß.

«Ist die Familie aus Amerika?»

«Wer sonst mietet sich denn in dem verdammten ‹Stratford Hilton› ein außer irgendwelchen Autohändler-Kongressen. Wenn du da drin bist, glaubst du, in New York zu sein. Bist du jemals in New York gewesen, Jury?»

Lasko hatte seit Jurys Ankunft über nichts als die Staaten gesprochen. Es war eine Art Haßliebe. Lasko brannte darauf, nach Miami und auf die Keys zu fahren. Aber er verabscheute die aufgeblasenen Amerikaner, mit denen er es gelegentlich zu tun hatte. Jury sagte, nein, er sei noch nie in den Staaten gewesen, und Lasko steckte sich einen Zahnstocher in den Mund und redete weiter. Der Zahnstocher tanzte beim Sprechen auf und ab.

«Wie gesagt, dieser Junge – er heißt James Carlton Farraday – macht gern Extratouren. Als sie in Amsterdam waren, ist er stundenlang allein in der Stadt herumgewandert –»

«Stunden, das sind keine zwei Tage. Was haben sie denn in Amsterdam gemacht?»

«Sightseeing. Sie gehören zu einer Reisegesellschaft. In Paris war er über vierundzwanzig Stunden weg. Die Polizei hat ihn schlafend in einem Kirchstuhl gefunden. Komischer Kleiner, was?» Lasko zuckte mit den Schultern. «Das Mädchen, Penny, deutete an, daß ihm seine Familie nicht gerade ans Herz gewachsen sei.»

«Du meinst, sie denkt, er sei deshalb abgehauen? Ziemlich dumm in einem fremden Land.»

«Der Kleine ist selbständig, wie ich schon sagte. Das heißt, wie *sie* mir sagten.»

«Hmm, hast du irgendwelche Anhaltspunkte?»

«Keine.» Lasko starrte düster vor sich hin und warf dann einen hoffnungsvollen Blick auf Jury. «Ich dachte, vielleicht könntest du...»

Jury schüttelte den Kopf, lächelte aber, als er sagte: «Mmm, Sammy. Ich bin nur zu Besuch. Das ist dein Revier, nicht meines.»

«Aber dieser Farraday da drüben im ‹Hilton› faselt immer nur von Scotland Yard. Ich hab ihm gesagt, wir würden es schon schaffen, dies sei kein Fall für Scotland Yard, aber das hat ihn erst recht in Rage gebracht. Er ist Amerikaner, Richard. Er wird die verdammte Botschaft stürmen, er stinkt vor Geld und hat jede Menge Beziehungen, sagt er.» Und mit flehender Stimme: «Ich wette, wenn's ein Mordfall wäre, dann würdest du dich dahinterklemmen.» Er sah sich in dem Dienstzimmer um, starrte auf Tische, Stühle und Sekretärin, als könnte er irgendwo eine Leiche für Jury hervorzaubern.

«Es ist aber kein Mordfall, oder? Und dein Chef hat uns auch nicht gebeten –»

Mit einer dramatischen Geste schlug Lasko sich gegen die Brust. «Aber *ich* bitte dich darum – dein alter Kumpel Sam Lasko. Ich will nichts weiter, als daß du mitkommst und mit diesem Farraday redest. Das ist alles. Damit er Ruhe gibt.»

Jury warf Lasko einen prüfenden Blick zu und steckte seine Zigaretten ein. «Okay, aber mehr nicht, Sammy. Ich bin heute abend zum Dinner verabredet und habe hier noch ein paar andere Dinge zu erledigen. Mach dir also keine großen Hoffnungen.»

Jury hatte Lasko noch nie so glücklich gesehen wie in diesem Augenblick, doch dergleichen Glücksmomente waren ohnehin selten. «Wunderbar. Diese Leute denken nämlich, der FBI und Scotland Yard seien die einzigen ernst zu nehmenden Ordnungshüter auf Gottes weiter Welt.»

Jury griff nach seinem Notizbuch. «Keine Sorge, eine Stunde mit mir, und sie werden anders darüber denken.»

5

Die Farradays saßen an einem Tisch in dem für Drinks reservierten Teil der luxuriösen Lobby des «Stratford Hilton». Vier Augenpaare musterten Jury mit jeweils unterschiedlichem Interesse.

Farraday selbst schien – entgegen Laskos Bericht – eher skeptisch, aber nicht unfreundlich, als Jury seinen Ausweis zückte. Wahrscheinlich hatte Lasko bis auf die Vermißtenanzeige ohnehin alles frei erfunden. Skeptisch, aber nicht unfreundlich.

James Farraday erhob sich und schüttelte Jury die Hand, dann hielt er eine vorbeigehende Kellnerin an. «Was soll's sein, Mr. Jury?»

Jury lehnte dankend ab, aber Farraday bestellte trotzdem. Whisky, ohne Eis. «Ich weiß, aus irgendwelchen unerfindlichen Gründen trinkt ihr Burschen euren Whisky warm.»

«Er hat doch gesagt, er will keinen.» Die Stimme kam aus einer dunklen Ecke.

«Kümmere du dich um deine Angelegenheiten, Penny. Er sagt das nur aus Höflichkeit.» Farraday lächelte Jury mit einer Selbstsicherheit an, die, wie Jury annahm, sein ganzes Tun bestimmte.

Penny mochte er jedoch sofort, obwohl sie, die Arme um ihren dünnen Körper geschlungen, einfach nur dasaß und ihn

42

scharf ansah. Penny war das Küken, nicht die reife Tochter. Jury schätzte sie auf vierzehn oder fünfzehn; ihre Haut war von einem fast staubig anmutenden Braun, als wäre sie barfuß auf einem Feldweg spazierengegangen; Sommersprossen bedeckten wie kleine Dreckspritzer ihr ganzes Gesicht; das lange, glatte Haar hatte die Farbe von modernden Blättern; die ausgeprägten Wangenknochen und die hellbraunen Augen, goldgelb gesprenkelt und etwas schräg gestellt, verliehen ihr ein interessantes, irgendwie orientalisches Aussehen. Ihre Haltung und ihr Blick verrieten ihm, daß sie nicht wußte, wie hübsch sie war.

Kein Wunder. Zwischen ihrer Stiefschwester und Stiefmutter – beide wie reife Pfirsiche mit glänzendem Blondhaar und rosigen Wangen – mußte es Penny Farraday schwerfallen, sich nicht als häßliches Entlein zu fühlen. Die Mutter trug ein weißes, tief ausgeschnittenes Sommerkleid, das den Busen fest umspannte, das Mädchen ein knappes Oberteil, das den Rücken frei ließ, und grellrosa Shorts, passend zur Farbe ihrer Lippen, über die sie gerade mit ihrer kleinen, hurtigen Zunge fuhr.

«Das ist meine Frau, Amelia Blue, und das da ist meine Stieftochter Honey Belle.»

Die einzige, die einen mitgenommenen Eindruck machte, war Penny. Vielleicht war auch Farraday nicht ungerührt geblieben, obwohl er wahrscheinlich zu der Sorte Mann gehörte, die eher sterben würde, als unmännliche Angstgefühle zu zeigen. Aber seine Stimme verriet ihn. «Also, was wollt ihr Burschen wegen Jimmy unternehmen?»

Jury zog sein Notizbuch heraus. «Zunächst einmal muß ich einiges in Erfahrung bringen, Mr. Farraday. Detective Sergeant Lasko sagte, Sie hätten Jimmy am Montag morgen zum letztenmal gesehen.»

«Richtig. Er sagte, er wolle zu diesem Geburtshaus.»

«Ist er denn häufig allein losgezogen?»

«Das kann man wohl sagen», meinte Mrs. Farraday – Amelia Blue – in einem Akzent, der an zähflüssige Melasse erinnerte. Er paßte ausgezeichnet zu ihrer Erscheinung. Jury hätte wetten können, daß das Mädchen genauso sprach. Die beiden glichen einer schweren, süßen Masse, bereit zu zerfließen. «Du mußt James Carlton einfach etwas an die Kandare nehmen.» Sie warf ihrem Mann einen scharfen Blick zu.

«Er geht nun mal gern seine eigenen Wege. Wir haben von jeher Ärger damit gehabt, daß er auf eigene Faust loszieht, ohne uns ein Wort zu sagen.» Farraday nahm einen tiefen Schluck von seinem Drink, der nach einem dreifachen Whisky aussah. «Es ist wirklich sehr schwierig, ihn zu halten.» In Farradays Stimme klang etwas Stolz mit, und er blickte sich um, als hoffte er, den Jungen jeden Augenblick hereinspazieren zu sehen. Sein Gesicht nahm einen traurigen Ausdruck an. Schließlich entrang er sich ein Lachen, aber es schien ihm im Hals steckenzubleiben. «In Amsterdam war er auch mehrere Stunden weg.»

«Sie sind mit einer Reisegesellschaft unterwegs, Mr. Farraday?»

«Richtig. Mit Honeysuckle Tours.»

Was für Namen die sich einfallen ließen. «Und Ihre Mitreisenden sind auch hier im ‹Hilton›?»

Farraday schüttelte den Kopf. «Nein, nein. Honeycutt – das ist der Manager – hat das anders arrangiert. Er richtet es so ein, daß die Leute bleiben können, wo es ihnen gerade paßt. Ich würde doch keine dieser Nullachtfünfzehn-Reisen mitmachen, bei denen dreißig Leute in einen miesen, klapprigen Bus gepfercht und über den ganzen Globus gekarrt werden. Ich kann Ihnen sagen, das hier ist nicht gerade billig – es kostet mich –»

«Das interessiert den Inspektor doch nicht, Liebling», sagte Amelia Blue und berührte leicht seinen Arm, lächelte aber Jury dabei an, als wüßte sie, was ihn interessieren könnte.

«Aus wie vielen Personen besteht die Gruppe?»

Farraday zählte sie an den Fingern ab. «Außer uns sind es noch sechs, also insgesamt elf, Honeycutt eingeschlossen. Er ist im ‹Hathaway› oder in einem anderen englischen Hotel abgestiegen. Was mich betrifft, ich brauche meinen Komfort. Ich kann mir nicht vorstellen, das Bad mit jemandem teilen zu müssen. Wir sind Amerikaner, Sie verstehen –»

Wär ich nie drauf gekommen, dachte Jury. «Und aus welcher Gegend kommen Sie, Mr. Farraday?»

«Ich, Penny und Jimmy – das ist mein Sohn – kommen aus Maryland.» Er sprach es wie ein zweisilbiges Wort aus. «Garrett County. Amelia Blue und Honey Belle – Amelia ist meine zweite Frau, und Honey Belle ist ihre Tochter – kommen aus Georgia, wo Honeysuckle Tours auch ihr Büro haben. In Atlanta. Der Bursche in Atlanta bringt die Reisegesellschaft zusammen, und dieser Honeycutt – er ist Engländer – kümmert sich um die Organisation diesseits des Atlantiks.»

«Sind Sie sicher, daß Ihr Sohn nicht bei einem Ihrer Mitreisenden steckt? Sie sind ja schon ziemlich lange zusammen –»

Amelia Blue verwandelte sich in einen kichernden Teenager: «Zu lange, wenn Sie mich fragen.»

«Hat sich Ihr Sohn denn mit jemandem angefreundet?»

Honey Belle, die die ganze Zeit über den leeren Blick ihrer blauen Augen auf Jury geheftet und auf einer goldgelben Haarsträhne herumgekaut hatte, entschloß sich, den Mund aufzutun: «Nur mit diesem verrückten Harvey Schoenberg, mit niemandem sonst.»

Die Stimme zerstörte jede Illusion von üppiger Weiblichkeit. Sie klang flach und nasal.

«Und was für ein Typ ist dieser Schoenberg, den er ins Herz geschlossen hat?»

«Harv hat sich auf Computer spezialisiert», sagte Farraday. «Und Jimmy ist ein aufgeweckter kleiner Bursche mit einem Gehirn wie ein Computer.»

«Alles Quatsch.» Honey Belle gähnte, streckte in einer aufreizenden Bewegung die Arme hoch und verschränkte sie dann hinter dem Kopf, damit Jury auch ja nichts entging.

«Auf jeden Fall», fuhr Farraday fort, «war er nicht bei Harvey. Wir haben gefragt. Wir haben bei allen nachgefragt. Keiner hat ihn gesehen.»

Farraday hustete und zog sein Taschentuch heraus. Jury registrierte mitfühlend, daß dieser Husten nur von den aufdrängenden unmännlichen Tränen ablenken sollte. Farradays Augen schimmerten immer noch feucht, als er das Taschentuch wieder in seine Hosentasche stopfte, sich über den Tisch lehnte und mit dem Finger auf Jury wies.

«Also, hören Sie, ich kann mich jederzeit mit der amerikanischen Botschaft in Verbindung setzen. Wie wollt ihr Burschen nun vorgehen?» Jury vermutete, daß der Mann daran gewöhnt war, seine Geschäfte mit handfesten Drohungen voranzutreiben, aber in diesem Fall war alles nur Fassade: Farraday machte sich wirklich Sorgen, was man von den anderen, abgesehen von Penny, nicht behaupten konnte. Sie hatte kaum etwas gesagt, machte aber einen sehr angespannten Eindruck.

«Wir werden tun, was wir können, Mr. Farraday. Die Polizei von Stratford – Detective Sergeant Lasko – alles sehr tüchtige Leute –»

Farraday schlug mit der Faust auf den Tisch. «Ich will keinen dahergelaufenen Provinzschnüffler. Ich will den Besten, verstanden?»

Jury lächelte. «Ich wünschte, ich wäre der, den Sie suchen. Aber wir werden unser Bestes tun. Sie müssen jedoch kooperieren, Sie alle.»

Eine handschriftliche Einladung hätte bei Amelia kaum ein strahlenderes Lächeln bewirken können. «Darauf können Sie sich verlassen, Inspektor.»

«Er ist Superintendent, habt ihr das nicht gehört?» sagte Penny und ließ ihren Blick in die Runde schweifen, als hätten sie alle nur Stroh im Kopf.

Amelia Blue ließ sich dadurch nicht beirren. «Ist doch egal. Ich seh schon, er ist *wunderbar.*»

Aus Penny Farradays Richtung kam ein würgender Laut.

«Hat Ihr Sohn denn Geld bei sich?»

«Ja.» Farraday sah so schuldbewußt drein, als hätte er dem Jungen das Geld für seine Flucht höchstpersönlich zugesteckt. «Oh, nicht allzuviel, es reicht gerade für ein Essen, falls er Hunger kriegen sollte...» sagte er matt. «Er ist neun. Mit neun sind die Jungs ja ziemlich munter.»

«Mit drei auch», sagte Penny und nahm beim Zählen ihre Finger zu Hilfe, «und mit vier, fünf, sechs, sie-»

«Das reicht, Miss», sagte Amelia.

Penny verstummte und verschmolz wieder mit dem Schatten in ihrer Ecke.

«Wie sieht denn Ihr Sohn aus, Mrs. Farraday?»

«James Carlton ist mein *Stief*sohn.» Sie schien ein paar Lichtbilderkarteien durchgehen zu müssen, um sich sein Gesicht in Erinnerung zu rufen. «Na, er ist ungefähr so groß –» sie streckte die Hand aus, um ein paar Fuß Luft abzumessen – «dunkelbraune Augen und braunes Haar. Er trägt eine Brille. Wie Penny. Beide haben einen Augenfehler.»

Jury wandte sich wieder an den Vater: «Irgendwelche besonderen Kennzeichen?»

Farraday schüttelte den Kopf.

«Was hatte er an?»

«Blaue Shorts, sein Pac-Man-T-Shirt und Adidas-Sportschuhe.»

«Haben Sie ein Foto von ihm?»

«Na ja, das in seinem Paß. Die Bilder, die wir gemacht haben, sind noch nicht entwickelt.» Farraday zog den dunkelblauen Paß aus seiner Tasche.

Jury legte ihn in sein Notizbuch und erhob sich. «Gut, Mr. Farraday. Im Augenblick habe ich keine weiteren Fragen. Ich werde wohl jemanden vorbeischicken, der sich sein Zimmer ansieht. In der Zwischenzeit würde ich mir mal keine so großen Sorgen machen. Kinder machen sich nun mal gern selbständig. Und schließlich sind wir hier in Stratford-upon-Avon und nicht in Detroit.» Jury lächelte. »In Stratford passiert nie etwas.»

Was natürlich eine glatte Lüge war.

6

Penny Farraday hatte es irgendwie geschafft, sich einen Weg durch die Lobby zu bahnen und noch vor Jury das «Hilton» zu verlassen. Sie erwartete ihn auf dem Zufahrtsweg vor dem Hotel.

«Ich hab Sie abgepaßt, weil es da einiges gibt, was ich Ihnen erzählen möchte. Aber ich wollte nicht, daß die anderen zuhören, vor allem nicht diese Amelia Blue.» Sie zerrte an seinem Ärmel. «Kommen Sie rüber in den Park.»

Todesmutig sprintete sie über die Bridge Street, auf der sich ein endloser Strom Autos über die Brücke wälzte, um sich dann bei dem Fußgängerüberweg zu teilen.

«Setzen wir uns», sagte sie und zog Jury auf eine Bank neben der Bronzestatue Shakespeares.

Auf dem Fluß wimmelte es nur so von Schwänen und Enten, die alle auf das Ufer zuschwammen, um sich ihren Lunch zu holen. Eine Schar Kinder, wahrscheinlich auf dem letzten Schulausflug für dieses Jahr, fütterte sie aus Tüten mit Brotbrocken, die, wie die Erdnüsse im Zoo, auf der Straße feilgeboten wurden. Im Mittelgrund befand sich das Memorial Theatre. Wer immer das «Stratford Hilton» konzipiert hatte, das auf der anderen Straßenseite in Sichtweite des Theaters lag, war so klug gewesen, die modernen Linien des Theaters aufzunehmen, so daß beide Gebäude in der Vorstellung der Besucher zu einer Einheit verschmolzen. Es war ein wunderschöner, goldener Herbsttag, und der Himmel war wie mit blauem Email überzogen. Jury hatte nicht das geringste gegen die Parkbank einzuwenden. Er zog ein Päckchen Zigaretten aus der Tasche.

«Geben Sie mir eine.» Es war ein Befehl, wenngleich im Ton ziemlich unsicher. Offensichtlich erwartete sie eine Absage. Er gab ihr eine.

Sie sah so überrascht auf die Zigarette in ihrer Hand, daß er sich fragte, ob sie jemals in ihrem Leben geraucht hatte; doch schien es ihm unwahrscheinlich, daß sie es noch nie versucht haben sollte. Er hielt ihr ein Streichholz hin, und sie mußte mehrmals ziehen, bevor die Zigarette glühte. Sie hatte sie zwischen Daumen und Zeigefinger genommen und zog so hektisch dran, wie es Anfänger zu tun pflegen.

«Er ist nicht unser Daddy, wissen Sie. Ich mein, von Jimmy und mir. Er hat uns irgendwie adoptiert», fügte sie grollend hinzu.

Jury lächelte über das ‹irgendwie›. Trotzdem war er überrascht. Die Frau hatte wirklich keinen mütterlichen Eindruck auf ihn gemacht, Farraday dagegen hatte seine väterliche Besorgnis nicht verbergen können. «Das habe ich nicht gewußt. Ich wußte nur, daß seine Frau nicht deine Mutter ist.»

«*Die?* Ganz bestimmt nicht. Mama ist außerdem tot.» Aus

der Gesäßtasche ihrer abgeschnittenen Jeans zog sie eine abgegriffene lederne Brieftasche, der sie ein zerdrücktes Schwarzweißfoto entnahm. Offensichtlich wurde es häufig in die Hand genommen. Sie gab es Jury. «Das ist Mama.» Der Gram in ihrer Stimme wog zentnerschwer. «Sie hieß Nell.»

Die junge Frau – sie machte einen blutjungen Eindruck – stand im Schatten eines hohen Baumes, aber selbst in dem schlechten Licht dieser Umgebung war die große Ähnlichkeit zwischen Mutter und Tochter gut zu erkennen: Das glatte Haar und das Gesicht hatte Penny von ihrer Mutter geerbt. Die Frau stand einfach nur stocksteif da, ohne den geringsten Anflug eines Lächelns auf ihrem Gesicht, ein Modell, das sich weigerte zu posieren.

«Tut mir leid, Penny.» Jury gab ihr das Foto zurück. «Was ist ihr denn zugestoßen?»

Sorgfältig steckte Penny das Foto in seine Plastikhülle zurück. «Sie ist vor sechs Jahren gestorben. Ich erinnere mich noch, wie sie ihre Tasche packte und ging. Sie sagte zu Jimmy und mir: ‹Hört gut zu, ihr beiden, ich muß für eine Zeitlang verreisen. Mr. Farraday wird sich um euch kümmern.› Sie hat nämlich für ihn gearbeitet. Ich glaube, er hat sie sehr gern gehabt und sie ihn auch. Und sie sagte noch: ‹Macht euch keine Sorgen; es dauert vielleicht eine Weile, aber ich komm bestimmt wieder zurück.› Aber das war gelogen. Sie ist nie zurückgekommen.» Penny hob den Kopf und blickte über den Fluß. Wahrscheinlich sah sie weder die Weiden noch die überfütterten Schwäne, die am Ufer dümpelten, auch nicht die leuchtend bunten Vergnügungsboote, die am Ufer vertäut waren. «Sie ist an Auszehrung gestorben. Das haben sie uns zumindest gesagt. Aber Jimmy und ich haben nie herausgefunden, was das eigentlich ist. Geändert hätte das auch nichts. Schätze, man kann jede Krankheit, an der man stirbt, so nennen.»

Jury schwieg und wartete. «Junge, war sie hübsch! Auf dem Foto sieht man das vielleicht nicht –»

«Doch, sieht man. Sie sieht genauso aus wie du.»

Höchst erstaunt starrte sie ihn an. Ihre Augen schienen das Gold des Tages widerzuspiegeln. «Ach, kommen Sie... keiner hat auch nur einen Blick für mich, wenn die beiden in der Nähe sind.»

«Manche Leute haben eben keinen Geschmack. Und was ist mit deinem richtigen Vater?»

Sie ließ ihre Kippe auf den Boden fallen. «Schätze, er ist auch gestorben. Offen gestanden glaube ich, er und unsere Mama waren gar nicht verheiratet. Vielleicht hab ich ihn gekannt. Ich erinner mich nicht. Aber Jimmy, er hat nie...» Das wurde mit einem tiefen Seufzer hervorgestoßen, der aber keinerlei Vorwurf enthielt. Jeder macht Fehler, schien ihr Ton zu besagen.

«Und *er* heiratet also mir nichts, dir nichts diese Amelia Blue. Sie und Honey Belle halten uns einfach für seine unehelichen Bälger, das ist sonnenklar. Oh, sie sagen das natürlich nicht laut, das würden sie sich nie trauen; aber ihre Blicke sagen es. Man sieht das in ihren Augen, sobald sie uns nur ansehen. Diese Honey Belle – da, wo ich herkomme, gibt es 'ne passende Bezeichnung für so eine wie die. Ich bin im tiefsten West Virginia geboren – das hört man, meine Aussprache ist nicht sehr fein –, und Mädchen wie die nennt man dort einfach F-O-T-Z-E. Sie entschuldigen diesen Ausdruck – ich schätze, Sie sind nicht allzu geschockt. In West Virgina gibt es alles mögliche, auch F-O-T-Z-E-N, aber ich schwör bei Gott dem Allmächtigen –» um nicht für eine Heuchlerin gehalten zu werden, legte sie zur Bekräftigung die Hand aufs Herz – «nicht so eine, die so mit Leib und Seele eine ist. So was kann ja nur aus Georgia kommen. Inzwischen leben wir in Maryland», fügte sie in neutralem Ton hinzu. «Honey

Belle ist ständig umlagert. Sie braucht nur mit ihrem Arsch die Straße runterzuwackeln, und schon fallen sie über sie her wie die Fliegen über die Scheiße. Ich hatte auch mal 'nen Freund.» Sie seufzte. Jury konnte sich vorstellen, was mit dem Freund geschehen war. «Ich weiß, Sie glauben, ich bin bloß eifersüchtig. Ich streite das auch gar nicht ab. Mein Gott, haben Sie die Shorts gesehen, die sie anhat? Praktisch bis unter die Achselhöhlen. Na ja, Sie müssen zugeben, daß Sie kapieren, was ich damit über Honey Belle sagen will.»

Jury gab zu, daß er kapiert hatte, was sie meinte.

«Und diese Amelia Blue ist um kein Haar besser. Zwei vom gleichen Schlag. Mir wird ganz schlecht, wenn ich sie mit den Männern rummachen sehe. In unserer Gruppe ist ein Engländer, mit dem hat sie bestimmt schon was gehabt, jede Wette –»

«Wer ist das, Penny?»

«Chum oder Chomly. Es wird aber nicht so geschrieben. Mit Vornamen heißt er George. Er sieht ganz passabel aus, Amelia und Honey Belle machen sich seinetwegen beinahe die Hosen naß. Aber was ich Ihnen sagen wollte – wenn Sie mir Ihr Ohr leihen wollen –, ich glaube, Jimmy ist vielleicht abgehauen.»

«Du meinst, er ist davongelaufen? Aber doch bestimmt nicht in einem fremden Land.»

«Sie kennen Jimmy nicht. James Carlton nennt sie ihn. Ich schwör's Ihnen, im Süden haben die alle diese blöden Doppelnamen, deshalb denkt Amelia Blue, sie müsse uns auch welche verpassen. *Ihn* nennt sie James Cecil, als ob *ein* Name nicht reichen würde. Gott sei Dank hab ich keinen zweiten Vornamen.» Sie blickte zum Himmel auf. «Als James Farraday Amelia heiratete, lebten wir schon seit vier Jahren in seinem Haus. Er ist wohl in Ordnung... Verdient sein Geld mit Kohle. Ihm gehört der größte Teil von West Virginia und der

Westen Marylands. Und eine Hotelkette. Er hat ein riesiges Ferienhotel in Maryland. Da hat auch meine Mutter gearbeitet. Als Kellnerin und so. Jimmy war noch ein Baby, als wir dorthin zogen.»

«Ich glaube, Mr. Farraday macht sich große Sorgen um deinen Bruder.»

«Hmm, ja, vielleicht. Alles wär in Ordnung, wenn er *sie* nicht geheiratet hätte. Oder vielleicht sollte ich sagen, die beiden. Als wir sie das erste Mal die Auffahrt hochkommen sahen, dachten wir, Miss Dolly Parton würde uns mit ihrem Besuch beehren – dieses blonde Schafsgekräusel und Titten bis da. Sie wollte mir das Fluchen abgewöhnen, damit er denkt, sie sei 'ne feine Dame, während sie ganz offensichtlich 'ne Schlampe ist. Immer hat sie Besuch – *Männer*besuch – und sitzt auf der Terrasse – Veranda, wie sie's nennt –, trinkt Bier und fächelt sich Kühlung zu, als wäre sie auf einer Plantage geboren. Man könnte glauben, sie sei Scarlett O'Hara. Würde mich nicht wundern, wenn sie die Vorhänge von den Fenstern reißen und brüllen würde: ‹Morgen ist auch noch ein Tag!› Ein falscher Fuffziger ist sie, weiter nichts.» Sie sah Jury unter dem seidigen Vorhang ihrer langen Haare hervor an, offensichtlich in der Hoffnung, er würde ihr zustimmen.

«Was ist deiner Meinung nach mit Jimmy passiert?» Er bot ihr noch eine Zigarette an. Sie schien entzückt.

Während sie den Rauch in die Luft blies, sagte sie: «Sie sollten Jimmy kennenlernen. Er ist anders als die anderen.»

Jury glaubte ihr das aufs Wort.

«Jimmy hat Pläne geschmiedet, wie er Amelia Blue und Honey Belle loswerden könnte. Er wollte ihnen nicht einfach nur Frösche ins Bett stecken oder sonstige üblen Streiche spielen. Jimmy ist wirklich pfiffig. Er kann sich auch ausdrücken. Er hat sich gesagt, daß man es zu nichts bringt, wenn man sich nicht ausdrücken kann. Sie wissen schon, wie die

Politiker und so. Also hat er sich lauter Bücher über Polter-
geister aus der Leihbücherei geholt. Das sind Geister, die Geräusche machen und Dinge bewegen. Steven Spielberg hat
einen Film darüber gemacht. Haben Sie ihn gesehen?»

Jury schüttelte den Kopf.

«Dann hat er Honey Belle erzählt, in dem Haus würde es
spuken. Sie ist der größte Angsthase, den es gibt. Und dann –
ich weiß nicht, wie er das gemacht hat – bewegte er Stühle und
ließ die Gläser in den Schränken herumwandern. Schubladen
sprangen auf und was nicht noch alles. Sie machten sich vor
Angst beinahe in die Hosen, aber sie blieben.» Sie zog an ihrer
Zigarette und starrte auf den Fluß. «Jimmy hat wirklich was
drauf – wie er.»

Es war kaum zu glauben, sie schien die Bronzestatue ins
Auge gefaßt zu haben. «Du meinst Shakespeare?»

«Ja-ah. Haben Sie was von ihm gelesen? Ich find diesen
Shakespeare einfach toll. *Wie es euch gefällt* hab ich bestimmt
schon dreimal gesehen. In der Schule mußten wir es lesen,
und ich hab alle Monologe auswendig gelernt.» Sie drückte
ihre Zigarette aus. «Hören Sie, Sie müssen Jimmy einfach finden.»

Sie war es bestimmt nicht gewöhnt, bitten zu müssen…
zum Teufel, es würde ihn nicht umbringen, wenn er für diesen Fall ein, zwei Stunden drangab. Die Glocken der Dreifaltigkeitskirche erfüllten die Luft mit ihrem Geläut. «Komm,
Penny, wir gehen mal zu Shakespeares Geburtshaus rüber
und stellen denen dort ein paar Fragen.»

«*Ich* soll mitkommen?» Daß sie bei den polizeilichen Ermittlungen dabeisein sollte, ließ das traurige Gesicht aufleuchten. Als ob ein Licht durch die Sommersprossen, die wie
Staub ihr Gesicht überzogen, hindurchschimmerte, während
sie neben Jury über den leuchtendgrünen Rasen auf die Henley Street zuging. Die Odyssee ihres Lebens an der Seite ihrer

Stiefmutter und -schwester war deswegen jedoch nicht zu Ende. «Es ist wie in einem Dampfbad in dem Haus. Jimmy ist mein einziger Lichtblick. Ich geh auch nicht mehr zurück, das hab ich in den letzten Tagen beschlossen. Ich bleib einfach hier und angle mir einen Duke oder einen Earl oder so was Ähnliches. Okay, *er* ist in Ordnung, aber die beiden sind einfach nicht auszuhalten. Sie nicht mehr um mich zu haben mit ihren Titten und Hintern. Sie kennen nicht zufällig welche, was?»

Jury wußte nicht genau, was sie meinte, Titten und Hintern oder Dukes und Earls. «Ob du's glaubst oder nicht, ich kenn einen – einen Earl.» Er lächelte.

«Ohne Scheiß?» Sie blieb stehen und sah baß erstaunt zu ihm auf.

«Ohne Scheiß», sagte Jury.

Das Geburtshaus war ein hübsches, gemütliches Fachwerkhaus aus Warwickshire-Stein, dessen Tür beinahe auf gleicher Höhe mit der Henley Street lag. Vor der Tür zu dem Heiligtum wartete eine doppelte Schlange von Pilgern, ungeduldige Eltern und quengelige Kinder mit Eislutschern im Mund. Jury fragte sich, wie viele von den Leuten je Shakespeare gelesen hatten, doch er bewunderte sie und ihre Bereitwilligkeit, das Genie auf Treu und Glauben als solches zu akzeptieren.

«Wie die Schlangen zu *E.T.*», sagte Penny verdrossen. «Es sind mindestens hundert Leute vor uns.»

«Ich glaube, wir können sie umgehen. Komm.»

Die Türsteherin mit dem Abzeichen der Shakespeare-Stiftung starrte entsetzt auf Jurys Ausweis, obwohl er ihr bereits versichert hatte, daß alles in Ordnung sei. Sie musterte ihn unsicher, als fürchtete sie, er würde nicht nur die Kleine an seiner Seite, sondern die ganze Ausdünstung des Sündenbabels London einschleppen, die sich dann wie eine Patina aus Staub auf die wertvolle Sammlung im Innern legen würde.

Drinnen befanden sich genauso viele Leute wie draußen. Jury zeigte dem Wächter der unteren Räume das Foto von James Carlton Farraday, konnte von ihm jedoch nichts erfahren. Sie bahnten sich einen Weg zum oberen Stock, wo sich noch mehr freundliche, kleine Räume befanden – mit Dekkenbalken und weiß getüncht. Die Möbel waren elisabethanisch oder stammten aus der Zeit Jakobs I., aber unglücklicherweise hatte kein einziges Stück Shakespeare gehört (wie ein Führer den Pilgern erklärte), außer einer alten Schulbank aus der Volksschule Stratfords, auf der der junge Will Qualen hatte erdulden müssen. Sie war mit Kerben und Löchern übersät.

Jury ging auf einen älteren Herrn zu, auch einen Wächter, der einer jungen, zerzausten Frau in Shorts und Sandalen etwas über das bleigefaßte Fenster erzählte, in das die Namen der Berühmtheiten vergangener Jahrhunderte mit Diamantringen eingeritzt waren. Die Sandalen entfernten sich klappernd.

Jury zeigte seinen Ausweis. «Ich wüßte gern, ob Sie letzten Montag diesen Jungen hier gesehen haben?»

Der Mann schien darüber erstaunt, daß jemand nach Dingen fragte, die nichts mit Möbeln und Fenstern zu tun hatten. Vor allem aber darüber, daß dieser Jemand von Scotland Yard war. Als Jury ihm das Paßfoto zeigte, schüttelte er den Kopf.

«In den Ferien und vor allem jetzt, gegen Ende des Schuljahres, wimmelt es hier nur so von Schulkindern. Wissen Sie, mit der Zeit sieht einer wie der andere aus. Es sind so viele, und sie stellen so viele Fragen…» In diesem Stil ging es weiter; er erklärte und erklärte, wahrscheinlich weil er glaubte, Scotland Yard würde ihn verdächtigen, diesen einen Schuljungen in der Eichentruhe nebenan eingesperrt zu haben.

Jury gab ihm seine Visitenkarte; über die Telefonnummer von Scotland Yard hatte er die der Polizeiwache von Stratford notiert. «Falls Sie sich doch noch an irgend etwas erinnern, rufen Sie mich bitte an.»

Der Wächter nickte.

Das gleiche wiederholte sich in dem Souvenirgeschäft auf der anderen Seite der Gärten, in dem die Pilger allen möglichen elisabethanischen Schnickschnack kauften: Tischsets, verkleinerte Modelle des Globe Theatre. Postkarten, Bilder und Anhänger. Keiner der gestreßten Verkäufer erkannte James Carlton Farraday auf dem Foto.

Jury und eine betrübt dreinblickende Penny standen auf dem blumengesäumten Hauptweg. Es gab Quitten- und Mispelbäume, und die Luft des Spätsommers war schwer von dem Duft der Blumen und Kräuter.

«Ich hab in diesem kleinen Buch hier gelesen, daß sie alle Blumen haben, die in Shakespeares Stücken vorkommen. Ob sie wohl auch Rosmarin haben?» Sie strich das lange Haar nach hinten. «Aber das ist keine Blume, oder?» Der Blick, den sie Jury zuwarf, war beinahe untröstlich. «Es ist zur Erinnerung.»

7

James Carlton Farraday hatte es satt, gekidnappt zu sein.

Er wußte nicht, *wer* ihn entführt hatte, *wohin* man ihn entführt hatte oder *wozu* er entführt worden war.

Zuerst hatte er überhaupt nichts dagegen gehabt, aber inzwischen langweilte er sich. Er hatte es satt, immer in demselben Zimmer zu hocken – es war ziemlich klein und lag hoch oben unter dem Dach, wie eine Mansarde. Das Essen wurde auf einem Tablett durch eine längliche Öffnung in der Tür hereingeschoben. Wahrscheinlich war er in einem Turm, obwohl er noch keine Ratten gesehen hatte. Es gab jedoch eine Katze. Sie hatte sich entschlossen durch die Öffnung in der Tür gequetscht; wahrscheinlich wollte sie herausfinden, wie das war, gekidnappt zu sein. Die Katze – sie war grau mit weißen Pfoten – lag eingerollt am Fuß des eisernen Bettgestells und schlief. James Carlton teilte sein Essen mit ihr.

Das Essen war in Ordnung, aber er hätte Brot und Wasser vorgezogen, wenigstens für ein paar Tage. Er fand es irgendwie unpassend, daß er Jell-O (oder wie immer sie das in England nannten) in einer kleinen Blechschüssel mit einem Rosenmuster bekam. Er selbst verabscheute Jell-O, aber die graue Katze war begeistert und leckte es immer sorgfältigst auf. Der Rest war gar nicht so übel, auch wenn er auf eine etwas unkonventionelle Art serviert wurde. Überhaupt nicht wie zu Hause, wo ihm seine alte Nanny gewöhnlich nur ein labbriges gekochtes Ei und trockenen Toast zum Frühstück auf sein Zimmer brachte. Junge, war er froh, daß er *die* los war.

James Carlton hatte (wie er annahm) sämtliche Bücher gelesen, die je über Kidnapping geschrieben worden waren – über Leute, die in Türme gesteckt, auf die Teufelsinsel verbannt, in Verliese geworfen, von Zulus gefangengenommen, in Schlangengruben hinabgelassen oder in den Kofferraum eines Autos gesteckt worden waren. Kidnapping war sozusagen eine fixe Idee von ihm; er war nämlich davon überzeugt, daß Penny und er die Opfer einer solchen Aktion geworden waren. Es lag inzwischen Jahre zurück, und er war sich nicht einmal sicher, ob J. C. Farraday die Hand im Spiel gehabt hatte. Eigentlich nahm er es nicht an. J. C. schien ihm nicht der Typ zu sein. Amelia Blue hingegen, die würde sich alles greifen, was nicht niet- und nagelfest war – Babies inbegriffen –, nur war Amelia Blue damals überhaupt noch nicht in Erscheinung getreten. Wahrscheinlich hatte er in seinem Kinderwagen vor dem Supermarkt so niedlich ausgesehen, daß ihn einfach jemand geschnappt und dann das Weite gesucht hatte. Er fand es ziemlich dumm von Penny – die doch sonst so schlau war –, daß sie ihnen diese Geschichte abnahm, der zufolge ihre Mutter an irgendeiner komischen Krankheit gestorben sein sollte. Das war sie natürlich nicht.

Nach all den Jahren suchte die Polizei bestimmt noch nach ihm (und nach Penny wohl auch), wenngleich sie mit Sicherheit nichts darüber hatte verlauten lassen. Seine richtigen Eltern würden die Suche nach ihm nie aufgeben, das wußte er. Erschwert wurde sie durch diese große Brille, die ihm Amelia Blue und J. C. aufgezwungen hatten. Und seine Entführer mußten ihm als Baby auch die Haare gefärbt haben; er hatte nämlich das Foto seiner Mutter gesehen, und die hatte hellbraunes Haar wie Penny.

Jahrelang hatte James Carlton ihr Spiel gutmütig mitgespielt. Er hatte nie ein Wort darüber verloren oder gar gefragt, warum sie ihn nicht nach Hause ließen. Aber jetzt sah er rot. Einmal gekidnappt zu werden war genug. Zweimal, das war zuviel, das sollten sie ihm gefälligst erklären.

Die graue Katze schlummerte auf seiner Brust, und er atmete tief aus. Irgendwann hatte die Katze die Nase voll und sprang herunter.

Es gab nichts zu tun, außer sich Fluchtwege auszudenken. Natürlich lagen keine Bleistifte oder Kugelschreiber im Zimmer herum, denn sonst hätte er ja Botschaften durch das Fenster werfen können. Vorübergehende hätten die Notrufe dann gefunden, sie gelesen und der Polizei gemeldet, daß in dem Turm ein Junge säße.

Aber James Carlton hatte immer einen Bleistiftstummel in

seinem Strumpf, denn er wußte, wie wichtig es war, ein Schreibwerkzeug zu besitzen. Wichtiger als eine Waffe! So etwas war notwendig, um SOS-Rufe an die Polizei abzuschicken oder um Botschaften hinterlassen zu können, wenn die Entführer ihre Gefangenen an einen anderen Ort bringen wollten.

Falls er sich nicht dazu entschloß, Baseballspieler zu werden (er war überzeugt, daß sein Vater Baseballspieler war), wollte er Schriftsteller werden, und zwar Auslandskorrespondent. Er hatte schon oft daran gedacht. Schreiben war etwas, womit man sich die Zeit vertreiben konnte, wenn man sich langweilte.

An den Wänden hing eine Reihe ziemlich langweiliger Bilder von irischen Settern oder weidenden Kühen. Er nahm eins von denen, die Kühe und einen Kuhhirten zeigten, herunter, setzte sich aufs Bett und legte das Bild umgedreht auf seine Knie. Dann holte er den Bleistift aus seinem Strumpf und schrieb an seinem Tagebuch weiter. Es war zwar nicht besonders interessant, was er da schrieb, aber es war notwendig für den Fall, daß seine Entführer ihn an einen anderen Ort brachten und die Polizei hier nach ihm suchte. Mit größter Mühe war es ihm gelungen, in dem Bild selbst einen Hinweis anzubringen – vorsichtig hatte er den Karton zur Verstärkung entfernt und dann die Köpfe der Kuh und des Kuhhirten herausgetrennt und vertauscht. Es war eine sehr schwierige, große Sorgfalt erfordernde Arbeit gewesen, für die er mehr als zwei Stunden gebraucht hatte, da er die Köpfe ohne Klebstoff einsetzen mußte und sie immer wieder unter dem Glas verrutschten. Schließlich hatte er Spucke statt Klebstoff genommen und war sehr zufrieden mit dem Resultat. Die Leute, die hier lebten, würden es bestimmt nicht bemerken, denn niemand sieht sich die Bilder an den eigenen Wänden wirklich an. Aber Scotland Yard würde es bemerken und sofort wissen, daß es etwas zu bedeuten hatte, und sich die Rückseite des Bildes genauer ansehen.

Ganz oben auf dem Karton, den er wieder in den Rahmen geschoben hatte, stand in kunstvoller Schrift:

James Carlton Farraday

Er schrieb an seinem Tagebuch weiter: «7.13 Uhr Frühstück: Ei, Speck, Cornflakes.»

Er schrieb das in kleinen, ordentlichen Buchstaben unter das Abendessen, das ihm gestern um 18.22 Uhr serviert worden war. Seine Armbanduhr hatten sie ihm gelassen.

Dann widmete er sich seinen Fluchtplänen, die er wahrscheinlich in der Reihenfolge, in der er sie aufgeschrieben hatte, ausprobieren würde.

1. Sich krank stellen; wenn das Essen kommt, wimmern und stöhnen.

2. Sein/ihr Handgelenk durch den Türschlitz hindurch packen, wenn das Tablett reingeschoben wird.

3. Auskundschaften, ob man durch das Fenster entkommen kann. Katze runterlassen???

James Carlton hängte das Bild wieder an seinen Platz zurück und machte ein paar tiefe Kniebeugen. Es war wichtig, sich fit zu halten. Danach machte er Schattenboxen durch das ganze Zimmer und wieder zurück zum Bett. Er führte ein paar Schwinger gegen die Katze, ohne dabei die komplizierte Beinarbeit zu vernachlässigen. Die graue Katze rollte sich auf den Rücken, schlug ein paarmal halbherzig mit der Pfote nach seiner Faust und rollte sich dann gelangweilt wieder auf die Seite. James Carlton setzte seine Boxübungen fort.

Er hörte auf, als er Schritte vernahm. Sobald das Tablett klappernd auf dem Boden abgestellt worden war, machte er sich daran, Plan eins in die Tat umzusetzen. Er legte sich auf den Boden und begann fürchterlich zu stöhnen.

8

Der Speisesaal des «Schwarzen Schwans» – dieser etwas elegantere Teil der «Torkelnden Ente» – war voll besetzt mit Gästen, die vor der Vorstellung um halb acht noch einen Drink oder ein Abendessen zu sich nahmen. Auch die Terrasse war überfüllt, so daß einige Gäste mit der Treppe vorliebnehmen mußten. Und an der Bar der «Ente» konnte man kaum noch sein Glas heben.

Melrose unterbrach seinen Vortrag über Schoenbergs Theorie, um den Wein zu probieren, den ihm die dunkelhaarige Bedienung gerade eingeschenkt hatte. Als er nickte, füllte sie ihre beiden Gläser und huschte wieder davon.

«Das ist das Blödsinnigste, was ich je gehört habe. Den Senf, bitte», sagte Jury.

«Ich bin noch nicht fertig. *Anschließend* meinte er, Shakespeare hätte Marlowe umlegen müssen, sonst hätte nämlich Marlowe ihn umgelegt.» Melrose schob Jury den Senf hin, und der betupfte seine Fleisch-und-Nieren-Pastete damit. «Und dabei ließ er dauernd Shakespeares Sonette auf diesem Ishi erscheinen.»

«Was zum Teufel ist denn das?»

«Sein Computer.»

«Sie meinen, er hat immer einen *Computer* dabei?»

Melrose nahm sein Roastbeef in Angriff. «Natürlich. Ohne ihn könnte er sich auf gar kein Gespräch einlassen. Er meint, es würde auch schon Computer geben, mit denen man reden kann – einfach so. Vielleicht sollte ich Agatha einen besorgen. Er könnte ihr Gesellschaft leisten, wenn sie zum Tee nach Ardry End kommt.»

Jury lächelte. «Ich habe sie drei Jahre lang nicht gesehen.»

«Und wenn Sie schlau sind, belassen Sie es dabei. Keine

Angst, sie wird Sie schon aufstöbern. Wenn ihr die Randolph Biggets Zeit dazu lassen –»

«Wer ist das?» Jury ließ sich sein Glas nachfüllen.

«Unsere amerikanischen Verwandten. Sie sind in Horden eingefallen. Glücklicherweise ist es mir bis jetzt gelungen, ihnen aus dem Weg zu gehen. Ich hab ein paar Zimmer im ‹Falstaff› genommen und Agatha und den Biggets das ‹Hathaway› überlassen. Amerikaner mögen so was – nachgemachter Tudor, Lehm und Flechtwerk.»

Jury lächelte. «Und nicht nur das. Es ist auch ziemlich teuer. Ein paar Zimmer im ‹Falstaff›? Wie viele Zimmer haben Sie denn genommen?»

«Alle.» Als er Jurys gerunzelte Brauen sah, fügte er hinzu: «Mußte ich ja. Sonst wären sozusagen aus allen Fenstern Biggets gequollen. Ich hab Agatha gesagt, ich hätte das letzte Zimmer bekommen. Stimmt ja auch, wenn man so will. Es gibt sowieso nur acht oder neun. Wollen Sie denn wegen des vermißten Jungen noch etwas unternehmen?»

«Im Augenblick läßt sich da nicht viel tun. Ich bin mit seiner Schwester Penny zu Shakespeares Geburtshaus gegangen. Angeblich wollte er dahin, als er sich aus dem Staub gemacht hat – aber niemand erinnert sich, ihn gesehen zu haben. Wie dem auch sei – es ist Laskos Fall.»

Eine Zeitlang widmeten sie sich schweigend dem Essen. Jurys Gedanken wanderten von vermißten Jungen zu anderen Dingen. «Sie sind Lady Kennington nie begegnet, oder?» Er bezweifelte, ob sein beiläufiger Ton Melrose Plant täuschen konnte.

«Nein. Ich habe sie nur dieses eine Mal gesehen, wenn Sie sich erinnern. Eine sehr attraktive Frau.»

«Ja, das ist sie wohl. Sie wohnt jetzt in Stratford.»

«Oh? Wissen Sie, sie erinnerte mich irgendwie an Vivian Rivington.»

Jury war das noch nicht aufgefallen, aber Plant hatte recht, die beiden Frauen sahen sich tatsächlich ähnlich. Plant musterte ihn etwas zu eindringlich; Jury wandte den Blick ab. Vivian Rivington machte ihm immer noch zu schaffen. «Haben Sie mal von ihr gehört? Lebt sie immer noch in Italien?»

«Ab und zu bekomme ich eine Postkarte mit einer Gondel drauf. Sie erwähnte mal, daß sie nach England zurückkommen wollte.»

Es entstand ein kurzes Schweigen. «Das Brot, bitte», sagte Jury.

«Wie romantisch. Ich rede von Vivian, und Sie sagen: ‹Das Brot, bitte.›» Melrose schob ihm das Brotkörbchen zu.

«Oh, mein Gott», sagte Jury, den Blick auf die Tür gerichtet.

Melrose folgte der Richtung seines Blicks. Der Speisesaal leerte sich allmählich, da die Gäste nach und nach die Tische räumten und zum Theater hinübergingen. In der Tür stand ein ziemlich korpulenter, traurig dreinblickender Mann, der zu ihnen herüberschaute. Er sagte etwas zu der Empfangsdame und bahnte sich einen Weg durch die aufbrechenden Gäste.

«Wenn man vom Teufel spricht –» Jury warf seine Serviette auf den Tisch.

Detective Sergeant Sammy Lasko blickte, so meinte Jury zu sehen, mit unaufrichtigem Bedauern auf sie herunter. «Ärger, Richard.»

«Setz dich und trink etwas Wein oder Kaffee. Du siehst so aus, als hättest du es nötig.»

Lasko schüttelte den Kopf. «Keine Zeit. Sieht gut aus», fügte er hinzu und warf einen sehnsüchtigen Blick auf ihre Teller.

«Das war es auch, bis du aufgetaucht bist. Was Neues im Fall Farraday?»

Ein trauriges Kopfschütteln, während Lasko die Melone in seinen Händen drehte. «Fürchte, nein. Es ist noch ein ganzes Stück schlimmer.»

Plant und Jury sahen einander an. «Ich sehe schon, ich werde diesen Abend allein im Theater verbringen», sagte Melrose mißvergnügt.

«Hör mal, Sammy...» Jury seufzte und ergab sich in sein Schicksal. «Was ist es diesmal?»

«Mord», sagte Lasko, das Rindfleisch nicht aus den Augen lassend.

Die beiden starrten Lasko an, dann warfen sie sich einen Blick zu. Schließlich meinte Jury bereits im Aufstehen: «Geben Sie mir meine Karte, wir treffen uns in der Pause an der Bar.»

Sam Lasko sah Jury vorwurfsvoll an: «Ich glaube nicht, daß wir nach drei Akten *Hamlet* schon die Antworten parat haben.»

«Das hatte Hamlet auch nicht. Kommen Sie, gehen wir.»

«Gwendolyn Bracegirdle», sagte Lasko und blickte auf die Stelle in der Damentoilette, wo die Leiche vor kurzem noch gelegen hatte. Zusammen mit Gwendolyn Bracegirdles Brieftasche gab er Jury die Fotos, die ein Polizeifotograf gemacht hatte. «Eine scheußliche Bescherung.»

Im weißen Licht der Glühbirne stand auf Gwendolyn Bracegirdles Gesicht ein Ausdruck clownesker Überraschung. Als Jury die Brieftasche öffnete, ergoß sich aus ihr ein kleiner Wasserfall von Kreditkarten, die in einer langen, unterteilten Plastikhülle steckten: Diner's Club, Visa, American Express, eine Karte für Benzin. Außerdem fand sich noch eine ganze Menge Geld, mindestens zweihundert Pfund.

«Kein Raubüberfall», sagte Lasko, der auch hinten Augen hatte. Er scharrte mit der Stiefelspitze auf dem Boden herum.

«Was hatte sie nachts in den öffentlichen Toiletten zu suchen?»

«Wann hast du sie gefunden?» fragte Jury und sah auf die Fotos, auf diesen schrecklichen Ausdruck im Gesicht der Ermordeten – als hätte sie beim ersten Schnitt gelacht, was wirklich fürchterlich war in Anbetracht des halb vom Rumpf getrennten Kopfes. Es gab noch einen zweiten tiefen Schnitt, der unter der Brust anfing und senkrecht bis zum Schambein verlief, als hätte es nicht genügt, sie von einem Ohr bis zum anderen aufzuschlitzen. Das Blut mußte nur so herausgeschossen sein; auf den Fotos sah es wie getrocknete Farbe auf der Leinwand eines Malers aus; die Schicht war so dick, als wäre sie mit einem Palettenmesser aufgetragen worden.

«Vor ein paar Stunden. Der Arzt meinte, sie sei schon seit gestern abend tot. All das –» Lasko wies mit ausgestrecktem Arm auf die blutverschmierte Szene – «geschah gegen Mitternacht oder um diesen Zeitpunkt herum…»

«Und sie wurde jetzt erst gefunden? Im Juli ist die Kirche doch voller Touristen.»

«Die aber nicht die Toiletten benutzen, weil die außer Betrieb sind, wie das Schild draußen anzeigt.» Als er Jurys Blick bemerkte, zuckte er die Achseln. «Sie waren wohl tatsächlich außer Betrieb.»

«Dieses ganze Blut – der Killer muß voll davon gewesen sein.»

«War er auch. In einem Abfalleimer haben wir einen alten Regenmantel gefunden. Er wird auf Fingerabdrücke untersucht, ist aber einer von der öligen Sorte. Und billig, ist überall zu kaufen. Verdammt schwer zurückzuverfolgen.» Lasko steckte sich einen Zahnstocher zwischen die Zähne und hielt eine kleine, weiße Visitenkarte hoch, auf die er den Strahl seiner Taschenlampe richtete. «Wie wär's, wenn wir zusammen zum ‹Diamond Hill Guest House› gingen, um mit der Besitzerin zu sprechen?»

«Ich hab's dir bereits gesagt, Sam, das ist nicht mein –»

Lasko unterbrach ihn: «Was hältst du *davon*?»

Es war das Programm für *Wie es euch gefällt*. Am unteren Rand standen in Druckschrift zwei Zeilen eines Gedichts.

> Der Schönheit rote Nelken
> sind Blumen, die verwelken.

«Also, was meinst du, Richard? Wir lassen das Original nach Fingerabdrücken untersuchen. Aber zunächst mal: Denkst du, sie hat das geschrieben?»

«Nein.»

«Ich auch nicht. Sieht eher wie etwas an unsere Adresse aus.»

Entschlossen gab Jury ihm das Programm zurück. «An dich, an deine Adresse, Sammy. Ich muß nach London zurück, wenn ich dich daran erinnern darf.»

Aber Sam Lasko hatte noch einen weiteren Trumpf in der Hand. «Ich denke, du solltest doch besser mitkommen.»

«Sammy, niemand hat unsere Hilfe angefordert.»

«Noch nicht. Aber ich bin sicher, Honeysuckle Tours hätte sie nötig.» Lasko bewegte den Zahnstocher in seinem Mund. «Du weißt schon, diese Reisegesellschaft, zu der der kleine Farraday gehört.» Lasko steckte das Programm wieder in die Hülle. «Gwendolyn Bracegirdle gehörte auch dazu.» Sam Lasko ließ Jury diese Nachricht erst einmal verdauen, bevor er sein Notizbuch herauszog und darin blätterte. «Toller Name, was? Man denkt sofort an die alten Südstaaten, an Tara und so. Warst du schon einmal in Amerika, Jury?» Es war eine rhetorische Frage. Lasko wartete die Antwort gar nicht ab, sondern fuhr mit seiner Aufzählung fort.

«Dieser Bursche namens Honeycutt hat die Sache aufgezogen, deshalb wohl auch der Name – wir versuchen schon die ganze Zeit, ihn ausfindig zu machen. Aber er ist ständig unterwegs. Jedenfalls gehören die Farradays zu dieser Reisegesellschaft, und laut J. C., der mit mir eigentlich gar nicht redet, gibt es außer ihnen und Honeycutt vier weitere Mitreisende: eine Lady Dew mit ihrer Nichte Cyclamen und – was für Namen! – George Cholmondeley, der mit Edelsteinen handelt, schließlich einen Harvey L. Schoenberg.»

«Schoenberg?»

«Kennst du ihn?»

«Nein, aber der Bursche, mit dem ich heute abend gegessen habe.»

«Aha?» Lasko steckte sein Notizbuch weg und versuchte, Jury den Weg hinunterzubugsieren, wahrscheinlich in Richtung des «Diamond Hill Guest House». «Ich dachte, wenn wir mit diesem «Diamond Hill» fertig sind –»

«Wir?» Aber Jury wußte, daß er mit von der Partie sein würde.

Und Sam Lasko wußte es auch. Er machte sich nicht einmal die Mühe, Jury zu antworten. «Ich dachte, du könntest mitkommen und dich im ‹Arden› etwas umsehen – das ist Honeycutts Hotel –, dich mit ihm unterhalten oder herausfinden, wo er steckt –»

Jury drehte sich auf dem dunklen Weg um. «Sammy, ich hab dir doch gesagt –»

Sam Lasko schüttelte den Kopf und streckte die Arme himmelwärts. «Richard. Schau dir diese Bescherung dahinten an. Denkst du vielleicht, ich hätte nicht genügend zu tun –?»

«Nein, keineswegs.»

Sie gingen eine Gasse hoch, die vom Theater durch die Altstadt zu den Straßen drum herum führte, die von *Bed-and-Breakfast*-Schildern gesäumt wurden wie eine Pappelallee.

«*Casablanca*. Das war ein toller Film. Kennst du doch bestimmt?»

Jury blieb stehen, zündete sich eine Zigarette an und sagte: «Louie, glaub ja nicht, daß dies der Beginn einer wunderbaren Freundschaft ist.»

9

Mrs. Mayberry, die das «Diamond Hill Guest House» führte, trug nichts dazu bei, daß Jury seine Meinung von den Wirtinnen der *Bed-and-Breakfast*-Kategorie revidierte. «Ich weiß nichts, wie sollte ich auch? Sie gehörte zu einer dieser Reisegesellschaften. Ihr Zimmer war ganz oben – klein, aber gemütlich. Warm- und Kaltwasser und das Bad im Gang. Sie zahlte sieben Pfund inklusive Mehrwertsteuer für eine Übernachtung mit komplettem Frühstück.» Als wäre die Polizei nur gekommen, um bei Mrs. Mayberry Zimmer zu mieten.

Jury wußte, was unter dem kompletten Frühstück zu verstehen war: Orangensaft aus der Dose, Cornflakes, ein Ei, eine hauchdünne Scheibe Speck und, wenn man Glück hatte, eine wäßrige «geschmorte» Tomate. Nur ein Oliver Twist würde sich trauen, um Nachschlag zu bitten.

«Wann haben Sie sie das letzte Mal gesehen, Mrs. Mayberry?» fragte Lasko mit seiner verschlafenen Stimme.

«So gegen sechs, nehm ich an. Sie kam zurück, um sich zum Abendessen frisch zu machen. Das tun sie meistens.» Sie stiegen die Treppe hoch, die Wirtin mit ihrem Schlüsselbund voran. Der Polizeifotograf und der Experte für Fingerabdrücke bildeten die Nachhut. «So, da wären wir.» Mrs. Mayberry trat zur Seite und stieß die Tür auf. «Einfach scheußlich, das Ganze.» Jury nahm an, sie meinte den Mord und nicht das Zimmer, das klein und ziemlich trostlos wirkte. «Daß so was aber auch passieren mußte.» Dieser Kommentar schien sich hingegen weniger auf Gwendolyn Bracegirdles Tod zu beziehen als auf ihre Unverschämtheit, das ‹Diamond Hill Guest House› dadurch in Verruf gebracht zu haben.

Das Zimmer lag im obersten Stockwerk, und das winzige Mansardenfenster schien eher dazu gemacht, die sommerliche Brise auszusperren, als sie hereinzulassen. An der einen Wand stand ein Bett – eigentlich war es nur ein Feldbett – mit einer Chenilledecke. Von der gegenüberliegenden ragte ein Waschbecken in das Zimmer. Sonst gab es nur noch einen chintzbezogenen Sessel und einen alten Schreibtisch aus Eichenholz. Auf dem Schreibtisch standen fein säuberlich aufgereiht Miss Bracegirdles Habseligkeiten: ein paar Cremetöpfchen, Kamm und Bürste, ein kleines Foto in einem Silberrahmen. Jury stand in der Tür, um Laskos Team nicht im Weg zu sein, und konnte deshalb das Gesicht auf dem Foto nicht sehen. Aber dieser Versuch, etwas von ihrem Zuhause mit auf die Reise zu nehmen, kam ihm irgendwie sehr traurig, sehr rührend vor. Die Zimmer von Mordopfern wirkten immer so auf ihn: Vielleicht hatte man ihn so darauf gedrillt, jedes Detail wahrzunehmen, daß die Gegenstände für ihn lebendig wurden: Das Bett schien bereit, das Gewicht des Körpers aufzunehmen; der Spiegel, das Gesicht zu reflektieren; der Kamm, das Haar zu berühren. Gwendolyn Bracegirdles Gegenwart haftete diesen Dingen an wie ein Geruch, obwohl sie nur ein paar Tage in diesem Zimmer gewohnt hatte.

Bevor Lasko sich daranmachte, die Schubladen zu durchsuchen, sagte er zu Jury: «Warum unterhältst du dich nicht etwas mit der Wirtin?» Sein Blick war flehend.

«Mach ich», sagte Jury. Wo er schon einmal da war…

Mrs. Mayberry stärkte sich in ihrem Frühstücks-und-Empfangs-Salon mit einer Tasse Tee. Auf der Anrichte brannte hinter einem zartrosa Lampenschirm eine schwache Glühbirne. Die Anrichte selbst bewies ihm, daß er recht gehabt hatte, was das Frühstück betraf: Neben zwei winzigen Saftgläsern, die sich mit einem großen Schluck leeren ließen, standen mehrere Cornflakes-Pakete. Es gab drei runde Tischchen mit ein paar zusammengewürfelten Stühlen; auf jedem Tisch standen ein paar Gewürzdöschen, die scheinbar ebenfalls eher zufällig dorthin gekommen waren. Senf zum Frühstück?

«Sie kam letzten Samstag hier an», sagte Mrs. Mayberry, «zur selben Zeit wie das Ehepaar auf Nummer zehn. War aber nicht mit ihnen zusammen; sie kannte diese Leute gar nicht.»

«Hat sie sich denn in den paar Tagen, die sie hier war, mit jemandem angefreundet?»

«Ja nun, woher soll ich das wissen? Ich lasse meine Gäste in Ruhe. Morgens bin ich in der Küche. Man muß heutzutage schon aufpassen, daß das Frühstück auch in Ordnung ist, daß die Zimmer saubergemacht sind und so weiter. Was gekocht werden muß – Eier und dergleichen –, wird im voraus gekocht, da alle zur selben Zeit runterkommen. Obwohl es ab halb acht Frühstück gibt, traben sie Punkt neun hier an –» Sie strich sich das krause Haar aus der Stirn und schüttelte den Kopf. «Um elf müssen die Gäste die Zimmer räumen, dann werden die Betten frisch überzogen –»

Jury, der das Gefühl hatte, ein Einstellungsgespräch zu führen, unterbrach sie: «Ja, das bringt bestimmt viel Arbeit mit sich. Aber es muß doch jemanden gegeben haben, mit dem sich Miss Bracegirdle ab und zu traf.»

«Vielleicht hat sie sich mit meiner Patsy unterhalten, sie serviert das Frühstück und macht die oberen Zimmer sauber.

Heute hat sie sich mal wieder krank gemeldet – ich hätte sie am liebsten gefeuert.»

Jury unterbrach diese Aufzählung häuslicher Kalamitäten: «Hat sie vielleicht irgendwelche Anrufe bekommen?»

«Nein, nicht daß ich wüßte. Aber fragen Sie mal Patsy. Meistens nimmt sie das Telefon ab.»

Das Gästebuch, das Mrs. Mayberry voller Stolz von dem kleinen Tisch auf dem Gang hereingeholt hatte, lag aufgeschlagen vor Jury. Er betrachtete Gwendolyn Bracegirdles kleine, verschnörkelte Unterschrift und sagte: «Sarasota, Florida.»

«Ja, richtig, Florida.» Sie fingerte an der Ketchupflasche herum. «Ich hab schon jede Menge Gäste aus Florida gehabt. Ich selbst hätte auch nichts gegen einen kleinen Urlaub, aber wie Sie sehen, ist hier so viel zu tun, daß ich einfach nicht wegkomme –»

«Wir müssen noch mit den anderen Gästen hier sprechen, Mrs. Mayberry. Allem Anschein nach war Miss Bracegirdle in Begleitung, als sie, äh, ihren Unfall hatte.»

Sie erbleichte. «Hier?» Sie meinen doch nicht –»

«Ich meine überhaupt nichts. Wir sammeln lediglich Informationen.»

Daß sie vielleicht einen Mörder beherbergte und verköstigte, schien jedoch nicht das Problem zu sein: «Das ‹Diamond Hill Guest House› wird doch nicht etwa in die Zeitung kommen, oder? Hier ist noch nie etwas passiert.»

Das erinnerte Jury an seine eigene Bemerkung, mit der er Farraday hatte trösten wollen, daß nämlich in Stratford nie etwas passierte.

«Wir versuchen, sowenig wie möglich an die Öffentlichkeit dringen zu lassen.»

«Gut so. Ich hoffe doch, der gute Ruf des ‹Diamond Hill Guest House› wird nicht darunter leiden… es wäre nicht gerade gut fürs Geschäft. Obwohl es ja 'ne Menge Geld kostet, kommen die Amerikaner jedes Jahr hier rüber. Stratford ist so beliebt wie eh und je, ja beinahe *noch* beliebter als früher. Während der Saison ist es – entschuldigen Sie den Ausdruck – die reinste Hölle.»

Jury musterte sie kühl. «Für Miss Bracegirdle war es das bestimmt.»

«Bitte unterschreiben Sie das, Madam», sagte Lasko, der ein paar Minuten später dazugekommen war. Der Spurensicherungsfachmann war mit einem Koffer voller Gegenstände – wahrscheinlich Gwendolyn Bracegirdles Habseligkeiten – verschwunden. «Das Zimmer ist natürlich versiegelt.»

«Versiegelt!» empörte sich Mrs. Mayberry. «Aber es ist doch bereits reserviert.»

Da konnte das Blut in Strömen durch Stratfords Straßen fließen – Geschäft war Geschäft.

«Nicht bevor wir den Raum noch einmal sehr gründlich durchsucht haben.» Lasko steckte den Kugelschreiber ein, mit dem sie die Quittung unterschrieben hatte.

«Das ist ja wunderbar! Und was, bitte schön, soll ich den Leuten sagen?»

Lasko sagte freundlich: «Warum erzählen Sie ihnen nicht, daß der letzte Gast mit einem Rasiermesser aufgeschlitzt wurde?»

Die breiten Eingangstreppen und das Foyer des Royal Shakespeare Theatre waren zum Brechen voll, und Jury hätte gewettet, daß es ausverkauft war und daß jemand mit einer Stehplatzkarte schon längst seinen freien Sitz entdeckt hatte und sich vielleicht gerade in diesem Augenblick darauf niederließ.

Melrose Plant war in eine Ecke der Bar gedrängt worden,

die den feineren Herrschaften im Parkett zur Verfügung stand.

Er reichte Jury einen Brandy und sagte: «Ich habe in weiser Voraussicht Drinks bestellt, bevor der Vorhang hochging.»

Jury leerte das Glas in ein, zwei Zügen. «Der Vorhang fällt, kommen Sie.»

Plants eher gemurmelter Protest, er würde die zweite Hälfte eines sehr guten *Hamlet* versäumen, konnte nicht verbergen, daß er zweifellos froh darüber war, sich hinter Jury einen Weg durch die Menge bahnen zu können, wenn er auch keinen blassen Schimmer hatte, wohin oder zu wem sie gingen.

Wohin, wurde ihm schnell klar: ins Herz Stratford-upon-Avons, das «Arden Hotel».

Zu *wem*, war ein anderes Kapitel.

10

«Meine Freunde», sagte Valentine Honeycutt – und sein eindringlicher Blick ließ vermuten, daß er Jury und Plant gern dazu gezählt hätte – «nennen mich Val.»

«Meine», sagte Melrose, «nennen mich Plant.»

«Oh!» rief Honeycutt und schien zu erschauern. «Nur bei Ihrem Familiennamen? Sie müssen ja schrecklich wichtig sein.»

«Ja, schrecklich», sagte Melrose, während er seinen silberbeschlagenen Spazierstock über den Tisch neben seinem Stuhl legte.

Valentine Honeycutt ordnete die Falten seines Halstuchs, das wie eine leuchtende Narzisse in dem V seines weißen, mit

feinen grünen und gelben Streifen bedruckten Hemdes erblühte. Das blaue Leinenjackett sollte wohl seine himmel-
blauen Augen betonen. Alles in allem hatte man das Gefühl,
durch einen elisabethanischen Blumengarten zu wandeln,
wenn man ihn anschaute. Er schlug ein perfekt gebügeltes Ho-
senbein über das andere wie jemand, der sich vor allem durch
Körpersprache verständigte. «Was kann ich Ihnen anbieten,
meine Herren? Eine Zigarette?» Seine Hand beschrieb einen
Bogen mit dem silbernen Zigarettenetui.

«Mr. Honeycutt», sagte Jury, «wir hätten gern einige Auskünfte bezüglich Ihrer Reisegesellschaft.»

«Honeysuckle Tours, richtig. Heißt so, weil mein eigener
Name darin mitklingt und weil unser Firmensitz in Atlanta,
Georgia, ist. ‹Honeysuckle›-Weine und so. Jeden Juni geht's
für sechs Wochen nach London, Amsterdam, aufs Land und
wieder zurück nach London. Stratford darf nicht fehlen. Darin
sind die Amerikaner ganz vernarrt. Das Theater und so.»

«Sechs Wochen. Das klingt recht teuer.»

«Ist es auch.»

«Ich fürchte, ich habe unangenehme Nachrichten für Sie.»

Honeycutt zog die weißblonden Augenbrauen über den un-
schuldigen blauen Augen hoch, während er etwas zurückwich.
Er glich ein bißchen einem Engel, der über ein Loch in seiner
Wolke gestolpert war. «Ist etwas passiert?»

«Leider ja. Ein Mitglied Ihrer Gruppe. Eine Miss Bracegirdle –»

«Gwendolyn?»

«Ja. Ein Unfall. Ziemlich schlimme Sache. Miss Bracegirdle
ist tot.»

«*Tot!* Großer Gott! Ich erinnere mich, sie klagte über
Schmerzen in – aber Sie sprachen von einem Unfall.»

«Sie wurde ermordet.»

Unsichtbare Hände schienen Honeycutt aus seinem

chintzbezogenen Sessel zu ziehen, in dem er bis dahin bunt wie ein Blumenstrauß gesessen hatte. «*Was?* Ich verstehe nicht –»

Jury fand, daß es da nicht sonderlich viel zu verstehen gab. «Was haben Sie gestern abend getan, Mr. Honeycutt?»

Honeycutt sah so verständnislos vom einen zum anderen, daß Jury sich fragte, wie dieser Mann es fertigbrachte, sich auch nur in einem Kursbuch zurechtzufinden. «Ich? Nun, ich war im Theater. Wie alle anderen auch vermutlich.»

«In Begleitung?»

«Nein. Nein, ich war allein. *Wie es euch gefällt.* Es war…» Seine Stimme erstarb.

Einen Augenblick lang befürchtete Jury, er würde ihnen die Handlung erzählen, um sich ein Alibi zu sichern. «Wir dachten, Sie könnten uns vielleicht etwas über Miss Bracegirdles Bekanntenkreis erzählen – ob sie zum Beispiel jemanden in Stratford kannte.»

Honeycutt entrang sich ein mühevolles «Äh, nein».

«Und unter den Mitreisenden?»

Honeycutt rauchte mit hastigen Zügen. «Oh, mein Gott, das wird schrecklich werden für das Unternehmen. Wenn Donnie das zu Ohren kommt – das ist mein Partner in Atlanta.»

Jury wünschte, die Leute würden nicht immer nur ans Geschäft denken. «Mit wem von ihren Reisegefährten hat sie sich angefreundet? Haben Sie selbst sie gut gekannt?»

Jetzt kam die Antwort wie aus der Pistole geschossen: «Nein! Ich meine, auch nicht besser als die anderen.»

«Wann haben Sie Miss Bracegirdle das letzte Mal gesehen?»

Langsam gewann er seine Fassung wieder. «Tja… gestern, glaube ich.»

«Sie haben keinen Überblick darüber, wo sich die Leute aufhalten?»

«Du liebe Güte, nein! Manchmal sehe ich sie tagelang nicht. Honeysuckle Tours ist nicht im mindesten mit den üblichen Reiseunternehmen zu vergleichen. Zunächst einmal muß jemand, der bei uns bucht, mehr als nur gut betucht sein –»

«Traf das bei Miss Bracegirdle zu?» unterbrach Jury ihn.

Honeycutt hatte sich so weit erholt, daß er ein kurzes, schnaubendes Lachen ausstoßen konnte: «*Selbstverständlich.*»

«Aber sie übernachtete in einem *Bed-and-Breakfast*. Im ‹Diamond Hill Guest House›.»

«Oh, das hat nichts zu sagen. Es war ihr eigener Wunsch. Auch das ist ungewöhnlich bei uns: Wir buchen niemals Monate im voraus in irgendeinem schrecklichen Hotel, in dem dann die ganze Gesellschaft absteigt. *Unsere* Kunden können sich selbst aussuchen, wo sie bleiben wollen. Wir beraten sie nur. Und wir erledigen natürlich auch den lästigen Kleinkram» (er fing wieder an zu strahlen) «und reservieren für sie. Die gute alte Gwen wollte die rauhe Wirklichkeit erleben, sich unters Volk mischen... Sie wissen schon, was ich meine. Mit anderen Worten, sie wollte nicht ins ‹Hilton› – viel zu amerikanisch, wie sie meinte. Also haben wir sie in dieser schäbigen kleinen Pension untergebracht.» Er zuckte die Achseln. «Sie war aber keineswegs arm. Millionä*rin*, wenn ich mich nicht sehr irre. Oh, ist das zu abscheulich chauvinistisch?» Er blinzelte Melrose Plant an.

«Ja, abscheulich.»

«Nun, alles was ich sagen kann, ist, daß Gwen nur so im Geld schwamm. Sonst hätte sie sich diese Reise auch gar nicht leisten können. Honeysuckle ist beinahe so teuer wie die ‹Queen Elizabeth II›, ob Sie's glauben oder nicht. Wir annoncieren nur in den feinsten Magazinen. *Country Life* hier in England und *The New Yorker* in den Staaten. Wir sind keines von diesen Billigunternehmen, die zwanzig oder dreißig Leute in einen klapprigen alten Bus quetschen. Wir haben natürlich auch einen Bus, aber einen nagelneuen mit breiten Sitzen und einer Snackbar. Und wenn einer genug hat vom Busfahren, bieten wir tausend Alternativen an. Will zum Beispiel jemand von London (oder von einer anderen Stadt aus) auf eigene Faust losfahren, besorge ich ihm ein Auto und vergewissere mich, daß alles in Ordnung ist und unser Liebling auch in die richtige Richtung fährt. Unser Ansatz ist sehr individuell; ich respektiere meine Mitmenschen viel zu sehr, als daß ich ihnen einzureden versuchte, ein Hotel, das als Hors-d'œuvre Tomatensuppe aus der Dose anbietet, würde *haute cuisine* servieren. Was das Essen betrifft, läuft bei uns nichts unter fünf Sternen.»

Jury lächelte. «Und das nur, weil Sie Ihre Mitmenschen respektieren, Mr. Honeycutt?»

«Nun ja, es kostet sie mehr als viertausend Pfund», sagte Honeycutt und erwiderte Jurys Lächeln strahlend: «Ich denke dabei auch an mich – ich habe nämlich keine Lust, die Leute in diese alten Mühlen zu packen, sie zu irgendwelchen Museen und Galerien zu karren und sie – und mich – in Absteigen voller Ungeziefer einzuquartieren, in denen das Essen aus Fisch und Pommes frites besteht. Oder mit ihnen auf eine dieser gräßlichen Karibikinseln zu fahren, wo statt der Ventilatoren nur die Fliegen summen und wo man Palmen nur auf Postkarten sieht – nein, vielen Dank. Wir versuchen es so einzurichten, daß Abhängigkeit und Unabhängigkeit sich die Waage halten. Unsere Kunden können mit ihrer Zeit anfangen, was sie wollen; sie können die Geschäfte plündern oder zehn Stunden beim Dinner sitzen. Die Farradays zum Beispiel – der Gute weiß wirklich nicht wohin mit dem Geld – wären lieber tot als ohne ihren Komfort, ihre Pools, ihre Bars –»

«Womit wir beim nächsten Thema wären: Wann haben Sie das letzte Mal den kleinen Farraday gesehen?»

«James Carlton? Hmm», Honeycutt ließ den Blick auf Melrose ruhen, während er nachdachte. «Es muß Sonntag oder Montag gewesen sein. Ja, Montag. Warum? Hat sich der Bengel wieder aus dem Staub gemacht?»

«Das überrascht Sie nicht?»

Er pfiff durch die Zähne. «Der brennt doch ständig durch und kommt dann völlig abgerissen zurück, als hätte er mit einem Schwarm Haie gekämpft. Das macht der mit links. Die Tochter, Honey, das ist ein richtiger kleiner Luxusartikel... Farraday hat doch nicht wegen James Carlton die *Polizei* eingeschaltet?»

Jury nickte. «Sie haben ihn das letzte Mal Montag morgen beim Frühstück gesehen?»

«Ich denke, es war Montag morgen. Ziemlich früh auf der Sheep Street. Ich habe ihn gar nicht weiter beachtet; er schwirrt immer irgendwo herum. Fragen Sie seine Schwester Penny. Sie ist die einzige, mit der er redet. In einer sehr eigenen Sprache», fügte er teilnahmslos hinzu.

«Haben Sie denn nun Miss Bracegirdle zusammen mit jemandem gesehen? Was ist mit diesem George Cholmondeley? Er ist auch ohne Anhang –»

«Und wollte bestimmt auch keinen, zumindest nicht die gute alte Gwen, meine Herren.» Allein bei der Vorstellung schienen sich ihm die Haare zu sträuben. Dann zog er einen Flunsch und fügte hinzu: «Amelia Farraday wäre schon eher sein Typ.»

«Und Harvey Schoenberg?»

«Du lieber Himmel, Sie haben uns alle ja wirklich beim Wickel.»

Jury lächelte. «Ich frage ja nur. Also wie steht's mit Schoenberg? Er besitzt anscheinend auch das nötige Kleingeld.»

«Er hat seine eigene Computerfirma. Haben Sie eine *Ahnung*, wieviel Geld man mit Computern machen kann? Natürlich hat Gwen ihn gekannt, aber ich weiß nicht, ob sie mit –» Plötzlich schien er zu kapieren. «Hören Sie, Superintendent, soll das heißen, daß Gwen von einem aus *unserer*…» Er wies den Gedanken sofort von sich. «Grotesk!»

«Nein, soll es nicht. Ich sondiere lediglich das Terrain.» Jury stand auf, und Melrose Plant griff nach seinem Spazierstock. «Aber jemand versucht wohl, Honeysuckle Tours die Tour zu vermasseln –»

Bei dieser Bemerkung begann das Honeycutt-Blümchen dahinzuwelken: Das gelbe Halstuch wurde schlaff, das Leinenjackett hing traurig an ihm herunter. «Oh, mein Gott.»

«Scheußlich», sagte Melrose Plant, als sie wieder auf dem Gehsteig standen.

«Ich bin ganz Ihrer Meinung», erwiderte Jury. «Was halten Sie davon, morgen bei den Dews vorbeizuschauen? Sie sind im ‹Hathaway› abgestiegen. Ich möchte mit diesem George Cholmondeley sprechen.»

«Lady Dew», sagte Melrose Plant. «Warum bleibe ich immer auf den Adligen sitzen?»

Jury lächelte. «Jedem das Seine. Dieser Honeycutt – ich frage mich, was für ein Typ sein Partner in Atlanta ist?»

Melrose blieb auf der dunklen Straße stehen, in der das kleine Schild des «Falstaff» gerade noch zu erkennen war. «Weiß ich auch nicht. Aber ich stelle mir vor, sie passen zueinander wie der Deckel auf den Eimer.»

11

Chief Superintendent Sir George Flanders, Abteilungsleiter im Polizeibezirk Warwickshire, war ein hochgewachsener Mann, der Lasko weit überragte, aber nicht ganz an Jury herankam. Sir George lehnte es ab, sich zu setzen; er weigerte sich sogar, seinen Regenmantel abzulegen – als könnten diese Anzeichen von Ungeduld seine Polizeikräfte anspornen, der Lösung des Falles schnell näherzukommen, selbst auf die Gefahr hin, daß sie sich auf dem Holzweg befanden. Zumindest vermittelte er diesen Eindruck, wenn man ihn in der Einsatzzentrale stehen sah, während er auf den riesigen Stadtplan von Stratford starrte und von der amerikanischen Botschaft sprach. Er hatte deutlich gemacht, daß beinahe vierundzwanzig Stunden vergangen waren, ohne daß Lasko irgendein Ergebnis vorweisen konnte. Und mit dieser mageren Ausbeute wollte er nicht vor den amerikanischen Konsul treten.

«Ein Mord und ein vermißtes Kind», sagte der Chief Superintendent zum hundertstenmal, als könnte er wie die Hexen in *Macbeth* die schrecklichen Vorfälle durch ständiges Beschwören wieder aus der Welt schaffen. «Ein Mord und ein –»

«Es besteht überhaupt kein Grund zu der Annahme, der Junge würde nicht wiederauftauchen. Er ist schon öfter abgehauen. Es würde mich nicht wundern, wenn er innerhalb der nächsten paar Stunden ins ‹Hilton› spazierte.» Lasko sah auf seine Digitaluhr, als wollte er sie alle so lange festhalten, bis sich seine Prophezeiung bewahrheitet hatte. «Die beiden Dinge brauchen in keinem Zusammenhang zu stehen.»

«Nein, natürlich nicht», sagte Sir George mit einem ziemlich unangenehmen Lächeln zu seinem Detective Sergeant: «Es könnten einfach nur *zwei Morde* sein.» Schon sein Blick war tödlich genug.

Lasko, der willens schien, Sir Georges Abneigung gegen das Entkleiden zu teilen, trug immer noch seine Melone. Sie saß ihm tief in der Stirn. «Es ist noch zu früh, um –»

«Noch zu früh? Erzählen Sie *das* mal der amerikanischen Botschaft. Wir haben es schließlich mit Amerikanern zu tun, Mann», wiederholte er, als ob Lasko sich noch nicht über die verschiedenen Nationalitäten klargeworden wäre. «Wir haben es nur Gott und der britischen Presse zu verdanken, daß diese verdammte Sache noch keine Schlagzeilen gemacht hat. Ich erschauere bei dem Gedanken, wie die amerikanischen Touristen in dieser Stadt reagieren würden –»

Jury verkniff sich die Bemerkung, daß englisches Blut so rot sei wie jedes andere und daß Dinge wie Vergewaltigung und Körperverletzung, Mord und Entführung für Amerikaner kein Fremdwort seien.

Als hätte er seine Gedanken gelesen, wandte Sir George den Kopf nach Jury um – einen sehr edlen Kopf mit bereits ergrautem Haar und Schnurrbart. «Im übrigen habe ich ein ziemlich langes Telefongespräch mit Ihrem Chef geführt... wie heißt er noch gleich?»

«Racer.»

«Ja. Racer. Wie Sie wissen, haben wir Ihre Abteilung nicht um Verstärkung gebeten, Mr. Jury.»

«Ja, ich weiß», sagte Jury lächelnd. Lasko würde erklären müssen, warum Jury mit der Kriminalpolizei Stratford zusammenarbeitete.

«Ich habe Superintendent Jury gebeten, mit den Farradays zu sprechen, weil Farraday nichts mit der Provinzpolizei zu tun haben will und immer nur nach Scotland Yard schreit. Sie glauben, neben dem FBI gibt es auf der ganzen Welt nur noch Scotland Yard. Sie haben noch nie was von der französischen Sûreté gehört», kam es unter Laskos Hut hervor.

«Schon gut, schon gut», sagte Sir George und hob die

Hände, wie um eine Aufzählung der Polizeikräfte rund um den Globus zu verhindern. «Mr. Jury hat freundlicherweise ausgeholfen. Ihr Chef –» er wandte sich wieder an Jury – «war indessen ein wenig verärgert, daß Sie sich ohne amtliche Order eingemischt haben –»

Als Sir George sich anschickte, Racers Kommentare zu wiederholen, schaltete Jury einfach ab. Diese Litanei kannte er zur Genüge.

Nachdem Sir George auf diese Weise noch einmal betont hatte, daß die Polizei von Warwickshire durchaus in der Lage sei, ihre Angelegenheiten selbst zu regeln, schien er ganz zufrieden. Mit einem zögernden Kopfnicken fügte er noch hinzu: «Er sagte, Sie sollten ihn auf jeden Fall anrufen.»

«Sehr wohl.» Jury hatte sich also ohne ausdrücklichen Befehl von Chief Superintendent Racer nicht von der Stelle zu rühren. Nun ja, er würde ihn bestimmt irgendwann im Laufe der nächsten Tage einmal anrufen.

Düster bemerkte Sir George: «Zwischen dem Mord an dieser Frau und dem Jungen muß einfach ein Zusammenhang bestehen.»

Jury pflichtete ihm insgeheim bei.

«Wer gehört denn sonst noch zu dieser verdammten Reisegesellschaft? Und wer leitet sie?»

Lasko blätterte in dem Notizbuch auf seinem Schreibtisch. «Der Leiter ist ein Mann namens Valentine Honeycutt –»

«Großer Gott, diese Amerikaner scheinen eine ausgesprochene Vorliebe für blumige Namen zu haben –»

«Er ist kein Amerikaner», sagte Lasko. «Er ist Engländer.»

Sir George brummte: «Macht nichts. Haben Sie mit ihm gesprochen?»

Ohne auch nur einen Blick mit Jury zu wechseln, nickte Lasko und erklärte seinem Chief Superintendent das Prinzip von Honeysuckle Tours.

«Was ist mit den anderen?»

«Außer den Farradays – sie sind zu fünft – ist da noch eine Lady Dew mit ihrer Nichte und ein gewisser George Cholmondeley –»

«Wollen Sie etwa behaupten, die seien auch Amerikaner?»

«Nein, Lady Dew und ihre Nichte leben nur in Tampa, Florida –»

«Von dort stammt doch auch diese Bracegirdle.»

«Aus Sarasota, nicht aus Tampa.»

«Sind das alle?» knurrte Sir George.

«Und Harvey L. Schoenberg.» Lasko klappte sein Notizbuch zu. «Er schien sich mit dem kleinen Farraday am besten verstanden zu haben, aber er sagte, er habe ihn seit Tagen nicht gesehen. Offensichtlich war keiner von der ganzen Crew besonders eng mit der Bracegirdle befreundet.»

«Also keinerlei Anhaltspunkte bis jetzt.» Sir George seufzte so tief auf, als sei Gwendolyn Bracegirdles Leiche bereits vor zwei Wochen und nicht erst vor vierundzwanzig Stunden gefunden worden. «Abgesehen von diesem hier.» Er nahm das Programmheft in die Hand. «Was in Gottes Namen hat das zu bedeuten?»

Der Schönheit rote Nelken
sind Blumen, die verwelken.

Sir George schüttelte den Kopf. «Was ist das?»

«Ein Gedicht», sagte Lasko und schneuzte sich in ein riesiges Taschentuch.

Sir George warf Detective Sergeant Lasko einen eiskalten Blick aus seinen blauen Augen zu: «Verdammt, daß das ein Gedicht ist, weiß ich auch. Die Frage lautet, was für eines und wieso?»

Lasko zuckte die Achseln. «Tut mir leid.»

«Gefällt mir gar nicht. Sieht aus wie eine Botschaft. Und Botschaften an die Polizei mag ich ganz und gar nicht.»

Jury auch nicht. Dieses Stück Papier ließ ihm das Blut in den Adern gefrieren, denn es war eine Art Unterschrift – genau die Art von kleinen Liebesbriefen, die Psychopathen wie Jack the Ripper mit Vorliebe an die Polizei adressierten.

Das Problem war nur, daß solche Typen es nicht bei einem Brief bewenden ließen.

12

Cyclamen Dew stellte das aufgesetzte, seelenvolle und selbstverleugnende Gebaren eines Menschen zur Schau, der, obwohl nicht als Heiliger geboren, ausgezogen ist, es zu werden.

Neben ihrer Tante, der verwitweten Lady Violet Dew, in der Bar des «Hathaway Hotels» sitzend, hatte Cyclamen Dew (eine unattraktive, hagere Erscheinung) Melrose über ihr Leben ins Bild gesetzt – ein großes Tableau, das sich aus Szenen eines Lebens voller Ängste, persönlicher Katastrophen, verpaßter Gelegenheiten und zu nichts zerronnener Träume zusammensetzte, denn sie hatte sich immer nur für ihre Tante aufgeopfert.

Lady Violet war eine schweigsame alte Dame mit boshaft funkelnden Augen. Sie saß, in schwarzen Batist und Spitze gekleidet, dazu ein Medaillon um den Hals, während dieses langen Vortrags zusammengekrümmt in ihrem Sessel. Ihr Atem ging keuchend.

«Ja, so ist das», sagte die Nichte und zuckte zum hundertstenmal resigniert die Achseln. «Sie müssen uns eben so nehmen, wie wir sind.»

Melrose wußte nicht, wie sonst man jemanden nehmen konnte, und hoffte, es handele sich um eine abschließende Bemerkung, da er selbst zur Sache kommen wollte. Aber dem war nicht so, Cyclamen legte nur einen neuen Gang ein.

Sie holte tief Luft und fuhr fort: «Ich habe schon immer davon geträumt, dienen zu können –»

«Ah, Sie wollen Kammerzofe werden…?» fragte Melrose mit gespielter Unschuld.

Sie wollte sich fast ausschütten vor Lachen: «O nein, mein Lieber, wie komisch! Ich meine natürlich den Schwesternorden. Aber wie Sie sehen…» Sie machte eine kleine Handbewegung in Lady Dews Richtung, die Melrose mit ihren schwarzen Knopfaugen fixierte. Aber dann schien sich Cyclamen doch eines Besseren zu besinnen, oder vielleicht besann sie sich auch nur auf das beträchtliche Vermögen ihrer Tante, und schlug einen anderen Ton an. «Aber kann ich mich zu etwas Höherem berufen fühlen als dem Dienst an meiner Tante?»

Die Tante gab die einzig vernünftige Antwort, die man Melroses Meinung nach darauf geben konnte: «Bestell mir einen Gin.»

«Also hör mal, Tantchen, du weißt doch, was Dr. Sackville davon hält. Du sollst keinen Alkohol anrühren. Eine Tasse Tee, das wäre –»

Der Ebenholzstock schlug hart gegen das Tischbein. «Ist mir scheißegal, was der geile alte Bock sagt –» Hier wandte sie sich an Melrose: «Es gibt keine in Tampa, mit der er es nicht getrieben hat –» Und zu Cyclamen gewandt: «Ich sagte Gin. Oder besser noch einen doppelten.»

Melrose wollte sich schon erheben, um ihr einen zu holen, aber Lady Dew fächelte ihn zurück auf seinen Platz. «Bemühen Sie sich nicht. Sie wird ihn schon bringen. Was führt Sie zu uns, junger Mann?»

Cyclamen wußte, wann sie geschlagen war, und machte sich mit hochrotem Kopf auf zur Bar. Melrose hätte sich nicht gewundert, wenn sie auf allen vieren durch den Raum gekrochen wäre.

«Ich höre mich im Auftrag der Polizei etwas um. Nein, ich bin *nicht* von der Polizei, aber Superintendent Jury von Scotland Yard hat mich gebeten, bei Ihnen vorbeizuschauen.»

Hinter Strähnen dünnen grauen Haars zogen sich die buschigen schwarzen Augenbrauen fragend zusammen. Ihr zahnloser Mund glich nur mehr einer Einbuchtung zwischen der Hakennase und dem vorspringenden Kinn. Lady Dews körperliche Erscheinung wirkte, als würde sie jeden Moment zusammenbrechen. Was aber ihren Verstand betraf, so war sie topfit. «Würde mich keineswegs wundern, wenn jemand dieser Schlampe Amelia die Kehle durchgeschnitten hätte.»

Melrose wunderte sich allerdings: «Sie meinen, Sie haben Grund zu der Annahme, daß eine Ihrer Reisegefährtinnen sich in Gefahr befindet?»

«Sie sagten doch eben Polizei, nicht?»

«Äh... ja. Aber eigentlich geht es um eine gewisse Gwendolyn Bracegirdle.»

«Dieses Schaf. Was hat sie denn angestellt? Das alte Haschmich-Spielchen – kann ich mir bei der gar nicht vorstellen, so wie die aussieht. Diese Amelia hingegen –»

Cyclamen war zurück, in der Hand ein Glas. «Also wirklich, Tante, du solltest nicht so reden über –»

«Oh, halt den Mund. Ich sage, was ich will. Ich habe drei Männer begraben, zweimal ein Vermögen verloren und wieder zusammengerafft, bin fünfmal festgenommen worden und habe versucht, die Nelsonsäule raufzuklettern; ich habe splitternackt auf dem Rasen vor dem Kristallpalast getanzt, und ich hab's mit allem getrieben, was Rang und Namen hatte.»

Cyclamen schloß die Augen. «Ist ja schon gut, reg dich nur nicht auf, Tante.»

«Wenn ich mich doch nur noch aufregen könnte. Also, was ist mit dieser Bracegirdle los?» fragte sie und trank in einem Zug das halbe Glas leer.

«Gwendolyn?» fragte Cyclamen, und ihre Augenbrauen schossen in die Höhe. «Was ist passiert?»

«Ich wollte Lady Dew gerade die Geschichte erzählen. Miss Bracegirdle hatte … einen Unfall. Einen ziemlich schweren. Sie ist tot.»

Lady Dew schien das nicht weiter zu berühren, während Cyclamen völlig außer sich geriet und lauter unzusammenhängende Fragen hervorstieß, bis Melrose sich schließlich gezwungen sah, die Sache kurz zu machen. «Nein. Sie wurde ermordet.»

Die alte Frau schien entzückt zu sein – sie mochte das Leben pur, samt Gin und allem, was ihr sonst noch an Aufregendem geboten wurde; die Jüngere hingegen sank gekonnt in Ohnmacht.

«Ach, was soll der Quatsch, Cyclamen. Die Frau ist tot und damit basta.» Mit neuem Interesse wandte sie sich Melrose zu: «Ein Sexualverbrechen, war es das?»

«Die Polizei ist sich nicht sicher.»

«Aber ich bin mir sicher – in der Hinsicht war nämlich mit der guten alten Gwendolyn überhaupt nichts los. Die kann doch den Hund nicht vom Schwanz unterscheiden. Glauben Sie mir, ich kenne mich da aus.»

Als sie sich zu ihm herüberbeugte und ihre arthritische Hand auf sein Knie fallen ließ, bot er ihr schnell eine Zigarette an, um sie wieder loszuwerden. Während Cyclamen sie an Dr. Sackvilles Instruktionen in bezug auf das Rauchen erinnerte, ließ sie sich Feuer geben.

«Was können Sie mir über Ihre Reisegefährten erzählen?»

fragte Melrose und rutschte auf seinem Stuhl außer Reichweite.

«Nichts.»

«Allerlei.»

«Also *wirklich*, Tante.»

«Halt den Mund!»

«Nur Klatsch, sonst nichts!»

«Na und?» Wären in diesem Gefecht nicht Worte, sondern Kugeln zwischen den Damen hin und her geflogen, hätte Melrose bestimmt nicht überlebt.

Keuchend und vor sich hin paffend, rückte die alte Dame ihren Stuhl Zentimeter um Zentimeter an Melrose heran. «Haben Sie die Farraday-Sippe schon einmal gesehen? Diese Amelia ist mindestens zwanzig Jahre jünger als er. Ganz klar, warum er sie geheiratet hat.» Lady Dew beschrieb mit den Händen vielsagende Kurven. «Und die Tochter ist genauso nuttig wie die Mutter. Sie hätten sehen sollen, wie sich die beiden in Amsterdam an diesen Cholmondeley rangemacht haben – Sie kennen ihn?»

Cyclamen lauschte diesem Redefluß mit starrer Geduldsmiene und legte ihrer Tante beruhigend die Hand auf die klauenartigen Finger. Sie wurde sofort wieder abgeschüttelt.

«Schau du mir nicht so unschuldig drein, Cyclamen, du warst auch nicht viel besser –»

«Das ist eine Lüge!» platzte die Nichte heraus. Zum erstenmal hatte sie den richtigen Ton gefunden. Angesichts der Lautstärke drehten sich die übrigen Gäste in dem Dunkel der Bar neugierig nach ihr um. Sie erhob sich, erklärte, sie habe schreckliche Kopfschmerzen, und verzog sich grollend, wahrscheinlich auf ihr Zimmer.

«Von wegen», sagte Lady Dew und fächelte sich energisch, während sie den Abgang ihrer Nichte beobachtete. Melrose fragte sich, ob die Sticheleien der alten Dame nicht in direktem Verhältnis zu der märtyrerhaften Duldsamkeit der Jüngeren standen. «Wenn Sie mir noch einen Gin spendieren, erzähl ich Ihnen alles haarklein», fügte sie hochzufrieden hinzu.

«Mit Vergnügen.»

«Cholmondeley und die Farraday klebten förmlich aneinander. Ich habe sie mit eigenen Augen auf der Terrasse dieses Hotels in Amsterdam beobachtet, in dem einige von uns übernachteten.» Lady Dew hatte an ihrer Geschichte sichtlich ebensoviel Freude wie an dem Gin, den Melrose vor sie hingestellt hatte. «Amelia gab in einem fort damit an, daß sie vor der Ehe *Schauspielerin* gewesen sei. Wenn *die* jemals auf der Bühne gestanden hat, dann mit nichts als Straußenfedern und einem Fächer bekleidet, das können Sie mir glauben.» Ihr eigener schwarzer Fächer bewegte sich um so schneller, je skandalöser der Klatsch wurde.

«Vertikal oder horizontal?»

Der Fächer kam zum Stillstand. «Wie bitte?»

Melrose lächelte. «Sie sagten, sie klebten aneinander. Und ich frage mich –»

Lady Dew kicherte, klappte ihren Fächer zu und patschte ihm damit aufs Knie. «Sie sind mir ja einer. Betrügen Sie Ihre Frau?» fragte sie leise.

«Geht nicht; ich bin unverheiratet.»

Ihre Knopfaugen funkelten, und er wechselte schnell das Thema. «Wollten Sie vorhin andeuten, Ihre Nichte habe sich ebenfalls für diesen Mr. Cholmondeley interessiert? Sie scheint mir irgendwie viel zu – vergeistigt.»

Sie bedachte ihn mit einem vielsagenden, messerscharfen Lächeln. «Seien Sie doch kein Blödmann. *Die?* Sie ist –» Sie wechselte das Thema. «Aber dieser Farraday ist gewiß kein Blödmann», nahm sie den Faden ihrer Geschichte wieder auf.

«Er hat sein Vermögen mit Kohle gemacht. Tagebau. Und er hat auch ein paar gute Geschichten auf Lager, das muß man ihm lassen. Vor allem Limericks. Ich sammle Limericks. Kennen Sie welche?»

Melrose fragte sich, wie er sie nur dazu bringen könnte, sich endlich auf den Mord zu konzentrieren. «Ein paar. Aber ich wette, sie sind viel zu harmlos für Ihren Geschmack.»

«Probieren Sie's doch mal.» Die konkave Rundung ihres Mundes klappte in sich zusammen – ihre Version eines anzüglichen Lächelns. «Hören Sie, Sie sollten mal nach Florida kommen, junger Mann. Damit etwas Farbe auf diese rosigen, englischen Wangen kommt.»

«Ich kriege leider sofort einen Sonnenbrand, Lady Dew –»

«Keine Angst. Wir können uns auch beim Pferderennen vergnügen. Ich kann Ihnen mein Wettsystem beibringen. Wir lassen die gute alte Cyclamen einfach zu Hause und machen einen drauf.» Sie schlug ihm aufs Knie. «Glauben Sie bloß nicht, ich wäre dafür zu alt. Ich bin schneller bei den Schaltern als die Buchmacher –»

Melrose unterbrach sie. «Nichts lieber als das. Aber erzählen Sie doch ein bißchen von dieser Gwendolyn Bracegirdle.»

«Ein farbloses Wesen. Immer nur ‹Mama hier›, ‹Mama da›. Die Bracegirdle hatte *wirklich* Probleme.»

«Sie muß sich doch mit irgend jemandem auch näher angefreundet haben.»

«‹Angefreundet› ist gut! Bi war sie, wenn Sie's genau wissen wollen.» Als Melrose sie verwundert ansah, schlug sie ihm erneut auf den Schenkel und sagte: «Na, Sie wissen schon, Männer und Frauen, und vielleicht das eine oder andere Tierchen. Sie mochte diesen Schoenberg mit seinem verrückten Gerät, aber er schien nicht interessiert zu sein. Zu beschäftigt damit, seinen Computer zu füttern, keine Zeit für solche Albernheiten. Kein übler Bursche, nur etwas meschugge. Trägt diese Hemden mit dem kleinen Krokodil drauf und fürchterliche Fliegen dazu. Kommt glänzend mit dem kleinen Farraday aus, diesem James Soundso. Der Kleine ist der einzige, der ihn versteht. Ich habe kein Wort von deren Kauderwelsch kapiert. Kann mir auch Interessanteres vorstellen, als mich mit solchem Kram herumzuschlagen, oder?» Sie zwinkerte ihm zu.

«Der kleine Farraday ist übrigens verschwunden.»

Sie zuckte die Achseln. «Überrascht mich nicht. Er haut dauernd ab. Wahrscheinlich, weil er seine Familie unausstehlich findet. Kann man ihm auch nicht verübeln. Seiner Schwester Penny geht's genauso. Oh, er wird schon wiederauftauchen, da können Sie ganz beruhigt sein.»

«Und Sie können sich auch nicht vorstellen, daß einer Ihrer Reisegefährten oder vielleicht jemand aus Stratford Miss Bracegirdle lieber tot als lebendig gesehen hätte?»

«Du lieber Himmel, nein. Dazu sah sie mir einfach zu harmlos aus. Natürlich weiß ich nicht, auf was sie sich in Stratford eingelassen hat. Ich habe sie zwei, drei Tage lang nicht gesehen. Das gefällt mir übrigens an dieser Art zu reisen: Wir können tun und lassen, was wir wollen, keiner redet einem drein.» Wieder blinzelte sie Melrose zu.

Der erhob sich hastig und griff nach seinem Zigarettenetui und seinem Spazierstock. Lady Dew und Mord schienen irgendwie nicht zusammenzupassen. Er hatte jetzt das dringende Bedürfnis, ein wenig mit Jack the Ripper zu plaudern. «Vielen Dank, daß Sie mir Ihre Zeit geopfert haben, Lady Dew.»

«Nennen Sie mich doch Vi – oh, heiliger Strohsack, da kommt sie, die Dame, die einem heimleuchtet.»

Cyclamen, anscheinend frei von Kopfschmerzen, durchquerte mit entschlossener Miene den Raum. «Ding – ding, Tante Violet», flötete sie.

«Bring mir einen Gin.»

Mit einem liebenswürdigen Lebewohl trat Melrose den Rückzug an.

13

Jury spürte George Cholmondeley im Speisesaal des «Wel-combe Hotels» auf; sein Ecktisch war in grelles Licht ge-taucht, das durch das hohe Fenster hinter ihm hereinströmte und alles gleichsam mit einem leuchtenden Flor überzog.

«Mr. Cholmondeley?»

Der gutaussehende Mann schaute auf.

«Superintendent Jury, Scotland Yard, Mordkommission. Könnte ich Sie kurz sprechen?»

Cholmondeley lächelte ein wenig frostig und wies auf den Stuhl ihm gegenüber. «Wenn ich nein sage, machen Sie dann wieder kehrt und gehen?»

Jury gab das Lächeln aufrichtig und unbefangen zurück. «Aber Sie sagen nicht nein, oder? Detective Sergeant Lasko hat bereits mit Ihnen gesprochen?»

Cholmondeley nickte. «Möchten Sie etwas? Kaffee? Tee?» fragte er höflich. Er trug einen italienischen Seidenanzug in einem wäßrigen Graubraun, das zu seiner Augenfarbe paßte. Cholmondeley war ein überaus attraktiver Mann. Die blon-den Haare, die helle Haut, die schlanken, sensiblen Finger, die gerade dabei waren, eine Forelle zu entgräten, diese Läs-sigkeit, die etwas vage Dekadentes an sich hatte – all das mußte bei Frauen gut ankommen. Neben ihm stand in einem Eiskübel eine Flasche Château Haut-Brion.

Der Mann war eindeutig kein mittlerer Angestellter, der

ein ganzes Jahr lang für seine zwei Wochen Sommerurlaub sparen mußte.

Jury lehnte Kaffee, Tee und Wein ab, während Cholmondeley die Flasche hob, um sein eigenes Glas wieder zu füllen. «Wie gut haben Sie Gwendolyn Bracegirdle gekannt, Mr. Cholmondeley?»

«Eigentlich gar nicht. Obwohl ich natürlich betroffen war, als ich hörte, was geschehen ist.» Sein Appetit schien allerdings nicht darunter gelitten zu haben. Er aß seinen Fisch mit sichtlichem Genuß.

«Und wie verstand sie sich mit den übrigen Reiseteilnehmern?»

Cholmondeley sah ein bißchen ratlos drein. «Oh, das kann ich Ihnen nicht sagen. Sie war häufig mit dieser Dew zusammen, ich meine mit der Jüngeren.» Er brach sich ein Stück Brot ab und bestrich es mit Butter. «Warum wollen Sie das wissen?»

Jury zuckte die Achseln. Er wollte Cholmondeley nicht noch mißtrauischer machen, als er es vielleicht schon war. «Mit irgend etwas muß man ja anfangen.»

Cholmondeley runzelte die Stirn. «Warum fangen Sie nicht mit den kriminellen Elementen in Stratford an? Mit der Liste der meistgesuchten Verbrecher? Wieso mit Honeysuckle Tours? Und wieso, wenn ich fragen darf, Scotland Yard? Ich nehme doch an, Warwickshire hat selbst eine tüchtige Polizei?»

«Ja, eine sehr tüchtige. Allerdings gibt es in Stratford so gut wie keine kriminellen Elemente. Natürlich überprüfen wir alles mögliche, aber ich neige dazu, Mörder in der Nähe ihrer Opfer zu suchen.»

«Vielleicht, aber keiner von uns ist ihr nähergekommen, oder?» Cholmondeley hatte seinen Fisch aufgegessen und zog ein Zigarettenetui hervor. «Ich meine, es überrascht mich doch etwas, daß Sie annehmen – und offensichtlich tun Sie das –, einer von uns wäre in diese Sache verwickelt.»

Lasko mußte tiefer gebohrt haben, als der Sache dienlich war. «Es ist noch etwas früh, um überhaupt dergleichen anzunehmen, Mr. Cholmondeley –»

Cholmondeley warf ihm einen scharfen Blick zu. Anscheinend glaubte er ihm kein Wort. Er zündete sich eine Zigarette an und lehnte sich scheinbar ganz unbefangen zurück.

«– aber die Leute, mit denen Miss Bracegirdle über einen Monat lang ziemlich eng zusammen war, müssen doch etwas über ihre Person, ihren Charakter, ihre Gewohnheiten, ihre Freunde wissen...» sagte Jury.

«Ich nicht. Ich habe kaum eine Minute mit der Frau verbracht.» Und er starrte durch das lichtdurchflutete Fenster, als wünschte er sich nichts sehnlicher, als einen kleinen Verdauungsspaziergang durch den Hotelgarten zu machen.

«Mit wem haben Sie dann Ihre Zeit verbracht?» fragte Jury liebenswürdig. «Mit Mrs. Farraday vielleicht?»

Die Reaktion war wie erwartet: kaum unterdrückte Wut. Bislang war der Mann zu glatt, zu unbeteiligt und zu selbstsicher gewesen. «Wie bitte? Wer hat das gesagt?»

Anscheinend hatte Jury ins Schwarze getroffen. Cholmondeley wäre sonst bestimmt nicht auf die Idee gekommen, daß irgend jemand ‹das› gesagt hatte. Und wenn man Amelia Farraday einmal begegnet war, fiel es einem schwer, zu glauben, daß weder er für sie noch sie für ihn das geringste Interesse bekundet hatte. Eine kleine Ferienromanze, wenn Farraday gerade nicht hinsah? Jury lächelte. «Eigentlich niemand. Mrs. Farraday ist nur eine sehr attraktive Frau.»

«Und auch eine sehr verheiratete.»

«Hat das heutzutage noch etwas zu bedeuten?»

Cholmondeley gab ihm keine Antwort, sondern starrte, den Kopf zur Seite gewandt, weiter aus dem Fenster.

Jury ließ das Thema einer Liaison zwischen den beiden wieder fallen. «Kann es denn sein, daß einer Ihrer Reisegefährten Miss Bracegirdle nicht mochte?»

«Meines Wissens nicht. Für mich war sie nicht der Typ, den man mag oder nicht mag. Ich fand sie etwas zu... überschäumend. Zuviel Geschwätz, zuviel Geblubber.»

«Sie haben sich also doch mit ihr unterhalten?»

«Ja, natürlich. Übers Wetter und ähnlich belangloses Zeug.» Ungeduldig schnippte er die Asche seiner Zigarette in den gläsernen Aschenbecher.

«Gab es denn unter den Mitreisenden irgendwelche Unstimmigkeiten?»

«Nur das übliche Gezänk, Eifersüchteleien und so weiter. Aber das ist gang und gäbe.»

«Ich bin noch nie mit einer Reisegesellschaft gereist. Ich weiß also nicht, was gang und gäbe ist.»

«Sie nehmen alles schrecklich wörtlich, Superintendent.»

«Ich hab noch nie erlebt, daß ein Mord auf metaphorischem Wege gelöst wurde.»

Cholmondeley stieß einen tiefen Seufzer aus. «Na schön. Es gab natürlich Probleme mit dem Jungen, aber die gibt es wohl immer mit Kindern. Der kleine Farraday – James Carlton heißt er, wenn ich mich recht erinnere – macht gern Extratouren.»

«Hmm. Er scheint gerade wieder eine zu machen.»

Cholmondeley schien nicht sonderlich überrascht. «Die Eltern haben sich schon daran gewöhnt. Gar nicht so einfach, ihn wieder einzufangen. Ein seltsames Kind.» Cholmondeley tat das Problem mit einem Schulterzucken ab; es betraf ihn nicht. «Und dann ist da natürlich diese gräßliche Lady Dew. Lady Violet Dew.»

«Ich hatte noch nicht das Vergnügen.»

«Es ist keines, glauben Sie mir. Sie lebt in Florida und

kommt einmal im Jahr nach England zurück, um ihre Verwandten auf Trab zu bringen. Die müssen wirklich glücklich darüber sein, daß sie den Daumen auf der Geldbörse hat.»

«Hat sie sich Ihnen anvertraut?»

«Die hat sich *allen* anvertraut.»

«Was ist mit Schoenberg?»

Cholmondeley schenkte sich noch etwas Wein ein. «Komischer Kauz. Wirklich, man kann sich kaum mit ihm unterhalten, da er meistens Computerfachchinesisch spricht. RAMS und ROMS und so weiter. Aber mit dem kleinen Farraday hat er sich prächtig verstanden. Ein schlaues Bürschchen, wundert mich nicht, daß er seine Eltern so häufig an der Nase herumführt.»

«Und Farraday?»

«Was mit ihm ist? Nett scheint er zu sein. Etwas zu protzig für meinen Geschmack. Hat wohl viel Geld in zu kurzer Zeit gemacht und kann es nicht schnell genug wieder ausgeben. Die beiden Töchter hassen sich wie die Pest. Eigentlich tut mir das häßliche Entlein leid.»

«Meinen Sie Penny?»

Er zog eine Augenbraue hoch. «Nun, offensichtlich nicht Miss Milch-und-Honig.» Und er sah Jury an, als vermutete er, sein Geschmack sei bei Frauen genauso langweilig wie bei Krawatten.

«Honey Belle scheint Sie nicht kaltzulassen.» Jury lächelte.

«Sie glauben doch wohl nicht, ich würde kleinen Mädchen nachstellen?»

«Ich dachte eher, die kleinen Mädchen würden Ihnen nachstellen.»

Zum erstenmal lächelte Cholmondeley ungezwungen. «Ein bißchen schon.»

«Aber nicht Miss Bracegirdle? Sie hat Sie in Ruhe gelassen?»

Cholmondeley sah ihn baß erstaunt an. «Großer Gott, ja. Wollen Sie damit sagen, außer mir hätte das keiner bemerkt?»

«Was bemerkt?»

«Gwendolyn ist – ich meine, war – anders gepolt. Wie auch diese Cyclamen Dew.»

Jury brauchte einen Augenblick, um diese Neuigkeit zu verdauen. «Und das ist Ihrer Meinung nach auch der Grund, weshalb die beiden häufiger zusammen waren?»

Cholmondeley genoß es offensichtlich, Sand ins Getriebe gestreut zu haben. «Wenn Miss Bracegirdle ein so folgenschweres Rendezvous hatte, muß sie nicht unbedingt einen Mann getroffen haben. Mehr wollte ich damit nicht sagen.» Er sah wieder aus dem Fenster, und die Gleichgültigkeit stand ihm ins Gesicht geschrieben. «Ich versuche keineswegs, jemanden in die Sache hineinzuziehen.»

Den Teufel tust du! «Woher wollen Sie das so genau wissen, Mr. Cholmondeley? Ich meine, daß die beiden lesbisch sind beziehungsweise waren.»

«Mein guter Mann», sagte Cholmondeley in einem Wiekann-man-nur-so-naiv-sein-Ton. «Man brauchte sie sich doch nur anzuschauen.»

«Als ich Gwendolyn Bracegirdle das erste Mal sah, ist mir das nicht aufgefallen», sagte Jury kalt.

Cholmondeley hatte den Anstand zu erröten. «Ja, das sehe ich ein. Aber abgesehen davon...»

«Ja? Abgesehen wovon?»

«Es klingt wahrscheinlich schrecklich eingebildet, ich weiß, aber...»

Seine Stimme schien sich mit dem Rauch der Zigarette zu verflüchtigen, die er soeben im Aschenbecher ausdrückte. Anständigerweise errötete er zum zweitenmal.

«Sie meinen, keine von beiden hat Interesse für Sie gezeigt?»

Cholmondeley nickte. «Verstehen Sie, ich behaupte keineswegs, das Charisma eines Mick Jagger zu besitzen –»

Jury lächelte. «Der ist auch nicht mehr der Jüngste, nicht?» Er konnte sich nicht entscheiden, ob Cholmondeley ihm sympathisch war oder nicht. Der Mann ließ sich nicht fassen, er war so glatt wie der feine italienische Seidenanzug, den er trug.

«Stimmt. Ich wollte auch niemanden mit meinem Charme becircen. Die Frauen mögen mich einfach. Aber für diese beiden war ich einfach Luft.»

Das kam heraus wie eine schlichte Feststellung: Die Frauen mochten ihn. Jury überraschte das nicht. Er fragte sich nur, was für Vorteile Cholmondeley daraus zog. «Für Amelia Farraday auch? Und wie sieht's mit der Tochter aus?»

Er schnaubte. «Du lieber Himmel, ich habe es doch nicht nötig, mich an Kindern zu vergreifen. Und was Mrs. Farraday betrifft, so kann ich mir nicht vorstellen, warum das wichtig sein sollte –»

«Könnte es aber. Ich schätze Ihre Diskretion, aber vielleicht ist es doch von Bedeutung – ich meine Ihre Beziehung zu Mrs. Farraday.»

«Warum? Was hat das denn mit der ganzen Geschichte zu tun?»

Jury zuckte die Achseln. «Das müssen Sie schon uns überlassen.»

«Wenn ich nur wüßte, was Sie im Schilde führen. Vielleicht sollte ich besser meinen Rechtsanwalt hinzuziehen.»

Jury bedachte Cholmondeley mit einem entwaffnend unschuldigen Lächeln: «Keine Ahnung. Meinen Sie?»

«Ich muß schon sagen, Superintendent, Sie können einen an den Rand der Verzweiflung treiben. Sie scheinen mich nicht einschüchtern zu wollen. Und doch –»

«Ich wette, Sie können einiges aushalten, auch ein ziemlich

eindringliches Verhör. Hören Sie, Mr. Cholmondeley –»
Jury lehnte sich über den Tisch und schob dabei das mit einer
Serviette bedeckte Brotkörbchen zur Seite – «ich möchte nur,
daß Sie sich kooperativ zeigen. Was sich zwischen Ihnen und
Mrs. Farraday abgespielt hat, ist mir völlig gleichgültig.»
(Wenn Cholmondeley das glaubte, war er ein Narr.) «Aber es
scheint mir wichtig zu wissen, wie die Kunden von Honey-
suckle Tours zueinander stehen –»

«Fürchterlicher Name, finden Sie nicht auch? Haben Sie
eigentlich schon Mr. Honeycutt kennengelernt, unseren Rei-
seleiter und Sekretär?» Der Blick, den er Jury zuwarf, ließ
Verunsicherung erkennen, obwohl er sie durch eine Maske
der Geringschätzung zu verbergen suchte.

«Ja. Er hat kein Wort über Sie verloren.»

«Vermutlich bin ich nicht Honeycutts Typ.» Auch mit dieser beiläufig hingeworfenen Bemerkung gelang es Cholmondeley nicht, seine Erleichterung zu verbergen.

«Kann sein. Aber warum sind Sie eigentlich überhaupt mit
dieser Reisegesellschaft unterwegs?»

Die Frage traf ihn völlig unerwartet, und das hatte Jury
beabsichtigt. «Wie bitte? Um mal Ferien zu machen.»

Jury zog eine Handvoll Papiere, die wie Listen aussahen,
aus der Tasche, und es gelang ihm, den Eindruck zu erwek-
ken, Cholmondeleys Name würde auf allen ganz oben stehen. «Sie handeln mit Edelsteinen?»

«Ja. Es sieht so aus, als hätten Sie bereits gründlich recher-
chiert.»

«Diese Fahrt ging auch nach Amsterdam.»

Cholmondeley runzelte die Stirn. «Viele Reisen gehen nach
Amsterdam. Die *meisten*, die die London-Paris-Rundreise
auf ihrem Programm haben. Es gehört zu den Städten, die
einfach und bequem zu erreichen sind. Man braucht nur nach
Hoek van Holland überzusetzen –»

«Haben Sie zufällig Ihren Paß bei sich, Mr. Cholmondeley?»

Nun schien Cholmondeley völlig verwirrt. Entschlossen, über seine neue Eroberung kein Wort zu verlieren oder alles abzustreiten, sah er sich durch Jurys neue Fragetechnik aus dem Konzept gebracht. Er zog seinen Paß aus der Tasche und warf ihn auf den Tisch.

Jury besah sich die Stempel. Der Paß war voll davon. Mit einem knappen «Danke» gab er ihn seinem Eigentümer zurück.

Cholmondeley saß am Tisch, spielte mit einem silbernen Messer und musterte Jury. «Ich habe keine Ahnung, worauf Sie hinauswollen. Was diese Gruppe betrifft, kann ich Ihnen nur sagen, wir kommen aus verschiedenen Teilen der Welt, haben uns noch nie im Leben gesehen, wissen nichts voneinander – und Sie versuchen die Sache so darzustellen, als ob einer von *uns* nur darauf lauern würde, die anderen abzumurksen.» Er entrang sich ein gezwungenes Lächeln. Anscheinend war das eine ganz neue und höchst unwillkommene Vorstellung: «Einer von *uns*?»

14

Melrose Plant saß mißvergnügt auf seinem Sitz im ersten Rang und wünschte sich eine echte Leiche zu sehen, statt darauf zu warten, daß Hamlet die Bühne mit falschen übersäte.

Das Theater war genauso voll wie am Abend zuvor. Er hatte Glück gehabt und einen Platz in der ersten Reihe bekommen; diesmal würde er, verdammt noch mal, die zweite Hälfte nicht verpassen.

Rief da nicht jemand seinen Namen? Als er über das Messinggeländer ins Parkett spähte, glaubte er, das Echo auch von hinten zu hören. Das Memorial Theatre galt als ein akustisches Wunder: Sein Name schien aus allen Richtungen zu kommen.

«Hallo, Mel!»

Ach ja. Ungefähr ein Dutzend Reihen hinter ihm saß Harvey Schoenberg und winkte heftig. Melrose begrüßte ihn mit einer vagen Handbewegung.

«Melrose!»

Allmächtiger, und da unten war Agatha; sie stand vor ihrem Sitz und winkte ebenfalls, aber mit beiden Armen, als würde sie den Start einer Boeing 747 dirigieren.

Wäre ihm bekannt gewesen, daß sie zu dieser Vorstellung kommen würde, hätte er seine Karte zerrissen. Der Versuch, sie zu übersehen, bewirkte lediglich, daß sie sich noch mehr Mühe gab, ihn auf sich aufmerksam zu machen, während die Leute in seiner Nähe ihm bereits böse Blicke zuwarfen. Würde er mit seinem Auftritt Hamlet Konkurrenz machen?

Er sah noch einmal übers Geländer, hob die Hand wie zum Gruß und fragte sich, ob die ungeschlachten, die Hälse reckenden Gestalten an ihrer Seite zur Randolph-Bigget-Sippe gehörten. Als er sah, daß sie die Hände trichterförmig an den Mund hielt, entschlossen, den Lärm und das Getöse von Gott weiß wieviel hundert Stimmen zu überschreien, ließ Melrose sich schnell wieder in seinen Sitz rutschen. Dankbar nahm er zur Kenntnis, daß die Lichter im Saal ausgingen.

Es war gut, aber ist das Royal Shakespeare Theatre je schlecht gewesen? Hamlet war nach seinem ersten Auftritt nicht zu melancholisch, Gertrude hingegen war wundervoll lasziv und der alte Claudius etwas sympathischer als sonst. Nicht gerade einfach, für Claudius Sympathie zu empfinden. Als dann die Pause kam, waren alle erschöpft, sowohl auf wie vor der

Bühne. Melrose dachte mit Grauen an den Ansturm auf die Bar.

Da er jedoch in weiser Voraussicht seinen Brandy schon vor Beginn der Vorstellung bestellt hatte, mußte er sich nicht durch die Menge kämpfen, sondern konnte sich in eine Ecke zurückziehen. Eine Fliege hüpfte in der Menge umher, und Melroses Blick fiel ab und zu auf Harvey, der schließlich auch vor ihm auftauchte.

«Können Sie sich das vorstellen? Während wir in dieser Kirche waren, lag sie da draußen.» Harvey fuhr sich mit dem Finger über die Kehle.

Wie geschmacklos, dachte Melrose und fragte ihn: «Kannten Sie denn die Dame?»

«Zum Teufel, nein. Außer, daß wir Reisegefährten waren.» Er schüttelte betrübt den Kopf. «Arme Gwennie. Mann, ich bekam ganz weiche Knie.» Harvey leerte sein Bier, als die Lichter das Ende der Pause signalisierten. «Bis später. Ich sitze in der Mitte und steig nicht gern über die Leute.»

Melrose wähnte sich zwei Minuten lang in Sicherheit, aber man war nie sicher vor Agatha, die sich unter Einsatz der Ellenbogen zu ihm durchdrängte. Sie spürte ihn stets auf wie ein Terrier den Fuchs im Bau. «Melrose!»

«Hallo, Agatha. Freut mich, dich zu sehen. Wie hast du nur hierhergefunden?» Doch sie stand einfach nur da, strahlte selbstzufrieden und wartete darauf, daß er sich nach dem Grund für ihre Freude erkundigte. «Hast du die Motive für Hamlets Zögern durchschaut oder was?»

«Du wirst nie *erraten*, wer hier ist!»

«Da hast du recht. Möchtest du einen Brandy? Oder mußt du zurück zu den Biggets? Die sind doch wohl hier, oder nicht?» Sein Mangel an Begeisterung war hoffentlich nicht zu übersehen.

«Schließ die Augen!»

«Die Augen schließen –? Um Himmels willen, niemals.»

Sie zog einen Schmollmund, und das Schmollen schien sich über ihr ganzes Gesicht auszubreiten.

«Ich muß schon sagen, Agatha –» Doch was immer er sagen wollte, es blieb ihm im Hals stecken, als er ihr über die Schulter sah.

Denn da stand Vivian Rivington.

Von den dreien war Agatha die einzige, die dieses Zusammentreffen nicht aus der Fassung brachte; sie strahlte übers ganze Gesicht, als wäre Vivian Rivingtons wundersames Erscheinen nur ihr zu verdanken – als hätte sie sie wie ein Kaninchen aus dem Zylinder gezogen.

Vivian selbst schien so erfreut wie verwirrt und wußte offensichtlich nicht, wohin mit ihren Händen.

Melrose half ihr aus der Verlegenheit, indem er sie in die Arme schloß: «Liebste Vivian. Was zum Teufel machst du hier in Stratford? Wie bist du hierhergekommen? Warum bist du nicht in Italien?»

Agatha antwortete an Vivians Stelle, wie sie das bei allen machte. «Sie ist mit dem Auto von Long Pidd gekommen. Sie sagt, der alte Ruthven hätte ihr erzählt, daß wir hier seien, und da hat sie beschlossen, uns nachzufahren. Sie sagte –»

«– und sie spricht jetzt nur noch Italienisch und hat dich als Dolmetscherin angeheuert. Agatha, ich wäre dir sehr dankbar, wenn –»

«Die Beleuchtung!» sagte Agatha, als die Lichter gedimmt wurden, um den Beginn des nächsten Aktes anzukündigen. Da sie keine Minute von etwas verpassen wollte, für das sie bezahlt hatte, pflügte Agatha sich ihren Weg zurück durch die Menge.

«Verschwinden wir von hier, Vivian. Gehen wir in die

‹Torkelnde Ente›, dort können wir was trinken und uns unterhalten.»

«Aber das Stück –» sagte Vivian.

«Ich erzähl dir, wie es ausgeht.»

Da beinahe ganz Stratford sich den zweiten Teil des *Hamlet* anschaute, war die «Ente» fast menschenleer.

Er stellte ihre Drinks auf den Tisch. «Drei Jahre ist das nun schon her.»

Drei Jahre, und dies hier war nicht die Vivian, die ihm so vertraut gewesen war. Die Vivian von damals hatte nicht wie diese hier ausgesehen. Wo waren die dezenten Twinsets und Röcke, die ungeschminkten Lippen? Das Haar schimmerte immer noch in diesem herbstlichen Braun mit dem rötlichen Glanz, aber sie hatte es nie so nachlässig hochgesteckt, daß die Locken seitlich herunterhingen, wie sie es jetzt trug. Höchstwahrscheinlich war das der letzte Schrei. Und früher hätte sie auch nie ein so grelles Grün getragen. Ihr Kleid war eng und sehr tief ausgeschnitten.

«Drei Jahre, ja.» Sie zog ein Päckchen Zigaretten aus ihrer silbernen Paillettentasche. «Ich bin zurückgekommen, weil ich das Haus in Long Piddleton verkaufen möchte.»

«Verkaufen? Warum denn?»

«Ich werde heiraten.»

Er starrte sie fassungslos an und verbrannte sich am Streichholz die Finger. «Nein.»

«Doch.»

«Ah, und wo ist er?»

«In Italien.»

«Und was zum Teufel macht er dort?»

«Er ist Italiener.» Eine kurze Pause. «Oh, sieh mich nicht so an. Er ist kein Gigolo. Er hat es nicht auf mein Geld abgesehen.»

Vivan hatte ziemlich viel Geld.

«Du hast ihn also in Neapel getroffen? Ist ja unerträglich romantisch.»

Sie schüttelte den Kopf. «Venedig. Und es war auch romantisch. Das heißt, es ist noch immer romantisch.»

«Aha! Du bist dir also nicht ganz sicher.»

Sie lachte. «Doch, eigentlich schon. Aber was kümmert dich das überhaupt. *Du* wolltest mich ja nicht heiraten.»

Auf diesen direkten Angriff war er nicht gefaßt gewesen. Hatte sie das in Italien gelernt? Was ihn am meisten an ihr verwirrte, war, daß sie die zurückhaltendste Frau der Welt sein konnte, gleichzeitig aber auch von einer unglaublichen Direktheit. An Vivian gab es nichts zu deuten, nichts, worüber man stolperte, wenn man im Dunkeln nacheinander tastete. Und kein Wechselspiel von Licht und Schatten. Wo Vivian sich aufhielt, war es taghell.

«Warum lächelst du?»

Er änderte schnell seinen Gesichtsausdruck.

«Und was zum Teufel tust du in Stratford, mitten im Juli? Du bist im Sommer nie irgendwohin gefahren und schon gar nicht in ein Touristenkaff.»

«Tu ich immer noch nicht. Aber erinnerst du dich –» Er unterbrach sich mitten im Satz. Natürlich würde Vivian sich an Richard Jury erinnern. Oder vielmehr würde Jury sich an sie erinnern. Melrose war überzeugt, daß Jurys Interesse nicht nur rein beruflich gewesen war. Im Augenblick allerdings schien diese Kennington in seinem Hinterkopf herumzugeistern…

«Erinnern – an was?»

«Nichts. Nichts. Ich bin hier, weil Agatha sonst mit ihren Amerikanern auf Ardry End eingefallen wäre.»

Vivian lachte. «Du warst schon immer viel zu nett zu ihr, Melrose. Und sie dankt es dir mit ihrer Unausstehlichkeit.»

«Ich bin *nicht* nett zu ihr; außerdem ist es äußerst aufschlußreich, jemanden um sich zu haben, der unausstehlich
ist. Man kann Reaktionen testen. Wie ein Torwart bei einem
Fußballspiel. Aber lassen wir das – es ist wunderbar, daß du
hier bist.»

«Bist du dir da sicher?»

Ihre Augen funkelten ihn über den Rand ihres Glases hinweg an. Was trank sie? Natürlich Campari mit Limone. Tran-
ken sie das nicht alle da drüben? Er wußte, daß sein Ärger
jeder Grundlage entbehrte. Aber warum mußte sie gerade
jetzt auftauchen, völlig auf Gucci getrimmt mit ihrem schimmernden grünen Kleid und dem seidigen Haar, das wie italie-
nisches Eis an den Seiten heruntertropfte. Wahrscheinlich
sagte sie auch so schreckliche Dinge wie *ciao*.

«Wie lange bleibst du?»

«Oh, *danke*, kann ich vorher noch mein Glas austrinken?»
Sie musterte ihn kühl und belustigt. «Morgen hole ich Franco
in Heathrow ab. Er kommt aus Rom.»

Franco. Heathrow. Rom. Das klang alles fürchterlich in-
ternational.

«Und dann… na ja, wenn du da bist, würde ich euch gern
miteinander bekannt machen.»

«Möchtest du nicht auf Ardry End Hochzeit feiern? Da
findet seine ganze Familie Platz.»

«Das ist nett von dir, Melrose.» Sie lächelte immer noch.
«Agatha wird begeistert sein. Er ist nämlich ein Graf.»

«Ein *Graf*.» Das war des Guten zuviel.

«Sie haben auch ihre Adligen in Italien; du bist nicht der
einzige mit einem Adelstitel.»

«Ich habe keinen. Mit diesem Quatsch habe ich schon vor
Jahren aufgeräumt. Wenn ich gewußt hätte, daß du so versessen darauf bist, hätte ich vielleicht den Earl und den Viscount
et cetera beibehalten.»

Sie sah zur Seite. «Das ist absurd. Ich lege keinen Wert darauf. Das weißt du genau. Er ist eben rein zufällig einer.»

«Man ist nicht *zufällig* ein Graf.» Melrose sah immer nur diesen Fremden mit dem schwarzen Cape vor sich. «Kann er sich denn im Spiegel sehen?»

Nun wurde Vivian zornig – und mit Recht, dachte er. «Oh, um Himmels willen...»

Melrose rutschte noch tiefer in seinen Sessel und griff sich mit Klauenfingern an den Hals, um sie noch mehr zu provozieren.

Dann dachte er an den Ausdruck in Detective Sergeant Laskos Gesicht. Genau das, was Stratford im Augenblick fehlte – noch ein kleiner Aderlaß.

15

Für eine Siebzehnjährige war Stratford-upon-Avon nicht gerade der Garten Eden. Es gab keine Clubs, keine Diskos, keine Kinos, und auch auf der Straße war nichts los. Aber Honey Belle Farraday konnte man auf einer Kuhweide aussetzen, und sie würde trotzdem einen draufmachen.

Heute abend ging sie mit wiegenden Hüften die Wood Street entlang, als handelte es sich um den Strip in Las Vegas. Und wenn Honey Belle die Hüften in den Sassoon-Jeans wiegte, geriet einiges ins Schwingen, etwa die prallen Brüste, kaum verhüllt von dem indischen Oberteil, dessen weißer Baumwollstoff so transparent war wie eine beschlagene Fensterscheibe. Dazu trug sie nur Armreifen, Reifenohrringe und Goldkettchen. Darunter war sie nackt; Honey Belle beschränkte sich gern auf das Notwendigste.

Stratford. Was für ein Kaff! Nichts als langweilige Theaterstücke und langweiliges Sightseeing. Man konnte den ganzen Tag am Pool des «Hilton» herumliegen und wurde doch nicht braun. Trotzdem tat sie nichts anderes, denn das bot ihr zumindest die Gelegenheit, ihren weißen Badeanzug aus Paris vorzuführen – ein paar winzige, von Schnüren zusammengehaltene Satinflicken. Der alte James hielt ihn für skandalös. Aber glaubte er, sie nahm ihm das ab? Wirklich komisch, sich vorzustellen, daß ihre eigene Mutter eifersüchtig auf sie war. Amelia hätte sie damals beinahe umgebracht, als sie sie mit Old James im elterlichen Schlafzimmer erwischt hatte, Honey Belle in nichts als ihrem durchsichtigen Babydoll. Na ja, so richtig passiert war eigentlich nichts. Aber erzähle das mal einer Amelia Blue.

Sie überquerte die Straße, ging am «Goldenen Ei» vorbei und starrte durch die Glasfront auf Leute, die sich mit Eiern und Pfannkuchen vollstopften. Essen kam für sie natürlich nicht in Frage. Man kann nicht essen und gleichzeitig einen solchen Körper haben, dachte sie, während sie sich mit violett lackierten Fingernägeln über den Bauch strich, der so flach war wie ein Bügelbrett. Ein Werbespot für chinesisches Essen ging ihr durch den Kopf: «*Gib acht auf deinen schönen Körper, gib acht auf deinen hübschen Bauch!*» Junge, Junge, und wie sie auf ihren Bauch achtgab. Bei dieser Vorstellung seufzte sie gerade vor Wonne, als zwei Frauen mit Einkaufstüten an ihr vorbeigingen. Sie waren so etwa fünfundvierzig, fünfzig, dachte sie, während sie ihnen nachblickte. Sie wunderte sich, wie jemand so lange leben konnte, ohne sich umzubringen.

Honey Belle hatte nur vor einem Angst: ihre gute Figur zu verlieren, alt und runzlig zu werden. Sie sah, wie ihre eigene Mutter abbaute, obwohl sie zugeben mußte, daß Amelia ihr Äußeres nicht vernachlässigte. Zum Glück hatte sie zumindest früher einmal toll ausgesehen, und Gott sei Dank war ihr Daddy groß und blond und ein echter Frauenheld gewesen. Sie vermutete, Amelia hatte es nicht mehr ausgehalten, die zweite Geige neben der jeweiligen Favoritin zu spielen, und ihn deshalb verlassen. Honey Belle fragte sich kichernd, ob ihre Mutter überhaupt ahnte, wie sehr ihr Daddy seine kleine Honey Belle gemocht hatte.

Sie kreuzte die Einmündung einer Gasse mit vielen kleinen Geschäften und dachte daran, daß Papa James und Amelia Blue sie glatt umbringen würden, wenn sie wirklich Bescheid wüßten, wenn sie dahinterkämen, was sie alles für das Geld machte, mit dem sie sich ihre Sassoon-Jeans und ihre Goldkettchen finanzierte: Sie tanzte in einer Oben-ohne-Bar, und sie posierte für einen befreundeten Fotografen, der außer Aktfotos noch ganz andere Dinge mit ihr machte. Aber an Sex lag Honey Belle eigentlich gar nichts; sie liebte die Macht. Mein Gott, welche Macht gab ihr der Sex über die Männer. Da oben auf der Bühne zu stehen mit all den blauen und rosaroten Lichtern, die über ihren Körper tanzten; oder auf den Sofas und Kissen diese Stellungen einzunehmen. Nein, der Sex war es wirklich nicht. Die Sache selbst machte ihr gar keinen Spaß. Ihr kam es nur darauf an, daß die Männer daran dachten – daß sie daran dachten, es mit *ihr* zu treiben. Zu beobachten, wie sie sie beobachteten, und sich vorzustellen, daß diese Männer Fotos von ihr kauften und sie mit den Augen verschlangen, ließ sie lustvoll erschauern. Ihre Karriere ließ sich gut an. Wenn James über die Schule und ihre Zeugnisse sprach, mußte sie an sich halten, ihm nicht ins Gesicht zu lachen. Sie würde Fotomodell werden oder zum Film gehen... Fast als hätte der Gedanke an all die Filmproduzenten, die hinter ihr her waren, plötzlich Gestalt angenommen, hörte sie Schritte hinter sich.

Honey Belle blieb im trüben Licht einer Straßenlaterne vor

einem kleinen Buchladen stehen und zündete sich eine Zigarette an. Die dünne Rauchsäule stieg auf und verflüchtigte sich in dem blau phosphoreszierenden Schimmer der Laterne. Sie lächelte. Eigentlich hatte sie nur das Klappern ihrer Holzsandalen abstellen wollen, um herauszufinden, ob ihr Verfolger ebenfalls stehenblieb. Selbst noch inmitten eines Regiments marschierender Füße hätte sie immer ganz genau gewußt, wenn jemand *ihr* folgte. Und sie hatte sich nicht getäuscht. Obwohl sie die dunkle Gestalt, die dahinten in der kleinen Gasse mit den Geschäften vor einem Schaufenster stand, eigentlich gar nicht gesehen, sondern nur gespürt hatte. Inzwischen mußte, wer immer es auch war, sie bemerkt haben. Und das genügte. Mit der Zigarette im Mundwinkel ging sie weiter. Neben dem Bahnhof war dieser Punkschuppen, wo es angeblich heiße Musik, Drinks, Gras und vielleicht auch eine Nase Koks geben sollte. Honey Belle brauchte nur ihrer Nase zu folgen – sie kicherte über ihr kleines Wortspiel, während sie vergnügt die Hüften schwingen ließ.

Aber als die Hand sich auf ihren Mund legte und sie den Atem auf ihrem Nacken spürte, blieb ihr das Kichern im Hals stecken.

Scheiße! dachte sie noch, *den ganzen Trip, nur um in England vergewaltigt zu werden! Und auch noch in diesem miesen Kaff!* Und in den wenigen Sekunden, in denen ihr kleines Gehirn noch mit der Außenwelt verbunden war, dachte sie: *Warum eigentlich nicht? Es ist die Art von Sex, bei der man nichts zu tun braucht.* Doch dann spürte sie dieses kalte Ding auf ihrer Haut; es durchschnitt ihr indisches Hemd und alles übrige wie ein Messer ein Stück Butter.

Honey Belle wäre entsetzt gewesen, hätte sie noch sehen können, wie die Hände, die über ihren schönen Körper fuhren, ihn zugerichtet hatten.

«‹Ein goldner Schimmer in der Luft, Königinnen verblichen und liegen in der Gruft.›» Jurys Blick glitt von dem Theaterprogramm, auf das Lasko seine Taschenlampe hielt, zu Honey Belle Farradays verstümmelter Leiche.

Es war halb elf, und abgesehen vom Licht der Taschenlampen und dem trüben Blau der Karbonleuchten war es stockdunkel in der Wood Street. Das Blut – und es war reichlich geflossen – war noch nicht geronnen. Sie mußten aufpassen, wo sie hintraten.

Ein Pärchen, das von einem späten Imbiß aus dem «Goldenen Ei» am anderen Ende der Straße kam, hatte sie gefunden. Man hatte der Frau eine Beruhigungsspritze geben und sie ins Krankenhaus bringen müssen; der Mann hatte es gerade noch fertiggebracht, die Polizei anzurufen, bevor er sich in der Telefonzelle übergab. Er befand sich nun auf der Wache.

«Der Arzt sagt, der Tod sei vor einer Stunde eingetreten», bemerkte Lasko. «Der Anruf kam vor zwanzig Minuten. Sie muß also ganze vierzig Minuten hier gelegen haben, ohne daß sie jemand gesehen hat.»

Jury sah die Straße hoch. «Außer dem ‹Goldenen Ei› hat hier nichts auf. Keine Pubs, kein Verkehr. Es nimmt also nicht wunder. Hast du nach Fingerabdrücken suchen lassen? Am Hals? An der Kehle?»

«*Welcher* Hals! *Welche* Kehle?» brummte Lasko. «Schau sie dir doch an, Mann.»

«Hab ich», sagte Jury. «Ich dachte, direkt unter dem Kinn. Wahrscheinlich hat er sie da festgehalten und das Kinn nach hinten gedrückt. Die übrige Bescherung kam später.»

‹Bescherung› war vielleicht die passende Bezeichnung. Zuerst war der Hals aufgeschlitzt und bis zum Knorpel aufgerissen worden, dann der Rumpf vom Brustkasten fast bis zu den Schenkeln.

«Hier haben Sie es wieder», sagte Lasko müde und gab dem

Mann von der Spurensicherung das Theaterprogramm zurück.

Sie schauten zu, wie Honey Belle Farradays sterbliche Überreste auf das Polyäthylentuch gelegt wurden. Jury beneidete den Polizeifotografen nicht. Die Blitze beschrieben trübe Bögen in der Luft wie Leuchtspurgeschosse und erhellten die Nacht und die bleichen Gesichter der an beiden Enden der Straße versammelten Schaulustigen. Dort waren Polizeiwagen mit rotierenden Blaulichtern abgestellt und Absperrungen errichtet worden. Jury sah die Leute von der *Times* und dem *Telegraph* die M-1 hinunterrasen.

«Dieses Gedicht… es erinnert mich an das erste», sagte Lasko.

«Es ist das erste. Oder vielmehr ein Teil davon.» Jury zog die Kopien der Programme heraus und las:

> «Der Schönheit rote Nelken
> sind Blumen, die verwelken
> Ein goldner Schimmer in der Luft,
> Königinnen verblichen und liegen in der Gruft.»

«Von wem ist das eigentlich? Shakespeare?»

Jury schüttelte den Kopf. «Ich weiß nicht, es klingt bekannt, aber ich komm nicht drauf.» Er sah zu, wie die Plane mit dem jungen Mädchen, das nun vollständig darin eingehüllt auf der Bahre lag, in den wartenden Krankenwagen geschoben wurde. Er dachte an Farraday. Armer Kerl! Der Stiefvater tat ihm jedenfalls sehr viel mehr leid als die leibliche Mutter. Amelia Blue Farraday würde eine gewaltige Szene machen, dessen war er sich ganz sicher.

«Weißt du, was mir Sorgen macht?» sagte Jury.

«Was?»

«Wie lang ist dieses Gedicht?»

16

Was die hysterische Szene betraf, so hatte Jury recht behalten.

Falls jemals Zweifel an Amelia Blues schauspielerischem Talent bestanden hatten, so wurden sie jetzt jedenfalls vollkommen beseitigt durch die Vorstellung, die sie gab, als sie von dem Mord an ihrer Tochter erfuhr.

Denn genau das und nichts anderes war es – eine Vorstellung. Wie Jury vermutet hatte. Und es lag bestimmt nicht daran, daß er nach über zwanzig Jahren bei Scotland Yard gefühllos geworden war. Nachdem sie auf dem kleinen Sofa im Salon ihrer «Hilton»-Suite aus ihrer Ohnmacht erwacht war (oder Beinah-Ohnmacht, denn so lange hatte sie nun auch wieder nicht gedauert), stürzte sie sich mit ausgefahrenen Krallen auf Farraday, als sei er schuld daran, daß sie sich überhaupt in diesem mörderischen Ort aufhielten; dann richtete sich ihr Zorn gegen Lasko und Jury als die Überbringer der Hiobsbotschaft, und schließlich stolzierte sie im Zimmer auf und ab, als beherrschte sie die Kunstgriffe einer überzeugenden Bühnenpräsenz aus dem Effeff: Und nun zum Fenster. Hinausstarren. Zurück zum Tisch. Foto von Honey Belle in die Hand nehmen, das letzten Sommer aufgenommen worden war – *erst* letzten Sommer, am Strand, umlagert von ihren Verehrern. Gegen Busen drücken.

Und gegen ihren Busen ließ sich einiges drücken. Vielleicht war ihm die Saat dieses Zweifels an Amelias mütterlichen Gefühlen zum erstenmal an den Ufern des Avon eingepflanzt worden, als er sich mit Penny unterhalten hatte.

Jury konnte auch sehen, welche Qualitäten Farraday zum erfolgreichen Selfmademan gemacht hatten. Seine Selbstbeherrschung überzeugte sehr viel mehr als die Hysterie der

Mutter. Die Gefahr war gleich einem Standbild, das plötzlich beschlossen hatte, sich zu bewegen und zu reden, in sein Leben eingedrungen und hatte seine frühere Wut über das Verschwinden seines Sohnes, sein Geschrei nach größerem und besserem Polizeieinsatz, seine Drohungen mit der amerikanischen Botschaft, also die Angewohnheit, seinen Einfluß in allen Lebenslagen lautstark geltend zu machen, gebändigt.

Statt dessen schrie nun Amelia Zeter und Mordio, während ihr Mann versuchte, sie zur Vernunft zu bringen.

«Beruhige dich, Amelia. Das hilft uns auch nicht weiter.»

«*Du!* Was weißt du schon – dir ist das wohl alles egal – das arme süße Ding ist jetzt eben nicht mehr da, wo du es –»

Farraday gab ihr eine Ohrfeige. Keine sonderlich kräftige, nur einen kleinen Klaps mit dem Handrücken, der sie nicht einmal ins Wanken brachte. Sie hatte die Hände in die Hüften gestemmt, und ihre Wangen glühten. Auf ihren leuchtendroten Lippen lag ein Lächeln von kaum zu überbietender Gehässigkeit.

Niemand schien an Penny zu denken. Sie war auf den Balkon hinausgegangen und hatte sich in der Dunkelheit auf eine harte kleine Bank gesetzt. Fast mochte man glauben, Schatten und Dunkel wären alles, was das Leben für sie bereithielt. Jury überließ es Lasko, den Schiedsrichter zu spielen und den Farradays Fragen zu stellen; er folgte ihr hinaus und setzte sich neben sie.

Penny starrte ins Leere. Ihr langes Haar war zu einem lockeren Zopf geflochten, den sie so ungeschickt hochgesteckt hatte, daß er sich schon wieder auflöste; die kleine Blume, die sie eingeflochten hatte, war verwelkt. Jury vermutete, daß die Frisur und das formlose Baumwollkleid, an dessen Falten sie geistesabwesend herumzupfte, mit ihrem Besuch der heutigen *Hamlet*-Vorstellung zusammenhingen. Im Anschluß daran hatte sie dann von dem Mord erfahren.

Es war seltsam, Penny schien wirklich das Zeug zu einer Tragödin zu haben. In ihrem Schweigen schwang Tragik mit, echte Tragik. Mit ihrem schlechtsitzenden Kleid und dem aufgelösten Haar konnte er sie beinahe wieder sagen hören: *«Hier ist Rosmarin… das ist zur Erinnerung.»*

Doch sie sagte nichts. Er spürte, daß er ihr Schweigen brechen mußte, weil er wußte, daß es nicht frei war von Schuldgefühlen. Er legte den Arm um sie.

Sie flüsterte, und das war viel schlimmer als jedes Geschrei: «Wo ist Jimmy?» Dann begann sie zu schluchzen, schlug die Hände vors Gesicht und lehnte sich an ihn.

Er wußte, was sie dachte. Seit man Gwendolyn Bracegirdle gefunden hatte, stellte auch er sich diese Frage. Jemand schien gegen die Kunden von Honeysuckle Tours eingenommen zu sein.

Jury zog sie an sich und sagte: «Wir werden ihn schon finden, keine Angst.» Wie oft hatte er das heute schon gesagt? Leere Worte.

Penny fuhr sich nicht sehr damenhaft mit dem Handrücken über die Nase und wischte ihn anschließend an ihrem Kleid ab. Er zog sein Taschentuch heraus, das sie zwar annahm, aber nicht benutzte, sondern nur nervös in den Händen zerknüllte.

«Oh, mein Gott, ich fühle mich so schuldig. Ich hab so schreckliche Dinge über Honey Belle gesagt… aber zurücknehmen kann ich sie jetzt nicht mehr. Manchmal hab ich mir sogar gewünscht, sie wäre… tot.»

Der Blick, den sie Jury zuwarf, sagte ihm, daß sie wußte, sie würde für diesen quälenden Anflug von Ehrlichkeit büßen müssen. «Gott wird mich *tot*schlagen – wie konnte ich nur all diese Dinge sagen.» Und dann sah sie schnell weg.

Ein unfreiwilliger Reim, dachte er, wie der Versuch eines Amateurs, so etwas wie das herrliche Gedicht nachzuahmen, das er gerade gelesen hatte: *Ein goldner Schimmer in der Luft, Königinnen verblichen und liegen in der Gruft.*

Jury zog sie fester an sich.

Und fragte sich, wie sie sich gefragt hatte, wo ihr Bruder war.

Eine Viertelstunde später sprach Lasko mit seinem Chief Superintendent in der Lobby des «Hilton», während Jury danebenstand und rauchte.

«Wir können nur eines tun: die ganze Gruppe verhaften – aber auf Grund welcher Beweise? Sonst sehe ich keine Möglichkeit, diese Leute in Stratford festzuhalten, wenn sie nach London weiterreisen wollen. Abgesehen von Farraday. Er will bleiben, bis der Kleine gefunden ist; aber seine Frau ist völlig hysterisch und will nichts wie weg... na ja, sie hat Stratford-upon-Avon sicher nicht ins Herz geschlossen.»

«Sie ist verrückt. Entweder verrückt oder hat Dreck am Stecken.» Da Sir George Scotland Yard nicht gänzlich ausschließen zu wollen schien, bezog er Jury in das Gespräch ein. «Sie haben mir doch erzählt, die andere Tochter habe behauptet, die Mutter sei rasend eifersüchtig auf die Verstorbene gewesen.»

Lasko schob seine Melone zurück. «Aber die eigene Tochter so zu massakrieren –»

«Mein Gott noch mal, Sam. Was werden Sie mir als nächstes erzählen? Daß Blut dicker ist als Wasser? Verdammt, die ganze Gesellschaft ist *verdächtig*.»

«Wie ich schon sagte – welche Beweise habe ich, um sie hier festzuhalten? Woher wollen wir wissen, daß diese beiden Frauen nicht von einem Psychopathen aus Stratford ermordet wurden?»

«Von einem Psychopathen, der Gedichte liest?» schnaubte Sir George. «Zweifelsohne. Haben Sie herausgefunden, wer diese vier Zeilen gedichtet hat?»

«Nein», sagte Lasko.

«Nein? Und warum nicht? Wollen Sie warten, bis die Bibliothek aufmacht?»

«Es ist nicht so einfach; wir haben keine Experten für elisabethanische Lyrik.»

«Sie haben aber einen unter den Verdächtigen», warf Jury ein.

Beide starrten ihn an.

«Schoenberg. Er kennt sich aus mit dieser Epoche. Vorausgesetzt, das Gedicht stammt tatsächlich aus dieser Zeit. Er schreibt ein Buch über Christopher Marlowe.»

«In welchem Hotel wohnt er, Sam?»

Lasko sah auf seine Liste. «Im ‹Hathaway›.»

«Gehen Sie hin und sprechen Sie mit ihm.» Mißmutig sah Sir George Jury an. «Ich vermute, wenn sie partout nach London wollen, können wir sie nicht halten.»

Jury erwiderte seinen Blick mit ausdrucksloser Miene. Er hatte das Gefühl, daß weder Sir George noch Lasko ihm eine Träne nachweinen würde.

War es nicht schon ärgerlich genug, fragte sich Melrose Plant, daß er einen Mord verpaßt hatte? Mußte er nun auch noch kurz vor Mitternacht in der Lobby des «Hathaway» herumsitzen und sich Harvey Schoenbergs Anekdoten anhören? Robert Cecil (Bob), Sohn Lord Burghleys; Tom Watson (Tom), Freund Marlowes; Robert Greene (ein weiterer Bob), Freund Marlowes und Feind Shakespeares – Harvey Schoenberg hatte bei Brandy und Zigarren die aufregendsten Klatschgeschichten über sie aufgetischt und war jetzt dabei, von den Abenteuern Wally Raleighs zu berichten.

«Meinen Sie *Sir Walter* Raleigh?» fragte Melrose frostig. Er fühlte sich irgendwie verpflichtet, die Ehre dieser verblichenen Elisabethaner zu verteidigen, ob nun Spione oder nicht. Er wünschte nur, Sir Walter Raleigh wäre dagewesen, um Vivian zum Hotel zu begleiten. Sir Walter hätte sich zweifellos auf sehr elegante Weise aus Harvey Schoenbergs Klauen befreit.

«Genau den. Wissen Sie, was er im Schilde führte?» fragte Harvey, der es sich im Pendant zu Melroses Sessel bequem gemacht hatte.

«In etwa.» Melrose raschelte mit seiner Zeitschrift. «War er nicht in Babbingtons Verschwörung gegen Königin Elisabeth verwickelt?» Warum ermutigte er den Programmierer auch noch zum Reden?

«Nein, nein, nein. *Das* war Tom Babbington.»

«Ich hatte mir schon gedacht, daß Babbington etwas mit der Babbington-Verschwörung zu tun hatte.» Melrose rückte seine Goldrandbrille zurecht und widmete sich wieder *Country Life*, einer Zeitschrift, die er eigentlich gar nicht leiden konnte. Er hatte sie sich jedoch vom Lesetisch gegriffen, um sich dahinter verstecken zu können. Er blätterte langsam die Seiten um, während Schoenberg ihn über den Sir Walter Raleigh nachgesagten Atheismus und dessen Bemühungen aufklärte, aufrührerische Bücher in Umlauf zu bringen, um die Sache Maria Stuarts, der Königin von Schottland, voranzutreiben. Melrose betrachtete Pferde, Landhäuser und Hundemeuten, während Harvey ihm von Kit Marlowes Schlägereien berichtete, wobei er viel Zeit und Energie vor allem auf die eine in Hog Lane verwendete. Oder besser, auf diese eine Serie von Schlägereien, denn Kit schien sich ununterbrochen geprügelt zu haben. Melrose gähnte, wurde dann aber plötzlich wieder hellwach.

Gerettet! Superintendent Jury trat durch die Hoteltür, sah

ihn in seinem Sessel sitzen und bemerkte auch sofort, daß er beinahe umkam vor Langeweile. Detective Sergeant Lasko im Schlepptau, kam er auf sie zu.

«Detective Superintendent Richard Jury. Mr. Schoenberg», sagte Melrose und sah Harveys Augen aufleuchten. Ein neues Opfer.

«Harv genügt.» Er ergriff Jurys Hand.

«Klar, Harv», sagte Jury mit einer Leutseligkeit, die Melrose einfach empörend fand. Aber so war Jury eben. «Das ist Detective Sergeant Lasko.»

Harvey schüttelte auch ihm die Hand. «Ich hab Mel gerade ein paar Dinge über Shakespeare erzählt, die ihm noch nicht bekannt waren. Sehen Sie, ich bin Computer-»

«Ja, Mr. Plant hat mir von Ihnen erzählt. Mich interessiert jedoch vor allem, was Sie über die Elisabethaner wissen.»

Scotland Yard fragte Harvey Schoenberg um Rat? Melrose hatte das Gefühl, sich mit lauter Verrückten auf einer Teegesellschaft zu befinden.

Schoenberg rang nach Luft, so begeistert war er, Scotland Yard aushelfen zu können. Und beide rangen nach Luft, als Lasko ihnen die Details des Mordes erläuterte.

«Mein Gott», sagte Harvey ein bißchen grün im Gesicht. «Hm... aber schießen Sie los. Was möchten Sie wissen?»

Lasko zitierte die vier Verse des Gedichts. «Kommt Ihnen das bekannt vor?»

Harvey wiederholte sie mehrmals mit stummen Lippenbewegungen, aber die Erleuchtung wollte nicht kommen. Ohne seinen Ishi schien er völlig hilflos. Schließlich schüttelte er den Kopf. «Tut mir leid. No comprende.»

«‹Ein goldner Schimmer in der Luft› – kommt mir wirklich sehr bekannt vor.» Melrose wiederholte es mehrmals, als würde der Schimmer ihm wirklich wie goldne Schuppen von den Augen fallen.

«‹Der Schönheit rote Nelken› kann nicht der Anfang sein. Sonst hätten wir schon längst herausgefunden, um welches Gedicht es sich handelt. Es ist unmöglich, jede Zeile in einem Index aufzunehmen...»

Harvey fuhr sich mit der Hand durchs Haar. «O Gott! Hätte ich bloß meinen IBM 8000 hier.»

Alle sahen ihn an und sahen wieder weg.

«Wenn es von Shakespeare oder Marlowe ist – egal von welchem der beiden –, finde ich es garantiert. Auf den Computern, die ich zu Hause habe, finde ich *alles*.»

Jury wünschte, dies gälte auch für vermißte kleine Jungen.

17

Jell-O.

Die Schritte hatten vor der Tür innegehalten, das Tablett war scheppernd auf dem Boden abgesetzt worden, und wer immer es gebracht hatte, hatte auf das Stöhnen im Zimmer gelauscht. Und dann war er oder sie, ganz nach dem Vorbild der *Eisernen Maske*, wieder weggegangen, ohne sich im geringsten um das letzte Röcheln des Dahinsiechenden zu kümmern. Die Schritte waren langsam verklungen, nur Stille und Jell-O zurücklassend.

James Carlton Farraday besah sich das Tablett und dachte, daß zumindest die graue Katze sich freuen würde. Diesmal schwamm das tote Häufchen nämlich in einem kleinen See von Milch.

Die Katze, die beim Geräusch der Schritte die Ohren aufgestellt hatte, ließ sich wie ein weiches Kissen auf den Boden plumpsen und wanderte zum Tablett hinüber, um das Essen zu inspizieren. Lunch, dachte sie jetzt wahrscheinlich. Sie sog den Geruch des Hamburgers ein, schnupperte an den Pommes frites und trat in das Schälchen mit dem Krautsalat, um an das Jell-O heranzukommen. Sie rollte den Schwanz ein und fing dann an zu schlabbern und zu lecken.

James Carlton setzte sich auf den Boden, nahm den Hamburger und überlegte, ob Katzen sich ausschließlich von Jell-O ernähren konnten; dann beschloß er, daß die Speckschicht dieses Exemplars für hundert Jahre ausreichte, ohne daß sie einen einzigen Bissen zu sich nahm.

James Carlton hatte selbst einen Bärenhunger. Er sagte sich, daß Plan vier – der Hungerstreik – wahrscheinlich genauso erfolglos sein würde wie Plan eins. Auch wenn er den Rest nicht äße, würden sie immer noch annehmen, er hätte das Jell-O gegessen. Nachdem er so den Hungerstreik wegargumentiert hatte, konnte er seinen Hamburger näher untersuchen. Genau wie er ihn mochte: Ketchup, Senf und zwei Scheiben Dillgurken.

Er legte sich gemütlich auf den Boden und mampfte seinen Hamburger, dann stand er auf, nahm das Bild von der Wand und machte seinen Eintrag auf der Rückseite. Die Zeit, das Essen. Er studierte seine Liste und beschloß, daß es an der Zeit war, Plan drei in Angriff zu nehmen.

Die Katze, die ebenfalls ihr Mittagessen beendet und sich das Fell geputzt hatte, krallte sich am Bett hoch. Oben angekommen, drehte sie sich so lange um sich selbst, bis sie ihr Plätzchen zum Schlafen gefunden hatte. Faul sah sie zu, wie James Carlton den Schreibtisch unters Fenster schob. Er hatte den Eindruck, enorm viel Krach zu machen, aber draußen auf dem Korridor ließen sich keine Schritte vernehmen. Wahrscheinlich weil sie nur in den Turm kamen, um ihm das Essen zu bringen. Nachdem er den Schreibtisch in die gewünschte Position gebracht hatte, zog er die unterste und die dritte

Schublade heraus und benutzte sie als Stufen. Er war sehr leicht und der Schreibtisch sehr schwer, sonst wäre er wahrscheinlich umgekippt. Von den Schubladen aus war es dann ein Kinderspiel, auf den Schreibtisch zu steigen und aus dem kleinen Fenster zu schauen; er brauchte sich nur auf die Zehenspitzen zu stellen.

Er sah eine Flußbiegung und ein Meer von Baumwipfeln. Es mußte der Avon sein, über dem der Nebel lag. Er befand sich also irgendwo in der Nähe von Stratford. Viel konnte er jedoch wegen der Gitterstäbe vor dem Fenster nicht sehen. Es leuchtete ihm nicht ein, welchen Zweck sie so hoch über dem Boden erfüllen sollten. Und er fand es auch komisch, daß jemand sich die Mühe gemacht hatte, gazeartige Vorhänge anzubringen. Bestimmt befand er sich in einem Burgverlies, das der Besitzer etwas gemütlicher hatte gestalten wollen: Er hatte die Ketten, die Hand- und Fußfesseln und die Knochen der früheren Gefangenen entfernt, statt dessen den Schreibtisch hingestellt und die Bilder und Vorhänge aufgehängt.

Die Mauern waren wahrscheinlich zu glatt, um daran hinunterzuklettern. Und es gab auch keinen Ast in Reichweite, an dem ein Gefangener sich auf den Boden und in Sicherheit hätte schwingen können, vorausgesetzt, es wäre ihm gelungen, durch die Stäbe zu kommen. James Carlton betrachtete prüfend erst die Vorhänge und dann das Bett, die Laken und die Zudecke. Wenn man alles zusammenknüpfte, reichte es vielleicht.

Die graue Katze sah gähnend zu. Als sie jedoch bemerkte, daß sich in dieser ansonsten langweiligen Umgebung etwas tat, was vielleicht mehr Aufmerksamkeit verdiente, glitt sie auf den Boden, sprang von Schublade zu Schublade und setzte dann mit einer vollendeten Dreipunktlandung auf dem Schreibtisch auf.

Beide inspizierten den Mörtel, in dem die Stäbe steckten.

Er wies zahlreiche Risse auf. Das Fensterbrett war mindestens fünfzehn Zentimeter breit. James Carlton rüttelte an einem der Stäbe. Locker. Ein Stück Mörtel löste sich und kullerte über den Rand. Schnell zog er sein Taschenmesser heraus und hackte drauflos. Die Katze hatte die großen Pfoten unter ihren Brustkorb geschoben und sah neugierig zu. Offensichtlich fand diese Tätigkeit ihren Beifall, denn sie schnurrte wie eine Zugmaschine. Daß James Carlton sich an den Stäben zu schaffen machte, schien sie unendlich zu befriedigen, und er stellte sich vor, die Katze wäre die Reinkarnation eines ehemaligen Gefangenen, der hier oben krepiert war und jetzt endlich den Augenblick seiner Befreiung gekommen sah. Und er fragte sich, ob sie vorhatte, mit ihm an den Tüchern hinunterzuklettern. Ziemlich unwahrscheinlich.

Schritte.

Er sah auf die Uhr. War es wirklich schon Zeit fürs Abendessen? Aber die Katze wußte, was Schritte zu bedeuten hatten, und sprang vom Schreibtisch; sie landete geduckt auf dem Boden und trottete zu dem Türschlitz.

James Carlton brach der kalte Schweiß aus. Aber was hatte er schon zu befürchten? Noch nie hatte jemand das Zimmer betreten.

Die Schritte hielten inne. Es schepperte, und das Tablett wurde durch den Türschlitz geschoben, vor dem die Katze wie vor einem Mauseloch saß.

James Carlton sah von seiner erhöhten Position herab.

Jell-O.

Wieder auf seinem Bett, leckte er sich das Fett von dem Brathähnchen von den Fingern, die Katze leckte sich die Pfoten. Mit dem Einbruch der Nacht verfärbte sich das Fenster dunkelviolett. Irgendwo am Himmel sah er sogar zwei kalt glitzernde Sterne. Er gähnte. Die Stange hatte auch noch bis morgen Zeit. Aber er langweilte sich, und es gab nichts Interessantes in diesem Zimmer außer dem Bücherbord in der Ecke, auf dem ein paar alte Bücher mit einer dicken Staubschicht standen, die schon lange nicht mehr in die Hand genommen worden waren – einige Romane von Dickens, so vergilbt und fleckig, als hätten sie im Regen gelegen; ein paar dünne Gedichtbände, zwei Kochbücher, die noch in ihren zerrissenen Schutzumschlägen steckten.

Er zerrte *Eine Geschichte aus zwei Städten* heraus, was beinahe so schwierig war, wie die Eisenstange zu lockern. James Carlton war eine ausgesprochene Leseratte, aber er hatte gleich zu Anfang beschlossen, daß er keine Zeit zum Lesen hätte – nicht, wenn es so viele Probleme zu lösen gab. Er wunderte sich, daß seine Entführer so dumm waren und Bücher herumliegen ließen, während sie alles übrige, Schreibpapier und Hefte, entfernt hatten. Um jemandem eine Nachricht zukommen zu lassen, hätte er nur eine Seite rauszureißen brauchen. Man konnte sogar einen Text zusammenstellen, indem man die Wörter oder Buchstaben unterstrich, und das war auch ohne Bleistift möglich. Er hatte zu diesem Zweck immer ein Streichholzbriefchen bei sich, falls jemand den Bleistiftstummel in seinem Strumpf entdecken sollte. Mit Streichhölzern konnte man alles mögliche anfangen, nicht nur Dinge in Brand setzen. Wäre er von seinen Entführern nicht außer Gefecht gesetzt worden, hätte er mit den Streichhölzern eine Spur hinterlassen können, obwohl sie vielleicht nicht bis an den Ort seiner Gefangenschaft gereicht hätten.

Er blickte auf das Tablett und das Brötchen auf seinem Teller. Bis morgen würde es hart sein und sich ganz einfach zerkrümeln lassen. Falls er sich im Wald verliefe, könnte er dann zu seiner Orientierung eine Spur hinterlassen. Er hatte nicht den geringsten Zweifel, daß er bei Tagesanbruch im Wald sein würde. Er nahm das Brötchen vom Teller.

Hamburger, Brathähnchen, Pommes frites – warum hielten seine Entführer ihn nicht bei Brot und Wasser, um seine Widerstandskraft zu schwächen, bevor sie ihn folterten? Dieser Gedanke beunruhigte ihn etwas. Aber dann sagte er sich, daß sie das wohl nicht tun würden, denn er war sicherlich aus einem ganz bestimmten Grund gekidnappt worden – wegen des Lösegelds. J. C. Farraday war nämlich enorm reich.

Die Katze schlummerte am Fußende des Bettes, und er spürte, wie ihm die Augen zufielen. Aber einschlafen konnte verhängnisvoll sein. Er blickte auf den Dickens. Wenn man nicht einmal als Entführter Zeit zum Lesen fand, wann dann? Der Rücken brach beinahe auseinander, als er das Buch aufschlug, und die Seiten knisterten, so alt waren sie.

Ja, dachte James Carlton, das waren allerdings schlimme Zeiten gewesen. Eigentlich war es toll von Sydney Carton, überlegte er, daß er schließlich die Schuld auf sich genommen hatte. James Carltons Stiefvater sagte immer, die Zeiten hätten sich geändert, und das stimmte. Heutzutage würde man wohl kaum jemanden finden, der sich für einen hängen ließ. Sein richtiger Vater würde so etwas natürlich tun. Und seine richtige Mutter auch. Er sah vom Buch hoch und fragte sich, wo die beiden wohl waren. Sein Vater war wahrscheinlich Bankdirektor oder Baseballspieler, und er sah aus wie Jim Palmer. Die Baltimore Orioles waren James Carltons Lieblingsteam. Er wußte auch, wie seine Mutter aussah: wie Sissy Spacek. Der Beweis war für ihn weniger das kleine Foto, das Penny besaß, sondern daß Penny selbst wie Sissy Spacek aussah – die gleichen Sommersprossen, die gleichen langen, glatten Haare und die etwas schrägstehenden Augen. Im Grunde war er davon überzeugt – obwohl er außer Penny nie jemandem davon erzählt hatte –, daß Sissy Spacek tatsächlich seine Mutter war. Er hatte alle ihre Filme mindestens dreimal gesehen. Immerhin hatte er ihr längst verziehen – er konnte verstehen, daß es nicht so einfach war, sich in Hollywood durchzusetzen, daß man um fünf Uhr morgens, wenn man sein Make-up auflegen mußte, nicht auch noch Kinder herumschleppen konnte. Er hegte keinen Groll gegen Sissy. Bevor er ohnmächtig geworden war, hatte er kurz Sissy Spaceks Gesicht vor sich gesehen. Es war eine äußerst turbulente und seltsame Szene gewesen: Sie schien durch einen Kugelhagel, blutüberströmte Straßen und Berge von Leichen zu rennen.

Er vertiefte sich wieder in sein Buch. Ja, der alte Sydney war okay, aber es hatte ihm mehr Spaß gemacht zu lesen, wie Louis diese eiserne Maske verpaßt bekam. Er schloß die Augen und versuchte, sich das Gefühl vorzustellen. Würde es jucken? Drüben in dem Papierkorb lag eine braune Tüte, deren Ränder zum Ausfüttern nach außen umgelegt waren. Er holte sie heraus, betrachtete sie kurz und bohrte dann mit seinem Bleistift drei Löcher hinein: zwei oben und ein etwas größeres weiter unten. Er stülpte sie sich über den Kopf und setzte sich. Natürlich mußte er sich vorstellen, daß sie wahnsinnig schwer und überall vernietet und verschweißt war. Sein Gesicht fing an zu jucken, aber er kratzte sich nicht, denn mit der richtigen Maske wäre das auch nicht möglich gewesen. Es mußte den armen Louis zum Wahnsinn getrieben haben; wenn man den Arm monatelang in der Schlinge hatte, fühlte sich das genauso an.

Schließlich hielt er es nicht länger aus und kratzte sich doch. Er stellte den Dickens zurück und holte ein anderes Buch herunter: *Die Freude am Kochen*. Es sah aus, als wäre es hundert Jahre alt. James Carlton hatte keine Ahnung vom Kochen, da er aber nichts Besseres zu tun hatte, schaute er unter ‹Brathähnchen› nach. Erstaunlich, was man alles mit einem Hähnchen machen konnte. Er las die Rezepte durch die Löcher in der Tüte. Hähnchen mit Klößen, Hähnchen gebraten, gegrillt, Hähnchen mit unaussprechlichen Namen. Das von heute abend muß gebraten gewesen sein –

Er ließ das Buch auf den Boden fallen und starrte vor sich hin, während er über das Hähnchen nachdachte... und dann über den Hamburger. Genau wie er ihn mochte...

Er stürzte zum Schreibtisch, kletterte hoch und starrte in die Nacht hinaus. Es war noch nicht völlig dunkel; das Laub der Baumwipfel glänzte an manchen Stellen wie Lackleder im Licht des Mondes, der wie ein Silberdollar am Himmel hing. Er war so aufgeregt, so voller Panik, daß er nicht einmal bemerkte, daß er immer noch die Papiertüte trug. Er riß sie herunter und preßte sein Gesicht gegen die Stäbe. Er sah den Mond, der einen silbernen Streifen über das schwarze Wasser warf, dazu die Bäume und das Ufer; alles zusammen ergab die Umrisse des Bildes, das er vor ein paar Stunden im Detail gesehen hatte.

James Carlton hatte ein fotografisches Gedächtnis, eine Fähigkeit, die Leute wie Harvey Schoenberg und auch seine Lehrer faszinierend fanden; andere jedoch, die es vorgezogen hätten, wenn bestimmte Dinge in Vergessenheit geraten wären, waren weniger davon angetan. Wie zum Beispiel Amelia Blue, die wußte, daß im Gedächtnis ihres Stiefsohns ein, zwei Zwischenfälle gespeichert waren, an die sie lieber nicht erinnert werden wollte.

Er brauchte also gar kein Tageslicht, um zu erkennen, daß der Fluß da draußen fünfmal so breit war wie der Avon.

Und er brauchte auch das Hähnchen nicht noch einmal zu probieren, um zu wissen, daß es einfach prima schmeckte.

Ganz zu schweigen von dem Hamburger mit dem Klacks Senf, dem Ketchup und den zwei Gurkenscheiben.

Er drehte sich langsam um und starrte auf die graue Katze. James Carlton, der sich immer sehr viel Mühe gegeben hatte, seinen Südstaatenakzent auszumerzen, und der Pennys

‹Scheiß drauf› und dergleichen Ausdrücke, die eine niedrige Herkunft verrieten, nach Möglichkeit vermied, sagte jetzt: «Gottchen, Katze. Wir sitzen in der Scheiße – das is nich Stratford!»

Die Katze warf ihm nur einen kurzen Blick zu, streckte sich und träumte weiter von Mäusen und Jell-O.

Er hatte es von Anfang an gewußt.

18

«London? Was soll das heißen, London?» fragte Agatha Ardry und nahm sich noch einen Toast von Melroses Toastständer. Nein, Frühstück wollte sie nicht; sie habe schon mit den Randolph Biggets gefrühstückt. Also stand zu vermuten, daß sie ihm einfach nur seines wegessen wollte. Das dritte Stück Toast bestrich sie nun schon mit Orangenmarmelade. Sie wiederholte ihre Frage: «Warum willst du denn bloß nach London?»

«Um die Queen zu sehen», sagte er und trug in sein Kreuzworträtsel eine Lösung ein.

«Und mich läßt du hier hocken.» Von keinerlei moralischen Zweifeln angenagt, winkte sie den Kellner heran und bestellte Toast nach.

«Einsam und verlassen wie Robinson Crusoe; allerdings hatte der nur seinen Freitag, während du den ganzen Bigget-Clan um dich herum hast.»

«Mein lieber Plant, ich habe dir bislang trotz deiner Fehler immer zugute gehalten, daß du als Gentleman zumindest weißt, was sich gehört. Aber ich sehe –» Ihre Tirade über den Verlust von Melroses letzter Tugend wurde vom Kellner unterbrochen, der den Toastständer auffüllte. «Jury führt wieder was im Schilde, oder? Darum fährst du nach London.»

Melrose sah von seinem Kreuzworträtsel auf. «Etwas im Schilde? Jury ist, falls du dich erinnerst, Superintendent beim New Scotland Yard. Ich würde die Ermittlungen in einem weiteren schauerlichen Mordfall auf den Straßen dieser sonst so friedlichen Stadt nicht so bezeichnen.»

«Was, es gab noch einen? Einen weiteren Mord?» Der Toast mit dem kleinen Berg Quittenmarmelade verharrte auf halbem Weg in der Luft.

«Das weißt du noch nicht? Da bist du die einzige in ganz Stratford. Gestern abend. Eine junge Amerikanerin, die mit einer Reisegesellschaft unterwegs war. Kehle aufgeschlitzt – von einem Ohr zum anderen.» Es bereitete ihm ein perverses Vergnügen, ihr das zu erzählen.

Agatha erschauerte. «Du bist wirklich blutrünstig, Plant–»

«Ich? *Ich* habe die junge Dame doch nicht umgebracht.»

«Amerikanerin? Eine Amerikanerin, sagst du?» Ihre Augen traten hervor. «War denn diese andere Person nicht auch Amerikanerin?»

«So wie du. Und die Biggets.»

Der Löffel, mit dem sie ihren dritten Tee umgerührt hatte, fiel klirrend auf die Untertasse. «Allmächtiger! Willst du damit sagen, der Betreffende hat es auf Amerikaner abgesehen?»

«Wahrscheinlich ein später Unabhängigkeitskriegsfanatiker.»

«Wen hat er umgebracht und warum?»

«Ich hab's dir doch gesagt, eine junge Amerikanerin, eine Touristin. Die Polizei wird auch noch nicht wissen warum.»

Sie senkte die Stimme. «Ein Sexualverbrechen, nicht?»

«Keine Ahnung.» Melrose beendete sein Kreuzworträtsel

in der Überzeugung, einen neuen Weltrekord aufgestellt zu haben: weniger als fünfzehn Minuten und gleichzeitig Agatha am Hals. Er schickte sich an zu gehen und gab ihr die Zeitung. «Da kannst du es nachlesen.»

«Wohin gehst du?»

«Ich sagte es bereits. Nach London.»

«Also soviel steht fest, die Biggets und ich werden keine Sekunde länger in Stratford bleiben», sagte sie entschlossen, während sie ihre Serviette ablegte.

Mit zusammengekniffenen Augen betrachtete er sie. «Und wohin fahrt ihr?»

«Nach Long Piddleton, nehme ich an.»

Melrose beugte sich über den Tisch und sagte ausdruckslos: «Wenn ich nach Ardry End zurückkomme und auch nur *einen* Bigget vorfinde, werde ich ihn oder sie persönlich an die Ufer des Piddle begleiten.»

«Also wirklich! Es ist eine Schande, daß du nichts von der Gastfreundlichkeit deiner lieben, toten Eltern geerbt hast. Deine liebe Mutter, Lady Marjorie, Countess von Caverness –»

Gepeinigt schloß er die Augen. «Warum mußt du meine Eltern jedesmal, wenn du von ihnen sprichst, ankündigen wie ein Butler die Gäste eines Balls?» Er stand auf und sah auf sie herunter. «Also vergiß nicht: *Ein Bigget* –» und er fuhr sich mit dem Finger über die Kehle.

Ziemlich schauerliche Geste in Anbetracht der Umstände, dachte er.

Um Viertel vor zehn befand sich an diesem Morgen in Stratfords Bibliothek neben Melrose nur noch ein Leser – ein alter, tattriger Mann, der langsam in einer Zeitschrift blätterte und rhythmisch dabei hustete. Abgesehen von dem Husten herrschte Grabesstille, während Melrose sich seine Notizen machte, ein Buch mit elisabethanischen Gedichten aufgeschlagen vor sich.

Da es in der Bibliothek kein Kopiergerät gab, schrieb er das Gedicht mühsam ab. Es hatte zahlreiche Strophen. Wahrscheinlich hätte er das Buch auch ausleihen können, aber da er nicht in Stratford wohnte, hätte sein Begehren eine endlose bürokratische Maschinerie in Gang gesetzt.

Er schraubte die Kappe seines Füllfederhalters zu, las das Gedicht noch einmal durch und schlug das Buch zu. Nur das Ticken der Standuhr, das Rascheln der Zeitschrift und das gelegentliche Klappern der Absätze der Bibliothekarin waren zu hören, als er die Ereignisse der letzten vierundzwanzig Stunden noch einmal Revue passieren ließ. Dann stand er auf, stellte den Gedichtband zurück, suchte sich aus dem Katalog eine Signatur heraus und trat damit an ein anderes Regal, von dem er sich ein weiteres Buch holte.

Er schmökerte eine Stunde lang darin herum. Dann schlug er auch dieses Buch zu und trommelte mit den Fingern auf den Deckel, während er darüber nachdachte.

Vielleicht nebensächlich, dachte Melrose stirnrunzelnd, aber doch sehr merkwürdig.

19

Als Jenny Kennington die Tür des schmalen kleinen Häuschens in der Ryland Street in Stratfords Altstadt öffnete, zuckte Jury ein wenig zusammen, nicht, weil sie sich verändert hatte, sondern weil sie sich kein bißchen verändert hatte. Sie trug das Haar auf dieselbe Art, die hellbraunen Locken lässig nach hinten gekämmt und im Nacken von einem kleinen Tuch zusammengehalten. Der Rock war vielleicht ein anderer – gute Wolle sieht immer gleich aus –, aber der Pullover war bestimmt derselbe. Er erinnerte sich, wie sein silbriger Faden die letzten Sonnenstrahlen eingefangen hatte, als sie in dem großen, leeren Speisesaal in Stonington standen.

«Superintendent Jury!» Ihr Lächeln verschwand so schnell, wie es gekommen war, als wüßte sie nicht genau, woran sie mit ihm war. Doch als sie nach der ersten Überraschung zur Seite trat, um ihn hereinzulassen, schien sie sich eines Geheimnisses bewußt, von dem keiner von ihnen ahnte, daß sie es teilten.

Jury bot sich ein vertrautes Bild: Der Raum – eine Art Salon – stand voller Umzugskartons, einige waren fertig gepackt und verschnürt, andere halb voll oder noch leer. Er wußte, was das zu bedeuten hatte – sie war nicht dabei einzuziehen.

Sie folgte seinem Blick und hob hilflos die Arme. Betrübt sagte sie: «Ich scheine nie in der Lage zu sein, Ihnen einen Stuhl anbieten zu können. Außer dem Bett und einigen anderen Sachen habe ich die Möbel alle verkauft. Es schien mir nicht sinnvoll, all die sperrigen Stücke mitzunehmen...»

«Ich brauche keinen Stuhl. Hält das Ding hier mein Gewicht aus?» Er zeigte auf einen der verschnürten Umzugskartons.

«Natürlich.»

Vorsichtig setzte er sich auf die Kante des Kartons.

Sie nahm auf einem anderen ihm gegenüber Platz. «Haben Sie eine Zigarette?»

«Ja.» Er hielt ihr die Packung hin. Es war nur noch eine darin. Als er sie danach greifen und dann zögern sah, sagte er: «Bedienen Sie sich. Ich versuche sowieso, weniger zu rauchen.» Er hätte sein ganzes Monatsgehalt für eine Zigarette und eine Flasche Whisky gegeben, um dies durchzustehen. Sie zögerte immer noch. «Bitte», drängte er sie.

«Wir teilen sie uns.»

«Okay», sagte er lächelnd und gab ihr Feuer. «Wohin soll's denn gehen?»

«Ich habe eine alte, ziemlich kranke Tante. Sie möchte eine Kreuzfahrt machen und braucht eine Begleitung. Ich bin ihre einzige Verwandte und umgekehrt. Alle anderen sind tot.» Sie blies den Rauch ihrer Zigarette aus und reichte sie Jury. «Es ist komisch. Andere Leute scheinen immer mehr dazuzukriegen – ich meine Ehemänner, Kinder, Enkelkinder –, nur bei mir wird es immer weniger.»

In ihren Worten klang kein Selbstmitleid mit. Der unbeteiligte Ton verlieh ihnen jedoch eine um so eindringlichere Wirkung.

Jury zog einmal an ihrer Zigarette, ihren Mund wie eine Erinnerung kostend, und gab sie ihr zurück. «Das muß ja nicht so sein.»

Sie schien auf einen Punkt in der Luft über seiner Schulter zu starren. «Das frage ich mich.» Ihre Blicke trafen sich.

Er entrang sich ein Lächeln. «Wenn Sie lediglich auf Reisen gehen –» Er sah sich im Zimmer um. «Warum dann das hier?»

«Ich fürchte, es wird eine lange Reise werden.»

Die Zigarette, die sie ihm zurückgegeben hatte, war beinahe abgebrannt. Er zog nicht daran, denn er fürchtete sich vor dem Augenblick, in dem sie ausgehen würde. «Aber wenn Sie zurückkommen... ich meine, Sie müssen sich doch irgendwo niederlassen. Wissen Sie nicht, wo?»

Sie schüttelte den Kopf und sagte: «Eigentlich nicht. Es könnte sein, daß ich eine Weile bei Tante Jane wohnen werde. Obwohl ich nicht glaube, daß sie, so wie sie aussieht, noch lange leben wird –»

«Sie müssen das doch nicht tun», sagte er plötzlich.

«Wenn Sie nur etwas früher gekommen wären», sagte sie.

Jury sah zu, wie der kleine weiße Zylinder der Zigarette sich in Asche verwandelte, und erinnerte sich an die letzte Begegnung mit ihr. Staub und Asche schienen zwischen ihnen zu stehen. Er fragte sich, ob er allmählich fatalistisch wurde. «Sie können nicht Ihr ganzes Leben lang ziellos umherirren.»

«Wir – ich meine, meine Familie – haben früher hier gelebt. Nicht *in* Stratford. Etwas außerhalb. Das Haus war viel zu groß für mich, um einfach dorthin zurückzukehren. Und jetzt ist es ganz heruntergekommen; die Seitenflügel sind nur noch Schutt; das Pförtnerhaus ist ein Steinhaufen –»

Es war, als knüpfte sie an eine Unterhaltung an, die nicht vor Monaten, sondern vor wenigen Minuten stattgefunden hatte.

«... Als ich dorthin fuhr, wurde mir klar, daß man die Vergangenheit nicht zurückholen kann.»

«‹Natürlich kann man.›» Er verbrannte sich die Finger an der Zigarette und mußte sie auf den Fußboden fallen lassen. Sie trat sie aus.

Als er wieder aufsah, lächelte sie freudlos. «Das habe ich noch nie gehört. Glauben Sie das wirklich?»

«Gatsby hat das gesagt. Sie wissen schon. Fitzgeralds Gatsby. Über Daisy.»

Sie ließ den Blick durch das ganze Zimmer schweifen, nur ihn sah sie nicht an. «Daisy. Aha.»

Jury stand auf. «Ich muß gehen. Ich fahre in einer knappen Stunde nach London zurück. Hören Sie, Sie werden doch noch ein paar Tage hierbleiben? Könnten Sie mich nicht anrufen, bevor Sie aufbrechen?» Er gab ihr seine Visitenkarte und schrieb seine Privatnummer auf die Rückseite.

«Ich werde vermutlich noch eine Woche hiersein.» Sie sah auf die Karte in ihrer Hand. «Gut, ich werde anrufen.»

An der Tür sagte sie traurig: «Aber bei ihm hat es nicht geklappt, oder? Ich meine Gatsby.»

Jury lächelte. «Das kommt wahrscheinlich auf den Standpunkt an.»

Als er die Ryland Street zurückging, fiel ihm auf, daß sie kein einziges Mal über Mord gesprochen hatten.

20

Nachdem Melrose Agatha zum Frühstück genossen hatte, stand ihm nun Harvey Schoenbergs Gesellschaft bevor. Als er die «Ente» betrat, saß Harvey schon da, den Arm um seinen Computer gelegt, und trank Bier.

«Hallo, Mel!» rief er über das Stimmengewirr einer merklich geschrumpften Menge von Gästen. Nach den Enthüllungen der letzten beiden Tage mußten die Touristen panikartig die Flucht ergriffen haben.

«Guten Morgen», sagte Melrose und legte seinen Spazierstock auf den Tisch. «Ich nahm an, Honeysuckle Tours sei bereits nach London unterwegs.»

«Die Verzögerung haben wir J. C. zu verdanken Sie wissen schon, Farraday. Ihr Freund Rick versucht, ihn zum Fahren zu überreden. Aber er meint, er rührt sich nicht von der Stelle –»

«Rick?»

«Ja. Der Typ von Scotland Yard.» Harvey hob sein Glas. «Wollen Sie ein Bier?»

«Lieber einen Sherry. Tio Pepe, trocken.»

«Tio. Klar. Passen Sie bitte auf das Ding auf, okay?» Er wies mit einem Kopfnicken auf den Ishi.

«Ich werde ihn nicht aus den Augen lassen.»

Während Harvey zur Bar ging, zog Melrose den gefalteten Papierbogen aus seiner Tasche. Er las sich das Ganze noch einmal durch, besonders die Strophe, die der Mörder für seine makabren Zwecke verwendet hatte.

Wenige Minuten später kam Harvey zurück, stellte den Sherry auf den Tisch und nahm den Faden der Unterhaltung wieder auf, als hätte es die Unterbrechung nicht gegeben. «Ich meine, Sie können dem armen Kerl auch keinen Vorwurf machen, denn Jimmy ist noch immer nicht aufgetaucht.» Er senkte die Stimme. «Sie glauben doch nicht, daß dem Jungen was zugestoßen ist, oder?» Als ihm Melrose nicht sofort antwortete, stieß er ihn in die Seite. «Sie wissen schon, was ich meine.»

«Ich weiß. Aber es würde nicht recht ins Schema passen, oder?»

«Schema? Welches Schema?»

«Beide Opfer waren Frauen. Sie kannten den kleinen Jungen ziemlich gut, nicht wahr? Sie waren doch derjenige in der Gruppe, mit dem er am häufigsten gesprochen hat.»

«Kann schon sein. Über Computer. Ich bin selten jemandem mit einer so schnellen Auffassungsgabe begegnet. Ich habe versucht, ihm die Zukunftsperspektiven klarzumachen, ich meine in beruflicher Hinsicht. Der Kleine hat was auf dem Kasten. Also, ich muß gleich wieder los.» Er leerte sein Glas, stand auf und schlang sich den Riemen der Kiste über die Schulter. «Mann, ich kann's kaum abwarten, in London zu sein. Können Sie sich das vorstellen? Nach Deptford gehe ich als erstes. Dann Southwark und vielleicht Greenwich. Hören Sie, ich sollte Sie eigentlich herumführen.» Er zeigte auf seine Jackentasche. «Die Stadtteile auf der anderen Seite der Themse kenne ich wie meine Westentasche, wenigstens so, wie sie einmal ausgesehen haben. Kommt von den vielen Plänen, die ich studiert habe. Heute wird es da vermutlich anders aussehen.» Seufzend zog er von dannen, nicht ohne einigen Gästen im Vorbeigehen kräftig den Computer in die Seite zu rammen.

In der Tür traf er auf Jury. Die beiden wechselten ein paar Worte, dann klopfte Harvey Jury auf die Schulter und verschwand.

«Hallo, Rick», sagte Melrose und zog Jury einen Stuhl heran. «Nehmen Sie Platz und entspannen Sie sich.»

«Danke. Honeysuckle Tours sind in ‹Brown's Hotel› einquartiert. Hoffentlich bleiben sie auch dort.»

«Harvey bestimmt nicht. Er hat nämlich einen Bruder, der nach London kommt; allerdings kann ich mir schwer vorstellen, daß Bruder Jonathan Harvey überallhin begleiten wird. In Gedanken streift er nämlich schon jetzt durch ganz Southwark und Deptford. Er hat mich eingeladen mitzukommen.»

«Hat er mir gerade erzählt. Die Sache mit dem Bruder, meine ich. Wohnt offensichtlich ebenfalls im ‹Brown's Hotel›, wenn er in London ist. Honeycutt hat uns übrigens keine Märchen aufgetischt. Unsere Nachforschungen haben ergeben, daß keiner der Reisenden am Hungertuch nagt.» Jury seufzte. «Wir können sie nicht daran hindern, ihr Hotel zu verlassen. Amelia Farraday würde am liebsten den ersten Flug zurück in die Staaten nehmen; mir ist nur unklar, ob sie lieber unliebsamen Erinnerungen oder der Polizei entfliehen will. Ich glaube allerdings, dieser Flug läßt sich unterbinden. Wollten Sie gerade gehen? Ich will mir schnell einen Drink und etwas zu essen bestellen. Übrigens habe ich Sie auch im ‹Brown's› einquartiert. Sie können sie im Auge behalten. Lassen Sie sich mal von Harvey Southwark zeigen. Was zum Teufel hofft er dort vorzufinden?»

«Die gespenstisch über der Themse emporragenden Dachbalken des Gasthauses, in dem der gute alte Kit Marlowe getötet wurde, vermute ich. Ich habe Ihre Hausaufgaben für Sie gemacht. Das Gedicht – ich habe es abgeschrieben.»

Als Melrose den Bogen aus der Tasche zog, sagte Jury: «Wie zum Teufel haben Sie das rausgekriegt, wo wir doch jeden verfügbaren Mann im Dezernat Gedichtbände wälzen ließen –?»

«Ganz einfach. Ich bin davon ausgegangen, daß es aus elisabethanischer Zeit stammt und in einer Anthologie enthalten ist. Deshalb nahm ich mir in der Bibliothek die umfangreichste Anthologie vor, die ich finden konnte. Im Register ging ich die ersten Zeilen durch.»

«Aber wir waren uns doch einig, daß es kein Gedichtanfang ist.»

«Ist es auch nicht. Ich bin nach der Metrik gegangen.» Melrose rückte seine Goldrandbrille zurecht. «Dadurch konnte ich wenigstens drei Viertel der Gedichte ausschließen. Vielleicht mehr. Es hat einen sehr gleichmäßigen Rhythmus, einen jambischen Trimeter. Bei Pentametern oder ähnlichem wäre es weitaus schwieriger gewesen. Ich habe lediglich alle Gedichtanfänge in Trimetern angekreuzt.»

«Teufel auch», sagte Jury lächelnd.

«Ja. Geradezu clever von mir, nicht?» Er räusperte sich und las:

> «Der Schönheit rote Nelken
> sind Blumen, die verwelken.
> Ein goldner Schimmer in der Luft,
> Königinnen verblichen und liegen in der Gruft.
> Staub –»

In diesem Augenblick ging die Tür der «Ente» auf. Oh, mein Gott! dachte Melrose. Er hatte Vivian Rivington total vergessen, und da stand sie.

Er hielt Jury das Papier vor die Nase. «Hier, lesen Sie.»

«Hören Sie, ich bin doch nicht kurzsichtig!» sagte Jury, nahm das Blatt und beugte sich darüber.

Melrose und Jury saßen versteckt in einer Ecke. Vielleicht würde Vivian mit ihrem Begleiter – ein schlanker, dunkler Bursche, zweifellos ihr Verlobter – einfach wieder gehen. So etwas Peinliches! Wenn sie sich nur nicht umdrehte –

Sie drehte sich um.

Und natürlich hob Jury, der das Gedicht durchgelesen hatte, gerade in diesem Augenblick den Kopf.

Melrose war froh, nicht in der Schußlinie der Blicke zu sitzen, die zwischen Jury und Vivian hin und her flogen.

«Der Teufel soll mich –» murmelte Jury und stand auf, als sie lächelnd auf ihren Tisch zukam. Sie sah einfach hinreißend aus in ihren Jeans und der weißen Seidenbluse; der dunkelhaarige Mann folgte ihr auf den Fersen.

Sie streckte die Hand aus. «Inspektor Jury, na so was –»

«Miss Rivington. Was für eine Überraschung.»

Wie banal, dachte Melrose und war dennoch erleichtert. Wenn sie noch immer bei ‹Inspektor› und ‹Miss› waren, weshalb, zum Teufel, machte er sich dann Sorgen? Oder taten sie nur so, als wüßten sie nicht, was sie mit ihren Händen anfangen oder als nächstes sagen sollten, weil hinter ihr dieser Graf von Monte Christo stand?

«Entschuldigung, ich –» Vivian drehte sich zu dem dunklen Burschen mit dem Adlergesicht um, der mit südeuropäischer Grazie dastand, die Hände in den Taschen seines Blazers, die Daumen nach außen, und sich höflich verbeugte. «Franco Giapinno, mein, äh – Inspektor Richard Jury und Lord – ich meine, und Melrose Plant.»

Die alte vertraute Vivian errötete wie ein Kind, das beim Theaterspielen seinen Text vergessen hat. Es folgten ein gemurmeltes «Angenehm» und ein sehr leiser Wortwechsel in gutturalem Italienisch zwischen Vivian und Giapinno, gegen den Melrose sofort eine heftige Abneigung empfand.

«Warum eine Überraschung?» fragte Vivian Jury. «Hat Ihnen Melrose nicht erzählt, daß ich hier bin –?»

Sie verstummte, während Jury Melrose einen Blick zuwarf, der eine durchgehende Büffelherde zum Stehen gebracht hätte.

«Nein», sagte er nur.

Melrose fühlte sich in die Enge getrieben. «Nun, jedenfalls heißt es nicht mehr Inspektor, Vivian», sagte er herzlich. «Es heißt inzwischen Superintendent.»

«Das ist nur recht und billig», sagte sie mit jener Aufrichtigkeit, die selbst ihren banalsten Kommentaren Intensität verlieh. «Franco und ich sind, äh…»

Franco schien den Satz nur zu gern für sie zu beenden. «Verlobt.» Mit einer aufreizend besitzergreifenden Geste legte er den Arm um ihre Taille.

Alle lächelten.

Jury lehnte Giapinnos Einladung zum Lunch ab. «Tut mir leid, aber ich wollte gerade nach London fahren. Das Auto steht schon draußen.»

«Oh», sagte Vivian und legte ihre ganze Enttäuschung in diese eine Silbe. «Es geht sicher um… Ich habe von dem Mord in Stratford gehört… Geht es darum –?»

«Ja, darum geht's», sagte Jury übertrieben knapp.

Der Abschied war so seltsam wie die Begrüßung. Vivian und der Italiener entfernten sich eilig. Wenigstens sind wir nicht zur Hochzeit eingeladen worden, dachte Melrose.

Es herrschte längeres Schweigen, während sie verlegen herumstanden; Melrose starrte auf den Dielenboden und hatte beinahe Angst, Jury in die Augen zu sehen, der sich umständlich eine Zigarette anzündete.

Es war Jury, der schließlich durch die aufsteigende Rauchsäule hindurchsprach.

«Nicht zu fassen. Von allen Kaschemmen der ganzen Welt kommt sie ausgerechnet in meine.»

ZWEITER TEIL

DEPTFORD

«Das schlägt einen Menschen
härter nieder als eine große Rechnung
in einem kleinen Zimmer.»

William Shakespeare,
Wie es euch gefällt

21

Detective Chief Superintendent Racer schlug wütend die Akte zu und starrte über seinen Schreibtisch hinweg auf Detective Sergeant Alfred Wiggins. Daß dieser bislang nichts mit dem Mordfall zu tun gehabt hatte, machte ihn zwangsläufig zur idealen Zielscheibe für Racers bissige Bemerkungen.

Wiggins tat, was er in schwierigen Situationen immer tat – er putzte sich die Nase.

«Es tut mir leid, Sie von Ihrem Krankenlager hierherzitieren zu müssen», sagte Racer mit gespielter Besorgnis.

Doch bei Wiggins verfehlte jeglicher Sarkasmus sein Ziel. Jury vermutete, daß Wiggins sein berufliches Überleben nicht zuletzt seiner Fähigkeit zu verdanken hatte, alles wörtlich zu nehmen. «Das macht gar nichts, Sir. Es ist nur diese Allergie. Es ist einfach beängstigend, wie viele Pollen...»

Unterdrückte Wut vertiefte noch die rote Färbung in Racers aufgedunsenem Gesicht, das bereits gezeichnet war von zu vielen Brandys zum Lunch im Club. Seine Beherrschung währte jedoch nur kurz. «Die Pollen kümmern mich einen Dreck. Ich bin doch keine Biene. Und tun Sie diese verdammte Packung weg!»

In Stress-Situationen greifen manche zur Waffe, andere zur Zigarette; Wiggins hingegen zog eine neue Packung Hustenbonbons aus der Tasche. Er war gerade dabei, die Zellophanhülle zu entfernen. «Entschuldigen Sie, Sir.»

Jury gähnte und schaute wieder zu Racers Bürofenster hinaus in den schmutziggrauen Himmel über New Scotland Yard und auf den kleinen Ausschnitt der Themse, der hinter der Kaimauer sichtbar wurde. Racer bestand auf einem Zimmer mit Aussicht. Um so besser, dachte Jury, falls er sich eines Tages entschließen sollte, sich aus dem Fenster zu stürzen. Racers Stimme dröhnte weiter auf Wiggins ein, während Jury abwartete. Er wußte, daß der Chief Superintendent nur Fingerübungen machte, bevor er die eigentliche Operation begann, nämlich Jury zu sezieren: Er zog sich gleichsam die Gummihandschuhe an und legte Messer, Skalpelle und Pinzetten zurecht. Racer hatte seine wahre Berufung bei der Polizei verfehlt. Er hätte Gerichtsmediziner werden sollen.

Als er mit Wiggins, der ein wenig blaß aussah (was er allerdings immer tat), fertig war, lehnte Racer sich in seinem ledernen Drehstuhl zurück, zupfte ein Fädchen von seinem maßgeschneiderten Anzug, rückte die Mininelke in seinem Knopfloch zurecht und schenkte Jury ein schneidendes Lächeln.

«Der Schlächter», sagte er und sah Jury an, als säße ihm der Schlächter in all seiner blutigen Pracht gegenüber. «Es ist wirklich bemerkenswert, *Superintendent*» (Racer hatte Jurys letztjährige Beförderung bis heute nicht verkraftet), «daß Sie rein zufällig nach Stratford-upon-Avon fahren und mit zwei Morden und einem Vermißten auf Ihrem Konto zurückkommen.» So wie sein Vorgesetzter sich ausdrückte, hätte Jury genausogut ein Sammler obskurer Kriminalfälle sein können. Racer stand auf, um seine obligatorischen Runden im Zimmer zu drehen, und fügte großmütig hinzu: «Nicht daß ich Sie persönlich für die Umtriebe dieses Verrückten verantwortlich machen kann –»

«Ich danke Ihnen», sagte Jury.

Kurze Pause. «*Superintendent* Jury, Ihr Sarkasmus ist gänzlich unprofessionell und fehl am Platze.» Er stand hinter ihnen und glaubte vielleicht, einen psychologischen Vorteil zu haben, wenn er zu ihren Hinterköpfen sprach. Aus den

Augenwinkeln sah Jury, daß Wiggins die Gelegenheit beim Schopf ergriff, um vorsichtig die Packung Hustenbonbons zu öffnen.

«Doch, wie mir scheint», fuhr Racer fort, «begnügen Sie sich nicht damit, sondern greifen beharrlich in Ermittlungen ein, die in den Zuständigkeitsbereich der Polizei von Warwickshire fallen. Haben *die* etwa um unsere Hilfe gebeten? Keineswegs! *Mir* bleibt es dann überlassen, die Wogen zu glätten und dem Chief Constable dort süßen Brei ums Maul zu schmieren –»

Süßen Brei? Racer? Säure in die Augen tröpfeln wäre wohl richtiger. Der zahnlose Tiger brüllte hinter ihnen weiter.

Obwohl Chief Superintendent Racer, bildlich gesprochen, in den letzten Zügen lag, weigerte er sich standhaft zu sterben. Jurys Kollegen bei Scotland Yard hatten sich im letzten Jahr ohne Ausnahme auf Racers Pensionierung gefreut. Sie war aber nicht erfolgt; Racer zögerte sie immer wieder hinaus, als wäre sie gleichbedeutend mit dem Ende. In der Gewißheit, sein Ableben stünde bevor, hatten sie sich (natürlich wieder bildlich gesprochen) um seinen Sarg versammelt, bloß um festzustellen, daß die Leiche sich heimlich aus dem Staub gemacht hatte und am Montag in perfekt gebügelten Hosen aus der Savile Row und mit der Miniblume im Knopfloch zu neuem Leben erweckt am Schreibtisch saß.

«– damit nicht genug, oh, nein! Dann, anstatt die ganze Angelegenheit den Jungs aus Stratford zu überlassen, *schleppen Sie die ganze Bagage auch noch nach London ein!* Warum, Jury? *Nach London! Nach London! –*»

«Um ein weiteres Schwein zu schlachten.» Manchmal konnte Jury sich einfach nicht zurückhalten.

Schweigen. Der Redeschwall war unterbrochen. Wiggins

warf Jury einen kurzen Blick zu, starrte dann wieder geradeaus und lutschte verstohlen an seinem Hustenbonbon.

Racer beugte sich über Jurys Schulter, hauchte ihm den Dunst seiner Brandys mit Soda ins Gesicht und sagte: «Was war das, mein Junge?»

«Nichts, Sir.»

Der Redeschwall setzte wieder ein. «Seitdem Sie es zum Superintendent gebracht haben, Jury –»

Jury wünschte, er hätte den Mund gehalten. Jetzt konnte er sich auf noch schlimmere Beschimpfungen gefaßt machen, denn Racer war bei den Höhen und Tiefen von Jurys Karriere angelangt. «*Hinauf* haben Sie es geschafft, mein Junge. Sie können aber genauso leicht wieder *hinunter*fallen…»

Verflucht, auf diese Art würden sie den ganzen Nachmittag hier zubringen.

Zum Glück wurden sie durch Racers Sekretärin unterbrochen, die hereinkam und einen Stoß Papiere auf seinen Schreibtisch legte. Fiona Clingmore trug etwas, was eigentlich ein Negligé hätte sein sollen, offenbar aber ein Sommerkleid war. Es war schwarz und schien vorne nur aus Rüschen zu bestehen, denen allein es zu verdanken war, daß Fiona nicht alles enthüllte. Die eine Hand auf den Schreibtisch gestützt, die andere in die vorgeschobene Hüfte gestemmt, stand sie vor ihnen, trommelte mit ihren knallroten Fingernägeln und ließ alle in den Genuß eines Blickes in ihr Dekolleté kommen. Fiona, das wußte Jury, hatte vor ein paar Jahren die Vierzig überschritten, war aber nicht gewillt, die Waffen zu strecken.

«*Miss* Clingmore», sagte Racer, «ich wäre Ihnen sehr verbunden, wenn Sie künftig anklopften. Und schaffen Sie die räudige Katze da raus.»

«Entschuldigung», sagte sie, befeuchtete ihre Finger und klebte sich eine Locke an die Wange. «Sie sollen das hier sofort unterzeichnen. Der Berufungsausschuß braucht es.» Sie stürzte hinaus, vergaß zwar, die Katze mitzunehmen, nicht aber, Jury zuzuzwinkern. Er mochte Fiona und ihre immer besser inszenierten Auftritte. Er zwinkerte zurück.

Die Katze strich um ihre Beine herum und sprang dann ohne Umschweife auf Racers Schreibtisch, wo sie sich, massiv wie ein Briefbeschwerer, niederließ.

Racer verscheuchte sie, indem er offenbar speziell bei Katzen wirksame Flüche ausstieß, und setzte sich. «Was zum Teufel hat es mit der Reisegesellschaft auf sich, die Sie im ‹Brown's› einquartiert haben? Besteht da irgendein Zusammenhang?»

«Ich weiß es nicht», sagte Jury. «Ich weiß nur, daß die beiden, die in Stratford ermordet wurden, und der vermißte Junge dazugehörten.»

Racer schnaufte. «Und haben Sie das auch den Presseleuten erzählt, Jury? Die sind wie Lemminge die M-40 rauf- und runtergezogen.»

«Ich verkehre nicht mit der Presse. Das überlasse ich Ihnen.»

«Nun, *irgend jemand* muß verdammt noch mal geredet haben! Vermutlich diese verfluchten Idioten in Stratford.»

Jury rutschte ungeduldig auf seinem Stuhl herum und streckte die Hand nach unten aus, um die Katze zu streicheln, die seine Abneigung gegen Racer offenbar teilte. «Ich hielte es für das beste, wenn Sergeant Wiggins und ich die Erlaubnis erhielten, den Fall weiter zu bearbeiten, bevor ein weiterer Mord passiert», sagte er ruhig.

«Ein weiterer Mord? Was meinen Sie damit?»

«Daß der Mörder noch nicht fertig ist. Die Botschaft wurde noch nicht ganz übermittelt.»

Racer zog die Augenbrauen hoch. «Würden Sie mir das bitte erklären?»

«Nun, Sie haben doch das Gedicht gelesen. Bei Miss Brace-girdles Leiche fand man zwei Verse, bei der kleinen Farraday ebenfalls zwei. Die Strophe hat aber noch drei weitere Verse.» Und um Racers Blutdruck noch mehr in die Höhe zu treiben, fügte Jury hinzu: «Danach kann er natürlich mit einer neuen Strophe weitermachen.»

Der Gedanke an eine Mordserie von der Länge einer Per-lenkette oder eines Gedichts mit zwölf Strophen brachte an-scheinend sogar Racer zur Vernunft.

«Sie glauben, es wird einen weiteren Mord geben.» Er sah von Jury zu Wiggins und wieder zurück zu Jury. «Warum zum Teufel sitzen Sie beide dann noch hier und vergeuden meine Zeit? Machen Sie, daß Sie hier rauskommen.»

22

Sie dachte, ich wüßte nicht, was sie alles trieb? Amelia Blue Farraday stand vor einem Stripteaselokal in Soho und be-trachtete die lebensgroßen Plakate. *In einem Schuppen wie diesem wäre sie eines Tages gelandet*, dachte sie und starrte vielleicht länger auf die Plakate, als nötig war, um die frei her-umlaufenden Lustmolche und Wüstlinge nicht auf sich auf-merksam zu machen.

«Hallo, Süße.»

«Wohin soll's denn gehen?»

Die Fragen kamen von einem schlaksigen Burschen mit po-madigem, zurückgekämmtem Haar und dessen dickem Freund, der neben ihm stand und seine Gelenke knacken ließ. «Wir könnten viel Spaß miteinander haben.»

Amelia musterte sie abschätzig. In Georgia würde man Abschaum wie diesen mit Füßen treten. Sie würdigte sie keiner Antwort. Sie versuchte auch nicht, um sie herumzugehen; das würde so aussehen, als machte sie ihnen Platz. Sie streckte einfach die Arme aus, schob die beiden zur Seite und ging weiter die Soho Street hinunter.

Vielleicht besser, daß sie tot ist, dachte Amelia. *Vielleicht besser. Sie würde sich diesen beiden Nullen hingegeben haben, solange sie nur den angemessenen Preis entrichtet hätten.* Und mit diesem Gedanken, der weder Scham noch Schuldgefühle in ihr hervorrief, blieb Amelia erneut vor den riesigen Schaukästen eines heruntergekommenen Kinos stehen. *Ich hätte sie noch auf jedem Poster in der Second Avenue zu sehen bekommen. Großer Gott, dieses Kind machte auch vor nichts halt...*

Gelangweilt von Limonade und Bier auf der Veranda, gelangweilt von James C. s. unbeholfenen Liebeskünsten, hatte Amelia sich auf «Gelegenheitsaffären» eingelassen, wie sie es nannte – auf den ersten besten, der ihr über den Weg lief. Doch sie hatte es zu ihrem Vergnügen getan, nicht für Geld – obwohl es mitunter kleine Geschenke gegeben hatte –, anders als Honey Belle, die sich wie eine gewöhnliche Hure verkaufte. Honey Belle war nach ihrem Alten geraten, diesem Taugenichts, diesem falschen Fünfziger, der sich für unwiderstehlich hielt.

Schäbig aussehendes Volk umgab sie, als sie in ihrem wiegenden Gang durch Soho schritt, und sie wußte, daß einige der Rempeleien nicht zufällig waren. Sie warf ihr blondes Haar zurück; sie trug es noch immer lang, trotz der Bemerkung, die dieser Knilch von einem Friseur gemacht hatte:

«Meine Liebe, es macht Sie um Jahre älter.» Ihre Haare waren schon immer aschblond und ihr ganzer Stolz gewesen. Sie würde keinen schwulen Londoner Figaro an sich ranlassen. Sie brauchte sie nur hochzustecken, mit ein paar Kämmen festzuhalten, und schon sah sie aus wie eine Königin.

Amelia hatte genug von den Stripteaselokalen, den Pornokinos und den billigen Chinarestaurants. Andererseits wollte sie verdammt sein, wenn sie mit diesen Idioten von der Reisegruppe auch nur ein weiteres Theaterstück absitzen würde oder wenn sie sich in ihrem Zimmer in diesem versnobten Hotel einsperren ließe. Die weißen Handschuhe, die Verbeugungen und das ganze Herumscharwenzeln. Sie war zwar froh, daß James C. Geld hatte, aber sie war kein Snob. Froh über das Geld, aber, du lieber Gott, wenn er nur nicht diese beiden Kinder hätte. Es waren nicht einmal seine eigenen Kinder, das machte die Sache besonders unverständlich. Mitunter fragte sie sich, was wohl mit dem Jungen passiert war. Sie hoffte, er würde einfach wegbleiben. Sie wußte, daß die beiden sie haßten wie die Pest, aber das war ihr egal. Sie hatte James C. und das Geld, und wenn die dachten, sie könnten ihr die Tour vermasseln, dann hatten sie nicht alle...

Es sah aus, als würde eine Mauer aus lauter Männern auf sie zukommen, dabei waren es nur vier. Und noch bevor sie sie richtig sehen konnten, hatten sie bereits diesen lüsternen Blick. Eine einzige kollektive Lüsternheit und alle möglichen Obszönitäten, ausgesprochen in diesem kehligen Cockney oder was das war, bei dem sie ganze Silben verschluckten («Schau dir mal die Titt'n von 'er an, Jake... Ooooh...»). Sie hatten jedoch kaum Zeit zu dergleichen Bemerkungen, denn Amelias Busen bahnte sich unter Mitwirkung gelegentlicher Rippenstöße mit den Ellbogen bereits einen Weg durch die Mauer. Sie drehte sich auch nicht um, als die Bemerkungen anzüglicher wurden; sie war daran gewöhnt. Sie registrierte den Vorgang kaum, sondern setzte ihren inneren Monolog über Honey Belle fort...

Als dieser ekelhafte kleine Kerl, der sich als Detektiv ausgab, versuchte, sie zu erpressen, hatte Amelia bezahlt, den Bericht über Honey Belle gelesen und gleich darauf verbrannt. Sie war nie dahintergekommen, wer ihn auf die Fährte des Mädchens gebracht hatte, aber was gäbe es für ein Theater, wenn James C. jemals Wind davon bekäme, was die Kleine getan hatte: Nacktfotots, Pornofilme, einfach alles. Obwohl James C. kein Recht hatte, große Reden zu schwingen: nicht, nachdem sie ihn mit Honey Belle im Schlafzimmer erwischt hatte, die Hosen schon fast runter. Eine streunende Katze, das war sie. Schuld daran war nur ihr Vater; sie ist – war – genau wie er.

Amelia war nicht nach Soho gegangen, um etwas zu erleben; ihr war einfach nach einem kleinen Bummel zumute, bevor sie sich mit George in einem privaten Club in der Nähe des Berkeley Square Park traf. Von dem wenigen, das sie bisher von London kennengelernt hatte, war der schon eher nach ihrem Geschmack. Er lag in unmittelbarer Nähe des Hotels.

Vom Gehen erschöpft, winkte sie ein Taxi heran, ließ sich in den Rücksitz fallen und streifte die Schuhe ab. Gott, ihre Füße schmerzten von dem vielen Herumlaufen in dieser Stadt. Sie massierte an ihnen herum. Der Taxifahrer setzte sie am Berkeley Square Park ab, murrte über das Trinkgeld – *Sie können mich mal, mein Lieber* – und verschwand in der Dunkelheit.

Du lieber Himmel, diese Briten haben keine Manieren. Nur weil man Amerikaner ist, denken die, man schwimmt in Geld...

Amelia betrat den Park und summte eine Melodie vor sich hin. Es war natürlich vor ihrer Zeit gewesen, aber gab es da nicht dieses alte Lied, in dem eine Nachtigall im Berkeley Square Park singt? So um den Ersten Weltkrieg. Hatte es nicht ihr Pa manchmal gesungen? Amelia hörte Vogelgezwitscher und blieb stehen, um in das pechschwarze Geäst der Bäume hochzuschauen. Auf einer Parkbank am Weg lag ein Betrunkener und schnarchte, eingewickelt in seinen Mantel, als wäre es Januar und nicht Juli. Sie hatte schon lange nicht mehr an ihre Eltern, an ihren Pa gedacht. Er war irgendwo da oben im Himmel und schlief seinen Rausch aus, wie der Betrunkene da. Sie waren umherziehende Landarbeiter gewesen, weiter nichts, obwohl sie sich für James C. natürlich ein passenderes Elternhaus ausgedacht hatte. Doch das mußte sie ihm lassen – er war kein Snob. Aber selbst James C. hätte gezögert, eine Frau von jener Sorte zu heiraten, die viele Leute noch immer als weißen Abschaum bezeichneten. Amelia hob den Kopf. Es galt, in dieser Welt zu überleben. Und seinen Spaß dabei zu haben. Sie ging beschwingt weiter, die große Tasche, die sie letztes Jahr in Nassau gekauft hatte, über der Schulter. Spaß macht doch das Leben aus, oder? War es ihre Schuld, wenn sie über Honey Belles Tod nicht trauriger sein konnte? Es war einfach Schicksal. Man stirbt so, wie man lebt, das ist alles. Irgendein verrückter Sexualverbrecher trieb sich in dieser blöden kleinen Stadt herum und hatte sich zufällig zwei Frauen von derselben Reisegesellschaft auserkoren – Amelia begann ein wenig zu schwitzen. Wenn ihr Mann, wenn James C. nun doch etwas über Honey Belle oder gar über sie selbst erfahren hatte! Quatsch. Sie verlangsamte ihre Schritte. Dennoch – woher sollte sie wissen, ob dieser Detektiv nicht auch zu ihm gegangen war, um die Informationen gleich zweimal zu versilbern? Und überhaupt, dachte sie, woher soll ich wissen, ob dieser Mann nicht von James C. beauftragt war?... Vielleicht läßt er mir auch nachschnüffeln? Wieder blieb sie abrupt stehen. Sie versuchte sich zusammenzunehmen: *Amelia Blue Farraday, du hast einfach nur Schiß, Herzchen.* So ein Quatsch. Nachdem sie sich so Mut gemacht hatte, setzte sie ihren Spaziergang durch den Berkeley Square Park fort.

Sie kam nicht weit. Im Park herrschte tödliche Stille, außer ihr schöpfte um diese Zeit niemand frische Luft; das Vogelgezwitscher verstummte, erklang erneut und verstummte wieder, als würde es sich dem Rhythmus ihrer Schritte anpassen.

Der Arm, der sich plötzlich um ihren Hals legte und ihn nach hinten bog, steckte in alter Wolle. Bevor sie spürte, wie sich etwas in ihre Kehle grub, schoß ihr ein Satz durch den Kopf: *Man stirbt, wie man gelebt hat.*

Eine kleine Gruppe von Polizisten stand im Berkeley Square Park. Die Parkeingänge waren abgesperrt, und Polizisten dirigierten den Fußgängerverkehr. Angesichts der Aufforderung weiterzugehen blieben die Passanten natürlich erst recht stehen. Binnen zehn Minuten hatte sich eine Kette aus Neugierigen um den Park gebildet. Fünfzehn Minuten später war die Kette schon sechs Reihen tief. Langsam fahrende Autofahrer verursachten ein höllisches Durcheinander; viele parkten ihre Autos und stiegen aus, um ihre Schaulust zu befriedigen. Eine dreiviertel Stunde nach Ankunft der Polizei hatte man den Eindruck, halb London hätte sich hier versammelt.

Jury sah auf den einst weißen, jetzt roten Hosenanzug herab. Der Schlächter hat saubere Arbeit geleistet, dachte er. Sie war kaum noch zu erkennen, nur ihr weißblonder Haarschopf war wie durch ein Wunder nicht blutgetränkt, vielleicht weil der Kopf so komisch schräg hing, nachdem man ihr die Kehle durchgeschnitten hatte. Das Gras um sie herum war rostbraun und noch immer klebrig. Ein langer Schnitt verlief vom Schulterblatt den ganzen Körper entlang und legte die Magenwand und die inneren Organe frei.

Wiggins sah Jury an. «Sieht sie genauso aus wie die beiden in Stratford, Sir?»

Jury nickte. Den Mann von der Spurensicherung fragte er: «Was haben Sie bis jetzt gefunden?»

Der Mann drehte sich zu Jury um und blickte ihn über seinen Notizblock hinweg an. «Eingeweide», sagte er ruhig. Er sah fast schnieke aus in seinem gutgearbeiteten, passend trauermäßig dunklen Anzug.

«Das sehe ich. Das Blut muß ja überall hingespritzt sein –»

Der Tatortsachverständige nickte. «Auch der Mörder hat einiges abbekommen.» Er wies mit dem Kinn über die Schulter zurück. «In einer Mülltonne da drüben haben wir einen alten Mantel gefunden.»

«Sonst noch etwas? Vielleicht irgendeine Botschaft?»

«Sie haben es erraten, Superintendent. Auf einem Theaterprogramm von *Wie es euch gefällt*. Geben Sie mir noch fünf Minuten, dann haben Sie und der Arzt freie Bahn.» Er vervollständigte seine Notizen, und der Fotograf packte die Kamera ein.

Der Pathologe kniete neben der Leiche; er hielt ein blutverschmiertes Blatt Papier hoch, die erste Seite des Programms.

«Was ist das?» fragte Wiggins.

Jury las einen Vers vor: «‹Staub legte sich auf Helens Lider.›»

«Ist das der letzte Vers des Gedichts?» fragte Wiggins.

«Nein. Es gibt noch zwei.»

Farraday bewahrte mit Mühe die Fassung, als Jury ihm die Hiobsbotschaft überbrachte. Er erinnerte Jury an einen Felsvorsprung, den der stete Wellenschlag immer tiefer aushöhlte. Die Frage war nur, wie lange es noch dauern würde, bis er zusammenbrach. Offensichtlich war es noch nicht soweit.

Penny Farraday wich ins Dunkel zurück, drehte sich dann um und lief ins Badezimmer. Jury hörte, wie sie sich erbrach. Gern hätte er ihr geholfen; aber er war vollauf mit Farraday beschäftigt.

Mit so blutleerem Gesicht, als wäre *er* unters Messer gekommen, führte Farraday das Brandyglas, das ihm Jury gereicht hatte, zum Mund. Seine Hand zitterte heftig. Er bewegte die Lippen. Schließlich brachte er hervor: «Wann ist es passiert?»

«Vergangene Nacht, nicht allzu spät, meint der Arzt. Vermutlich gegen Mitternacht.»

«Warum hat es so lange gedauert –?» Seine Stimme versagte.

Jury sprach die Frage zu Ende. «Bis man ihre Leiche gefunden hat? Der Täter, wer auch immer es gewesen ist, hat sie sehr gut im Gebüsch versteckt. Eine Frau, die ihre beiden Hunde spazierenführte, hat sie gefunden. Aber auch sie wäre daran vorbeigelaufen, wenn nicht die Hunde im Gebüsch herumgeschnüffelt hätten. Wir waren erst kurz vor zehn am Tatort.»

Farraday schien sich schon längst nicht mehr für diese Erklärung zu interessieren. Er fuhr sich mit der Hand übers Gesicht wie jemand, dem die Augen weh tun, weil er zu lange in die Sonne gestarrt hat.

Jury schoß es durch den Kopf, daß Farraday verdammt überzeugend wirkte, falls er ihnen etwas vorflunkerte. Wer auch immer hinter den Morden steckte, er hatte den Kreis der Verdächtigen verkleinert. Ein schrecklicher Gedanke. Aber es kam doch wohl nur jemand in Frage, der zu dieser Reisegruppe gehörte? Es sei denn, es verfolgte sie ein Jury völlig Unbekannter.

«Meinen Sie, Sie können darüber sprechen? Oder wäre es Ihnen lieber, wenn ich später wiederkäme?»

Statt ihm zu antworten, drehte Farraday den Kopf in Richtung der Tür, durch die Penny verschwunden war. «Wie wird es Penny gehen?»

«Wenn Sie möchten, hole ich sie –»

«Nein, nein. Hören Sie. Da Sie es sowieso herausfinden

werden, ist es besser, Sie erfahren es von mir. Zwischen Amelia und mir standen die Dinge nicht zum besten.»

Das hieß, sie stanken zum Himmel. Jury nahm die Flasche von dem Tisch neben dem Sofa und füllte Farradays Brandyglas wieder auf.

«Danke.» Er trank einen Schluck, und etwas Farbe kehrte in sein aschgraues Gesicht zurück. «Ich wollte, daß sie vergangene Nacht zu Hause bliebe. Mit mir essen ginge, vielleicht zu Simpson, und dann einfach nach Hause. Aber sie wollte nicht.» Er räusperte sich.

«Warum nicht?»

«Amelia sitzt nicht gern einfach herum…»

Jury wollte nicht laut aussprechen, was er dachte: *Nicht einmal nach der Ermordung der eigenen Tochter?*

Farraday tat es statt dessen. «Mein Gott, man könnte annehmen, daß nach dem, was mit Honey Belle –?» Er schüttelte den Kopf und flüsterte: «Gott ist mein Zeuge, ich glaube, es war ihr scheißegal. Oh, ich weiß, daß ihr Jimmys Verschwinden egal ist. Sie hat aus ihrem Herzen keine Mördergrube gemacht, was Penny und ihn betraf. Aber Honey Belle – das ist ihr eigenes Fleisch und Blut. Ich verstehe das nicht, ich verstehe das einfach nicht.»

«Glauben Sie, daß sie vielleicht nicht nur gelangweilt war, sondern aus einem bestimmten Grund ausgegangen ist?»

Farraday sah auf. «Ein Mann, meinen Sie?»

Jury nickte unglücklich.

«Mr. Plant?» sagte die junge Frau an der Rezeption von «Brown's Hotel». «Ich glaube, er hat das Hotel mit dem Herrn aus Zimmer» – sie ließ ihren Blick so schnell über die Kartei gleiten, daß es Jury vorkam, als hätte sie sich gar nicht abgewandt – «aus 106 verlassen. Ein Mr. Schoenberg.» Sie lächelte. Sie war außergewöhnlich hübsch.

«Wissen Sie zufällig, wann sie gegangen sind?» Jury erwiderte ihr Lächeln.

«Nun, ich glaube, so gegen neun.»

Jury wünschte sich, alle Hotelangestellten könnten genauso exakt über das Kommen und Gehen ihrer Gäste Auskunft geben. «Vielleicht haben Sie es schon gehört. Es hat einen bedauerlichen Unfall gegeben.»

Daß sie davon gehört hatte, verriet nur ein kurzes Nicken, ihr ernster werdender Gesichtsausdruck. Bemerkenswert gut ausgebildetes Personal, dachte Jury. Ihre jeweilige persönliche Verwunderung, Betroffenheit oder Aufregung behielten sie für sich. «Diese Mrs. Farraday hat gestern nacht noch ziemlich spät das Hotel verlassen. Sind Sie hiergewesen?»

Die junge Frau schüttelte den Kopf. Sie schien weniger das vorzeitige Ableben eines Gastes zu bedauern als ihre Abwesenheit zur fraglichen Zeit, was es ihr unmöglich machte, dem Superintendent weitere Auskünfte zu geben. «Das muß meine Kollegin gewesen sein, die nachts Dienst hat –» Sie machte eine Bewegung, als wollte sie den Hörer abnehmen. «Möchten Sie, daß ich sie anrufe?»

Jury schüttelte den Kopf. «Bitten Sie sie nur, mich anzurufen, falls sie sich in bezug auf Mrs. Farraday an etwas erinnert.» Er legte seine Visitenkarte auf den Tisch. «Dieser Mr. Schoenberg. Harvey. Haben Sie auch eine Reservierung für seinen Bruder?»

Erneut wanderte ihr diskreter Blick über die Kartei. «Haben wir. Ein Mr. Jonathan Schoenberg hat sich für heute nachmittag angesagt.» Die hellgrünen Augen sahen ihn erwartungsvoll an, als hoffte sie, nun doch noch etwas zur Aufklärung beigetragen zu haben.

«Danke. Sie haben mir sehr geholfen.» Jury lächelte wieder.

Jetzt sah sie ihn schon nicht mehr ganz so diskret an.

23

Auf einer Reise durch die Geschichte mit Harvey L. Schoenberg glaubte man, einem Pferd mit Scheuklappen zu folgen. Das Pferd sah alles, was unmittelbar vor ihm lag, und solange es sich nicht darum kümmern mußte, was rechts oder links von ihm geschah, war es seiner Aufgabe gewachsen. Es kam wirklich wunderbar zurecht – kannte jeden Pflasterstein, jede Kurve, jeden Laternenpfahl.

«Traitor's Gate», sagte Harvey verzückt. Er sprach noch immer von dem Anblick, der sich ihnen geboten hatte, als sie über die massiven Bögen der Tower Bridge blickten. Nun standen sie in Southwark auf der anderen Seite der Themse, am Ende der neuen London Bridge, wo man sie auf Harveys Drängen hin abgesetzt hatte. «Stellen Sie sich bloß die Köpfe vor, die dort oben aufgespießt waren!»

«Wenn es Ihnen nichts ausmacht, lieber nicht. Öffentliche Hinrichtungen und dergleichen haben mir nie zugesagt. Ebenso wenig wie Hetzjagden.»

«Kommen Sie, Mel! Wo bleibt Ihr Sinn für Geschichte?»

«In meinem Magen.»

Doch das Feuer der Begeisterung in Harvey ließ sich nicht löschen; anders dagegen stand es mit seinem Durst. «Gehn wir in einen Pub. Fast genau an der Stelle, an der wir jetzt stehen, lag früher die sehr beliebte ‹Bärenschenke›.» Harvey hatte sich umgedreht und zeigte in die Ferne. «Da drüben lag die Tooley Street –»

«Da drüben liegt noch immer die Tooley Street, wenn ich mich nicht täusche.»

«Jaja, ich versuche Ihnen doch nur zu erklären, wie es *damals* aussah, als Marlowe durch diese Straßen ging. Es gab einen Haufen Pubs in dieser Richtung –»

«Ich bin sicher, auch heute noch.»

«– Es gab sogar einen ‹Schwarzen Schwan› hier; nördlich vom St. Thomas Hospital –»

«Es gibt immer einen ‹Schwarzen Schwan›. ‹Schwarze Schwäne› sind überall auf den Britischen Inseln zu finden.»

Harvey stieß einen Seufzer aus und faltete die alte Karte von Southwark zusammen, die er zu Rate gezogen hatte. Sie gingen die Southwark Street entlang. Harvey schüttelte den Kopf – ein Mann, der die Welt nicht versteht. «Sie sind einfach nicht in der Stimmung für diese kleine Wallfahrt, Mel.»

«Ich dachte, wir würden nach Deptford gehen. Zu dem Wirtshaus von Mistress Bull, wo dieser schnöde Mord passiert ist.»

«Machen wir ja auch. Aber zuerst müssen wir uns Southwark ansehen. Überlegen Sie doch, wieviel Zeit Marlowe hier verbracht hat.» Sie waren eine Steintreppe hinabgestiegen und sahen jetzt zur beeindruckenden Fassade der Southwark Cathedral empor. Schoenberg warf einen Blick auf die Karte und rückte den Riemen seines Ishi zurecht. «Das hier war die Kirche von St. Mary Overies. Kennen Sie die Geschichte? Wirklich traurig. Da drüben lagen die Bordelle.»

«Bordelle?»

«Das Amüsierviertel. Southwark war ein richtiger Sündenpfuhl. Kriminelle flüchteten aus der Stadt hierher, um der Justiz zu entgehen – so wie man in den USA die Staatsgrenzen überquert. Ich frage mich, wo Hog Lane liegt. Da hat Kit sich mit Bill Bradley duelliert.»

«Marlowe duellierte sich ständig. Daher verstehe ich auch nicht Ihren unerschütterlichen Glauben an diese absurde Theorie. Gehen wir was trinken.»

Hinter der Kathedrale waren sie durch ein Gewirr von engen, trostlosen Gassen zwischen großen Lagerhäusern gegangen, bis sie schließlich eine Kneipe fanden. Trotz der abseitigen Lage war sie brechend voll. Melrose fragte sich, wo bloß die ganzen Leute herkamen.

«Sehen Sie es doch mal so», sagte Harvey, der sein Bierglas mit beiden Händen festhielt und Melrose aus ernsten, grauen Augen anblickte: «Okay, ich gebe zu, daß Marlowe sehr schnell ausrastete. Aber erklären Sie mir doch mal, wie zum Teufel es zu so einem ‹Unfall› kommen konnte? Ich meine, daß er sich den eigenen Dolch ins Auge rammt. Oder, um genauer zu sein, knapp darüber?»

Melrose zündete sich eine Zigarre an. «Ganz einfach. Gestatten Sie, daß ich es Ihnen zeige.» Melrose ergriff seinen Spazierstock. «Nehmen Sie mal an, der Knauf des Stocks sei der Griff eines Dolches. Sie – Frizer – sitzen eingekeilt zwischen Poley und Skeres, und Marlowe fuchtelt Ihnen mit dem Dolchgriff im Gesicht herum. Damals wird so etwas durchaus üblich gewesen sein, irgendwie eine Art Vorgeschmack auf das nachfolgende Duell. Das bedeutet, daß die Spitze des Dolches auf Marlowe gerichtet war, nicht wahr? Und als Frizer versuchte, die Waffe abzuwehren, drang sie in Marlowes Stirn.» Melrose zuckte mit den Schultern. «Ich verstehe nicht, wieso das so schwer zu begreifen ist.»

Harvey versagte ihm nicht den gehörigen Respekt. «Sieh an, Sie haben Ihre Hausaufgaben gemacht, was?»

«Ja. Ich habe in der Bibliothek von Stratford ein paar Bücher konsultiert. Irgendwie betrachte ich es als meine Aufgabe, Sie von dieser wahnsinnigen Theorie über Shakespeare abzubringen... alles, was recht ist... oh, Harvey, um Himmels willen, nicht schon wieder dieser verdammte Computer.»

Aber Harvey hatte bereits den Computer hervorgeholt und

hämmerte wie wild auf den Tasten herum. Dann saß er mit gespitzten Lippen da und wartete, daß seine Datei auf dem Bildschirm erschien. «Da ist es: medizinischer Befund. An einer solchen Wunde wäre er nicht gestorben.»

«Medizinischer Befund? Was für ein Befund?»

Harvey kratzte sich am Kopf. «Nun, betrachten wir ihn als Mutmaßung seitens eines Wissenschaftlers. Und noch was: Wenn es wirklich so war, warum haben dann Bob Poley und Nick Skeres dem armen alten Kit nicht geholfen? Können Sie mir das beantworten? Sie waren doch seine Kumpel, oder? Die beiden sitzen also einfach seelenruhig da? Der einzige Grund, weshalb sie so seelenruhig dasitzen, ist, daß die ganze Sache von Anfang an *geplant* war!» Er schaltete den Ishi aus, hob triumphierend sein Glas und sah sich in dem verrauchten, überfüllten Raum um. «Stellen Sie sich nur vor, wie es in diesen Kneipen ausgesehen hat.»

Wie auch immer ihre Vorstellungskraft heute noch in Anspruch genommen werden sollte – Melrose hoffte nur, Harvey würde dazu lediglich sein Gedächtnis und nicht mehr die Datenbank des Ishi hinzuziehen. Noch eine einzige Datei auf dem Bildschirm seines Computers, und er würde ernsthaft erwägen, sich in die Themse zu stürzen.

«Stellen Sie sich mal vor, Sie führen Ihr Pferd in den Hof, und die Bediensteten kommen angerannt, um Sie zu empfangen; der Stallknecht nimmt Ihnen das Pferd ab, und der Knecht zündet in Ihrer Stube ein Feuer an –»

«Der Stallknecht, dem es immer gelingt, sich in der Nähe Ihrer Geldbörse aufzuhalten, und der Kammerherr, der sie Ihnen dann raubt –»

«Ein echter Zyniker», fuhr Harvey in traurigem Ton fort. «Und der Wirt, der Ihnen aus den Stiefeln hilft, als wären Sie bei sich zu Hause; und der Bierzapfer, der Ihre Zeche auf einer Tafel am Tresen markiert –»

«Und Ihr immer heiterer Gastgeber, der nicht nur Wirt, sondern auch Geldverleiher ist und Bauernlümmel ebenso betrügt wie junge Kavaliere; und der Schankkellner, dem es immer gelingt, Ihnen auf der Tafel ein paar Kreidestriche mehr unterzujubeln –»

«Sie sind echt witzig, Mel. Aber denken Sie bloß an die Mahlzeiten, die Ihnen am lodernden Kaminfeuer serviert wurden – für etwa acht Shilling bekamen Sie ganze Platten voller Lamm und Huhn und Speck, Taubenpasteten, Brot und Bier –»

«Und die Gasthäuser waren Sammelplätze für Duellanten und Kurtisanen... Wenigstens hielt es sie von der Straße fern.»

«Kommen Sie, Mel. Würden Sie nicht Ihr letztes Hemd dafür geben, wenn Sie die Zeit um vierhundert Jahre zurückdrehen könnten?»

«Die Zeit zurückdrehen! Nein, danke. Zurück in ein Jahrhundert, in dem Goldschmiede Bankiers und Friseure Chirurgen waren? Mit Straßen nicht breiter als Gassen, so daß nur zwei quietschende Karren hindurchkamen, und Gassen nicht breiter als Gehsteige? In eine Zeit, als die überhängenden Geschosse, die die Amerikaner so pittoresk finden, wegen der Enge als Behausungen dienen mußten? In der es Aufstände und Feuersbrünste gab, die Wohnungen Rattenlöchern glichen und die Luft so pestgeschwängert war, daß man die Nacht mit zugezogenen Bettvorhängen verbringen mußte, um sich nicht die Seuche zu holen? In dem ständig zu hören war: ‹Er hatte weder Hab noch Gut›? Die Zeit zurückdrehen? Seien Sie kein Idiot.» Melrose trank sein Ale aus.

«Mann, Sie können einen wirklich runterziehen.»

«Das ganze 16. Jahrhundert konnte einen runterziehen, mein Lieber. Wenn ihr Amerikaner eine Ahnung von elisabethanischer Politik gehabt hättet, dann hättet ihr Nixon dafür applaudiert, daß er so zuvorkommend und aufrecht war.»

«Nixon? Dieser Hurensohn?»

Melrose, der merkte, daß er auf einem höchst unerwarteten Feld einen Vorteil errungen hatte, lächelte bezaubernd und sagte: «Ach ich weiß nicht. Ich habe mir Richard Nixon immer als Maria, Königin von Schottland, vorgestellt.»

«Nicht zu fassen», sagte Harvey und sah niedergeschlagen von seinem Plan des historischen Deptford auf die neue, schäbig aussehende Siedlung. «Pepys Park. Begreifen Sie das?»

«Sie dachten doch wohl nicht, daß es in Deptford Strand noch Duelle, Halskrausen und liederliche Dämchen gibt?»

«Na klar. Aber im Ernst…» Er drehte sich um und sah zur anderen Straßenseite hinüber. Dort lag eine Kneipe, die «Victoria» hieß. Am «John Evelyn» waren sie etwas früher vorbeigekommen. «Ich meine, können Sie verstehen, warum man diesen verfluchten Ort mit Apartmenthäusern zugebaut hat?»

«Durchaus.» Melrose sah auf Harveys Plan. «Das ‹Gasthaus zur Rose›, das dieser Mistress Bull gehörte, sehe ich hier nicht.»

Harvey kratzte sich am Kopf. «Nun, niemand wußte genau, wo es eigentlich war. Kommen Sie, gehen wir weiter.»

«Gehen wir lieber zu ‹Brown's Hotel› zurück», sagte Melrose.

«Hören Sie doch endlich auf, mir den Tag zu versauen. Kommen Sie.»

Und sie setzten ihren Weg zum Fluß fort.

«Wie wär's hiermit?» sagte Harvey und sah an der hohen Fassade eines heruntergekommenen Pubs empor. Ein Schild mit einer matten gelben Sichel darauf verkündete dem Betrachter, daß er vor dem «Halbmond» stand.

«Nicht schlechter als die anderen. Bestimmt gibt es das ursprüngliche Gasthaus Ihrer Mistress Bull nicht mehr.»

«Woher wollen Sie wissen, daß es nicht das hier war?» An der Seite des Hauses zweigte eine schmale Gasse ab. Ein unbeholfen beschriftetes Hinweisschild mit einem Pfeil an der Seite wies in ihre Richtung. «Sehen Sie mal, da steht, daß es auf der Rückseite einen Garten gibt.»

«Es ist vermutlich der Weg nach Kew.»

Das Gebäude war entschieden häßlich, die dunkle Fassade endete oben in einem überhängenden Dachgeschoß, wodurch es schief und aufgebläht wirkte. Die Tür wurde auf einer Seite von einem Gitterwerk flankiert, dessen grüne Farbe bereits abblätterte.

«Es muß sehr alt sein. Das Gitterwerk war früher das Zeichen für eine Alebrauerei. Sie haben es entweder rot oder grün gestrichen.» Harvey zerdrückte seine Mütze in den Händen und betrachtete das Haus voller Ehrfurcht.

«Oh. Sie glauben doch nicht im Ernst, daß Sie das ursprüngliche Gebäude finden werden, oder? Denken Sie etwa, es sei als lebender Beweis Ihrer Theorie stehengeblieben? Kommen Sie, ich habe Durst. Sehen wir nach, ob der glückliche Wirt einen Old Peculier hat.»

Drinnen sah es nicht einladender aus als von außen. Die Butzenscheiben mit ihrer dicken Rußschicht ließen kaum Licht herein. Hinter dem langen Tresen, den der auf einer Zigarre kauende Wirt soeben mit langsamen Handbewegungen abwischte, hing ein schöner geschliffener Spiegel, auf dessen vergoldetem Rahmen kleine Amoretten, Pane und andere unbedeutende Gottheiten augenscheinlich Dinge trieben, die man besser im Verborgenen tut. Die wenigen Gäste – es war noch nicht einmal elf Uhr vormittags – sahen aus, als wären sie hier geboren worden. Auf alle schien die düstere Atmosphäre abgefärbt zu haben. Von den Zigaretten stiegen kleine Rauchsäulen zur Decke empor. Die Gäste husteten. Es roch nach Brackwasser und totem Fisch. Doch zumindest konnten sich die Gäste an dem wunderschönen Spiegel und den alten Zapfhähnen aus Porzellan satt sehen. Allerdings legten die Anwesenden darauf scheinbar keinen großen Wert.

«Hallo», sagte Harvey und ließ ein paar Münzen auf den Tresen rollen. «Zwei davon.» Er zeigte auf einen der Zapfhähne. Als der Wirt mit dem Bier kam, fragte Harvey leutselig wie immer: «Sagen Sie mal, das hier ist nicht zufällig das ehemalige ‹Gasthaus zur Rose›, oder?»

«Das ehemalige was, Kumpel?» Der Wirt kniff die Augen zusammen.

«Es gab einmal ein Gasthaus in Deptford Strand, das angeblich ‹Zur Rose› hieß. Die Wirtin war eine gewisse Eleanor Bull. Meiner Meinung nach müßte es irgendwo hier gewesen sein. Christopher Marlowe wurde darin umgebracht.» Er schob Melrose ein Aleglas zu und trank einen kräftigen Schluck aus seinem.

«Ein Mord?» Der Wirt wurde blaß. «Was reden Sie da? Hören Sie, sind Sie von der Polizei oder was?»

«Polizei? Wer, *wir*? Nein, nein, Sie verstehen nicht –»

Wird er auch nie, dachte Melrose seufzend. Er erhob sich von dem unbequemen hölzernen Barhocker, nahm sein Bier und setzte sich an einen Tisch. Von dort sah er zu, wie Harvey auf den Wirt einredete. Eine verbittert aussehende Frau, die am Tresen vorbeistolzierte wie auf Sprungfedern, blieb stehen und mischte sich in das Gespräch ein. Schließlich setzte Harvey sich achselzuckend zu Melrose an den Tisch.

«Sie haben noch nie was von der ‹Rose›, von Eleanor oder von Marlowe gehört. Aber sie sagten, daß sie für Leute, die unter sich sein wollen, noch Hinterzimmer haben. Kommen Sie, die schauen wir uns mal an.»

Harvey ging durch einen schmalen dunklen Flur voraus, an dessen Ende links und rechts zwei Türen in zwei identisch aussehende Zimmer führten. Deren einzige Ausstattung bestand aus runden Tischen und Stühlen, die ebensowenig zum Sitzen einluden wie die im Hauptraum. Die letzte Tür führte ins Freie; über ihr hing ein Schild – «Vorsicht Kopfhöhe».

Sie zogen die Köpfe ein und betraten den Garten beziehungsweise das, was in grauer Vorzeit einmal ein Garten gewesen, aber inzwischen völlig überwuchert war. Eine Öffnung in der bröckelnden Steinmauer führte auf die schmale Gasse.

Melrose ließ sich auf einer schiefen Bank nieder, während Harvey begeistert die Szene musterte. «Genauso könnte es ausgesehen haben, Mel.» Er bewegte sich plötzlich wie ein Regisseur, der die Positionen der Schauspieler festlegt, Kit dahin und Bob dorthin dirigiert. «Sehen Sie es nicht vor sich?»

«Nein», sagte Melrose charmant. Er gähnte.

«Sagen Sie es niemandem», sagte Harvey, als sie sich an einem Tisch im öffentlichen Teil des «Halbmondes» niedergelassen hatten, «aber ich schreibe gelegentlich selbst Gedichte.»

«Glauben Sie mir», sagte Melrose, der sich insgeheim Gedanken darüber machte, ob schon einmal jemand in einem Aleglas ertrunken war, so wie dereinst der Herzog von Clarence in einem Faß Malvasier, «ich werde es keiner Menschenseele verraten.»

«Hauptsächlich Sonette. Ja, und sie sind alle hier drin.» Er tätschelte den Computer, trank von seinem Bier und betrachtete Melrose aus den Augenwinkeln. «Wollen Sie einen Vers hören? ‹Im Sand noch der Abdruck des Fußes –›»

Melrose unterbrach ihn eiligst. Er würde dieses Gedichteaufsagen im Keim ersticken, und wenn es ihn das Leben kostete. «Wenn ich Sie wäre, würde ich beim Programmieren von Computern bleiben.»

Harvey schüttelte betrübt den Kopf. «Wissen Sie was, Mel? Sie können einem wirklich alles vermiesen.»

«*Ihnen* doch nicht. Sie werden sich auch weiterhin gut amüsieren, ohne daß ich Sie daran hindern könnte.»

«Was machen *Sie* übrigens, wenn Sie sich amüsieren wollen? Haben Sie ein Mädel?»

«Ein Mädel?»

«Ja, Sie wissen schon.» Er zeichnete mit den Händen Kurven in die Luft.

«Natürlich weiß ich. Im Moment leider nicht. Und Sie?»

Harvey ließ den Blick über die dunklen, leeren Tische schweifen. «Ich hatte mal eins. Wir wollten heiraten. Ich kannte sie noch nicht sehr lange. Liebe auf den ersten Blick – wechselseitig.» Er seufzte. «‹Das war in einem andern Land. Und außerdem, die Dirn’ ist tot.›»

Es überraschte Melrose nicht, daß Harvey Marlowe zitierte; allerdings verwunderte ihn der bittere Tonfall, den er von ihm nicht kannte. «Tut mir sehr leid.»

«Ah…» Mit einer Handbewegung schien er das Mädchen, den Tod und das andere Land wegzuwischen. «Ich grüble nicht. Das wäre das Schlimmste, was man tun kann. Es endet damit, daß man an nichts anderes mehr denkt, wenn Sie wissen, was ich meine. Hören Sie –» Harvey lächelte und legte eine Pfundnote auf den Tisch. «Legen Sie einen *quid* dazu – so nennt man das Pfund doch?»

«Ja, richtig.»

«Okay, wetten Sie auch einen *quid*, und wir werden sehen, wer gewinnt.» Harvey hob sein Glas. «Ich wette, Sie wissen nicht, wer das gesagt hat.»

«Wer was gesagt hat?» Melrose zog gehorsam eine Pfundnote aus dem Bündel in seiner Geldklammer.

«‹Wer liebte je, und nicht beim ersten Blick.›»

Melrose runzelte die Stirn. «Großer Gott, das kennt doch jeder Schuljunge. Es ist von Shakespeare.»

Selbstgefällig schüttelte Harvey den Kopf.

«Natürlich ist es von Shakespeare. Haben wir nicht alle schon zum hundersten Male *Wie es euch gefällt* gesehen? Touchstone sagt es.»

«Marlowe sagt es.»

«Marlowe? Haha. Sie haben verloren.»

«Haha, *Sie* haben verloren!»

Zu Melroses nie endendem Mißvergnügen beugte Harvey sich wieder einmal über den Ishi, tippte etwas ein, wartete einen Augenblick, bis der Text erschien, und lehnte sich dann strahlend zurück.

Melrose beugte sich vor und las:

> Frei steht uns weder Haß noch Liebesglück.
> Wir streben blindlings unter dem Geschick…
> Wägt jeder ab, bleibt bei der Liebe gleich;
> Wer liebte je, und nicht beim ersten Blick.

«Aus *Hero und Leander*», sagte Harvey und hob sein Glas. «Sie haben verloren.»

«Verflucht», sagte Melrose ohne Groll. Er hatte nichts dagegen dazuzulernen; selbst die Harvey Schoenbergs dieser Welt konnten einem etwas beibringen. «Sie meinen, der große Dichter hat es geklaut?» Melrose sammelte ihre Gläser ein.

«Nein. Er hat es zitiert. Sehen Sie sich den Text an. Er steht in Anführungszeichen.» Harvey beugte sich über den Tisch und sagte *sotto voce*: «Das ist ein weiterer Punkt, auf den ich meine Theorie stütze.»

«Bis gleich», sagte Melrose schnell und ging zum Tresen.

Wie vorauszusehen, hatte Harvey den Faden keineswegs verloren. Als Melrose die Biergläser absetzte, wiederholte er, «...ein weiterer Punkt». Er fing wieder an, auf der Tastatur des Ishi herumzuhämmern, und bemerkte dabei: «Meiner Meinung nach brauchen Sie nur die Sonette und das, was in diesem Stück steht, zu kombinieren, und alles läuft auf ein Wort hinaus. Sehen Sie sich zum Beispiel mal das an. Wieder Touchstone: ‹Das schlägt einen Menschen härter nieder als eine große Rechnung in einem kleinen Zimmer.›»

Melrose runzelte die Stirn. «Und worauf bezieht sich das?»

«Auf den *Mord* an Marlowe natürlich. Erinnern Sie sich denn nicht? ‹Die Rechnung› – der Streit im Wirtshaus drehte sich doch darum, wer die Rechnung zahlen sollte.» Er machte eine Handbewegung, als säßen sie tatsächlich in demselben Wirtshaus. «Wissen Sie, daß der Vers über die Liebe auf den ersten Blick der einzige ist, der nicht Shakespeares eigener Feder entstammt?»

«So?»

«Kommen Sie, Mel. Strengen Sie Ihren Grips an. Marlowes Tod hat Shakespeare offenbar verdammt nervös gemacht. Und jetzt kombinieren Sie das mit dem, was ich Ihnen noch erzählt habe –»

Melrose war glücklich, vorsorglich alles vergessen zu haben, was ihm Harvey erzählt hatte, sonst wäre er womöglich noch an Hirnfäule erkrankt. Er betrachtete eingehend den massiven Spiegel mit dem verzierten Goldrahmen über der Bar, während – klack, klack, klack – Harveys flinke Finger über den Ishi huschten.

«– mit den anderen Sonetten und besonders damit.» Auf dem Bildschirm erschien ein Text; Harvey hieb triumphierend auf eine Taste und las: «‹Leb' wohl, dich mein zu nennen, wär' Entweihung –›»

Melrose, der Wutausbrüche eines Gentlemans unwürdig

und außerdem sehr ermüdend fand, erlag derartigen Gefühlen ziemlich selten. Doch nun ließ er seinen Spazierstock auf den Tisch niedersausen, daß Harvey samt dem Ishi einen Satz machte. «Sie gehen zu weit! *Das* ist vermutlich eines der schönsten Sonette, die je geschrieben wurden, und es ist ganz offensichtlich für eine Frau geschrieben – für die *Dark Lady* vermutlich...» Er verstummte. Melrose war sich keineswegs so sicher, aber er wollte auf jeden Fall verhindern, daß das Sonett in der Mühle von Schoenbergs Ishi zermahlen wurde. «*The Dark Lady*», wiederholte er. Warum konnten sie sich nicht über die französischen Symbolisten unterhalten?

«Ach, seien Sie doch nicht so romantisch. Es war Shakespeares Apologie oder wie man das nennt. Warten Sie nur, bis ich dem guten alten Jonathan alles erzählt habe.» Harveys Gesicht nahm einen ungewöhnlich finsteren Ausdruck an. «Er kommt heute nachmittag. Mit der Concorde.»

«Jonathan scheint eine Menge in der Hinterhand zu haben.» Auf Harveys fragenden Blick fügte er hinzu: «Geld.»

«Ja. Nun, das Geld hatten die Alten.» Harveys Gesicht hellte sich wieder etwas auf, und er sagte: «Aber Sie haben auch genug davon und obendrein einen Adelstitel. Hören Sie, wollen Sie nicht mit uns zu Abend essen?»

Melrose war neugierig genug, um einzuwilligen. «Sie mögen Ihren Bruder nicht besonders, stimmt's?»

«Die Abneigung beruht auf Gegenseitigkeit. Aber zurück zu Shakespeare und Marlowe. Ich habe Ihnen ja gesagt, daß die Geschichte sich in einem Wort zusammenfassen läßt.»

Melrose musterte ihn düster; er hätte sich auf die Zunge beißen können, aber es entfuhr ihm trotzdem: «Und das wäre?»

«Reue. Der gute Billy wußte sehr wohl, was er getan hatte, das ist alles.» Vergnügt leerte Harvey sein Glas.

«Ich *hoffe*, daß das alles ist.» Melrose besann sich auf seine

Kinderstube. «Ist Ihnen bewußt, daß wir hier sitzen und über den Mord an Marlowe sprechen, wo wir uns über sehr viel naheliegendere Morde unterhalten könnten?» Er sah Harvey an, der gerade seinen Ishi verstaute. «Was meinen Sie? Zu *denen* haben Sie doch bestimmt auch eine Theorie.»

Harvey zuckte die Achseln. «Irgendein Verrückter. Wer sonst?»

«Einer von Ihnen.»

Harvey starrte ihn an.

Jetzt war die Reihe an Melrose, vergnügt sein Bier hinunterzukippen.

24

«Honeycutt», sagte Wiggins, «ist im ‹Salisbury Pub›.»

«Im ‹Salisbury›. Der verschwendet wirklich keine Zeit. Kommen Sie, wir werden ihm Gesellschaft leisten.»

Der Ford stand scheinbar ewig in einem Stau am Piccadilly Circus. Doch selbst eine grüne Welle hätte ihnen hier wenig genützt, denn allen Verkehrsregeln und sogar der besseren Einsicht zum Trotz, daß schweres Metall den menschlichen Körper übel zurichten kann, versuchten die Fußgänger in Massen, sich einen Weg über die Straße zu bahnen. Man konnte es ihnen aber kaum verübeln, weil die Autos es ihnen gleichtaten, so als hätten alle samt und sonders gewettet, wer als erster oder als letzter über die Ampel kam, bevor sie umsprang.

«Warum stellen sie nicht einfach die verfluchten Ampeln ab und geben uns freie Hand?» sagte Wiggins und fuhr an drei

Damen mittleren Alters heran, die offensichtlich nicht wußten oder wissen wollten, wie nahe sie der Stoßstange waren.
Wie üblich belagerten Büroangestellte und Taubenscharen
den Sockel der Eros-Statue, um dort ihre Mittagspause zu
verbringen.

«Von Farraday einmal abgesehen, sind wir, was die anderen betrifft, einem Motiv keinen Deut nähergekommen. Er
könnte Amelia aus Eifersucht getötet haben. Grund genug
hatte er ja, weiß Gott. Er könnte doch seine äußerst verführerische Stieftochter ermordet haben, obwohl das nicht gerade
plausibel scheint –»

«Was ist denn mit dieser Penny? Die haßte doch beide.»
Schließlich war es Wiggins gelungen, in der Shaftesbury Avenue abzubiegen, wo er nach einem Parkplatz Ausschau hielt.

«Nein», sagte Jury in einem Ton, der Wiggins abrupt zur
Seite blicken ließ. «Das halte ich für ausgeschlossen. Sie ist
erst fünfzehn.»

Wiggins, der in einer Seitenstraße in der Nähe des «Salisbury» den Ford auf dem Bürgersteig parkte, schnalzte mit der
Zunge. «Erst fünfzehn. Ich hätte nie geglaubt, so etwas aus
Ihrem Mund zu hören, Sir. Sie scheinen langsam etwas gefühlsduselig zu werden.»

«Ich und Attila der Hunne», sagte Jury und kletterte aus
dem Wagen. «Doch das erklärt nicht den Mord an Gwendolyn Bracegirdle.»

«Warum die alle Rollkragen so gern mögen?» fragte Wiggins,
als sie im «Salisbury» waren, in dem wie immer um die Mittagszeit dichtes Gedränge herrschte. Obwohl das Publikum
sehr gemischt war, hatte das «Salisbury» schon seit geraumer
Zeit den Ruf, ein Treffpunkt der Londoner Schwulenszene zu
sein.

Wiggins hatte recht; fünfzig Prozent der Gäste trugen

Rollkragenpullover. Genau wie der junge Mann, der an Valentine Honeycutts Tisch saß. Honeycutt hatte tatsächlich keine Zeit verschwendet. Als Jury und Wiggins an seinen Tisch traten, blickte er auf und zog die Hand vom Knie seines Freundes. Der Freund, in engen Jeans und Rollkragenpullover, wandte sich den Neuankömmlingen interessiert zu. Honeycutt schien sein Interesse nicht zu teilen.

«O nein», seufzte er.

«Die Hiobsboten», sagte Jury, ohne darauf zu warten, daß man ihnen einen Platz anbot. Er lächelte dem jungen Mann zu, der Zähne weißer als Schnee zeigte und dessen dunkle Locken sein glattes Gesicht – man wäre versucht zu sagen: auf byroneske Weisen umrahmte – hätte nicht Byron bekanntermaßen der Sinn nach anderen Dingen gestanden. «Sergeant Wiggins, Mr. Honeycutt.»

Als dem jungen Mann dämmerte, worum es ging, machte er ein enttäuschtes Gesicht, als hätte er sich von der unerwarteten Vergrößerung ihres kleinen Kreises etwas anderes erwartet. Obwohl ihm nach einem ersten zögernden Blick auf Jurys Lächeln klar zu sein schien, daß er nicht Jurys Typ war.

«Es tut mir leid, Sie stören zu müssen. Wir würden gern Mr. Honeycutt allein sprechen.»

Jury gestattete den beiden eine kurze Lagebesprechung im Flüsterton. Danach erhob sich der Mann im Rollkragenpullover und entfernte sich mit seinem Glas. Seine Jeans waren entschieden zu eng; Jury konnte fast die Nähte platzen hören.

Honeycutt war wie immer tipptopp in Schale: eine Jacke aus weichem Leder, um den Hals einen Seidenschal, der sich wie eine Kaskade über seinen Rücken ergoß, dazu weiße Cordhosen. Fehlte nur die Rennfahrerbrille. «Was gibt's denn schon wieder?» fragte er den lästigen Spielverderber.

«Mrs. Farraday. Amelia. Tut mir leid, Ihnen das sagen zu müssen, aber sie hatte einen Unfall. Einen tödlichen.»

«Oh, mein Gott!» sagte Honeycutt und ließ sich in das rote Sitzpolster zurücksinken. Über ihm hingen zu beiden Seiten der in einer Nische stehenden Bank wunderschöne, tulpenförmige Wandleuchter. Das «Salisbury» besaß eine der schönsten Inneneinrichtungen von allen Londoner Pubs. «Wo und wie ist sie zu Tode gekommen?»

Jury stellte eine ausweichende Gegenfrage: «Waren Sie gestern abend in Ihrem Hotel, Mr. Honeycutt?»

«Ungefähr bis halb zehn oder zehn. Dann ging ich in ein kleines Restaurant in der Nähe, das ‹Tiddly-Dols›.» Als er sah, daß Sergeant Wiggins mitschrieb, runzelte er die Stirn. «Warum?»

«Waren Sie allein dort?»

«Nein, mit einem Freund – hören Sie, was sollen diese Fragen? Das hört sich ja an, als bräuchte ich ein Alibi. Sie verdächtigen doch nicht –»

«Und um wieviel Uhr haben Sie das ‹Tiddly-Dols› verlassen, Sir?» unterbrach Wiggins.

Honeycutt sah von Jury zu ihm. «Oh, ich erinnere mich nicht genau. So gegen elf… Aber ich verstehe nicht –»

«Der Name Ihres Freundes, Sir?» fragte Wiggins und befeuchtete die Spitze seines Bleistifts mit der Zunge. Wiggins hatte Angst vor jeder Krankheit, die einen Menschen befallen konnte, außer anscheinend vor einer Bleivergiftung.

Honeycutt öffnete den Mund, beschloß dann aber zu schweigen und sah wieder Jury an.

Jury merkte, daß er sich von nun an sperren würde, und sagte zu Wiggins: «Wie wär's, wenn Sie uns etwas zu essen holten? Für mich ein Stück Fleischpastete. Und ein großes Bier.» Wiggins klappte das Notizbuch zu und stand auf. Jury lächelte. «Hab heute noch nichts gegessen. Das Essen ist gut hier.»

Honeycutt schien sich zu entspannen. Jemand, der Appetit

auf eine Fleischpastete hat, will einem schließlich nicht an die Gurgel.

«Sie haben mir noch immer nicht erzählt, wie es passiert ist, Superintendent.»

«Gestern nacht im Berkeley Square Park. Übrigens nicht weit entfernt von dem Restaurant, das Sie erwähnten. Der Polizeiarzt meint, gegen Mitternacht.» Wieder lächelte Jury.

Er hatte ihn bereits an der Gurgel. Valentine Honeycutt erbleichte. «Sie denken doch nicht, *ich* –»

«Oh, im Augenblick denke ich gar nichts. Aber Sie werden verstehen, daß wir die wenigen Leute in London, von denen wir wissen, daß sie das Opfer kannten, überprüfen müssen – alle, die mit Honeysuckle Tours unterwegs sind. Danke, Wiggins.» Der Sergeant hatte ihm einen dampfenden Teller mit gehacktem Rindfleisch und hübsch angebräuntem Kartoffelpüree vorgesetzt. Als nächstes brachte er Jurys Bier und ein kleines Glas Guinness. «Essen Sie denn nichts, Wiggins?»

Wiggins schüttelte den Kopf. «Eine kleine Magenverstimmung.» Er holte ein kleines, in Folie gewickeltes Päckchen aus seiner Manteltasche und ließ zwei weiße Tabletten in sein Guinness fallen.

Jury hätte nie gedacht, daß sein Sergeant ihn noch überraschen könnte, bis er das Zischen hörte. «Alka Seltzer im Bier?»

«Oh, das wirkt Wunder für die Verdauung, Sir. Und Guinness ist auch gesund.» Wiggins öffnete wieder sein Notizbuch. Der samtige Schaum in seinem Bierglas brodelte.

«Haben Sie gestern abend noch einen der Reiseteilnehmer gesehen? Oder haben Sie auch gestern abend Ihre Politik des Laissez-faire praktiziert?» fragte Jury.

«Ich habe ein paar gesehen, ja. Aber wenn Sie genau wissen wollen, wann und wo wer war, dann fragen Sie am besten Cholmondeley.» In seiner Stimme schwang so viel

Triumph mit, als hätte er das Huhn, das goldene Eier legt, gefunden.

«Wie kommen Sie darauf?»

«Weil er sich mit Amelia verabredet hatte, darum. Später am Abend.» Honeycutt zündete sich eine Zigarette an.

«Woher wissen Sie das?»

«Woher? Weil er es mir gesagt hat.»

Jury legte seine Gabel hin. «Merkwürdig. Er macht nicht den Eindruck, als würde er so etwas anderen anvertrauen.»

«Anvertrauen, nein. Ich nehme an, er sah nichts Vertrauliches darin. Er erwähnte es ganz beiläufig, nachdem ich ihn gefragt hatte, ob er mit mir zusammen ein Casino besuchen wolle.» Er zuckte die Achseln und sah beiseite, während sich feiner Rauch aus seiner Zigarette kräuselte. «George sagte einfach nur, er würde Amelia treffen.» Nach kurzem Schweigen fügte er, auf seine perfekt manikürten Fingernägel starrend, hinzu: «Er hat wohl kaum gewußt, daß sie ermordet werden würde.»

25

«Wie kommt es, daß ich meinen Lunch neuerdings regelmäßig in Polizeibegleitung einnehme?» fragte George Cholmondeley nicht unfreundlich, nachdem ihm Wiggins vorgestellt worden war und er sie mit einer Handbewegung aufgefordert hatte, Platz zu nehmen.

«Tut uns leid, Mr. Cholmondeley. An der Rezeption des ‹Brown's› hat man uns gesagt, Sie seien hier zu finden. Es ist ziemlich wichtig. Ich nehme an, Sie sind nicht auf dem laufenden, was Mrs. Farraday betrifft?»

Cholmondeley hatte das Weinglas zum Mund geführt, trank aber nicht. Langsam setzte er es wieder ab und schob zugleich seinen Teller weg, als würde ihn das Essen nicht mehr interessieren. Indessen schien es Sergeant Wiggins um so mehr zu interessieren; er betrachtete die Tournedos Rossini mit unverhohlenem Mißtrauen. Wiggins vertraute der *haute cuisine* genauso wenig wie ihm nicht geläufigen Klimaverhältnissen. Es erstaunte Jury, daß jemand wie Wiggins, der im Fluchen so weltläufig war, beim Essen hartnäckig an einer Diät aus Schollen, Pommes frites und Erbsen aus der Dose festhielt.

«Sie scheinen recht unerfreuliche Neuigkeiten zu bringen. Sonst wären Sie wohl nicht hier.»

«Sehr unerfreuliche.»

«Was ist geschehen?»

«Man hat sie ermordet aufgefunden. Sie haben Honeycutt erzählt, Sie seien mit ihr verabredet, ist das richtig?»

Er ließ Cholmondeley Zeit, seine Zigaretten hervorzuholen, jedem eine anzubieten und ihnen Feuer zu geben.

«Nun, das ist richtig. Besser gesagt, *sie* hat sich mit mir verabredet.»

«Oh? Und wissen Sie warum?»

«Weil sie nicht zu begreifen schien, daß der kleine Flirt vorbei war.»

«Machte Sie Ihnen Schwierigkeiten?»

«Schwierigkeiten? Sie meinen, ob sie mich in Verlegenheit brachte?» Cholmondeley begann zu lachen, sah dann aber wohl ein, daß das nicht der richtige Augenblick war. «Entschuldigen Sie. Nein, dazu wäre es wohl nicht gekommen. Im übrigen ist sie gar nicht aufgetaucht. Aber ich fange an zu verstehen, worauf Sie hinauswollen.»

Jury verzog keine Miene. «So? Dann erzählen Sie mal, damit wir beide auch mitkommen.»

Cholmondeley schwieg; er blickte nur von Jury zu Wiggins, als könnte er im Gesicht des Sergeanten ablesen, welchen Aufenthaltsort für die vergangene Nacht er, Cholmondeley, auf gar keinen Fall angeben dürfte. Doch Wiggin's Gesicht war in solchen Fällen undurchdringlich wie eine Mauer.

«Sie sind auf der Suche nach Motiven. Ich hätte nur ein sehr geringfügiges, glauben Sie mir.»

«Wo wollten Sie sich mit ihr treffen?»

«Am Berkeley Square Park. Er liegt in der Nähe des Hotels, aber nicht zu nah.»

«Es zeugt nicht gerade von guten Manieren, sich mitten in der Nacht in einem Park mit einer Dame zu verabreden, die ohne Begleitung ist.»

«Und wer hat behauptet, es sei mitten in der Nacht gewesen?» Cholmondeley zog gelassen an seiner Zigarette und machte ein Gesicht, als wäre dieser Punkt an ihn gegangen.

«Lediglich eine Mutmaßung. Ihr Mann gab an, sie sei nach dem Abendessen spazierengegangen. Und das war kurz nach halb zehn, eher gegen zehn vermutlich. Ist sie etwa mit Ihnen spazierengegangen?»

«Nein», sagte Cholmondeley barsch. «Ich sagte Ihnen doch, daß Amelia überhaupt nicht erschienen ist.»

«*Wann* ist sie nicht erschienen, Sir?» fragte Wiggins, der seinen Notizblock beiseite gelegt hatte, um ein Pillenfläschchen aufzuschrauben.

«Mitternacht. Ich kenne ein paar Clubs in der Gegend. Ich hatte ihr gesagt, ich würde sie in einen mitnehmen.»

Wiggins nahm seine Pille ohne Wasser; er schob sie sich unter die Zunge und nahm seinen Notizblock wieder zur Hand.

«Das heißt, Sie waren zum Zeitpunkt des Mordes im Berkeley Square Park, Mr. Cholmondeley», sagte Jury.

«Ich habe den Park nicht betreten. Ich wartete am westlichen Eingang, wo wir uns treffen wollten. Nein, ich habe auch keine Zeugen, was mich wohl zum Hauptverdächtigen macht.» Cholmondeley beugte sich über den Tisch. «Nur, was für ein Motiv könnte ich haben, Amelia Farraday zu ermorden?»

«Vielleicht das, was Sie vorhin erwähnten: Sie wurde Ihnen lästig.»

Cholmondeley betrachtete ihn spöttisch, wie um anzudeuten, Jury sollte sich gefälligst etwas Besseres einfallen lassen.

«Oder vielleicht wußte sie etwas, was Sie viel mehr in Verlegenheit gebracht hätte als diese kleine Affäre. Ich frage mich nach wie vor, wieso ein Mann wie Sie – ein gewandter und erfahrener Reisender und obendrein noch Engländer – sich einer amerikanischen Reisegruppe anschließt.»

«Ich verstehe nicht, warum Sie sich deswegen Gedanken machen.»

«Tue ich aber. Aus Ihrem Paß geht hervor, daß Sie in diesem Jahr bereits fünfmal auf dem Kontinent waren. In Amsterdam.»

«Was ist daran so merkwürdig? Ich habe Ihnen bereits gesagt, daß ich mit Edelsteinen handele. Ich muß reisen, um meine Einkäufe zu machen.»

«Man sollte annehmen, daß Sie von Amsterdam allmählich genug haben. Diese Gruppe bleibt eine ganze Woche dort. Und Sie werden wohl kaum jemanden brauchen, der Ihnen London zeigt. Das gleiche gilt für Stratford. Sie könnten jederzeit auf eigene Faust dorthin fahren. Ich an Ihrer Stelle würde am Mittelmeer, an der Amalfi-Küste oder an der Côte d'Azur Urlaub machen – mal was anderes.»

«Superintendent, machen Sie *Ihren* Urlaub an der Amalfi-Küste oder sonstwo, aber überlassen Sie es mir, wo ich meinen verbringe.» Cholmondeley steckte sich eine Zigarre in den Mund und griff in seine Hosentasche. Offenbar fand er es an der Zeit zu zahlen.

«Nichts lieber als das. Nur wird aus meinem Urlaub nie etwas. Und wenn ich einmal Urlaub mache, dann arbeite ich im Gegensatz zu Ihnen nicht.»

Cholmondeley schüttelte nur den Kopf, löste einen großen Schein aus seiner Geldklammer und legte ihn auf den Tisch.

Jury schlug seinen Notizblock auf. «Die Amsterdamer Polizei hat sich mit dem Herrn unterhalten, mit dem Sie Geschäfte machen: Paul VanDerness. Mr. VanDerness ist im Grunde ein seriöser Geschäftsmann. Meistens. Nur ein- oder zweimal geriet er in den Verdacht, Diamanten zu verschieben.»

«Daran glaube ich nicht, aber selbst wenn der Verdacht sich bestätigte, was hat das mit mir zu tun?»

«Ich überlege nur, wie das Gepäck bei Alleinreisenden abgefertigt wird – im Gegensatz zum Gepäck einer Reisegruppe. Honeycutt hat seinen Kunden diese Plackerei bestimmt abgenommen. Er wird alles gestapelt und durch den Zoll gebracht haben, einen wahren Gepäckberg. Die Farradays hatten vermutlich allein schon fünfzehn Koffer. Wenn die Zöllner sehen, daß es sich bloß um amerikanische Touristen handelt, durchsuchen sie die Koffer vermutlich erst gar nicht. Oder machen nur Stichproben. Wenn ich Diamanten illegal über die Grenze schaffen sollte, würde ich mich glatt einer Reisegruppe anschließen.»

Cholmondeley klopfte mit dem kleinen Finger die Asche von seiner Zigarre. An dem Finger funkelte einer jener Diamanten, mit denen er Geschäfte machte. «Seien Sie vorsichtig, Superintendent. Ich habe nichts mehr zu sagen, außer daß meine Rechtsanwälte ganz und gar nicht begeistert sein werden.»

Jury schwieg. Er wußte, daß Cholmondeley der Versuchung, seine Verteidigung selbst in die Hand zu nehmen, nicht würde widerstehen können.

Und richtig. Cholmondeley steckte sein Zigarrenetui ein und fuhr fort: «Sie haben also diese irrsinnige Vorstellung, ich hätte Amelia Farraday erzählt, daß ich Diamanten schmuggle, und sie hätte mir gedroht – also wirklich, es ist absurd.»

Jury schwieg noch immer.

«Und was ist mit Miss Bracegirdle? Was mit Amelias Tochter? Ich habe sie alle ‹abgeschlachtet› – wie die Zeitungen es nennen –, nur um sie zum Schweigen zu bringen? Sie meinen, *alle* hätten über meine angeblichen Schwarzmarktgeschäfte Bescheid gewußt? Wirklich Pech, daß Amelia nicht hier sein kann, um diesem Blödsinn ein Ende zu bereiten.»

Nach einer Weile brach Jury sein Schweigen. «Für Amelia ist es noch viel größeres Pech.»

«Glauben Sie das wirklich, Sir?» fragte Wiggins, als sie wieder im Wagen saßen und zu «Brown's Hotel» zurückfuhren.

«Sie meinen die Schmuggelgeschichten? Das weiß ich nicht. Man wird es ihm wohl nicht nachweisen können. Ich habe seine Sachen durchsuchen lassen, ohne Erfolg. Ich hatte es auch nicht erwartet. Schon beim ersten Zwischenstopp in London hätte Cholmondeley die Schmuggelware loswerden können. Oder auch schon in Paris – ich weiß es nicht. Hat ihn jedenfalls ein wenig aufgerüttelt.»

«Wäre das ein ausreichendes Motiv?»

«Das bezweifle ich. Das fehlende Motiv ist das Schlimmste an der ganzen Angelegenheit. Ohne Motiv kommen wir nicht weiter. Wir können es genausogut mit dem Killer von Yorkshire zu tun haben. Wahlloses Morden. Nur: Wir wissen mit Sicherheit, daß es nicht wahllos ist.» Sie fuhren eine Weile schweigend den Piccadilly entlang. «Wenn wir im Hotel sind, sprechen Sie mit dieser Cyclamen Dew, ich nehme mir die Tante vor. Sie haben sie noch nicht kennengelernt, oder?» Als

Wiggins den Kopf schüttelte, sagte Jury: «Ich wette, Ihre Stirnhöhlen werden im Nu frei sein. Was haben Sie da vorhin für eine Pille genommen? Die Sorte kannte ich noch nicht.»

Wiggins schien sich zu freuen, daß Jury solche Dinge bemerkte. «Mein Blutdruck ist etwas zu hoch. Die Diastole ist um zehn Punkte höher, als sie sein sollte.»

«Das tut mir leid. Eine Tablette täglich, oder? Mein Cousin hat auch einen zu hohen Blutdruck.»

Während er in die Albemarle Street einbog, klärte Wiggins Jury nur allzu bereitwillig über das Krankheitsbild auf. Es war seit Jahren die erste wirklich neue Krankheit, die sich der Sergeant zugelegt hatte. Bislang hatte er sich immer damit begnügen müssen, die alten neu zu definieren. «Der Arzt sagt, es ist der Job, wissen Sie. Wir haben zuviel Stress, und irgendwo muß sich das ja bemerkbar machen. Sie sind, glaube ich, etwas härter im Nehmen.» Als Jury schnell den Kopf abwandte, um sich die Glasfassade der Rolls-Royce-Ausstellungsräume anzusehen, merkte Wiggins anscheinend, daß er seinen Vorgesetzten ungewollt gekränkt hatte, und fügte rasch hinzu: «Damit will ich keineswegs gesagt haben, Sie seien gefühllos. Ich meine lediglich, daß ich – nun, ich erlebe alles sehr viel intensiver als die meisten Menschen. Und das muß sich ja irgendwie bemerkbar machen, oder? Wir opfern uns für diesen Job auf, finden Sie nicht auch?»

Wiggins würde sich prächtig mit Cyclamen Dew verstehen – bei dem großen Martyrium, das beide zu ertragen hatten.

«…und es ist so fürchterlich lästig, Pillen gegen etwas zu nehmen, das keine Symptome zeigt. Ich meine, wenn man sonst ganz gesund ist.»

Jury starrte ihn mit vor Staunen offenem Mund an. Aber Wiggins verzog keine Miene. Er sah aus wie ein leibhaftiger Märtyrer.

26

Als Jury das holzgetäfelte Foyer von «Brown's Hotel» betrat, schenkte sich Lady Violet Dew, den *Hustler* auf den Knien, gerade etwas aus einem kleinen Fläschchen in ihre Teetasse.

Sie spähte über den Rand ihrer Zeitschrift und schob sich die Brille in die Stirn. «Ich brauche sie nur zum Lesen», sagte sie und schlug die Zeitschrift zu. Sie lächelte – so gut es ihr beim heutigen Fehlen von Aufputsch- und Beruhigungsmitteln gelang – und sah Jury anerkennend an.

Genauso war er am Tag zuvor bei einem kurzen Zusammenstoß mit Lady Dew taxiert worden, als der Honeysuckle-Tours-Bus für die kurze Fahrt von Stratford nach London beladen wurde.

«Fragen über Fragen. Ich habe schon alles gehört. Das ganze Hotel ist in Aufruhr; das Zimmermädchen macht sich fast in die Hose vor Angst. Sexualverbrechen sind ja auch die schlimmsten, nicht wahr? Vermutlich weil insgeheim jeder davon träumt. Setzen Sie sich.» Sie klopfte einladend auf den Sitz. «Trinken Sie eine Tasse mit? Sie sind mein Gast.»

Jury spielte überzeugend die Rolle eines Mannes im Stress, der dringend eine kleine Pause braucht. Er lockerte sogar seine Krawatte. «Keine schlechte Idee.»

«Viel Gelegenheit zum Entspannen und Plaudern werden Sie ja nicht haben. Sie müssen bestimmt immer schnell nach Haus zu Ihrer kleinen Frau und den Kinderchen.»

Im Halbdunkel der Bar blitzte sein Lächeln auf. «Keine Frau, keine Kinderchen.»

Sie gab ihm einen Klaps auf den Arm. «Na hören Sie. Ein attraktiver Mann wie Sie? Na, wenn Sie noch Junggeselle sind, müssen Ihre weiblichen Kollegen ja ganz wild nach Ihnen sein.»

«Nicht alle. Aber ich komme natürlich auf meine Kosten.»

Sie rückte ein wenig näher. «Waren Sie schon mal in den Staaten? Es geht nichts über die Rennbahn von Hialeah. Auf die Pferde setzen?»

«Wieso, Lady Dew –»

«Vi.»

«Vi, Sie haben doch bereits Mr. Plant eingeladen.»

«Na und? Wir können uns doch auch zu dritt gut amüsieren?»

«Davon bin ich überzeugt. Wie wär's, wenn Sie mir in der Zwischenzeit ein paar von meinen Fragen beantworten würden?»

«Für Sie tue ich alles. Schießen Sie los!» Sie legte ihre knotige Hand auf Jurys.

«Wo waren Sie gestern abend?»

«Wo –?» Die Vorstellung, zu den Verdächtigen zu gehören, schien ihr großen Spaß zu machen; sie lachte und schlug sich auf den Oberschenkel.

«Wäre ich doch nur mal rausgegangen. Leider habe ich es nicht getan, sondern den ganzen Abend mutterseelenallein auf meinem Zimmer verbracht.»

«War Cyclamen nicht bei Ihnen?»

«Nein. Cyclamen ist mit Farraday und dem Mädchen ins Theater gegangen. Wie ich schon sagte, war ich ganz allein, ohne Zeugen. Und habe mein Rasiermesser geschärft.»

«Das ist nicht zum Scherzen. Haben Sie denn gar keine Angst?»

«Hätten Sie nach drei Gläsern Gin etwa Angst? Und wie können Sie glauben, ich hätte Angst, wenn Sie mich für die Mörderin halten? ‹Wo waren Sie gestern abend?›» äffte sie Jury nach.

«Angenommen, Sie sind nicht die Mörderin, dann müßte Ihnen doch ziemlich unwohl sein bei dem Gedanken, daß bereits drei Frauen aus Ihrer Reisegruppe ermordet worden sind. Es trifft anscheinend nur Frauen.»

«Was ist mit dem kleinen James Carlton? Glauben Sie, er könnte ein weiteres Opfer sein? Nur daß die Leiche noch nicht gefunden worden ist? Natürlich habe ich Angst, Sie Idiot. Was meinen Sie wohl, warum ich hier unten sitze und mich betrinke.» Sie gab dem Kellner ein Zeichen, eine zweite Tasse zu bringen.

«Sie sagten, Ihre Nichte sei ins Theater gegangen?»

«Ja. Sie kam gegen halb zwölf oder zwölf zurück. Ich kann ihr also kein Alibi verschaffen. Vielleicht die anderen – Farraday und Penny.»

«Wäre sie zu einem Verbrechen wie diesem imstande?»

«Vermutlich nicht. Aber von den anderen würde ich das auch nicht denken. Da sind Farraday und Schoenberg und Cholmondeley. Ich glaube nicht, daß es einer von ihnen war. Sie glauben doch nicht wirklich, daß der Täter eine Frau ist, oder? Es ist ein Sexualverbrechen, glauben Sie mir.»

«Dafür gibt es keine Beweise. Und selbst wenn, dann könnte es immer noch eine Frau gewesen sein, oder?»

«Das müßte eine komische Frau sein.»

«Eine entschieden komische. Erzählen Sie mir von Ihrer Nichte, Lady Dew.»

Sie ließ seine Hand, die sie wieder in Besitz genommen hatte, mit einem dumpfen Schlag auf den Tisch fallen. «Ich weiß nicht, was Sie meinen.»

«Natürlich wissen Sie es.» Eine gute Pokerspielerin war sie nicht. Hätte sie nicht so abwehrend reagiert, hätte Jury keinen Grund gehabt, Cholmondeleys Bemerkung über Cyclamen Dew zu glauben.

Als sie schwieg, drang Jury weiter in sie: «Gwendolyn Bracegirdle und Cyclamen waren ziemlich eng befreundet, habe ich gehört –»

«Eine verdammte Lüge!»

«Was?»

«Daß Cyclamen – nun, daß sie andersrum ist.»

«Und was ist mit Miss Bracegirdle?»

«Ich spreche nicht schlecht von Toten», sagte sie in fragwürdiger Selbstgerechtigkeit.

Jury lächelte. Lady Dew würde über jeden schlecht sprechen, wenn es ihr in den Kram paßte. Man mußte lediglich ein wenig nachhelfen. Obwohl sie ihre Nichte offensichtlich nicht besonders mochte, würde sie die Tatsache, daß sich unter den Dews eine Lesbe befand, vermutlich als Makel auf ihrer eigenen Sexualität auffassen. Jury zog einen Packen Zeitschriften aus seiner Tasche.

«Was haben Sie da?»

«Ein paar Zeitschriften, die ich einem Freund mitbringen wollte. Die Sitte hat gestern abend wieder mal aufgeräumt.»

«Die Sitte? Was ist das?»

«Die Truppe gegen Drogen und Pornographie.»

Sie wollte schon danach greifen, doch Jury hielt die Hefte außer Reichweite. «Nicht doch! Beweismaterial.»

«Sie sagten doch, Sie wollten sie einem Freund mitbringen.»

«Na, der ist auch bei der Polizei.»

«Also werden Sie sich zusammen geifernd darüber hermachen? Widerlich!»

«Wir müssen uns ja auch mal entspannen.» Beim Blättern stieß Jury einen leisen Pfiff aus.

Sie versuchte, über seine Schulter zu spähen. Schnell schlug er die Zeitschrift zu. «Tut mir leid.»

«Wenn das keine Erpressung ist!» Während der Kellner frischen Tee servierte und Jury eine Tasse brachte, schwiegen sie. «Also gut, und was ist dabei, wenn Cyclamen sich auf diese Weise amüsiert? Es steht mir nicht an, darüber die Nase zu rümpfen, doch ich begreife einfach nicht, wie sie – besonders nicht die Sache mit dieser Bracegirdle. Ausgesprochen langweilig. Ich frage mich, wer von den beiden die, na, Sie wissen schon, und wer…? Nun, so etwas passiert ständig, und niemanden kümmert es. Schauen Sie sich bloß diesen Honeycutt an. Dieser Idiot. Jedem das Seine.»

Jury gab ihr die Zeitschriften. «Ihre Nichte und Miss Bracegirdle hatten die Angewohnheit, sich von Zeit zu Zeit aus dem Staub zu machen. Haben die beiden sich in Stratford überhaupt ein einziges Theaterstück angesehen?»

«Nicht daß ich wüßte. An dem fraglichen Abend dachte ich, Cyclamen hätte sich mit Kopfschmerzen ins Bett gelegt, aber genau weiß ich das natürlich nicht. Hören Sie, worauf wollen Sie hinaus?»

«Eigentlich nichts.» Er hätte ihr die Zeitschriften vielleicht erst geben sollen, wenn er mit ihr fertig war; sie hatte Jury vergessen und sah sich das doppelseitige Foto in der Mitte an. «Mit anderen Worten, sie könnte an dem Abend, als Gwendolyn Bracegirdle ermordet wurde, ausgegangen sein, und ebenso gestern abend, Lady Dew?»

«Äh? Oh! Ja, das nehme ich an. Keine von uns beiden hat ein Alibi.» Sie schien die Sache sehr komisch zu finden. «Noch unverheiratet. Hm. Wie alt sind Sie, mein Junge?»

«Dreiundvierzig. So jung also auch wieder nicht.»

«Ha! Warten Sie ab, bis Sie zweiundsechzig werden wie ich. Dann ist dreiundvierzig ein jugendliches Alter.»

Selbst wenn er ihre Pässe nicht gesehen hätte, so hätte Jury doch geschwant, daß sie über achtzig sein mußte.

In diesem Augenblick jedoch fühlte er sich sehr alt.

Penny Farraday stopfte sich den Hemdzipfel in ihre Jeans und strich sich die Haare glatt.

«Penny, das ist Detective Sergeant Wiggins von der Kriminalpolizei.»

Sie streckte die Hand aus. «Freut mich.»

«Guten Tag, Miss.»

«Tut mir leid, Penny, aber wir müssen dir ein paar Fragen stellen. Du bist gestern abend mit Mr. Farraday und Cyclamen Dew im Theater gewesen?»

«Ja, stimmt», sagte sie matt. Sie nahm sich eine Zeitschrift und blätterte darin herum.

«Um wieviel Uhr seid ihr zurückgekommen?»

«Halb elf oder elf. Amelia –» nur für einen Augenblick erstarrte ihre Hand beim Umblättern einer Seite – «wollte erst auch mitkommen; als wir aber vor dem Theater standen, hatte sie es sich anders überlegt und sagte, sie wolle lieber ein bißchen spazierengehen. Ich glaube, der Alte war ziemlich wütend. Kann man ihm auch nicht verdenken.» Nervös warf sie die Zeitschrift auf den Tisch. «Es wurde *Der Wechselbalg* gespielt. Es war gut. Wissen Sie, was ein Wechselbalg ist?» Trotz Jurys Nicken fuhr sie fort: «Ein Wechselbalg ist, wenn man ein falsches kleines Kind anstelle des richtigen unterschiebt.» Sie runzelte die Stirn und setzte ihre Erklärung mit einem Vergleich fort: «Wie wenn jemand Kinder stiehlt und so tut, als gehörten sie ihm. Es ist nicht *ganz* dasselbe wie adoptieren.»

Jury merkte, wohin das führen würde. Er mußte sie hier unterbrechen. «Ist Mr. Farraday gestern abend noch ausgegangen?»

«Ja. Aber wenn Sie denken, er war's, dann spinnen Sie. Der würde so was nie tun. Niemals.»

«Du scheinst dir ja ziemlich sicher zu sein.»

«Bin ich auch. Das heißt aber noch lange nicht, daß ich mit allem einverstanden bin, was er tut –» fügte sie schnell hinzu.

«Was ist mit Miss Dew?»

Sie zuckte die Achseln. «Ich nehme an, sie ist schlafen gegangen.»

«Hast du ihre Tante gesehen? Oder sonst einen von der Gruppe? Cholmondeley, Schoenberg?»

Die Hände hinterm Kopf verschränkt, schaute sie zur Decke. «Nö. Dieser blöde Harvey war auf der anderen Seite des Flusses... er meinte, er wolle sich die Kathedrale in Southwark ansehen.»

«Aber das muß doch früher gewesen sein.»

«Vermutlich.» Penny stützte den Kopf auf eine Hand. Es war schwer zu sagen, ob sie wegen Amelia betroffen war oder ob sie die Fragerei einfach nur langweilte. Als sie aber schließlich zu Jury aufsah, wußte er, was der ängstliche Blick zu bedeuten hatte. «Was ist mit Jimmy? Niemand sucht mehr nach Jimmy, nicht, solange das hier andauert.» Und kaum hörbar fügte sie hinzu: «Jimmy ist tot, nicht wahr?»

«Nein», sagte Jury. «Wenn dem so wäre, hätten wir das inzwischen erfahren. Und glaube ja nicht, daß wir die Suche aufgegeben haben. Die Polizei von Warwickshire kämmt die ganze Grafschaft durch.»

Jury hoffte nur, als er das Mädchen ansah, daß er sich da nicht täuschte.

27

Die Bücher lagen in Stapeln auf dem Boden.

James Carlton hatte das oberste, ungefähr einen Meter fünfzig lange Regalbrett auf den Schreibtisch gehievt. Dann kletterte er selbst auf den Schreibtisch, drehte es um und schob es durch die Öffnung, die entstanden war, als einer der Gitterstäbe schließlich nachgegeben hatte. Da die Öffnung schmaler war als das Brett, mußte er es kippen, was es ziemlich schwierig machte, das andere Ende auf einen Ast des Baumes vor dem Fenster zu manövrieren. Der Schweiß lief ihm herunter, und einmal dachte er schon, das Brett würde ihm aus den Händen rutschen und hinunterfallen. Dann wäre alles aus gewesen. Aber nichts dergleichen passierte. Es gelang ihm schließlich, das Brett so auf den Ast zu legen, daß es einen einigermaßen ebenen Steg bildete. Das ihm zugewandte Ende legte er auf einen mehrere Zentimeter breiten Mauervorsprung. Die Konstruktion machte einen ziemlich stabilen Eindruck. Zentimeter um Zentimeter schob er seinen Oberkörper durch die Fensteröffnung und lehnte sich probehalber auf das Brett, so fest er konnte; es schien zu halten. Natürlich war das keine richtige Probe; er wußte immer noch nicht, ob das Brett sein ganzes Gewicht tragen würde. Er blickte zum Himmel hoch und war froh, daß es so dunkel war. Nur die oberen Äste des gegenüberliegenden Baumes waren in kaltes Mondlicht getaucht.

Die graue Katze saß neben ihm auf dem Schreibtisch und dachte anscheinend, das Ganze werde zu ihrem Vergnügen inszeniert. Sie schlüpfte durch die Öffnung, spazierte auf dem Brett auf und ab, ließ sich schließlich auf dem dicken Ast nieder und begann ihre Krallen daran zu wetzen.

Es war vier Uhr morgens. James Carlton hatte den Zeitpunkt seiner Flucht so kalkuliert, daß er noch im Schutz der Dunkelheit entkommen konnte, aber nicht allzu lange im Dunkeln herumtappen mußte. Außerdem war es eine Zeit, in der seine Entführer – wie viele es waren, wußte er nicht – fest schlafen würden.

James Carlton ging in die Hocke und streckte zuerst die Beine durch die Öffnung. Dann – wobei er die Gitterstäbe ergriff, um eine feste Stütze zu haben – wand und drehte er sich so lange, bis er mit dem ganzen Körper die Öffnung passiert hatte und halb auf dem Vorsprung, halb auf dem Brett lag. Er bewegte sich mit äußerster Vorsicht, damit das Brett nicht verrutschte. Seine Füße baumelten über die Kante des Vorsprungs. Er sah nicht hinunter, als er sich langsam aufrichtete und auf dem Vorsprung einen Halt für seine Füße suchte, während er sich an den Gitterstäben festhielt.

Das Brett hatte sich nur um wenige Millimeter verschoben. Aber schließlich war es kaum mehr als einen Meter zu dem Ast. Zwei große Schritte, und er säße mit der Katze im Baum. Doch dann sah er zum schwarzen Himmel und den kalten Sternen empor und fühlte die schreckliche Leere der Nacht um sich.

Die graue Katze saß im Mondlicht wie ein Gespenst auf dem Ast. Sie schien diesen nächtlichen Ausflug mehr zu genießen, als zusammengerollt auf James Carltons Bett herumzuliegen. *Mach schon*, schien sie zu sagen.

Doch James Carltons Hände klebten an den Gitterstäben, wie die Sterne unbeweglich am Himmel zu kleben schienen. Er fragte sich, ob Gott das Universum geschlossen hatte. Ging seine Uhr noch? Und sein Herz? Oder hatte alles aufgehört zu schlagen?

Vielleicht sollte ich beten, dachte er, während er auf das Brett sah, das einen ebenso weiten Raum überspannte wie das Universum, zu dem er eben hochgeblickt hatte. Er mußte seinen Kopf gar nicht freimachen – er schien ein Teil der großen Leere da draußen zu sein. Er wußte nicht, welches Gebet er sprechen sollte. Und dann schwirrten ihm allerlei Bilder durch den Kopf. Sein Vater als Kriegskorrespondent, Flieger-As, Baseballspieler. Natürlich war sein Vater auch ein toller Fallschirmspringer gewesen… Sein Vater wäre nicht stolz auf ihn… ebenso wenig wie der Mann mit der eisernen Maske, der wahrscheinlich nicht einmal ein Brett bräuchte. Der würde einfach springen.

Ein Finger löste sich von den Stangen und bohrte sich ihm

in den Rücken. Eine Schwertspitze! In seinem Kopf grölte es: «Jo, ho, ho und eine Buddel Rum…» Dann hörte er eine grausame, herrische, betrunkene Stimme brüllen: «Tja, mein Junge! Heute nacht wirst du den Fischen zum Fraß vorgeworfen!»

Immer tiefer bohrte sich der Finger in seinen Rücken. Und er konnte nichts machen, er hatte keine Wahl. Entweder das Schwert oder die Haie… Unter ihm peitschte und schäumte die See, die Flossen der Haie zogen schnelle Kreise; er sah bereits sein Blut das Wasser rot färben.

Er war im Baum, bevor er noch merkte, daß er die Stangen losgelassen hatte.

Und nun kletterten sie hinunter – ein Kinderspiel für James Carlton, der fast jeden Baum zwischen West Virginia und Maryland bezwungen hatte.

Nicht so für die graue Katze. Auf einem Brett hin und her zu spazieren war eine Sache, einen Baum hinunterzuklettern eine andere. Hätte James Carlton nicht gezogen und gezerrt, wäre die Katze wohl die ganze Nacht in luftiger Höhe sitzengeblieben und hätte jämmerlich den Mond angeschrien.

Zusammen landeten sie auf dem weichen Boden am Fuß des Baumstamms.

Das Haus lag genauso im Dunkeln wie die Landschaft jenseits der Baumgruppe. James Carlton trat ein paar Schritte zurück, um besser sehen zu können. Die Katze wich ihm nicht von der Seite. Das Haus ragte kalt und abweisend vor ihm auf, ein Gefängnis von außen wie von innen. Nichts bewegte sich, nirgendwo brannte Licht. Als er das Haus umrundete, entdeckte er aber doch einen matten Lichtschimmer. Leise schlich er sich an. Durch das erleuchtete Fenster war die Silhouette eines auf und ab schreitenden Mannes zu sehen.

James Carlton versäumte keine Zeit damit, sich dem Mann vorzustellen. Er nahm die Katze unter den Arm und begann zu laufen.

28

Melrose Plant nahm auf dem Sofa Platz, das Lady Violet Dew vor kurzem geräumt hatte. Er war ebenso erschossen wie Jury, der neben ihm saß.

«Wo ist Schoenberg?» fragte Jury ohne lange Vorrede.

«Großer Gott, könnten Sie mich wenigstens einen Augenblick lang meine gemarterten – obgleich gutbeschuhten – Füße ausstrecken lassen, bevor Sie loslegen?»

«Nein», sagte Jury.

«Ich vermute, er läuft noch immer in Pepys Park herum. Die belegten Brötchen da sehen aber lecker aus. Agatha würde umkommen –» Er wählte eines, das mit Brunnenkresse belegt war.

«Was ist denn Pepys Park?»

Melrose seufzte. «Das ist eine Neubausiedlung, von den Stadtvätern vor einigen Jahren dort errichtet, wo einst vermutlich Marlowes altes Deptford Strand lag. Harvey kamen natürlich die Tränen. Aber das ist der Lauf der Dinge. Fortschritt, Fortschritt.» Melrose nahm sich ein Fischbrötchen von dem vollbelegten Teller.

«Wann sind Sie aufgebrochen?»

«Ich würde sagen, so gegen 1568 – warum?»

Als Jury ihm erzählte, was Amelia Farraday zugestoßen war, hörte Melrose auf zu essen, saß einen Moment lang schweigend da und beantwortete Jurys Frage dann ernster:

«Wir haben das Hotel um neun verlassen. Nach einem gemeinsamen Frühstück.»

Jury dachte kurz nach: «Wer immer den Mord an Amelia Farraday begangen hat, nahm ein ziemliches Risiko auf sich, als er in den frühen Morgenstunden ins Hotel zurückkehrte. Wiggins sagt, keiner der Hotelangestellten habe ein Schäfchen aus unserer Herde nach Mitternacht zurückkehren sehen. Außer Cholmondeley. Aber das wußten wir bereits.»

«Ich weiß nicht; man kann das Hotel von zwei Straßen aus betreten. Ich habe den Nebeneingang benutzt, und ich glaube nicht, daß mich jemand gesehen hat. Wenigstens nicht beim Hineingehen.»

«Das konnte der Mörder aber nicht mit Sicherheit wissen. Er ging ein Risiko ein.»

Plant sah ihn an. «Jemanden zu ermorden ist immer riskant, mein Bester.»

Jury grinste. «In der Tat.» Nach einer Weile sagte er müde: «Wir müssen mit Harvey sprechen. Wann kommt er zurück?»

«Ziemlich bald, nehme ich an. Er ist mit seinem Bruder Jonathan zum Dinner verabredet. Der Bruder kommt im Laufe des Nachmittags in Heathrow an. Mit der Concorde, sagte er.»

«Wie nobel», sagte Jury. «Er scheint nicht gerade knapp bei Kasse zu sein.»

«Nun, wenn ich richtig verstanden habe, hat er das gesamte Familienvermögen geerbt. Übrigens hat Harvey mich ebenfalls zum Essen eingeladen, aber ich –»

«Fabelhaft», sagte Jury und erhob sich. «Sie können Harvey die richtigen Fragen stellen. Und um sicherzugehen, daß Sie die dazu nötigen Informationen haben, werde ich Wiggins zum Kaffee vorbeischicken. Schoenberg dürfte nicht allzusehr unter der Zeitverschiebung leiden.»

Melrose zog ein Gesicht. «Vielen Dank auch. Sie gehen doch hoffentlich nicht davon aus, daß die beiden sich ähneln? Können Sie sich vorstellen, mit zweien von dieser Sorte ein Gespräch zu führen?» Melrose stellte seine Teetasse hin. «Wissen Sie, da ist noch etwas, was ich Ihnen sagen wollte –» Er zuckte mit den Schultern. «Na ja, das kann auch warten.»

«Ich gehe zum Yard zurück. Ich möchte mit Lasko sprechen, unter anderem.» Mit diesen Worten entfernte sich Jury.

Melrose saß da und überlegte, ob er die Sache nicht doch besser erwähnt hätte. Aber es kam ihm irgendwie ein bißchen unpassend vor, in diesem Augenblick über die Beziehung zwischen Thomas Nashe und Christopher Marlowe zu reden; Jury würde denken, Harvey Schoenberg hätte ihn langsam angesteckt. Vielleicht hätte er da gar nicht so unrecht, dachte Melrose.

«Fehlanzeige», sagte Lasko am anderen Ende der Leitung in Stratford-upon-Avon. «Wir haben die ganze Gegend durchkämmt, Busse und Züge kontrolliert – kurz, wir haben alles getan, was in unserer Macht stand. Der Junge ist wie vom Erdboden verschluckt.»

Selbst am Telefon war Laskos Gesichtsausdruck eines geprügelten Hundes zu erahnen. Jury berichtete ihm vom Schicksal Amelia Farradays und schloß aus seiner geheuchelten Anteilnahme, daß er erleichtert war, mit diesem Fall nichts mehr zu schaffen zu haben. Jury konnte es ihm wahrlich nicht verübeln. «Such weiter nach Jimmy Farraday.»

Mit diesem weisen Ratschlag legte er auf. Die streunende Katze (mittlerweile im ganzen Soctland Yard als Racers Katze bekannt) hatte sich durch die einen Spaltbreit offene Tür in Jurys Büro geschlichen; nun strich sie um die spartanischen Möbel und durch Jurys Beine, um schließlich mit einem Satz auf seinen Schreibtisch zu springen.

Wenn das so weiterging, würden sie sich noch um Mitternacht gegenseitig anstarren. Jury hatte mehrmals seine Unterlagen durchforstet, ohne auf einen neuen Hinweis zu stoßen. Und es gab auch keinen – außer der Mitteilung, die ihm Chief Superintendent Racer am Nachmittag mit dem üblichen, nichtssagenden Wortlaut per Hauspost zugeschickt hatte: *Jury. Obwohl ich in den letzten Stunden nichts von Ihnen gehört habe, ist mir doch zu Ohren gekommen, daß ein weiterer Mord verübt wurde, was Sie aber nicht veranlaßt hat, mir umgehend Bericht zu erstatten. Weshalb ich das ziemlich merkwürdig finde, mag vielleicht an meiner verqueren Vorstellung von –*

Und es folgten – glücklicherweise nicht direkt aus seinem Munde, dachte Jury – die üblichen Tiraden, Verwünschungen und Variationen über das Thema von Jurys Fehlbarkeit; sie endeten mit dem Befehl, bis Sonnenuntergang Bericht zu erstatten. Er nahm an, das Exekutionskommando würde bis dahin bereitstehen. Er schleuderte das Papier beiseite.

Die Katze hörte auf, sich zu putzen, starrte auf das Memo und gähnte.

Zum x-tenmal nahm Jury sich das Gedicht vor. Daß er zwischen ihm und den Morden keine Verbindung herzustellen vermochte, ließ ihn an sich und seinen Fähigkeiten zweifeln. Fest stand nur, daß die Opfer alle Frauen waren, und die betreffende Strophe handelte ebenfalls vom ewig Weiblichen: Sie handelte von der Vergänglichkeit der Schönheit. Von strahlenden Königinnen. Von der schönen Helena. Von verwelkenden Blumen. Vom Tod schöner Frauen. Jury starrte auf die kahle Wand. Gwendolyn Bracegirdle war keine Schönheit gewesen – dicklich, Dauerwelle im Haar und mit fünfunddreißig bereits eine Matrone. Wäre Gwendolyn nicht gewesen, hätte Jury geschworen, daß es jemand auf die Farradays abgesehen hatte.

Aus den Papieren auf seinem Schreibtisch zog er James Farradays Paß hervor und betrachtete das winzige Foto. Dann sah er sich die Vergrößerung von dem Teil des Paßfotos an, der James Carltons Gesicht zeigte. Das Familienfoto im Paß – Jimmy mit James Farraday und Amelia – betrachtend, dachte er, wie intelligent der Junge doch aussah. Er nahm den Hörer von der Gabel.

«Flughäfen?» fragte Lasko schläfrig. «Zum Teufel, nein, warum sollte er außer Landes geschafft worden sein?... Hör mal, Richard. Ich sag das ungern, aber du weißt doch so gut wie ich, daß der Junge tot ist und auf irgendeinem Feld da draußen liegt, das wir bisher noch nicht abgesucht haben –»

«Nein, er ist nicht tot», beharrte Jury.

«Wieso zum Teufel bist du dir da so sicher?» seufzte Lasko.

Jury war sich keineswegs sicher. «Die Opfer waren alle Frauen, Sammy.»

«Aber Richard, er hätte doch einen Paß gebraucht, um das Land zu verlassen.»

«Es ist nicht besonders schwer, sich einen Paß zu besorgen, Sam. Wie dem auch sei, wenn du mich sprechen willst, ich bin zu Hause.» Er gab Lasko seine Nummer in Islington, legte auf und schwang sich in seinem Drehstuhl herum, um auf die schmutzverkrusteten Scheiben seines Fensters zu starren.

Es mußte etwas mit den Farradays zu tun haben. Den weiblichen Farradays. Es war nur noch eine übrig: Penny.

«Mr. Jury –»

Es war Mrs. Wasserman aus der Kellerwohnung, die auf seiner Türschwelle stand, ihren dunklen Morgenrock am Hals zusammenhielt und ihm die Tageszeitung entgegenstreckte.

Jury sah, wie ihre Hand zitterte. «Kommen Sie rein, Mrs. Wasserman.» Er fragte nicht, wieso sie zu dieser (für sie) späten Stunde noch auf war, denn er wußte es bereits. Sie hatte vermutlich hinter ihren dunklen Vorhängen am Fenster gesessen und den ganzen langen Tag und die noch längere Nacht auf den Polizisten gewartet, der über ihr wohnte. Das kam häufiger vor.

Sie kam herein, immer noch mit der einen Hand ihren Morgenrock zusammenhaltend, schloß schnell die Tür und lehnte sich mit dem Rücken dagegen, während sie mit der anderen Hand den Türknauf umklammert hielt.

Jury unterdrückte ein Lächeln. Die Szene glich einer Einstellung aus einem alten Bette-Davis-Film. Doch Mrs. Wasserman schauspielerte nicht. Das wurde ihm klar, als er auf das Machwerk der Londoner Sensationspresse in ihrer Hand sah; das übliche Nacktfoto auf der Titelseite hatte der Nachricht vom «Schlächter» weichen müssen. Wenn sich Mrs. Wasserman in diesem Aufzug um ein Uhr morgens die Mühe machte, zwei Treppen hinaufzusteigen, dann war sie wirklich nervös.

Britische Zeitungen hatten sich lobenswerterweise immer um eine gute Zusammenarbeit mit der Polizei bemüht, indem sie zum Beispiel bei der Berichterstattung über Morde auf die grausigen Details verzichteten. Das war auch notwendig, weil da draußen zu viele potentielle Schlächter herumliefen, die alle nur auf einen *modus operandi* warteten, um sich vom Kuchen des öffentlichen Interesses ein Stück abzuschneiden. Die betreffende Zeitung bewegte sich jedoch in ihrer Schilderung in allzu großer Nähe der Blutlache, in der Amelia Farraday aufgefunden worden war. Oh, zugegeben, einiges blieb der Phantasie überlassen. Doch die ständige Wiederholung des Wortes «Verstümmelungen» würde sogar eine weniger phantasiebegabte Person als Mrs. Wasserman in Angst und Schrecken versetzt haben.

«‹Der Schlächter› – was für ein schrecklicher Name. Irgendwo, Mr. Jury, irgendwo da draußen lauert er. Läuft herum und sieht aus wie jedermann.»

Jury befürchtete, daß ihre maßlose Angst sich noch steigern würde, wenn sie erführe, daß der Schlächter genausogut eine Frau sein konnte. Ihre Verfolgungsangst war so schlimm, daß Jury sie immer wieder mit neuen Tips für Türriegel, Fenstergitter, Schlösser, Schlüssel und Ketten beruhigt hatte. Und mit immer neuen Lügen. Er wußte schon nicht mehr, wie viele Geschichten er über die Londoner Polizei erfunden hatte, insbesondere über deren Unfehlbarkeit, wenn es darum ging, Frauen auf den Straßen zu beschützen.

Er wußte, daß sie dort unten in ihrer verbarrikadierten Kellerwohnung in dem gelegentlichen Schritt eines Passanten auf dem Gehsteig eine Armee marschierender Füße vernahm. Und in dieser Armee marschierte auch immer ihr Verfolger mit – die Füße, die stehenblieben, die Gestalt, die auf der Lauer lag, der Schatten auf dem Gehsteig. Jury konnte in ihrem Geist all die sorgfältig ausgesuchten, Sicherheit symbolisierenden Gegenstände sehen – Riegel, Schlösser, Ketten –, die sämtlich zu einer dalíesken Landschaft verschmolzen und wie dunkles Blut an ihrer Tür herunterflossen.

Sein Gesichtsausdruck mußte ihn verraten haben. «Sie sehen, ich habe recht, Mr. Jury. Heutzutage ist es schon gefährlich, nur einen Fuß nach draußen zu setzen –»

Er nahm ihren Arm und drückte sie in den Ledersessel, das einzige gute Möbelstück im Zimmer. «Nein. Keineswegs.» Er schleuderte die Zeitung, aus der man fast das mit Druckerschwärze vermischte Blut riechen konnte, außerhalb ihrer Reichweite auf den Schreibtisch. «Und ich sage Ihnen auch, warum, aber nur, wenn Sie mir versprechen, morgen keine Zeitung zu kaufen. Versprechen Sie das?»

Sie faltete die Hände im Schoß und nickte. «Ich verspreche

es.» Dann lächelte sie ihr trauriges, altjüngferliches Lächeln und drohte ihm mit dem Finger. «Aber wir wissen doch beide, Mr. Jury, daß Sie mir nicht alles erzählen können. Auch wenn es Ihr Fall ist. Das steht jedenfalls da in der Zeitung.» Letzteres sagte sie so stolz, als wäre Jury ein schwarzes Schaf der Familie, das endlich einmal bewiesen hatte, daß etwas in ihm steckte.

«Lassen wir das beiseite. Soviel kann ich Ihnen jedenfalls sagen: Diese Person, die sie den Schlächter nennen und der angeblich in ganz London sein Unwesen treiben soll – das sind Lügenmärchen. Er tötet nicht unterschiedslos Fr-, ich meine Leute. Er weiß genau, was er will, und er kennt seine Opfer genau.»

Sie glaubte ihm. Wie immer. Nur – wie er sich zufrieden sagte –, diesmal stimmte es tatsächlich. Fast hatte er das Gefühl, dabei selbst der Wahrheit etwas nähergekommen zu sein. Jury lächelte. Es war sein erstes von Herzen kommendes Lächeln an diesem Tag.

Darauf zeigte ihr Gesicht den Ausdruck eines Ertrinkenden, der endlich an die Wasseroberfläche hochtaucht.

Luft, schien es zu sagen. *Gott sei Dank*.

29

Jury betrat Racers Vorzimmer und zwinkerte Fiona Clingmore zu, die daraufhin die Inspektion ihrer frisch lackierten Fingernägel unterbrach, um seinen Blick auf Wichtigeres zu lenken. Fiona rückte Busen und Beine zurecht und stützte ihr sorgfältig geschminktes Gesicht auf die verschränkten Hände. «Sie sind spät dran», sagte sie mit einem Blick auf Chief Superintendent Racers Tür.

«Was ihn angeht, immer.»

Jury öffnete die Tür (justament in dem Augenblick, als Racer sein Toupet zurechtrückte, was die Stimmung nicht gerade hob), durchquerte das Zimmer, machte es sich auf dem Stuhl vor Racers Schreibtisch bequem und sagte: «Hallo.»

Racer, der hierüber sogar sein Toupet vergaß, starrte Jury an, als habe der endgültig den Verstand verloren. «Ich muß doch sehr bitten, *Superintendent*.»

«Wieso?» Jury musterte sein Gegenüber unschuldig aus klaren, sanften, taubengrauen Augen. Er wußte, es lohnte nicht, Racer zur Raserei zu treiben, aber er geriet stets von neuem in Versuchung.

«*Wieso?*» Blut schoß ihm ins Gesicht, so daß es die Farbe der Nelke annahm, die sein Knopfloch zierte. «Wir begrüßen unsere Vorgesetzten nicht mit ‹Hallo›.»

«Oh, tut mir leid. Sir», fügte Jury hinzu, als wäre ihm das gerade noch rechtzeitig eingefallen.

Racer lehnte sich zurück, betrachtete Jury mit einem Mißtrauen, das Polizisten sich gewöhnlich für kriminelle Elemente vorbehalten, und meinte: «Einmal werden Sie den Bogen überspannen, Jury.»

Eine überflüssige Bemerkung, dachte Jury, der sich schon gar nicht mehr erinnern konnte, jemals nicht den Bogen überspannt zu haben. «Sie wollten mich sprechen?»

«Selbstverständlich wollte ich Sie sprechen. Gestern. Wegen dieser Farraday. Noch eine Amerikanerin, die auf offener Straße massakriert wird; die amerikanische Botschaft möchte wissen, was zum Teufel los ist. Verständlich, nicht? Also, was ist los, Jury?»

«Fragen Sie mich, ob ich diese Mordserie aufgeklärt habe? Die Antwort ist nein.»

«Ich will einen Bericht haben, Superintendent», zischte Racer durch die Zähne.

Jury tat wie befohlen und schilderte den Zustand, in dem man Amelia Farradays Leiche gefunden hatte, ohne auch nur ein einziges blutiges Detail auszulassen. «…irgendwann zwischen elf und kurz nach Mitternacht. Halb eins vielleicht.»

«Motiv?» schnappte Racer.

«Wenn ich das wüßte, würde ich auf der Straße tanzen!»

«Wiggins?» Racer hatte sich in letzter Zeit diese elliptische Ausdrucksweise zugelegt, zweifellos um seinen Untergebenen das Leben noch schwerer zu machen.

Jury runzelte die Stirn. «Was ist mit ihm?»

«Was er tut, Mann? Außer seine Umgebung mit allen möglichen Krankheiten anzustecken.» Racer sah auf die Papiere auf seinem Schreibtisch. «Dieses Gedicht. Die Pestilenz. Sergeant Wiggins ist für diesen Fall genau der Richtige.» Er lehnte sich zurück, um eine Lektion vom Stapel zu lassen. «Ich habe mich ein wenig sachkundig gemacht. ‹Gott erbarme dich unser› schrieben sie damals auf ihre Türen.» Er machte eine Bewegung mit dem Zeigefinger, als wäre die Luft die Tür, vor die er Jury am liebsten setzen würde. «Wußten Sie, daß es Zeichen gab, von denen man annahm, sie würden die Pest ankündigen? Die gleichen Zeichen sehe ich auch, wenn Wiggins den Flur entlanggeht – Kröten mit langen Schwänzen, eklige kleine Frösche und so weiter.» Racer hustete.

«Ich hoffe, Sie haben sich nicht –»

Jury unterbrach sich mitten im Satz. Chief Superintendent Racers Belehrung hatte in ihm einen schlummernden Gedanken geweckt. War es möglich, daß Racer zur Abwechslung einmal etwas Nützliches beigetragen hatte?

«Für meine Begriffe ein bißchen überdreht», sagte Wiggins, als sie den Piccadilly entlangfuhren. Sie sprachen von den Schoenbergs. Das heißt, Wiggins schwieg, während er das Auto zwischen zwei Doppeldeckern durchmanövrierte, die entlang des Green Park ein privates Wettrennen veranstalteten.

«Nun? Und was halten Sie von ihm?» drängte Jury.

Wiggins holte ein Taschentuch von der Größe eines mittleren Tischtuchs hervor. Seine Nasenspitze zuckte wie die eines Kaninchens, doch leider nicht (wie Jury befürchtete), weil sie etwas witterte. «Wen meinen Sie, Harvey oder den Bruder?»

«Harvey kennen wir doch in- und auswendig. Jonathan natürlich.»

«Er sieht aus wie –» Wiggins mußte so heftig niesen, daß Jury ihm ins Lenkrad griff, damit der Wagen nicht ins Schleudern geriet.

«Entschuldigen Sie, Sir. Aber ist Ihnen je aufgefallen, daß Green Park um diese Jahreszeit alle möglichen Allergien hervorruft?» Wiggins schneuzte sich und bog in die Albemarle Street ein.

«Nein, eigentlich nicht. Reden wir noch etwas über den Bruder.»

«Ich wollte gerade sagen, daß sie sich zwar sehr ähnlich sehen, sich aber ganz unterschiedlich benehmen. Harvey wedelt ununterbrochen mit der Gabel, während sein Bruder sie zum Essen benutzt. Sie verstehen, was ich meine.»

Jury lächelte. «Ja. Wie denkt Mr. Plant über ihn?»

«Genauso wie ich. Er hält diesen Jonathan für so gefühlskalt wie einen toten Fisch. Jonathan verachtet Harvey. Ich wette, die beiden können sich nicht riechen. Meiner Meinung nach hat die Eifersucht berufliche Gründe.»

«Kaum zu glauben, daß jemand auf Harvey eifersüchtig sein kann. Beruflich oder sonstwie.»

«Ich halte Harvey für den Eifersüchtigen. Dieser Jonathan ist Professor für englische Literatur. Lehrt an einem College in Virginia, das St. Mary heißt. Verbringt hier seine Zeit damit, im Britischen Museum alte Handschriften zu lesen.»

Wiggins hielt vor «Brown's Hotel», steckte den Kopf aus dem Wagenfenster und brachte einen silbergrauen Mercedes dazu, das Feld zu räumen.

Sie blieben noch ein paar Minuten im Wagen sitzen. «Wie hat Jonathan Schoenberg die Nachricht von den Morden aufgenommen?»

Wiggins zuckte die Achseln. «Ziemlich ungerührt. Lebt wohl in seinem Elfenbeinturm. Natürlich meinte er, das sei ja entsetzlich. Offen gestanden glaube ich, daß ganz andere Dinge passieren müssen, bevor er sich ernsthafte Sorgen um seinen Bruder macht. Oder um sonst jemanden.»

Als sie ausstiegen, sagte Jury: «Ich kann's kaum erwarten, ihn kennenzulernen.»

«Ich glaube, das Motiv ist Rache», sagte Jury in Melrose Plants Hotelsuite.

«Wieso nicht Geldgier?» fragte Plant.

«Scheint mir psychologisch falsch. Diese Morde liefen alle irgendwie zu rituell ab.»

«Aber auf wen hat der Mörder es abgesehen? Die Farradays – oder James Farraday – würden sich anbieten, wenn nicht dieser Mord an Gwendolyn Bracegirdle wäre. Er paßt nicht ins Bild, finden Sie nicht auch?»

Jury nickte. «Allerdings. Vielleicht ist sie ihm in die Quere gekommen.»

Plant zog eine Grimasse. «So eine Schlamperei aber auch.»

Jury zuckte mit den Schultern. «Niemand ist perfekt.»

«Rache also. Da fällt mir etwas ein, was Harvey gesagt hat, eine ziemlich blöde Bemerkung. Na, vielleicht nicht ganz so blöd, und zwar über *Hamlet*: ‹Eine Rachetragödie. Sie sind alle gleich; man bringt so lange die Falschen um, bis man schließlich an den Richtigen gerät.› Schwer vorstellbar, daß unser Freund sich mit dem ganzen Blutvergießen einfach nur

genug Mut macht für den Mord an seinem eigenen Claudius.»
Plant lächelte grimmig. «Sollte er es auf die Farradays abgese-
hen haben, dann würde ich mir wegen Penny wirklich große
Sorgen machen.»

Jury überlief es heiß und kalt. «Darf ich?» Er goß sich aus
Melroses Karaffe ein Gläschen Brandy ein. «Auch einen?»

«Ja, kann ich gebrauchen.» Melrose sah auf die Uhr. «Ist ja
bereits Nachmittag. Agatha meint, daß ich mich im Eiltempo
zum Alkoholiker entwickle. Das einzig Gute an der Sache ist,
daß sie jetzt Angst hat, nach London zu kommen. Cheers.»
Melrose hob sein Glas.

«Wo ist Schoenberg? Haben Sie ihn heute morgen gesehen?»

«In Deptford, selbstverständlich… oh, Sie meinen den
Bruder?»

Auf Jurys Nicken sagte Melrose: «Im Britischen Museum
natürlich. Sie sind zusammen weggegangen.»

«Wie fanden Sie Jonathan?»

«Eisig. Und Harvey nimmt der nicht die Bohne ernst.»

«Haben Sie Penny gesehen?» Als Plant den Kopf schüttelte, sagte Jury: «Ich will, daß Penny auf keinen Fall dieses
verdammte Hotel verläßt.»

Das wurde so heftig hervorgestoßen, daß Melrose zusam-
menzuckte. «Wenn Sie nicht wollen, daß Leute sich frei bewegen, dann müssen Sie sie in – wie heißt es noch gleich? –
Schutzhaft nehmen.»

«Penny sollte ich in einen Schrank sperren.» Jury leerte sein
Glas und erhob sich.

«Wohin gehen Sie?»

«Jonathan Schoenberg einen Besuch abstatten.»

Er hatte die Tür fast erreicht, als Plant ihn noch einmal zu-
rückrief.

«Hören Sie, da wäre noch eine Kleinigkeit –»

Jury drehte sich um. «Was für eine Kleinigkeit?»

«Nun, wahrscheinlich ist es nichts von Bedeutung, aber es geht um dieses verfluchte Gedicht. Es ist von Thomas Nashe.»

Jury kam ins Zimmer zurück. «Glauben Sie mir, ich weiß mittlerweile, wer es geschrieben hat.»

«Nun, das ist genau der Punkt, alter Knabe», sagte Melrose und leerte ebenfalls sein Glas. «Was ich nicht verstehe, ist, wieso Harvey Schoenberg es nicht wußte.»

Die Stille war mit Händen zu greifen. «Was meinen Sie damit?» sagte Jury schließlich.

«Zum Beispiel habe ich es Jonathan gezeigt. Er hat es sofort erkannt. Vor allem wegen der einen Zeile, ‹Ein goldner Schimmer in der Luft›.»

«Schoenberg hat einen Lehrstuhl für englische Literatur – es ist sein…» Jury verstummte.

«Genau. Sie wollten ‹Spezialfach› sagen. Aber überlegen Sie doch mal – ich kann Ihrem Gesicht ansehen, daß Sie das tun –, Jonathan Schoenberg kennt seinen Shakespeare, daran zweifle ich keine Sekunde. Und seinen Marlowe auch. Aber ich mache jede Wette, daß er Harvey nicht das Wasser reichen kann, was pure Fakten betrifft. Thomas Nashe war einer der besten Freunde Christopher Marlowes. Sie hatten noch nicht das Vergnügen, Harvey zuzuhören, wenn er mit elisabethanischen Namen um sich wirft. Ich bin in Stratford in der Bibliothek gewesen. Harvey hatte mir alle möglichen ausgefallenen Dinge aus Marlowes Leben erzählt. Marlowe war berüchtigt für seine Schlägereien und Duelle. Harvey hat mir alles haarklein erklärt – in Hog Lane gab es eine Schlägerei auf der Straße, die mit einem Duell endete. Harvey kannte die Namen aller Beteiligten. Dann müßte er eigentlich auch wissen, daß Nashe dabeigewesen war. Der Name Nashe zieht sich wie ein roter Faden durch Marlowes Leben. Er hat sogar eine Elegie geschrieben: *Über Marlowes frühen Tod* –»

Plant schwieg, zündete sich eine kleine Zigarre an und blickte zu Jury hoch. «Der Punkt ist, alter Knabe... warum hat er gelogen?»

«Miss Farraday?» Die hübsche Hotelangestellte an der Rezeption hatte sich mittlerweile so an die Anwesenheit der Polizei gewöhnt, daß es sie kaum noch interessierte. «Ich glaube, sie ist ausgegangen, Superintendent. Aber ich versuche es trotzdem in ihrer Suite.»

Niemand antwortete.

Jenseits der Themse sehnte der Wirt des «Halbmonds» die Sperrstunde herbei. An diesem Nachmittag hatte er kaum Gäste gehabt, abgesehen von den Jungs an der Theke, wo er die Drinks einen Penny billiger verkaufte. Schlägertypen und Rowdies.

Vom Umsatz des Nachmittags gelangweilt, schenkte er sich einen Drink ein und ging dann den Flur entlang zur Toilette. Auf dem Weg dorthin warf er zufällig einen Blick in das leere Zimmer links von der Toilette und wunderte sich, warum seine Frau das schummrige Deckenlicht angelassen hatte. Er streckte den Arm aus, um es auszudrehen. Die Augen traten ihm fast aus den Höhlen.

Und dann fiel er in Ohnmacht.

30

Noch bevor Wiggins den Wagen anhielt, hatte Jury bereits die Tür geöffnet und seinen Fuß auf den von Polizeiautos gesäumten Bürgersteig gesetzt. Ein paar uniformierte Polizisten hatten die Stelle abgesperrt und drängten die Schaulustigen zurück, die sich bei dergleichen Anlässen zu versammeln pflegen.

«Hier hinten, Superintendent», sagte der Sergeant, der sie angerufen hatte.

Drinnen verursachte die Polizei ein weitaus größeres Chaos als die Neugierigen draußen. Jury wurde Detective Inspector Hatch vorgestellt, der ihn durch den spärlich beleuchteten Flur in ein Zimmer zu ihrer Linken führte.

Jury war sich des Anblicks, der ihn erwartete, so sicher gewesen, daß er die Zeit während der Fahrt über die Southwark Bridge damit verbracht hatte, gegen Visionen von ihrem verstümmelten Körper anzukämpfen. Daher konnte er es zunächst gar nicht fassen, daß das Opfer nicht Penny Farraday war.

Der leblose Körper auf dem Stuhl, dessen Arme schlaff herunterhingen und dessen Gesicht von brutalen Schlägen entstellt war, gehörte Harvey Schoenberg. Die breiige Masse, die einmal Schoenbergs Augen gewesen war, brachte Jury auf den Gedanken, Harvey habe in einem Anfall von ödipaler Raserei das Schwert gegen sich selbst gerichtet. Das grausigste an diesem blutrünstigen Spektakel war jedoch in Jurys Augen ein kleines Blutrinnsal auf dem blinden Bildschirm von Harveys Ishi.

Der Polizeiarzt klappte gerade seine Tasche zu. «Hallo, Superintendent. Wie Sie sehen, war es nicht allzu schwer, die

Todesursache festzustellen. Die Kehle ist teilweise durchge-schnitten – komisch, als wäre ihm das erst nachträglich einge-fallen –, der andere Stoß ging direkt ins Gehirn. Interessant ist, wie der Mörder an diese Waffe kam.» In seiner Hand, einge-wickelt in ein Taschentuch, hielt der Arzt einen Dolch. «Mit-telalterlichen Ursprungs, haben Sie nicht auch das Gefühl?»

«Elisabethanisch», antwortete Jury.

Der Arzt sah ihn zugleich erstaunt und amüsiert an. «Ich muß schon sagen, ihr Burschen kennt euch aus mit Waffen.» Er bedeckte den Dolch wieder mit dem Taschentuch. «Der Tod ist vor weniger als zwei Stunden eingetreten. Noch keinerlei Anzeichen von Leichenstarre.» Der Arzt zog seinen Regen-mantel an. «Sie entschuldigen mich bitte, ich bin hier fertig und habe gerade die Auflösung eines ausgezeichneten Fernsehkri-mis verpaßt. *Der weiße Teufel*.»

Das gelbliche, von einem Metallschirm abgeblendete Dek-kenlicht warf düstere Schatten über den Tisch. «Diese Rache-tragödien sind doch alle gleich.»

«So meinen Sie», wunderte sich der Arzt. «Das würde ich nicht sagen.»

«Der Tote da hat das gesagt.»

Der Arzt drehte sich noch einmal um und betrachtete Har-vey Schoenbergs Leiche. «Sie haben ihn also gekannt? Ich nehme an, das wird Ihnen die Arbeit sehr erleichtern.»

«Sehr», sagte Jury, ohne eine Miene zu verziehen.

Laut Detective Inspector Hatch hatte niemand das Opfer her-einkommen sehen.

«Er muß durch die Gasse und den Garten gekommen sein. Der Besitzer erinnert sich, ihn gestern zusammen mit einem anderen Mann hier gesehen zu haben. Sagt, er habe ihn nach einem alten Gasthaus namens ‹Zur Rose› gefragt. Soll hier in der Gegend gewesen sein. So wie der Arzt das sieht, muß er –»

Hatch machte eine Geste in Richtung des Stuhls, auf dem noch vor kurzem Harvey Schoenberg gesessen hatte – «kurz nachdem das Lokal geöffnet worden war, so gegen elf, reingekommen sein. Wir müssen den anderen Mann finden, der mit ihm zusammen war –»

«Ich kenne diesen Mann.»

Hatch sah den Superintendent an, als wäre er ein Hellseher. «So. Und zu guter Letzt», fügte er dann hinzu und reichte Jury ein Stück Papier, «dies hier.»

Als Jury die Hand danach ausstreckte, wußte er bereits, was es war:

> Ich bin krank, ich werde sterben,
> Herr, erbarm dich unser.

«Liest sich wie der Abschiedsgruß eines Selbstmörders. Obwohl es offensichtlich kein Selbstmord ist. Was bedeutet das? Haben Sie eine Ahnung?»

«Es ist der Schluß eines Gedichts.»

Jury hoffte zumindest, daß es der Schluß war.

«Weil ich die Kathedrale von Southwark sehen wollte», sagte Penny, die scheinbar mühelos mit einem äußerst ungehaltenen Superintendent von Scotland Yard fertig wurde.

Nachdem Jury ihr von Harvey Schoenberg erzählt hatte, war sie in ihr Zimmer gegangen und hatte die Tür hinter sich zugeschlagen. Dort blieb sie einige Minuten und kam dann mit fleckigem Gesicht zurück, aus dem alle Tränenspuren weggewischt worden waren.

Auch jetzt erwähnte sie Harvey Schoenberg mit keinem Wort, sondern verteidigte ihre Streifzüge durch London. «Ich meine – Scheiße! Wir sind doch keine *Gefangenen*, niemand hat uns festgenommen –»

«Die Kathedrale von Southwark», sagte Jury. «Seit wann hast du solche religiösen Anwandlungen?»

Penny ließ sich neben Melrose Plant auf das Sofa fallen. Daß er jetzt, da sie sich schließlich begegneten, keinerlei Anstalten machte, eine Kostprobe seines schillernden Charmes zu geben, hatte ihre Haltung ihm gegenüber nicht gerade günstig beeinflußt. «Seit der alte Harvey... hören Sie, es tut mir leid, daß er... jedenfalls, seit er mir die Geschichte über die Kirche erzählt hat.» Sie ergriff ein Kissen, schüttelte es auf und stopfte es sich dann mit Schwung in den Rücken, als wollte sie ihre Wut am Mobiliar auslassen.

«Eine Geschichte. Soso. Wenn du eine Geschichte hören willst, dann werde *ich* dir eine erzählen. Ich werde dich ins Kittchen stecken und dir in aller Ausführlichkeit erklären, warum ich nicht möchte, daß du in London allein herumläufst. In den Gassen gibt es genügend Kerle, die kleinen Mädchen die spannendsten Geschichten erzählen –»

«Ich bin kein kleines Mädchen –»

Jury überhörte ihren Einwand und fuhr mit erhobener Stimme fort: «Und vor allem will ich nicht, daß du mit irgendeinem Mitglied dieser Reisegruppe spazierengehst! Ist das klar?»

Sie senkte den Blick und verfiel in ein grimmiges Schweigen.

Jury wiederholte seine Frage: «Ist das klar, Penny?»

Wütend riß sie den Kopf herum und schrie ihn an: «Sie sind nicht mein Vater!»

Ihr Gesicht war rot angelaufen vor Wut, aber sie kam nicht von Herzen.

«Was für eine Geschichte?» erkundigte sich Melrose, als Jury in sein Büro zurückgefahren war.

«Ist doch egal», sagte sie bockig. «Großer Gott, inzwischen sind vier von uns ermordet worden. Und dann ist da noch Jimmy! Was ihm bloß zugestoßen ist?» Sie nahm wieder das Federkissen und drückte es an sich wie einen weichen Panzer. «Ich versuch mir einzureden, er wäre einfach nur abgehauen. Aber bestimmt steckt da noch was anderes dahinter.»

Um sie von diesem höchst unerfreulichen Thema abzulenken und auch, weil er neugierig war, bestand Melrose darauf, daß sie ihm Harveys Geschichte erzählte.

«Oh, sie handelte von diesem Mädchen, Mary Overs. Sie hatte einen Vater namens John, der die Themse-Fähre betrieb; er wurde sehr reich, weil er die einzige Fähre über den Fluß besaß. Aber er war ein alter Geizkragen und außerdem richtig gemein.» An ihrem Daumennagel kauend, drückte sich Penny noch tiefer in ihre Sofaecke, als versänke sie selbst in den Abgründen der Gemeinheit. Sie schleuderte die Schuhe von den Füßen. «Dieser John war dermaßen geizig, daß er Mary versteckt hielt, weil er nicht wollte, daß die Männer sie sahen. Sie war nämlich so schön, daß jeder Mann, sobald er sie sah, sich im Nu in sie verliebte.» Penny schnalzte mit den Fingern. «Und wenn sie sich in sie verliebten, hieß das, sie wollten sie auch heiraten, und der alte John hätte für die Mitgift aufkommen müssen.»

Melrose merkte, daß sie zu ihm hinschielte, um zu sehen, ob er in vollem Umfang begriff, wie herzlos diese Mitgiftforderungen damals waren.

Sie fuhr fort: »Ihr Daddy beschloß, sich einen Tag lang totzustellen, um das Geld für das Essen ihrer Dienerschaft zu sparen. So geizig war er. Aber alle waren so glücklich darüber, daß er tot war, daß sie sich über das Essen und den Alkohol hermachten und um seine Leiche – oder das, was sie dafür hielten – ein richtiges Fest veranstalteten. Da erhob sich John in seinem Leichenhemd, um die Gesellschaft zu verjagen; sie glaubten natürlich, er sei der Teufel, und durchbohrten ihn mit einem Schwert.» Penny machte eine Bewegung, als wollte sie jemanden abstechen. «Dann war Mary frei. Als aber ihr Geliebter im gestreckten Galopp zu ihr geritten kam, stürzte er vom Pferd und brach sich das Genick. Die arme Mary war darüber so unglücklich, daß sie Nonne wurde und dieses Kloster gründete, St. Mary Overies –»

«Das dann später die Kathedrale von Southwark wurde.»

Penny sah ihn erstaunt an. «Woher wissen Sie das?»

«Ich bin Lehrer», sagte Melrose achselzuckend.

Ihr Staunen verwandelte sich schnell in Ekel: «Igitt! *Lehrer!* Wie können Sie ein Graf sein und gleichzeitig Lehrer?»

«Ich bin kein Graf», sagte Melrose abwesend. In Gedanken ging er die Einzelheiten des Berichts durch, den ihm Jury über den Mord an Harvey Schoenberg gegeben hatte. Die Sache kam ihm überaus merkwürdig vor; irgend etwas stimmte da nicht.

«Kein Graf?» Penny war entrüstet. «Aber er hat mir erzählt –»

Sie zeigte auf die Tür, durch die Jury (dieser Lügner) gerade eben das Zimmer verlassen hatte.

«Tut mir leid. Ich habe den Titel nach einem 1963 vom Parlament verabschiedeten Gesetz abgelegt.»

Sein Lächeln galt einer zur Abwechslung sprachlosen Penny. «Aber warum?» brachte sie schließlich hervor.

«Darum.»

«‹Darum› ist keine Antwort. Man hört nicht einfach auf, ein Graf –»

Melrose aber dachte an ein Gespräch mit Harvey. «‹Als Friseure noch Chirurgen waren›», sagte er nachdenklich. «Southwark…»

Doch Penny fand mittlerweile die Kathedrale von Southwark schon genauso langweilig wie Melrose sein Grafentum. «Das bedeutet also, Ihre Frau wird keine – wie heißt das? –, keine Gräfin sein?»

«Gräfin.»

Ihr Gesicht strahlte Verachtung aus. «Sie haben also wahrhaftig auch auf das Recht Ihrer Frau auf einen Titel verzichtet?» Penny angelte sich mit den Zehenspitzen ihren Schuh und versetzte dem seidenen Kissen einen Schlag. «Ihr Egoismus kennt wohl keine Grenzen.»

Melrose, der aufbrechen wollte, nahm seinen Spazierstock und betrachtete ihn aufmerksam. «Also, da ich keine Frau habe, macht das wohl kaum einen Unterschied, oder?»

Sie kaute auf ihrer Lippe herum und sagte schließlich: «Nun, soviel kann ich Ihnen sagen: Wenn jemand, den ich liebe, sterben sollte, würde ich seinetwegen bestimmt nicht ins Kloster gehen.»

So saßen sie noch eine Weile in halb vertrautem Schweigen zusammen und dachten über den Verlust von Harvey Schoenberg, den Adelsstand und das mögliche Echo auf all dies im Staate West Virginia nach.

31

Es waren nicht so sehr die braunen Augen, der ungepflegte Schnurrbart und die schlaffe Körperhaltung, die Jonathan Schoenberg von seinem Bruder unterschieden – denn die Ähnlichkeit zwischen den beiden war offensichtlich –, sondern seine unterkühlte Art. Harveys überschäumendes Wesen fehlte dem älteren Bruder völlig; er wirkte eher wie abgestandener Champagner.

Sie fanden Jonathan Schoenberg im Britischen Museum. Auf seinen hängenden Schultern schien der Staub der ihn umgebenden Altertümer zu lasten.

«Tot.» Vielleicht lag es an der Umgebung – Sarkophage,

ägyptische Büsten –, daß seine Stimme so hohl klang. Dem Mann schien keine passende Bemerkung einzufallen. Obwohl er die Schultern noch mehr hängen ließ, verrieten weder seine Augen noch seine Stimme irgendwelche Gefühlsregung. «Ich kann es nicht glauben. Ich habe ihn heute morgen noch gesehen –» Er schüttelte den Kopf.

«Sie haben gemeinsam ‹Brown's Hotel› verlassen?»

Jonathan Schoenberg nickte. «Er wollte nach Southwark, nein, Deptford. Er war besessen von diesem Christopher Marlowe.»

«Ja. Das ist uns bekannt. Hören Sie, vielleicht könnten wir in die Cafeteria gehen und uns dort unterhalten.» Die Kälte in dem Raum wurde unerträglich. Jury konnte fast schon seinen Atem sehen.

Schoenberg saß vor einer Tasse Kaffee und lockerte seine Strickkrawatte. Krawatte und Anzug sahen nicht gerade billig aus, obwohl Jonathan Schoenberg keinen großen Wert auf Kleidung zu legen schien. Man hatte den Eindruck, als drückte der gewiß außergewöhnliche Verstand des Mannes seinen Körper nieder wie ein schweres Gewicht. Neben ihm hätte der arme Harvey beinahe geschniegelt ausgesehen.

«Sie sind Gelehrter, Mr. Schoenberg. War denn irgend etwas dran an dieser Sache, der Ihr Bruder nachging, etwas von Interesse?»

«Interesse –?» Schoenberg stieß ein kurzes Lachen aus. «Mein Gott, Superintendent, es war eine völlig absurde Theorie. Worauf wollen Sie hinaus? Daß ihn jemand deswegen umgebracht hat?» Schoenberg betrachtete seine Hände, mit denen er die Knie umschlungen hielt. Allein sein Tonfall verriet die Abwegigkeit dieser Annahme. Er hielt es deshalb auch gar nicht für nötig, Jury oder Wiggins zur Bekräftigung seiner Worte anzusehen.

«Sie glauben also nicht, daß Ihr Bruder irgendwelche Feinde hatte?»

«*Deswegen* bestimmt nicht. Auch sonst ist es kaum vorstellbar, daß jemand Harvey hassen könnte.» Ein Lächeln huschte über sein Gesicht.

Das Lächeln war ungekünstelt. «Gab es zwischen Ihnen irgendwelche Unstimmigkeiten?»

Schoenberg schien überrascht. Er lachte fast. «Welche Unstimmigkeiten könnte es zwischen uns schon gegeben haben?»

Offensichtlich machte Schoenbergs Gefühlskälte auch Wiggins zu schaffen. Er schob den Hustenbonbon, an dem er gerade lutschte, nach hinten in den Rachen und sagte: «Wissen wir nicht, oder? Deshalb fragen wir.»

Jonathan Schoenberg schien nicht geneigt, Wiggins überhaupt wahrzunehmen, wie er wahrscheinlich auch die Anwesenheit eines jüngeren, weniger scharfsinnigen Kollegen ignoriert hätte. Er richtete also weiterhin das Wort an Jury. «Also gut – Harvey plagte wohl die Eifersucht. Ich war der Begabtere, und unsere Eltern haben mich vorgezogen; ich war derjenige, der immer das größere Stück vom Kuchen abbekam. Harvey hat sehr viel Zeit und Energie darauf verwendet, sich zu beweisen, und ich bin sicher, diese fixe Idee Marlowe und Shakespeare betreffend zielte in dieselbe Richtung.» Er verkündete dies ohne großes Interesse für Harvey oder Harveys Theorie und mit tonloser Stimme, während sein Blick über die graubraunen Wände und die trostlose Einrichtung der Cafeteria glitt.

Vielleicht wird man an der Universität so, dachte Jury. «Haben Sie Ihren Bruder oft gesehen, Mr. Schoenberg?»

Jonathan schüttelte den Kopf. «Selten.»

«Aber Sie wohnten doch nicht weit auseinander.»

«Das ist richtig.»

«In London haben Sie sich jedenfalls getroffen.»

Schoenberg hob abrupt den Kopf. «Na und? Ich komme mindestens einmal im Jahr hierher, meistens im Sommer.» Er warf seinen Paß auf den Tisch und fuhr ungerührt fort: «Vermutlich wollte er mir sämtliche Beweise zeigen, die er gesammelt hatte.» Er lächelte frostig. «Oder mich damit bloßstellen. Aber in Anbetracht der jüngsten Ereignisse treten Harveys Theorien über Marlowe und Shakespeare ja wohl ziemlich in den Hintergrund – ich meine die Morde an den Mitgliedern dieser Reisegruppe.»

Er warf Jury einen Blick zu, der zu besagen schien, daß dieser seine Zeit mit Nichtigkeiten vergeudete.

Da Jury vorgehabt hatte, den Paß zu verlangen, stellte er sich vor, daß Schoenberg meinte, er hätte ihm etwas voraus. Er nahm den Paß zur Hand und blätterte ihn durch. Die Visa waren in den letzten fünf Jahren fast immer zur selben Zeit ausgestellt worden. Trotz allem, was er zu Lasko gesagt hatte, sah der Paß ganz echt aus. Er gab ihn zurück.

«Ich nehme an, Harvey hat Ihnen von den Eigenarten dieses Killers berichtet.» Jury zog seine Kopie des Gedichts aus der Tasche und gab sie Schoenberg. Die betreffende Strophe hatte er angestrichen. «Sergeant Wiggins sagte, Sie hätten das Gedicht erkannt.»

«‹Ein goldner Schimmer in der Luft›… natürlich. Es ist von Nashe. Allein diese Zeile ist schon sehr berühmt.»

«Er schrieb das Gedicht, als die Pest wütete.»

Jonathan stieß wieder dieses kurze, überlegene Lachen aus. «Ja, ich weiß.»

Jury wartete vergeblich, daß Schoenberg fortfahren würde. Er ließ sich das Gedicht wiedergeben und steckte es ein.

Schoenberg war ungefähr der frostigste Typ, mit dem er jemals Kontakt gehabt hatte. Oder vielmehr keinen Kontakt. Er wurde aus dem Mann einfach nicht schlau.

«Armer Harvey», sagte Melrose. «Der verrückte Kerl fing an, mir ans Herz zu wachsen.» Mit einem fast schon nostalgischen Gefühl hatte er Jury und Wiggins von ihren Exkursionen nach Deptford erzählt. Er schob die zusammengehefteten Seiten, in denen er gerade las, beiseite. «Bringt das die Theorie von den schönen Damen nicht ins Wanken?»

«Nett, daß Sie mich daran erinnern», sagte Jury und rieb sich die Augen und lehnte sich auf seinem Stuhl in Plants Salon im «Brown's» zurück. Vor den drei Männern – Jury, Plant und Wiggins – lag ein Computerausdruck, den ein äußerst frustrierter Computerexperte des New Scotland Yard Harvey Schoenbergs widerstrebendem Ishi abgetrotzt hatte. Schoenberg hatte während seiner Reise mehr als sechzig Seiten eingegeben und vermutlich weitaus mehr zu Hause zurückgelassen.

Jury schob seinen Stapel Papiere beiseite und sagte: «Ich habe das Ganze dreimal durchgelesen und keinen einzigen Hinweis gefunden.»

«Das hab ich nicht gewußt», sagte Wiggins.

«Was?» fragte Jury.

«Wie abstoßend diese öffentlichen Hinrichtungen waren. Er spricht davon, wie die Leute sich an den letzten Zuckungen der Verurteilten ergötzten. Sie haben sogar den Henker aufgefordert, das Herz herauszuschneiden.» Wiggins sah unwohl aus. «Der Henker schlitzte sie noch bei vollem Bewußtsein auf, dann schnitt er ihnen das – ich meine nur, Sir, wie kann jemand noch am Leben sein, wenn –»

«Versuchen Sie es sich lieber nicht vorzustellen, Wiggins», sagte Jury düster.

Melrose hatte gerade die letzte Seite seiner Kopie gelesen

und sagte: «Jedenfalls ist die Welt etwas zivilisierter geworden, Sergeant Wiggins. Heutzutage läuft der Mob nur bei Verkehrsunfällen und Krankenwagen zusammen.»

«Ich würde das, was Schoenberg oder den anderen zugestoßen ist, nicht unbedingt ‹zivilisiert› nennen», meinte Wiggins hartnäckig. Krankheit, Störung, Gebrechen – damit konnte er es nicht abtun. «Und damals, zu Marlowes Zeiten, die Pest. Mein Gott, können Sie sich etwas Schrecklicheres vorstellen…?» Wiggins schauderte.

Jury hob langsam seinen Kopf aus der Hand, die auch nicht viel gegen seine Kopfschmerzen ausrichten konnte, und sagte: «‹Durch die Lande eilt die Pest›. Könnten Sie bitte diese Strophe vorlesen?» bat er Melrose.

Plant setzte seine Brille auf und las:

> «Ihr Reichen trauet nicht dem Geld,
> es kann Gesundheit euch nicht kaufen.
> Den Körper selbst der Tod schon hält,
> da alle Dinge endlich laufen.
> Durch die Lande eilt die Pest;
> ich bin krank und bald verwest.»

Jury sah Melrose an und sagte: «Als Sie sich mit Harvey unterhielten, war doch die Rede von einer Frau?»

«Ach, ja. ‹Das war in einem andern Land. Und außerdem, die Dirn’ ist tot.›»

Jury, der seinen eigenen Gedanken nachhing, sagte zu Wiggins: «Wiggins, da war etwas dran an dem, was Sie sagten.»

Wiggins sah sich im Zimmer um, als könnte er dieses Etwas irgendwo finden. «Sir?»

«Die öffentlichen Hinrichtungen. Das Aufschlitzen der Körper. Daß das, was mit den Opfern geschah, kaum zivilisierter war als damals.»

Jury erhob sich. Der Gedanke, den er in Racers Büro noch nicht hatte formulieren können, war jetzt greifbar geworden. «Wir haben uns nur auf diese eine Strophe konzentriert – diejenige, die der Mörder uns hinterlassen hat – und dabei den Inhalt des ganzen Gedichts außer acht gelassen.» Jury ging auf die Tür zu.

«Wohin gehen Sie, Sir?»

«Zu James Farraday. Ich muß blind gewesen sein. Ich habe die einzige wirklich wichtige Person vernachlässigt.»

Melrose setzte die Brille ab. «Ich kann nicht folgen. Welche einzige wichtige Person?»

«Ihre Mutter», sagte Jury.

«Nell?» sagte James Farraday. «Was ist mit ihr?» Er saß in dem eleganten Speisesaal des «Brown's» und trank einen Whisky, bestimmt nicht seinen ersten. «Ich verstehe nicht.»

«Erzählen Sie mir, was Sie über sie wissen, Mr. Farraday», sagte Jury.

«Aber sie ist doch tot.» Farraday steckte sich eine schwarze Zigarre in den Mund, vergaß aber, sie anzuzünden.

«Das ist mir bekannt. Penny sagte, ihre Mutter sei an ‹Auszehrung› – wie sie das nannte – gestorben. Was für eine Krankheit es eigentlich war, hat sie nicht gesagt. Ich glaube, sie wußte es nicht. Können Sie mir das sagen?»

Farraday ließ sich sehr viel Zeit mit der Antwort: «An einer Geschlechtskrankheit.» Er machte eine Pause. «Syphilis.» Er schien nicht zu wissen, wohin er blicken sollte, zum Fenster hinaus oder auf sein Whiskyglas. «Und das ist nicht gerade das, was man Kindern erzählt, oder?»

«Nein.»

«Nell war ein dummes junges Ding vom Land. Sie hat zu lange gewartet, Sie verstehen? Als der Arzt es mir sagte, war es bereits zu spät.» Endlich zündete er sich seine Zigarre an.

«Sie mußte ins Krankenhaus. Das heißt, es war eher eine Art Sanatorium. Alles, was sie noch tun konnten, war, es ihr so angenehm wie möglich zu machen. Angenehm! Die Hölle war es. Haben Sie schon einmal einen an Syphilis Erkrankten gesehen?»

«Was haben Sie Penny und Jimmy erzählt?»

«Na, einfach nur, daß sie gestorben ist.»

‹Einfach nur›. Jury fand es merkwürdig, daß der Tod der Mutter so beiläufig abgetan worden war. «Und wie hat sie die Syphilis bekommen, Mr. Farraday?»

«Sie glauben, durch mich, stimmt's? Aber ich war es nicht, Superintendent. Ich nehme an, sie hat mit jedem geschlafen. Hören Sie, als ich Nell Altman traf, war sie drauf und dran, ihr Geld auf der Straße zu verdienen; die beiden Kinder hatte sie auch am Hals. Gedankt haben sie es mir nicht, das kann ich Ihnen sagen –»

Das klang weniger nach Selbstmitleid als nach dem Versuch, Zeit zu gewinnen, dachte Jury. «Als Sie von der Syphilis erfuhren, müssen Sie doch Fragen gestellt haben –»

«Ob ich sie gefragt habe – Sie sind vielleicht komisch. Ich habe, verdammt, eine Menge Fragen gestellt. Aber sie hat sie mir nicht beantwortet. Sie kannten Nell nicht. Großer Gott, sie war der Eigensinn in Person.»

«Wenn sie Ihnen nichts gesagt hat, woher wollen Sie dann wissen, daß sie mit jedem geschlafen hat?» Jury verspürte ein unerklärliches Verlangen, den Leumund dieser Frau zu verteidigen. «Es konnte doch auch ihr Mann gewesen sein, der –»

«Mann? Es hat nie einen gegeben.»

«Also gut. Nennen Sie diesen Herrn, wie Sie wollen –»

«Ich werde diesem verfluchten *Herrn* schon die passende Bezeichnung geben. Ein Hurensohn war er!» Farraday beugte sich über den Tisch und ließ Jury in den Genuß seiner

Whiskyfahne kommen. «Der Kerl war geschlechtskrank und hat ihr nichts davon gesagt.»

«Vielleicht wußte er auch nichts davon.»

«Vielleicht wußte er es aber doch, Mister! Vielleicht wollte er sie nicht damit *belästigen*. Vielleicht wollte er sich den Ärger ersparen.»

«Was passierte Ihrer Meinung nach mit dem Vater?»

Farraday zuckte die Achseln. «Weiß der Himmel. Ich nehme an, er hat sich aus dem Staub gemacht. Sie hat ihn nie erwähnt, und ich habe nie nach ihm gefragt. Auch nicht danach, woher sie diese widerliche Krankheit hatte.» Farraday fuhr sich mit der Hand übers Gesicht. «Das arme Luder hat mit allen gepennt und hatte keine Ahnung von Männern.»

«Sie hat mit allen geschlafen, nur nicht mit Ihnen, war es das?»

Farraday schwieg einen Moment lang. Dann sagte er: «Ich hatte vor, sie zu heiraten. Ich meine, bevor ich erfuhr…» Ihm versagte die Stimme.

Wie großmütig, dachte Jury, irritiert über seinen unprofessionellen Ärger. Doch der Ärger verflog, als Farraday niedergeschlagen fortfuhr: «Aber sie wollte mich nicht haben. Fragen Sie mich nicht nach dem Vater, dem Mann oder sonstwem. Sie kam aus irgendeinem gottverlassenen Kaff in West Virginia. Sie kennen vielleicht die Sorte: Sie blinzeln einmal, und schon haben Sie den Ort verpaßt. Er hieß Sand Flats oder so ähnlich. Der einzige Angehörige, den ich gesehen habe, war ihr Dad; der kam, um sie anzupumpen –» Farraday hob sein Glas, als wollte er Jury zuprosten; die Geste galt indessen dem Kellner, der aus dem Nichts herbeigeschwebt zu sein schien. «Sagen Sie mal, gibt's hier keinen guten alten Kentucky Bourbon?»

«Keinen Kentucky. Nur Tennessee Sour Mash. Wäre Ihnen der genehm, Sir?»

224

Farraday nickte, und der Kellner verschwand. «Nell hatte ein weiches Herz. Ich hätte das vorhin nicht sagen sollen, ich meine, daß sie dumm war. Nell war nicht dumm. Ganz und gar nicht. Gutgläubig ist das richtige Wort. Wenn jemand etwas von ihr wollte, bekam er es. Wie diese traurige Gestalt von einem Vater –»

«Wie hieß er?»

Verwirrt sah Farraday von seinem Teller auf. Er hatte das Essen nicht angerührt, sondern nur darin herumgestochert. «Wie er hieß?»

«Ich meine, hieß er Altman? Benutzte Nell Altman ihren Mädchennamen?»

Er überlegte kurz, dann sagte er: «Ich glaube, ja. Sie müssen verstehen, Nell hat nie viel über sich erzählt –»

«Fahren Sie fort.»

«Penny ist genau wie sie. Sieht aus wie sie und benimmt sich auch wie sie. Oh, Penny hat nur eine harte Schale, aber innendrin ist sie weich wie Kartoffelbrei. Und dieser Jimmy – wo hat der bloß seinen Verstand her? In der Schule hat er den bestimmt nicht geschärft. Ich wollte ihn auf eine Privatschule schicken – nun, eigentlich war das Amelias Idee.» Er fuhr sich mit der Serviette übers Gesicht, als wollte er verstohlen die aufsteigenden Tränen trocknen. «Aber Jimmy gefiel es weder an privaten noch an öffentlichen Schulen. Wir witzelten immer darüber, Jimmy und ich: ‹Die Schule ist noch nicht erfunden, die einen Jimmy Farraday halten kann.› Amelia hätte natürlich am liebsten alle drei in ein Internat gesteckt. Bei Honey Belle war das egal; sie hätte jede Schule in ein Tollhaus verwandelt. Penny ist anders. Die Kleine redet gern so, als käme sie direkt aus der Gosse, aber ich glaube, das tat sie aus Loyalität… Verstehen Sie, was ich meine?» Farraday hatte inzwischen seinen Whiskey bekommen und fast ganz ausgetrunken.

«Ich verstehe, was Sie meinen. Warum wollte Nell Altman Sie nicht heiraten?»

Farraday starrte einen Augenblick in sein Glas, bevor er antwortete. «Weil sie mich nicht geliebt hat, darum. Nell hätte niemals jemanden des Geldes wegen geheiratet.» Hier blickte er rasch weg, als sollte Jury nicht einen Gesichtsausdruck sehen, der besagte: *nicht wie gewisse andere*. Dann sah er ihn wieder an. «Es hat keinen Sinn, so zu tun, als wären Amelia und ich verliebte Turteltäubchen gewesen. Wir hatten jede Menge Probleme. Die Scheidung lag in der Luft, ja sie war im Grunde unausweichlich.»

«Das wußte ich nicht.»

«Amelia auch nicht», sagte Farraday leise. «Vielleicht ist es nicht besonders klug von mir, Ihnen das zu erzählen, nach allem, was geschehen ist.»

Jury lächelte. «Mr. Farraday, wenn jeder Mann, der sich scheiden lassen will, statt dessen seine Frau umbringen würde, hätte die Polizei alle Hände voll zu tun. Außerdem würde es nicht die anderen Morde erklären.»

«Verzeihen Sie. Ich denke nicht mehr klar.»

«Klar genug. Erzählen Sie weiter.»

«Glauben Sie mir, ich würde alles geben, um die Morde an Amelia, Honey Belle und den anderen ungeschehen zu machen. Sie halten mich vielleicht für ziemlich kaltblütig, aber ich versichere Ihnen, ich würde wirklich alles geben, und ich besitze einiges. Aber wenn ich ganz ehrlich bin –» er verstummte und sah Jury beinahe flehentlich an – «es mag brutal klingen...»

«Die Wahrheit ist oft brutal.»

«Am meisten tut es mir um Jimmy leid. Und um Penny. *Noch* ist ihr nichts zugestoßen –»

Seine Stimme hatte einen eisigen Klang angenommen.

«Wir werden Jimmy finden», sagte Jury mit einer Überzeugung, die nicht von Herzen kam. Aber der Mann hatte eine Menge durchgemacht. «Was Penny betrifft, so habe ich ihr befohlen, das Hotel nicht ohne Begleitung zu verlassen.»

Farraday rang sich ein Lachen ab. «Penny hat sich noch nie von irgend jemandem etwas befehlen lassen.»

«Doch. Von mir», sagte Jury lächelnd.

Sehr leise sagte James Farraday: «Ihr Burschen... ich glaube nicht, daß ihr mehr Ahnung habt, was hier vorgeht, als am Anfang.» Es hörte sich weniger wie ein Vorwurf als wie ein düsteres Gefühl an.

Jury sagte nichts dazu. Statt dessen stellte er eine weitere Frage: «Würden Sie sagen, daß Nell schön war?»

Farraday schien genau darüber nachzudenken. «Für mich schon. Ich hätte gedacht, jeder würde sie schön finden, ehrlich gesagt.»

Jury erhob sich. «Im übrigen denke ich, daß wir der Lösung ein wenig nähergekommen sind. Zumindest habe ich jetzt das Motiv gefunden. Nell – das ist doch ein Kosename. Hieß sie nicht eigentlich Helen?»

«Helen. Ja richtig.» Aber Farradays Blick spiegelte nur noch mehr Verwirrung. «Helen.»

33

Er war (vermutlich im Kreis) durch Wälder gelaufen und eine lange Straße hinunter (wo er zu dieser frühen Stunde nur wenige Autos sah). Er war fest entschlossen, auf die andere Seite des Flusses zu gelangen, den er von seinem Turmzimmer aus gesehen hatte. In der Ferne hörte er Verkehrslärm.

James Carlton ließ sich so wenig wie möglich blicken. Er

trug die Katze, die (wohl aus Mangel an Jell-O) ganz schwach war. Rechts von ihm wuchs leuchtendgrünes Gras. Zuerst dachte er, es wäre ein Golfplatz.

Er ging über die Kuppe eines Hügels und sah Reihen um Reihen von Grabsteinen. James Carlton wußte nicht, daß es so viele Tote auf der Welt gab. Reihe um Reihe. Und da unten eine kleine Gruppe von Leuten.

Dann hörte er es. Jemand spielte einen Zapfenstreich. Er hatte gedacht, das gäbe es nur im Kino. Mit der Katze auf einem Arm stand James Carlton so gerade, wie er konnte, und salutierte. Es war der langsamste, jammervollste Klang, den er im Leben gehört hatte. Und als hätte ihm jemand ein Bajonett mitten durchs Herz gestoßen, wußte er mit Sicherheit, daß sein Dad tot war.

Sein Dad war kein Baseballspieler oder etwas Derartiges: Sein Dad war als Held gestorben. Und dann dachte er: Vielleicht war die komische Vision von Sissy, wie sie hinter Toten und Blut und Pistolenschüssen herrannte, eine alte Erinnerung, die aus einem dunklen Ort in seinem Gehirn auftauchte.

Die graue Katze gab ein leises, gequältes Knurren von sich.

James Carlton machte kehrt und ging wieder auf den Fluß zu.

Er mußte es einfach akzeptieren: Sein Dad war tot, und an seiner Stelle gab es nur Farraday. Na ja, das war nicht *so* schlecht. Aber lieber würde er in eine Flammenhölle springen, als sich mit dieser Amelia Blue abzufinden.

Jedenfalls war seine richtige Mom in Hollywood, vielleicht.

Vielleicht erinnerte sie sich sogar daran, daß er vermißt war.

Als er die Brücke über den Fluß erreichte, war es taghell. James Carlton bog in die erste Straße ein, an die er kam. Immer noch trug er die Katze aus Angst vor den Autos.

Er fragte einen grauhaarigen Mann in engen Jeans mit einem Ring im Ohr nach dem Polizeirevier. Der Mann schien wie zu einer Musik in seinem Kopf leicht zu schwanken und sagte, er wüßte nicht, ob hier eines wäre. Die Straße war voller Geschäfte – schick aussehende Boutiquen und Feinkostläden –, die alle noch zu waren, manche mit Gittern davor.

Der nächste, den James Carlton ansprach, war ein über eine Mülltonne gebeugter alter Mann, der die Frage nicht zu verstehen schien und ihn um Geld bat.

Endlich bekam er Auskunft von einer bieder und matronenhaft aussehenden Frau in Weiß, die er für eine Krankenschwester hielt. Sie sagte, ja, sie wüßte, wo das Polizeirevier ist, aber warum er es wissen wollte, ob er Probleme hätte? Sie überragte ihn, ein weißer Berg voller Fragen und Krankenschwesternnettigkeit, was ihn an seine alte Haushälterin erinnerte. Er sagte, nein, alles wäre in Ordnung, sein Vater wäre Polizeichef, und nachdem er sie mit dieser kleinen Information verblüfft hatte, gab er zur Ausschmückung an, die Katze wäre von einem Auto angefahren worden. Als hätte sie sich mit ihrem Wohltäter verschworen, um so eine Zuflucht zu finden, miaute die graue Katze jämmerlich.

Mit Unfällen, Krankheit und Tragödien vertraut, zeigte die Frau eiligst die Straße hinauf, sagte ihm, um welche Ecken er biegen mußte, und wünschte ihm Glück. Bevor sie auseinandergingen, gab sie der Katze einen leichten Klaps, und James Carlton setzte seinen Weg fort.

Als James Carlton schließlich das Polizeirevier von Georgetown, Washington, D.C., betrat, sah der diensthabende Beamte, ein gutaussehender schwarzer Polizist, mit einem strahlenden Lächeln von seinem Schreibtisch auf.

James Carlton hatte schon immer gewußt, daß die Polizei ein Herz für vermißte Kinder und Tiere hatte, und sprudelte ohne Umschweife los: «Ich heiße James Carlton Farraday, und mein Vater – ich meine, mein Stiefvater – ist James C. Farraday. Er ist zur Zeit in Stratford-upon-Avon. Das liegt in England. Und ich bin vor fünf Tagen gekidnappt worden.»

Im Lauf seiner Erzählung wechselte der Ausdruck auf dem Gesicht des Polizisten von nachsichtiger Verwunderung zu ungläubigem Erstaunen. Dennoch machte er sich sorgfältig Notizen. Schließlich sagte er vorsichtig, James Carlton sei wirklich ein sehr tapferer Junge, und seine Geschichte sei gewiß aufregend und romantisch, aber… Und hier wurde er von einem tödlich beleidigten James Carlton unterbrochen.

«Daran ist überhaupt nichts *Romantisches*. Wenn Sie mir nicht glauben, der Beweis steht auf der Rückseite eines Bildes in dem Haus dahinten.» Er deutete vage in Richtung des Potomac. «Ich war fünf Tage lang gekidnappt und diese Katze hier auch –» Er hielt sie hoch, um zu zeigen, wie eine gekidnappte Katze aussah.

Den Tränen so nahe wie noch nie in seinem Leben, fügte James Carlton lauter als notwendig hinzu: «Haben Sie in dem Knast hier vielleicht so etwas wie Jell-O?»

34

Im «Brown's» ließ Jonathan Schoenberg Jury, Wiggins und Melrose Plant in sein Zimmer treten, ohne großes Interesse dafür zu bekunden, warum die Polizei ihn schon wieder sprechen wollte oder warum sich eine Privatperson in ihrer Begleitung befand.

«Wir haben da noch ein paar Fragen, Mr. Schoenberg», sagte Jury im Stehen, während sich die anderen setzten, Schoenberg auf seinen früheren Platz auf dem Sofa, Plant und Wiggins in bequeme Ohrensessel. Das Hotel war bei der Möblierung der Zimmer nicht knickerig gewesen.

«Diese Bitterkeit im Verhältnis zwischen Ihnen und Ihrem Bruder –»

«Harvey war der Verbitterte, Superintendent.»

«Mag sein. Ich habe mich nur gefragt, ob da nicht noch etwas anderes hineinspielte, Frauen vielleicht?»

Jonathan schien überrascht. «Frauen?»

«Vielleicht nur eine Frau –»

Schoenberg lachte. «Hören Sie, sollten Sie nicht besser Fragen stellen, die auch etwas mit dem Mord an Harvey zu tun haben?»

«Ich denke, diese Frage hat damit zu tun. Sie waren nie verheiratet?»

«Was, zum Teufel –» Er zuckte die Achseln. «Nein. Wieso sich fürs ganze Leben an eine einzige Frau binden? Man muß nicht erst heiraten, um eine Frau zu bekommen.» Er lehnte sich zurück und löste den Knoten seiner Krawatte, als würde bereits die ihn in seiner Freiheit einschränken. «Ich bin der Frau, die es wert wäre, noch nicht begegnet.»

Jury sah an ihm vorbei zum Fenster. Draußen wurde es langsam dunkel, und die Schatten ließen die Umrisse der Stühle und Tische verschwimmen. «Dachte Harvey da ähnlich?»

«Harvey? Woher soll *ich* das wissen?»

«Und dann wäre noch zu klären: Wieso die anderen drei Morde.»

«Sie haben es anscheinend mit einem blutrünstigen Psychopathen zu tun, Superintendent.» Schoenberg zündete sich an seinem Zigarettenstummel eine neue Zigarette an.

«Das glaube ich nicht.» Er machte eine Kopfbewegung zu Melrose hin. «Mr. Plant kennen Sie bereits. Er hat da eine interessante Theorie –»

«Es wäre mir lieber, Scotland Yard unternähme etwas, anstatt herumzutheoretisieren.»

«Der Tod Christopher Marlowes –» begann Melrose. Weiter kam er nicht, denn Schoenberg unterbrach ihn unter schallendem Gelächter.

«Hat Harvey Sie angesteckt?»

«Gewissermaßen. Aber haben Sie etwas Geduld.»

Schoenberg machte eine großmütige Geste mit der Hand. «Schießen Sie los. Ich dachte, ich hätte bereits alle Einzelheiten über Marlowes Tod gehört.»

Plant lächelte verbindlich. «Angenommen, Motiv und Gelegenheit wären vorhanden, dann hätten Sie genug gewußt, um den Mord an Ihrem Bruder wie den an Marlowe aussehen zu lassen.»

Schoenbergs Lächeln war so dünn wie eine Rasierklinge. «Aber es gibt kein Motiv, und sofern Sie nicht davon ausgehen, daß ein anderer die übrigen Morde begangen hat – ich war in den Vereinigten Staaten. Ein Dutzend Leute können das bezeugen.»

«Davon bin ich überzeugt», sagte Jury.

Schoenberg sah ihn an.

«Wissen Sie», sagte Melrose, «die Geschichte, die sich um Nashe rankt, ist äußerst interessant.»

«Kann ich nicht behaupten, aber Sie werden mir bestimmt erklären, auf was Sie hinauswollen.»

«Ja. Zum einen gibt es zu Marlowes Tod eine sehr interessante These; eine, die Ihr Bruder seltsamerweise nicht erwähnt hat.» Melrose hielt den Computerausdruck hoch. «Steht alles hier drin.»

«Soso. Und was steht drin? Der Name des Mörders?»

Wiggins holte ein Blatt Papier aus seiner Tasche. «Könnte man sagen, Sir.» Seine Stimme war heiser, zur Abwechslung mal nicht von einer Halsentzündung.

Plant fuhr fort: «*Ursprünglich* hieß es, Marlowe sei im Jahre 1593 an der Beulenpest gestorben. Interessant ist, daß im Lauf der folgenden fünfzehn Jahre nur die *Feinde* Marlowes die Geschichte, der zufolge er in einem Gasthof in Deptford erstochen worden sein soll, verbreitet haben. Seine Freunde haben nie daran geglaubt. Im Bericht des Leichenbeschauers war von einem Christopher Morley die Rede. Nun war Morley ein ziemlich häufiger Name. Es war wegen der damaligen Vielfalt von Schreibweisen fürchterlich kompliziert, Dokumente zu identifizieren. Shakespeare selbst hat seinen Namen verschieden –»

Schoenberg rutschte ungeduldig auf dem Sofa hin und her. «Mein Gott, ich weiß, daß es unterschiedliche Schreibweisen gab; seit Jahren lehre ich dieses Zeug.»

«Gelegentlich unterschrieb Marlowe mit ‹Morley› – aber nur bis zu einem bestimmten Zeitpunkt, danach nie wieder. Später benutzte er den Namen ‹Marley› oder eine andere Variante von ‹Marlowe›. Es gab jedoch einen *anderen* ‹Christopher Morley›, der zufällig ein Agent war und zwischen England und den Niederlanden hin und her pendelte. Was die anderen betrifft: Robert Poley – einer der drei Beteiligten – war angeblich an dem Tag, an dem Marlowe starb, in Den Haag. Das bedeutet, er muß heimlich nach Deptford gekommen sein. Es gab auch *zwei* Nicolas Skeres – mindestens zwei –, und im Bericht des Leichenbeschauers steht der Name ‹*Francis* Frazir›. Nicht Ingram Frazir –»

Nun ließ Schoenberg seinem Ärger freien Lauf: «Was zum Teufel hat das alles mit Harvey zu tun?»

«Wenn Sie mich einmal ausreden ließen.» Melrose zündete sich eine seiner dünnen Zigarren an. «Es ist durchaus möglich, daß dieser Mann, von dem seine Feinde behaupten, er sei Christopher Marlowe, mit der in dem Gasthaus in Deptford Strand getöteten Person nicht identisch ist. Und daß Marlowe in der Tat an etwas anderem gestorben ist.»

«Sechzehn Geschworene haben die Leiche identifiziert», beharrte Jonathan.

Melrose lächelte. «Sie haben eine Menge von Ihrem Bruder gelernt. Die Identifizierung dürfte jedoch ziemlich schwierig gewesen sein, da das Opfer die Dolchstiche ins Gesicht bekommen hat.»

«Warum ist Marlowe dann nicht auf den Plan getreten und hat sie aufgeklärt?» Schoenberg schien gegen seinen Willen fasziniert.

«Ganz einfach. Eine politische Intrige. Man hatte ihm befohlen, nicht in Erscheinung zu treten.»

«Und dann von den Toten aufzuerstehen?»

«Christopher Marlowe könnte Selbstmord begangen haben.» Melrose zog an seiner Zigarre. «Gründe genug gab es. Das Gefängnis von Newgate. Den Tod Tom Watsons. Den Verrat durch seinen besten Freund Walsingham. Marlowe muß ein äußerst verzweifelter junger Mann gewesen sein. Ein Selbstmord scheint mir durchaus im Bereich des Möglichen gelegen zu haben.»

Schoenberg hob die Hände. «Hervorragend. Sie haben also Christopher Marlowes Tod aufgeklärt. Würden Sie mir jetzt freundlicherweise verraten, was das mit Harvey zu tun hat? Wollen Sie damit andeuten, mein Bruder habe Selbstmord begangen?»

Melrose hob spöttisch die Brauen. «Haben Sie denn nicht begriffen, alter Junge? Die Leiche wurde nicht richtig identifiziert.»

«Ein fehlendes Motiv ist immer das größte Problem», sagte Jury in das nach Plants abschließender Feststellung entstandene Schweigen hinein. «Solange wir das Motiv nicht kannten, gab es zwischen den Morden keine Verbindung. Nell Altman schuf diese Verbindung. Ich glaube aber nicht, daß Farraday der Mann war, der sie ins Unglück gestürzt hat. Ihr Bruder war es, stimmt's?»

Schoenberg schien mit großem Interesse das Muster des Teppichs zu studieren. Als er schließlich zu sprechen anfing, klang seine Stimme völlig verändert. «*Farraday* hat sie rausgeschmissen, oder? Und sie in diesem verfluchten Krankenhaus verrecken lassen –»

«‹Das war in einem andern Land. Und außerdem, die Dirn' ist tot›», zitierte Plant.

«Eine meisterhafte Leistung, Harvey», sagte Jury. «Sie sollten Schauspieler werden. Das einzige Problem waren die Augen, nicht wahr? Beinahe die gleiche Körpergröße. Dann nur die Schultern etwas hängen lassen, ein Schnurrbart läßt sich ankleben. Mit dem Rasiermesser kann man dann das Massaker veranstalten und gleichzeitig Jonathan den Schnurrbart abnehmen. Ziemlich makaber, dauert aber kaum eine Minute. Und mit Hilfe von Kontaktlinsen lassen sich graue Augen ganz einfach in braune verwandeln. Aber die Augenfarbe Ihres Bruders konnten Sie nicht verändern. Dieses ganze Material über Marlowes Tod haben Sie zusammengetragen, um den Mord zu imitieren und uns auf eine falsche Fährte zu locken. Sie brachten sogar Jonathan in Verdacht, der, wie Sie sagten, jedes Detail kannte. Sie müssen Ihren Bruder ziemlich genau beobachtet haben, um Haltung und Stimme so gut nachahmen zu können. Haben Sie Tonbandaufzeichnungen gemacht?»

Harvey Schoenberg trat der Schweiß auf die Stirn. Er zerrte an der Strickkrawatte wie ein Erstickender.

«Sie mögen keine Krawatten, nicht?» sagte Melrose Plant. «Sie haben auch die ganze Zeit an Ihren Fliegen herumgefingert. Ich muß schon sagen, Harvey, *mich* zu diesem Abendessen mit Ihrem Bruder einzuladen, war wirklich bravourös. Denn Sie mußten zusammen von jemandem gesehen werden, der Sie kannte. Um noch einmal auf Thomas Nashe zurückzukommen, Harvey. Das war Ihr Fehler. Sie hätten zugeben sollen, daß Sie das Gedicht kannten, denn Thomas Nashe war ein guter Freund von Marlowe und einer seiner größten Bewunderer. Er hat einmal gesagt, er kenne keine göttlichere Muse als Christopher Marlowe. Zusammen haben sie die *Dido* geschrieben. Es liegt also auf der Hand, daß jemand, der einfach alles über Marlowe wußte, auch dieses berühmte Gedicht hätte kennen müssen.»

Wiggins zog die Fotokopie eines Dokuments aus der Tasche, räusperte sich und las: «James Carlton Altman, geboren im Juni 1974 in St. Mary, Virginia. Der Name des Vaters wird mit Jonathan Altman angegeben.» Wiggins betrachtete Harvey Schoenberg so unbeteiligt wie eine Fliege unter dem Mikroskop. «Vermutlich wollte sie ihrem Kind keinen anderen Familiennamen geben. Peinlich für Sie und für ihn natürlich.»

«Wo ist Jimmy Farraday, Harvey?» fragte Jury.

Plötzlich schien Harvey aus seiner Lethargie zu erwachen. «*Altman*, wollen Sie wohl sagen. Jimmy Altman –» Er verstummte und studierte wieder den Teppich.

Als ihm das Schweigen zu lange dauerte, fuhr Jury fort: «Ich weiß, daß Jimmy sich irgendwo in der Nähe von Washington, D.C. befindet. Die Concorde braucht nur vier Stunden dorthin. Sie konnten ihn an ein und demselben Tag hinüberbringen und selbst wieder zurückfliegen, ohne daß jemand etwas bemerkt hätte. Jimmy verschwand ja des öfteren, und niemand kontrollierte das Kommen und Gehen der anderen. Die Polizei von Stratford hat bereits Ihr und Jimmys Bild durchgegeben. Die Maschine startet vormittags um elf Uhr fünfundvierzig in London und landet vormittags um elf in Washington. Zwei Stunden später fliegt eine andere Concorde vom Dulles Airport in Washington zurück. Mindestens zwei Besatzungsmitglieder der ersten Maschine erinnern sich an einen schlafenden Jungen und seinen Vater. Wir haben uns bereits mit der Polizei in Washington und in Virginia in Verbindung gesetzt.»

Harvey hatte den Kopf immer weiter auf die Brust sinken lassen wie jemand, der langsam einnickt; schließlich stützte er ihn in die Hände. Jurys Stimme, die am Anfang leise gewesen war, wurde noch leiser, als er sagte: «Hören Sie, Harvey. Wir können die ganze Geschichte auch allein zusammenflicken, aber es würde jede Menge Nähte geben. Sie haben das alles wegen Nell Altman getan, weil sie von Jonathan getäuscht, betrogen und – wie ich vermute – verführt worden ist… Und dann dachten Sie, Farraday hätte sie vollends zugrunde gerichtet.» Jury schwieg einen Augenblick. «Sie haben sie geliebt.»

Harveys tränenerstickte Stimme kam irgendwo zwischen Sofa und Teppich hervor. «Ja, verdammt, ich habe sie geliebt!» Endlich richtete Harvey sich auf. «Jonathan hat sie mir genommen, genau wie alles andere auch. Ich kannte Helen – damals war Penny noch ein Baby –, und ich wollte sie heiraten, aber dann tauchte Jonathan auf, dieser Scheißkerl! Er hat sie benutzt, wie alle Frauen. Arme Helen…» Harvey stützte den Kopf wieder in die Hände.

Jurys Schweigen war so endlos, daß es schließlich brach: »Aber diese Vendetta gegen Farraday –»

«Er ließ sie krepieren, verdammt noch mal! Soviel kann ich Ihnen sagen: Ich wollte, daß auch er mal erfährt, wie das ist. Und die beiden waren ohnehin *Schlampen*… Ich hatte schließlich einen Privatdetektiv beauftragt, Helen zu suchen –

nachdem sie mit dem Baby abgehauen war. Aber erst nach Jahren.» Es entstand eine lange Pause. «Und ich hatte zu lange gewartet. Sie war tot.»

«Sie war todgeweiht, Harvey. Sie hat sich von irgend jemandem die Syphilis geholt», sagte Plant.

«Bestimmt von Farraday.»

Jury schüttelte den Kopf. «Nein. Wohl nicht. Aber was hatte Gwendolyn Bracegirdle mit James Farraday zu tun?»

«Nichts. Sie redete nur zuviel. Und sie hatte einen Blick für Gesichter. Sie fing immer wieder damit an, wie sehr Jimmy mir ähnelte – genauer gesagt, Jonathan ähnelte, doch das wußte Gwen nicht. Solange *sie* da war, konnte ich meinen Plan nicht durchführen. Ich mußte sie zum Schweigen bringen.»

«Und was hatten Sie mit Penny Farraday vor?» fragte Wiggins.

Harvey sah ihn an, als wäre er ein Fremder. «Mit ihr vor? Glauben Sie, ich hätte Penny etwas angetan? Sie ist Helens *Tochter*!» Er lehnte sich zurück und wischte sich den Schweiß von der Stirn. «Gar nichts. Mit Jimmy ist das etwas anderes. Zwischen Jimmy und mir hat es gefunkt. Jimmy hätte ich davon überzeugen können…»

Wieder Schweigen. Schließlich fragte Wiggins: «Wovon?»

Aber das flüchtige Lächeln auf Harveys Gesicht ließ erkennen, daß er gar nicht da war. «Ich mußte ihm natürlich ein Schlafmittel geben. Von Stratford nach Heathrow habe ich einen Mietwagen genommen, dann ging's ins Flugzeug. Der Junge hat vielleicht geschlafen, das können Sie mir glauben. Einmal ist er im Flugzeug aufgewacht und hat sich eine Weile den Film angesehen.» Harvey lachte vergnügt, als hätte er alles außer Jimmy Farraday vergessen. «Der Junge hat unglaublich viel Phantasie. Er war wie Helen –» Plötzlich schien er aus seinem Traum zu erwachen. «Ich mußte ihm noch eine

Spritze geben», fuhr er fort und rieb sich mit den Händen durch das Gesicht, als hätte er selbst lange geschlafen. «Er ist in meinem Haus in Virginia. In der Nähe des Potomac. Das Haus habe ich gekauft, als ich diesen kleinen Plan ausheckte. Ein altes Haus mitten im Wald, und es hat ein Zimmer hoch oben unter dem Dach mit einem Gitter vor dem Fenster. Wie ein Schlößchen. Wie geschaffen für ein Kind. Der Mann, der dort lebt und es instand hält, ist ziemlich einfältig. Macht ja nichts. Man zahlt eben, und wenn man genügend zahlt, dann tun die Leute, was man ihnen sagt. Als ich mit Jimmy dort ankam, habe ich dem Mann erklärt, der Junge sei krank und dürfe auf keinen Fall das Zimmer verlassen; er solle ihm nur genügend zu essen geben, ich käme in ein paar Tagen zurück…» Sein Blick glitt leer über sie hin. «Farraday…» Es hörte sich an, als hätte er das Interesse an seinem eigenen Reden verloren.

«Ich glaube, Sie haben Ihren Claudius doch gefunden», sagte Melrose.

Harvey Schoenberg antwortete nicht.

Jury sah ihn eine Weile an. Dann sagte er: «Übernehmen Sie den Rest, Wiggins», und verließ das Zimmer.

35

James Carlton Farraday stand auf dem Dulles Airport neben dem großen schwarzen Polizisten, Sergeant Poole, den er spätestens dann ins Herz geschlossen hatte, als er losgezogen war und ihm und der Katze Jell-O besorgt hatte.

«Ich hab's ihm gesagt, Miss», wandte sich Sergeant Poole an die Stewardess. «Aber er glaubt mir nicht.» Sergeant Poole spähte in den Katzenkorb, der allen Vorschriften für Luftfracht entsprach. Das Tier, das sich seiner Sonderstellung ebenso bewußt war wie James Carlton, leckte sich genüßlich das Fell.

Die junge Dame in der Uniform der British Airways kniete nieder (James Carlton wünschte sich, erwachsene Frauen würden von ihrer normalen Höhe aus zu ihm sprechen) und lächelte (er wünschte sich auch, sie würden nicht so einschmeichelnd gucken) und sagte: «Es tut mir leid, mein Junge, aber das Vereinigte Königreich erlaubt wirklich keine Einfuhr von Tieren.»

James Carlton seufzte: «Also, das ist doch das Blödeste, was ich je gehört habe. In England laufen mehr Katzen herum, als ich je gesehen habe. Wollen Sie mir weismachen, daß die alle dort geboren wurden?»

Die Stewardess lachte gekünstelt und warf Sergeant Poole einen verzweifelten Blick zu. Doch der schüttelte nur lächelnd den Kopf und zuckte die Achseln. Er schien zu wissen, wann er geschlagen war.

Die junge Dame fuhr in beruhigendem Ton fort: «Es ist allerdings nicht so, daß keine Tiere hineindürfen –»

Jetzt kommt schon wieder eine dieser Lügen, dachte James Carlton und studierte die Gesichter der Leute, die mit ihm darauf warteten, an Bord der Maschine zu gehen. Er wollte möglichst schnell entscheiden, neben wen er sich auf keinen Fall setzen würde.

«– es gibt nämlich Quarantänebestimmungen. Die Katze müßte neun Monate in Quarantäne sein, verstehst du…»

«Was für eine blöde Bestimmung. Diese Katze hat weder die Tollwut noch sonstwas. Glauben Sie mir, sie und ich waren fünf Tage lang gekidnappt; ich müßte das also wissen. Können Sie sich überhaupt vorstellen, was das arme Tier durchgemacht hat?»

In Wirklichkeit hatte die Katze nicht soviel durchgemacht, außer daß sie diesen großen Baum heruntergezerrt worden war. Die geplagte junge Dame zuckte die Achseln. «Ich habe die Bestimmungen nicht gemacht, James.» Und mit diesen Worten tat sie etwas äußerst Ungebührliches, zumindest in James Carltons Augen: Sie heftete ein Schildchen an seinen Pullover und strich mit der Hand darüber.

Ein Schild? Er verrenkte den Hals, um es sehen zu können: Sein Name und Flugziel standen darauf. Diese Art von Bemutterung brachte ihn dermaßen auf, daß er seine gute Kinderstube vergaß. «Zum Donnerwetter! *Das* werde ich nicht tragen! Ich weiß genau, wer ich bin und wohin ich will!» Er riß das Schild ab und gab es ihr zurück.

Die arme Stewardess war ganz blaß im Gesicht und offensichtlich mit ihrem Latein am Ende. «Wir wollen doch bloß sichergehen, daß du nicht –» in dem Moment, als sie das Wort sagte, hätte sie sich auch schon am liebsten auf die Zunge gebissen – «verlorengehst.»

Sergeant Poole brach in schallendes Gelächter aus.

Als Jimmy Farraday abends um neun Uhr fünfundfünfzig in Heathrow landete, war schwer zu sagen, wer von den Farradays – Penny oder ihr Stiefvater – über das Wiedersehen glücklicher war.

Farraday versuchte es zunächst auf die männliche Tour – Zigarre im Mund und schulterklopfend –, aber dann schloß er ihn in die Arme. Penny tat ihre Freude kund, indem sie einen Schwall von Kraftausdrücken von sich gab und ungeschickt mit den Zigaretten herumhantierte (die Jury ihr zugesteckt hatte). Als Penny vor Begeisterung für Scotland Yard fast überschnappte, sah Jury sie an.

Sein Blick brachte Penny zum Schweigen, aber es war klar, daß Jimmy jenes geheime Einverständnis, das zwischen ihnen bestand, bemerkt hatte. Er streckte Jury die Hand entgegen. «Sehr erfreut», sagte er.

«Ganz meinerseits», sagte Jury und empfand zum erstenmal seit Tagen wirkliche Freude.

James Carlton Farraday, der die Vergangenheit mit ihren leidvollen Prüfungen sofort zugunsten der Gegenwart vergessen hatte, wandte sich im Ton eines Mannes, der keine Widerrede duldet, seiner Schwester zu.

«Achte auf deine Sprache, Penny. Ich habe dir immer gesagt, die Leute beurteilen dich danach.»

Und dann: «Wir haben übrigens eine neue Katze. Ich durfte sie allerdings nicht mitnehmen.»

Und schließlich: «Sie haben da so einen Film im Flugzeug gezeigt – ich könnte schwören, daß ich den schon mal gesehen habe –»

Sie waren schon im Weggehen, als Penny fragte: «Ach ja? Wie hieß er denn?»

«*Vermißt*», sagte James Carlton. «War irgendwie doof.»

Jury fiel auf, daß J.C. Farraday in respektvollem Abstand hinter den Geschwistern ging. Die Schwester nahm jetzt die Hand ihres Bruders, und Jimmy sagte: «Aber Sissy Spacek hat mitgespielt.» Dann schien er sich umzuschauen, um sich zu vergewissern, daß kein Computergehirn, das jahrelang zugehört hatte, dazwischenfunken würde. «Erinnerst du dich?»

Jury hatte Heathrow nie als so unbelebt, als so leer empfunden wie jetzt.

Penny antwortete: «Ich erinnere mich.»

DRITTER TEIL

STRATFORD

«Ein goldner Schimmer
in der Luft»

Thomas Nashe

36

«Der Computerfritze», wiederholte Sam Lasko und schüttelte ungläubig den Kopf. «Nicht zu fassen. Er machte einen so unscheinbaren Eindruck.»

Lasko und Jury saßen in der Einsatzzentrale der Polizeiwache von Stratford. «Dem hätte ich keinen Gebrauchtwagen abkaufen wollen», sagte Jury. «Er hat alles von langer Hand geplant, von sehr langer Hand.»

«Du scheinst dich aber nicht sonderlich zu freuen.»

«Nein. Sollte ich das?»

«Ich meine darüber, daß du den Fall gelöst hast. Ich habe ernsthaft geglaubt, es sei einer von den Schizos, die nichts Besseres mit ihrer Zeit anzufangen wissen.»

Jury lächelte. «Du hast eine Art, dich auszudrücken, Sammy…»

Lasko zuckte die Achseln. «Na, du weißt schon, was ich meine. Jedenfalls war ich sehr traurig, daß du uns verlassen mußtest.» Lasko setzte wieder seine gewohnte Trauermiene auf, als wäre Jury ein zu selten gesehener Freund.

«Ach wirklich, Sammy?»

«Woher hatte Schoenberg denn den Paß?»

«Aus den Staaten. Er hatte den Privatdetektiv auch damit beauftragt, ein Schulfoto von Jimmy zu beschaffen, eines von den kleinen, die sie zu solchen Zwecken drüben machen. Genau das richtige Format für einen Paß. Danach brauchte er noch eine Geburtsurkunde, die er ganz einfach bekam, indem er sich als Jimmys Vater ausgab. Außer Jonathan war er der einzige, der den Namen auf der Urkunde kannte.»

«Und dann hat er den Kleinen in die Staaten verfrachtet…» Lasko seufzte. «Warst du schon einmal –?»

«Nein, Sammy. Aber Penny Farraday ließ mich fast mit der Hand auf der Bibel schwören, daß ich sie demnächst besuchen werde.»

Lasko schüttelte den Kopf. «Ich kann es noch immer nicht glauben. Dieser Schoenberg, was er alles inszeniert hat –»

«Der Mann war besessen, Sammy. Er hat seit Jahren nichts anderes getan, als diese Morde zu planen.»

«Mein Gott. Diese Nell Altman muß ihn völlig aus der Bahn geworfen haben.»

«Allerdings.» Jury steckte seine Zigaretten ein und stand auf. «‹Staub legt sich auf Helens Auge›. Bis dann, Sammy.»

Jury war schon fast zur Tür hinaus, als Lasko (der die ganze Zeit bestimmte Papiere auf seinem Schreibtisch angestarrt hatte) sagte: «Hör mal, Richard…»

«Vergiß es, Sammy.»

37

Hinter dem Royal Shakespeare Theatre floß der Avon so ruhig und friedlich dahin, als wäre nichts geschehen.

«Schon wieder *Hamlet*», sagte Melrose Plant. «Kann ich Sie nicht doch überreden mitzukommen? Der erste Teil war ausgezeichnet.» Er wollte die Gründe nicht erwähnen, weswegen er den zweiten Teil des Stückes nicht nur einmal, sondern zweimal verpaßt hatte.

«Nein, danke», sagte Jury. «Ich habe für eine Weile genug von Rachetragödien.» Es war Abend, ein Gewitter zog auf, und das Licht war vom Wasser verschwunden. Jury beobachtete die Enten, die wie schwarze Kohlestückchen unter den dunklen Weiden im Wasser schaukelten. «Fahren Sie morgen nach Northants zurück?»

«Ich denke, ja. Wenn Agatha sich dort aufhält, muß man gelegentlich das Silber zählen. Die Vettern aus Amerika sind zum Glück wieder nach Wisconsin zurückgefahren. Ich vermute, sie sind Hals über Kopf abgereist, nach den letzten… na, Sie wissen schon. Nicht einmal die kalten Buffets, die die gute Agatha ihnen mit Sicherheit auf Ardry End in Aussicht gestellt hatte, konnten sie umstimmen. Die Biggets und Honeysuckle Tours sind also wieder heil zu Hause. Ich hätte nicht übel Lust, der Pferderennbahn in Hialeah einen Besuch abzustatten. Ich möchte wetten, daß Lady Dew dort die haushohe Favoritin ist. Nun, wenn Sie nicht ins Theater mitkommen, wie wäre es dann mit einem Drink in der ‹Ente› nach der Vorstellung?»

«Ich muß noch was erledigen.»

«Ich verstehe.»

«Nein, das tun Sie nicht.»

«Also gut, dann eben nicht.»

Jury lächelte. «Sie sind ein sehr entgegenkommender Mensch.»

«Ich weiß.»

Einen Moment lang schwiegen sie, und dann fragte Jury: «Glauben Sie wirklich, daß sie diesen Kerl heiraten wird?»

Unschuldig wiederholte Melrose: «Sie? Kerl?»

Jury ließ den Blick über das Wasser schweifen. «War er nicht fürchterlich? Ich hätte nicht gedacht, daß Vivian auf solche Typen steht.» Er warf Melrose einen verstohlenen Blick zu. «Finden Sie, daß sie sich sehr verändert hat?»

«Vivian? Vivian?!» Plant studierte eingehend sein goldenes Zigarettenetui.

«Manchmal können Sie aber auch sehr ermüdend sein. Ja,

Vivian-Vivian. Haben Sie nicht mit ihr über die alten Zeiten gesprochen?»

Melrose nahm sich eine Zigarette aus dem Etui und hielt es Jury hin. «Großer Gott, nein. Wir haben kaum zwei Worte miteinander gewechselt.»

Jury nahm eine Zigarette und sah ihn nur kopfschüttelnd an.

«Noch ist sie nicht verheiratet. Und wie ich Vivian kenne, wird auch nichts daraus werden. Bei wichtigen Dingen konnte sie sich noch nie entscheiden.» Melrose beließ es bei dieser Feststellung und sah auf die Uhr. «Ich muß gehen. sonst versäume ich *wieder* den zweiten Teil. Falls Sie es sich anders überlegen, ich bin nach der Vorstellung in der ‹Ente›…» Melrose schwieg einen Moment und sagte dann: «Ich nehme an, Sie werden die ganze Sache bald vergessen haben. Aber an einem Punkt der Vernehmung von Schoenberg waren Sie nicht gerade auf Draht. Sie konnten am Ende gar nicht schnell genug aus dem Zimmer kommen.»

«Ja. Vielleicht, weil mir meine eigenen Reaktionen nicht sehr angenehm waren: Ich meine, ich stand da und wußte, was Schoenberg getan hatte, und doch…» Jury sah hinaus auf das dunkel werdende Wasser. «Er liebte sie so sehr.»

38

Jury ging die Ryland Street entlang und klopfte bei Nummer zehn an die Tür. Eine kleine Frau öffnete und musterte ihn freundlich.

«Ich bin ein Freund von Lady Kennington. Ist sie zu Hause?»

Die kleine Frau sah ihn erstaunt an. Einen Augenblick lang dachte Jury, er hätte sich in der Hausnummer geirrt. Doch dann begriff sie: «Oh, Sie meinen Jenny?» Als Jury nickte, sagte sie: «Das tut mir aber leid. Sie wohnt nicht mehr hier –»

In ihren Worten lag eine solche Endgültigkeit, daß Jury gar nicht weiterzufragen brauchte. Doch sein Gesicht mußte so große Enttäuschung gezeigt haben, daß sie sich als Überbringerin der schlimmen Nachricht schuldig fühlte. «Es tut mir wirklich leid. Sie haben sie verpaßt. Sie ist gestern ausgezogen.»

Gestern. Es mußte natürlich gestern gewesen sein.

Als Jury weiter schwieg, schien die Frau zu denken, daß sie deutlicher werden müßte. «Ich glaube, sie erhielt einen Anruf von einer Verwandten. Sie ist früher abgereist, als sie geplant hatte.» Die Frau wollte offensichtlich Lady Kenningtons Handeln irgendwie verteidigen, das diesem Fremden auf der Türschwelle etwas kapriziös erscheinen mochte. «Und ich bin eben erst eingezogen.» Sie lachte gekünstelt auf. «Es herrscht noch ein ziemliches Durcheinander.»

«Tut mir leid, daß ich Sie gestört habe –»

Sie machte eine wegwerfende Handbewegung. «O nein, keine Ursache», sagte sie eilig. Sie trat versuchsweise einen Schritt zurück, um Jury hereinzubitten, als hätte sie das Gefühl, das Ganze noch schlimmer zu machen, wenn sie genauso wenig gastlich wie informativ war.

Er lehnte dankend ab. «Sie hat nicht zufällig eine Nachricht hinterlassen?»

Untröstlich, fast beschämt, schüttelte sie den Kopf. «Nein, bei mir nicht. Sie könnten aber beim Makler nachfragen.»

Er dankte ihr noch einmal, und erst nachdem sich die Tür hinter ihm geschlossen hatte, fiel ihm ein, daß er sie nicht nach dem Namen des Maklers gefragt hatte. Er hob die

Hand, um noch einmal anzuklopfen, überlegte es sich aber dann anders. Morgen...

Auf dem Rückweg überlegte er, ob er morgen wirklich zurückkommen würde oder ob das Schicksal in der Angelegenheit längst anders entschieden hatte.

Zwischen der «Torkelnden Ente» und dem Theater überquerte Jury die Straße und ging ohne bestimmtes Ziel auf den Fluß zu. Unter den Eichen, die mit ihren Lichtgirlanden wie Weihnachtsbäume aussahen, näherten sich die letzten Theaterbesucher. Mit ihren Regenschirmen, die sich schwarz von den Lichtspiegelungen abhoben, liefen die zur Vorstellung zu spät Kommenden durch den Regen.

Die Hände tief in den Manteltaschen vergraben und ohne auf den Regen zu achten, setzte er sich auf eine Bank. Es schien eine Ewigkeit herzusein, daß er mit Penny auf derselben Bank gesessen hatte. Als es völlig dunkel geworden war, stand er auf und ging zum Theater zurück. Der Parkplatzwächter lehnte gelangweilt an seinem Häuschen, während die Türhüter in ihren schwarzen Uniformen hinter den Glastüren des Theaters genauso gelangweilt herausschauten. Jury nahm den schmalen, dunklen Pfad hinter dem Theater, der am Fluß entlangführte.

Von dort kam dieses unterdrückte Gelächter, das zu einem schrillen Gekicher wurde, als er sich näherte, obwohl man ihn in dieser Finsternis nicht sehen konnte: Schulkinder, wie er an dem Gekicher und den glimmenden Zigaretten erkennen konnte. Als er näher trat, konnte er Jungen auf der Mauer des mit dorischen Säulen verzierten Gebäudes sitzen sehen. Sie bemerkten ihn erst, als er beinahe vor ihnen stand. Das Gelächter hörte schlagartig auf, und die Stimmen verstummten.

Wieder Kichern und Flüstern, als sie merkten, daß da jemand spazierenging. Während Streichhölzer aufflammten und Zigaretten angezündet wurden, fragte einer von ihnen: «Wer ist da?»

Jury spähte in die Dunkelheit des Gebäudes mit den Säulen, ohne jemanden oder etwas sehen zu können außer den glühenden Zigarettenenden. Er konnte die Schuluniform derer erkennen, die gesessen hatten (aber aufgesprungen waren, als sie ihn sahen). Die, die er sehen konnte, waren alle gleich angezogen. Als noch einige aus dem Dunkel hervortraten, nachdem ihre Neugier stärker geworden war als die Angst, erwischt zu werden, zählte er sechs oder sieben sowie ein paar andere, die in der sicheren Dunkelheit blieben und immer noch nervös kicherten.

In einem Ton, den einer der Jungen wohl für einen Beweis für Furchtlosigkeit hielt, wurde die Frage wiederholt: «Also, wer ist *da*?»

«Niemand», sagte Jury. Streichhölzer flammten auf, und Zigaretten wurden angezündet.

«Sie sind doch kein *Lehrer*, oder?» fragte eine mißtrauische Stimme aus dem Dunkel.

«Großer Gott, nein.»

Die Antwort wurde mit Erleichterung zur Kenntnis genommen. «Was machen Sie hier draußen?»

«Ich gehe spazieren.» Er lächelte in die Dunkelheit. «Und was treibt ihr hier in dieser Dunkelkammer zum Filmentwickeln?»

Wieder Kichern, und eine Kleinmädchenstimme antwortete: «Oh, hier wird was anderes als Filme entwickelt.» Auf das neuerliche Gekicher hin konnte Jury sich vorstellen, daß da einiges ungeschickte Gefummel stattfand.

«Nun sagen Sie uns doch, wer Sie sind», sagte ein Mädchen, das Jury auf ein oder zwei Jahre jünger schätzte als Penny. Sie war vorgetreten, als wollte sie zeigen, daß sie mit dem kichernden Haufen hinter sich nichts zu tun hatte.

«Wie ich schon sagte. Niemand.»

Aus irgendeinem Grund hielt sie es jetzt für nötig, von der Kante des Gebäudes auf die Erde zu springen und fest auf dem schwarzen Lehm herumzutrampeln, den ein Gärtner vermutlich in harter Arbeit bepflanzt hatte. «Das hat Odysseus auch gesagt.»

«So?»

«Sie haben doch sicher schon von Odysseus gehört», sagte sie altklug und in einem Ton, der anzeigen sollte, daß sie heute abend zwar Shakespeare vernachlässigte, aber nicht die Griechen. «Sie erinnern sich: Als er in die Höhle der Zyklopen kam. Er rettete sich, indem er sagte, er sei Niemand.»

«Vielleicht glaubte er das wirklich. Oder Homer glaubte es.»

Jurys Belohnung für diese unerwünschte Einsicht war ein gigantischer Seufzer, während das Mädchen mit schweren Schritten durch diesen neu erblühten Garten ging und dann wieder auf die Kante des Gebäudes kletterte. Er konnte nur wenig von ihrem Gesicht ausmachen, außer daß es gespenstisch weiß, herzförmig und von Strähnen langen Haars umgeben war.

Jury ging weiter den unbeleuchteten Weg entlang, ohne zu wissen, wohin er führte. Sie freuten sich sicher, ihn los zu sein, einen Erwachsenen, der in ihre wenigen gestohlenen privaten Augenblicke eindrang. Als er schon ein geraumes Stück Weg zurückgelegt hatte, hörte er, daß das Mädchen ihm einen Abschiedsgruß nachrief. Ihr Tonfall überraschte ihn; es klang, als würde sie ein Geheimnis mit ihm teilen.

Jury drehte sich um, winkte und grüßte zurück. Im Dunkel sah er eine Zigarette aufglimmen, als der Rauchende daran zog, ehe er sie wegwarf. Sie beschrieb einen kleinen leuchtenden Bogen, der langsam erlosch: Ein goldner Schimmer in der Luft.